KB005861

MATHEMATICS FOR ECONOMICS AND MANAGEMENT

수정판

경제경영수학

임상일 지음

(주)한티에듀

저자소개

임상일 '묵호항'으로 유명한 강원도 묵호읍(현 동해시)에서 태어나 초등학교를 졸업하고 강릉으로 유학을 가 중고등학교를 마쳤다. 고려대학교 경제학과를 졸업하고 같은 대학원에서 석박사 학위를 받았다. 1984년부터 지금까지 대전대학교 경제학과 교수로 봉직하고 있다. 1989년 일본 구마모토학원 대학에 교환교수로, 1998년에는 미국 일리노이대학교 객원연구교수로 다녀왔다. 2007년 한국방송통신대학 법학과를 거쳐 2009년에는 충남대학교 특허법무대학원에서 법학석사 학위를 받았다. 2017년 일본 홋카이 상과대학(北海 商科大學)에서 교환교수로 한국사정(韓國事情)을 강의하였다. KAIST 기술경영대학원 강사 및 행정고시 출제위원을 역임하였다.

[주요저서]

2001년『경제학으로 엿본 스포츠 현장』

2002년『실감나는 스포츠 살아있는 경제학』

2005년『너 경제 아니』

2007년『통계는 성공의 지름길이다』

2010년『스킨십 경제학』

2014년『스포츠 경제학』

2014년『공자와 케인즈 맞장 뜨기』

경제경영수학

발행일 2017년 2월 28일 초판 1쇄
2018년 8월 27일 수정판 2쇄

지은이 임상일

펴낸이 김준호

펴낸곳 ㈜한티에듀 | **주 소** 서울시 마포구 연남로 1길 67 1층

등 록 제2018-000145호 2018년 5월 15일

전 화 02)332-7993~4 | **팩 스** 02)332-7995

ISBN 979-11-964617-2-0 93410

가 격 25,000원

마케팅 박재인 최상욱 김원국 | **관 리** 김지영

편 집 김은수 유채원

이 책에 대한 의견이나 잘못된 내용에 대한 수정 정보는 아래의 홈페이지나 이메일로 알려주십시오.

독자님의 의견을 충분히 반영하도록 늘 노력하겠습니다.

홈페이지 www.hanteemedia.co.kr | **이메일** hantee@empal.com

■ 잘못된 도서는 구입처에서 바꾸어 드립니다.

PREFACE

상상조차 하지 않았던 경제·경영수학 책 쓰기

불과 3년 전만 하더라도 경제·경영수학 교과서를 쓸 것이라고는 상상도 하지 못했다. 첫째는 저자의 부족한 수학 실력, 둘째는 이미 좋은 책이 많다는 사실, 셋째로는 괄목할 만한 새로운 내용을 담을 능력이 없다는 이유에서였다.

그러나 지금 이 순간 서문을 쓰고 있다. 사람 사는 게 이런 건가 보다. "꿈은 이루어진다"가 아니라 "꾸지도 않았던 꿈을 자신도 모르게 하게 된다"는 말이 실감나게 느껴진다. 자문해 본다. 왜 이 책을 쓰게 되었는가? 3년 동안 저자의 수학 실력이 눈부시게 향상된 것도 아니고 다른 저자들이 쓴 좋은 책들이 사라진 것도 아니고 새로운 교과 내용이 나타난 것도 아닌데 말이다.

마음을 바꾸게 된 데는 2014년 여름 우리나라에서 열린 세계수학자대회가 결정적인 계기가 되었다. 이때 '수학 포기자(수포자)'를 양산하는 우리나라 수학교육에 대해 신랄(辛辣)한 비판이 있었고 제도개선도 논의되었다. 주제 넘는 짓이지만, 우리가 일상에서 하는 경제 행위나 경영의 많은 내용이 수학에 의해 체계적으로 설명될 수 있음을 보여주고자 하는 바가 첫 번째 목적이다.

이공계에서의 수학의 필요성에 대해서는 누구나 동의하지만 비이공계에서의 수학은 불필요한 골칫덩이로 여기고 있는 것이 현실이다. 수학은 이공계 진학 희망자나 소수의 명문대학을 지망하는 문과 학생에게 장래가 달려 있는 큰 장애물로 여겨지고 있다. 잘 넘으면 장래에 큰 성과를 얻는 데 기초가 되기 때문에 상당히 진지하게 열심히 공부한다. 그러나 이들도 대부분 자신들을 제외한 나머지 사람들에게 수학이 별로 필요 없다고 오해하고 있다. 그러니 보통 사람들은 대부분 수학 포기자이며 수학 무용론자들이라 해도 과언이 아닐 것이다.

수학을 필요 없는 수식집합체요, 그저 명문대학을 진학하기 위한 마지못해 공부해야하는 고통덩어리로 오해하고 있다. 예를 들어 장래희망이 변호사인 고등학생이나 대학생에게 수학 공부할 시간에 변호사와 직간접으로 관련된 학습을 한 번이라도 더 해보는 것이 현명하다고 주장한다. "중 3 수학시간에 못 외우면 수학 선생님에게 혼났던 '이차방정식의 근의 공식'은 사회에 나와 한 번도 써 먹은 적이 없는데…, 그 시간에 직업과 관련된 다른 것을 했었더라면…"하고 불평을 토로하는 어른들도 쉽게 볼 수 있다.

저자는 이런 주장을 완전히 부정하는 바는 아니지만 비이공계에서의 수학 무용론에 대해 결코 동의하지 않는다. 대한민국 수학교육이 문제지 수학교육 그 자체는 문제의 본질이 아니라고 본다. 수학이 수포자를 만드는 원흉이 아니라 지나치게 어렵고 낭비적인 수학교육이 대부분 국민을 수포자와 수학 무용론자를 만들고 있다고 생각한다.

역으로 수학이 그렇게 무용한 존재라면 왜 지금까지 생존할 수 있겠는가? 인류가 바보가 아닌 이상 돈 들여서, 시간 뺏겨가면서 수학을 공부하고 발전시킨 이유가 있다고 본다. 저자는 수학은 논리의 합리성, 정확성, 간결성을 배울 수 있는 최고의 도구라고 믿고 있다. 인간으로서 자신이 하고자 하는 뜻을 남에게 설득력 있게, 정확하게, 또 간결하게 전하고 싶지 않은가? 수학을 배우면서 우리는 알게 모르게 이런 훈련을 하고 있다.

이 책을 쓰게 된 두 번째 동기는 대한민국이 부국(富國)이 되는데 일조를 하고 싶기 때문이다. 번스타인은 『부의 탄생』에서 부국이 되기 위한 네 가지 조건으로 ① 자유로운 재산권 ② 과학적 합리주의 ③ 활기찬 자본시장 ④ 편리한 교통(운송)을 들고 있다.

"경제적 진보는 사상의 발전과 상업화에 달려있다. 그런데 사상을 싹 틔우기 위해서는 그 과정을 뒷받침할 지적인 틀, 즉 합리적인 사고라는 인프라가 필요하며, 이 인프라는 기술적인 진보를 지원하는 수학적 도구와 경험적 관찰에 의존한다."[1]

1 윌리엄 번스타인, 김현구 옮김, 『부의 탄생』, 시아출판사, 2008, p.35.

저자는 그의 주장에 전적으로 동의한다. 과학적 합리주의는 우리에게 서로를 예측하게 하여 신뢰사회를 만드는 데 크게 기여할 것이고 사회적 비용을 줄여 사회발전에 기여할 것으로 믿어 의심치 않는다. 수학 원리와 체계적인 사고 훈련에 익숙한 국민이 많을수록 우리 사회는 정치적으로, 경제적으로, 문화적으로도, 모든 면에서 진일보할 것이라고 확신한다.

세 번째는 기존의 다른 책과 차별화되는 책을 쓸 수 있을 것이라는 자신감(?)이 작용하였다. 많은 기존 교과서들이 미분방정식, 차분방정식, 선형계획법을 내용에 포함하고 있다. 저자는 학부 수준에서 배우기는 어렵고 유용성도 낮은 미분방정식과 차분방정식을 빼는 대신, 재무분석(5장)과 게임이론(11장)을 포함시켰다. 또 예제나 연습문제도 문제를 위한 문제보다는 일상 경제·경영에서 늘 만나는 문제를 다룰 수 있게 노력하였다. 또 행렬과 재무분석에서는 엑셀함수를 적용할 수 있게 하여 실제 생활에서 사용할 수 있게 하였다. 기존 교과서와는 차별화되는 부분이며 또 실용성도 증가할 것으로 믿는다.

현재 대학에서 학습하고 있는 경제·경영수학 역시 중고교 수학교육의 연장선상에 있다고 본다. '수학을 위한 수학'이 너무 많은 부분을 차지하고 있다. 또 대학원 진학을 위한 극소수의 학생에게나 필요한 교과 내용과 문제도 상당히 담고 있다. 수포자에게 또 다시 2중, 3중의 가혹한 고문행위를 하는 것과 마찬가지다. 특히 수식과 그림, 그리고 표로 잔뜩 채워져 있으며 두껍기까지 한 경제학 책을 보는 순간, 빨리 이 고통에서 벗어나고 싶은 생각이 절로 나는 것이 인지상정이다.

우리 일상생활에서 부지불식간에 쓰고 있는 여러 용어나 행동이 경제·경영수학으로 설명될 수 있음을 보여주고자 노력하였다. 이중 국적자, 트로피 아내, 삼일운동 만세 횟수, 등기소포 요금의 불연속, 영화 설국열차가 국민경제에 미치는 영향, 로스쿨 진학 희망자의 고민, 여름 밤 모기에 의한 짜증, 가성비, 치맥의 비밀, 짜장면과 짬뽕의 딜레마, 마라톤 매니아의 만족, 사랑싸움하는 연인 등을 예로 보여주고 있다. 또 내용과 관계 깊은 경제학자와 수학자를 소개함으로써 그들의 통찰력이 수학으로 어떻게 나타나고 있는가를 보여주었다.

이상의 세 가지 이유 모두 주제 넘는 생각이라고 비난을 받을지도 모르지만, 그래도 저자는 이 책이 과학적 합리주의의 보편화와 수학 원리를 일상에서 두루 쓸 수 있는 능력을 제고시키는 데 기여했으면 하는 바람이다.

수식과 그림을 포함한 많은 내용을 혼자 작업을 하였기 때문에 오류가 있을 것으로 걱정이 된다. 빠른 시간 내에 더 완전한 책이 될 수 있도록 강호제현(江湖諸賢)의 지적과 가르침을 기대하는 바이다.

이 책이 만들어지기까지 많은 도움을 얻었다. 우선 대전대학교 도서관의 능력 있는 사서들의 조력을 받았다. 필요한 책과 자료에 쉽게 접근할 수 있게 도와준 것에 대해 고마움을 표하고 싶다. 또 저자가 재직 중인 대전대학교 동료 교수에게 감사를 드린다. 서종덕 교수는 처음 시작 단계에서 큰 도움을 주었고, 특히 임봉욱 교수는 집필에 필요한 책도 빌려 주셨으며 본인의 저서에 있는 문제도 저자가 쓸 수 있도록 배려를 해 주었다. 최병문 학장은 OCW 강의를 통해 저자의 수학 실력 향상에 큰 도움을 주었다. 대학원생인 신정량(申靜亮, 중국인) 군과 학부 학생인 강준(姜俊) 군에게 감사를 표하고 싶다. 신 군은 언어장벽이 있음에도 초고를 차분하게 공부하면서 오탈자는 물론 내용상의 여러 가지 문제점 발견에 많은 도움을 주었으며 강 군은 그림과 표를 잘 그려주어 정확도 향상과 시간 절약에 큰 도움을 주었다.

㈜한티에듀 김준호 사장님, 편집을 맡아 고생하신 이소영 팀장님과 이경은 실장님, 교정자 김현경 씨에게도 감사의 말씀을 올린다. 특별히 수정판을 내면서 사상 최고의 무더위 속에서도 꼼꼼하게 그림도 그려주시고 마지막까지 저자의 부족한 점을 채워주신 김은수씨에게도 고마움을 표하고 싶다. 화룡점정(畵龍點睛)의 정(睛)은 이 분들의 몫이었다. 책이 출간된 후 늘 느끼는 것이지만, 편집·출판업계의 전문가들의 능력에 찬사를 보내고 싶다.

3년 전 졸저 『공자와 케인즈 맞장 뜨기』의 서문을 쓸 때 어머님이 병상에 계셨다. 부족한 아들을 이끄는 힘이었던 어머니의 기도는 이제는 멈추었다. 그 대신 사모곡이 나를 이끌고 있다. 이 힘이 계속되기를 희망해 본다. 묵묵히 내조를 해준 아내, 박승룡·임혜진 부부, 그리고 아들 찬혁이가 음양으로 도와준 것에 대해 감사의 뜻을 남기고 싶다. 이제 세 살인 박건휘에게도 세월이 흐른 후 부끄럽지 않은 책으로 평가되기를 희망해 본다.

정유(丁酉)년 정월 보름

전민동 서재에서

임상일

CONTENTS

CHAPTER 1 경제학 · 경영학과 수학 15

1.1 과학 17

1.1.1 정의와 요건 17

1.1.2 분류 17

1.1.3 과학 발전의 의의 19

1.2 사회과학 19

1.2.1 정의 19

1.2.2 사회과학적 지식의 기능 20

1.2.3 경제학과 경영학의 정의 20

1.3 경제학과 수학 22

1.3.1 수학의 정의 22

1.3.2 수학의 분류 24

1.3.3 경제 수학의 정의와 필요성 25

부록: 경제기본원리 31

핵심어 36

연습문제 36

CHAPTER 2 수학의 기본 지식 39

2.1 실수의 체계 41
2.2 상수, 변수, 계수 및 파라미터 45
2.3 집합론 46
2.3.1 집합의 종류 47
2.3.2 집합의 연산 49
2.3.3 연산법칙 52
2.4 순서쌍과 카르테시안 곱 53
2.5 방정식과 항등식 56
2.6 필요조건과 충분조건 59
2.7 수학과 수학교육에 대한 명언 모음 61

부록: 지수와 포인트 64
핵심어 66
연습문제 66

CHAPTER 3 함수론 69

3.1 함수의 정의와 표현 71
3.1.1 함수란 71
3.1.2 함수의 표현 74
3.2 함수의 유형 75
3.2.1 일반적인 함수 75
3.2.2 지수함수와 로그함수 84
3.2.3 1변수함수와 다변수함수 91
3.2.4 동차함수 92
3.2.5 역함수 94
3.2.6 합성함수 96
3.3 응용 98
3.3.1 수요함수와 수요곡선 98
3.3.2 공급함수와 공급곡선 105
3.3.3 생산가능곡선 109
3.3.4 확률밀도함수 110

핵심어 112
연습문제 112

CHAPTER 4 행렬과 행렬식 119
4.1 수학적 모델, 경제모델과 선형(행렬)대수 121
4.2 벡터와 행렬 124
4.2.1 벡터의 정의 124
4.2.2 행렬의 정의, 벡터의 종류 및 행렬의 종류 125
4.2.3 벡터 연산 131
4.3 행렬의 연산과 역행렬의 정의와 성질 136
4.3.1 행렬의 연산 136
4.3.2 역행렬 정의와 성질 145
4.4 행렬식과 역행렬 구하기 149
4.4.1 정의와 계산법 149
4.4.2 라플라스 전개와 n차 행렬식의 계산 152
4.4.3 행렬식의 성질 158
4.4.4 역행렬 구하기 161
4.5 연립방정식 해 구하기 166
4.5.1 해의 종류 166
4.5.2 크래머 공식 167
4.6 응용 172
4.6.1 일반균형분석 172
4.6.2 투입산출분석 175

핵심어 183
연습문제 183

CHAPTER 5 재무분석의 기초 193
5.1 두 가지 예 195
5.2 현재가치계산과 자연지수 196
5.2.1 현재가치계산 196
5.2.2 e(자연지수)의 의미 207

5.3 응용 209

5.3.1 70법칙 209

5.3.2 실효이자율 211

5.3.3 지수함수를 자연지수함수로 바꾸기 214

5.4 비용편익분석 215

5.4.1 순현재가치 216

5.4.2 내부수익률 216

5.4.3 비용편익 비 219

5.5 채권분석 220

5.5.1 채권가치평가 221

5.5.2 영구채권 223

5.5.3 채권수익률 224

핵심어 226

연습문제 226

CHAPTER 6 미분법과 그 응용 I 231

6.1 수렴과 함수의 극한 233

6.2 미분계수와 도함수 236

6.2.1 정의 236

6.2.2 미분계수와 기울기 238

6.2.3 도함수 239

6.3 함수의 연속성과 미분가능 241

6.4 미분법칙 245

6.5 역함수와 합성함수의 미분 247

6.5.1 역함수의 미분법칙 247

6.5.2 합성함수의 미분과 응용 249

6.6 지수함수와 로그함수의 미분 251

6.7 오목함수와 볼록함수 253

6.8 2계 도함수와 고계 도함수 254

6.8.1 2계 도함수와 고계 도함수 구하기 254

6.8.2 2계 도함수의 해석 255

6.9 응용 258

6.9.1 평균수입함수로부터 한계수입함수 구하기 258
6.9.2 평균비용곡선과 한계비용곡선 간의 관계 260
6.9.3 탄력도 266
6.9.4 한계수입과 가격탄력도 269
6.9.5 공급의 가격 탄력도 270
6.9.6 한계효용체감의 법칙-소비자이론에 적용 272
6.9.7 한계생산물체감의 법칙(수확체감의 법칙)-생산자이론에 적용 273
6.9.8 평균 생산(APP_L)과 한계생산(MPP_L) 274
6.9.9 이윤극대화 277
6.9.10 소비함수, 투자함수 및 저축함수 278
6.10 위험에 대한 태도 280
6.10.1 불확실성과 위험 280
6.10.2 기대효용함수 281
6.10.3 세 가지 유형 281
6.10.4 투기적 화폐수요 283

부록: 연속과 미분가능 286
핵심어 287
연습문제 287

CHAPTER 7 미분법과 그 응용 II 293
7.1 다변수함수의 미분 295
7.1.1 편도함수 295
7.1.2 편미분법칙 297
7.2 2계 및 고계 편도함수 300
7.3 전미분 302
7.3.1 전미분의 개념 302
7.3.2 전미분의 연산법칙 304
7.3.3 로그함수와 지수함수 미분의 응용 306
7.3.4 자연로그와 변화율 309
7.3.5 2계 전미분 312
7.4 전도함수 313
7.5 응용 316
7.5.1 콥 더글라스 생산함수 316

7.5.2 무차별 곡선 319
7.5.3 등량곡선 320
7.5.4 총 생산함수 322
7.5.6 생산가능곡선 323

핵심어 327
연습문제 327

CHAPTER 8 비교정태분석 331
8.1 비교정태분석과 도함수 333
8.2 비교정태분석의 예 335
8.2.1 수요공급 모형 335
8.2.2 수요함수와 요소수요함수 340
8.2.3 국민소득모형 342
8.2.4 IS LM 모형 344
8.3 비교정태분석의 한계 347

부록: 음함수 정리 349
핵심어 350
연습문제 350

CHAPTER 9 최적화 355
9.1 최적화의 의의 357
9.2 제약조건이 없는 단일변수함수의 극대, 극소 358
9.2.1 상대적 극값과 절대적 극값 358
9.2.2 1계 도함수에 의한 극값 판정법 360
9.2.3 2계 도함수를 이용한 극값 판정법 365
9.2.4 응용 367
9.3 제약조건이 없는 다변수함수의 극대, 극소 377
9.3.1 2변수 함수의 극값 378
9.3.2 n변수 함수의 극치 판정법 382
9.4 제약조건이 있는 다변수함수의 극대, 극소 388

9.4.1 라그랑지 승수법 389
9.4.2 라그랑지 승수법의 응용 396

부록: 곡선의 굴곡과 극대, 극소 418
핵심어 421
연습문제 421

CHAPTER 10 적분 425
10.1 부정적분 427
10.2 정적분 432
10.3 응용 434
10.3.1 투자율과 자본 434
10.3.2 현금흐름의 현재가치 435
10.3.3 소비자 잉여, 생산자 잉여와 사회적 잉여 436
10.3.4 한계비용, 평균비용과 총비용 440
10.3.5 로렌츠 곡선과 지니계수 441
10.3.6 로지스틱 함수 443
10.3.7 기타 447

핵심어 450
연습문제 450

CHAPTER 11 게임이론 453
11.1 게임이론의 기초 455
11.1.1 게임이론이란 455
11.1.2 게임의 형식 457
11.1.3 게임의 분류 458
11.1.4 균형 찾기 463
11.1.5 게임이론의 역사 465
11.2 게임이론의 응용 467
11.2.1 죄수의 딜레마 게임 467
11.2.2 겁쟁이 게임(chicken game) 470

11.2.3 조정게임 471
11.3 반복게임 475
11.3.1 유한반복게임 475
11.3.2 무한반복게임 476
11.4 순차게임 481

핵심어 485
연습문제 485

연습문제 해답 493
INDEX 509

CHAPTER 1

경제학 · 경영학과 수학

과학은 인간의 마지막 지적(知的) 발달 단계이며,
인류 문화가 일구어낸 가장 값지고 가장 독자적인 성과일 것이다.
• 에른스트 카시러(Ernst Cassirer)

기하학과 이용후생(利用厚生)의 학문 · 기술에 능한 서양인을
관상감(천문, 지리, 책력, 측후 등의 사무를 맡아보던 관청)에
영입하자.
• 박제가(朴齊家, 1750~1805)

학습목표

먼저 과학, 수학과 사회과학에 대한 이해로부터 출발하려고 한다. 경제학이나 경영학 좀 더 나아가 사회과학을 공부함에 있어 왜 수학을 공부해야 하는가에 대한 질문에 답을 하고 자 하는 것이 이 장의 목표다.

수학은 오직 수학 교과서 안에만 박제(剝製)되어 있는 복잡한 수식 묶음이 아니라 인간생활을 합리적이고 과학적으로 이끌어가는 가장 중요한 학문이라는 사실과 경제수학은 수학의 힘을 빌려 인간의 경제생활을 체계적으로 분석할 수 있게 도움을 준다는 사실을 공부하고자 한다. 부록에는 저명한 경제학자들이 정리해 놓은 경제 기본 원리를 소개하여 이 책에서 연관되는 개념을 쉽게 배울 수 있도록 배려하였다.

구성

1.1 과학
1.2 사회과학
1.3 경제학과 수학

1.1 과학

1.1.1 정의와 요건[1]

인간은 아집(我執, method of tenacity), 권위(method of authority), 선험적 방법(a priori method), 과학적 방법(scientific method of tenacity)을 통해 지식을 습득하고 있다. 아집은 어디에서 유래했는지 알 수 없는 신념의 집합이다. 흔히 전통이나 관습으로부터 내려오고 있는 것을 그대로 믿고 주장하는 것이다. 권위에 의한 방법은 "공자님 말씀(성경, 부처님 말씀)에 의하면…" 식으로 신이나 대단한 학자의 말을 근거로 삼는 것이다. 선험적 방법은 개인의 이성에 따라 확신한 지식으로 인식하는 것이다. 마지막으로 과학적 방법은 관찰, 비판, 논증을 통해 자기 수정적인 지식 체계를 구성해 가는 방법이다. 과학적 지식이란 단순한 신념의 집합이 아니라 일정한 절차를 통해 경험적으로 검증된 또는 경쟁적인 다른 이론보다 우월하다고 비판을 거친 상호의존적인 명제들의 집합이다.

과학(科學, science)은 자연세계에서 보편적인 진리나 법칙의 발견을 목적으로 하는 체계적 지식이라고 정의할 수 있다. 과학의 요건으로는 첫째, 과학의 이론은 경험적 사실과 부합해야 한다. 둘째, 논리적이어서 이론을 구성하는 각 단계가 논리적으로 연결되어야 한다. 셋째, 언제 어디서나 옳다는 의미에서 보편타당하여야 한다. 보편적 혹은 일반적으로 성립하는 명제를 법칙(法則)이라고 부른다.

1.1.2 분류

분석대상으로 크게 자연과학(自然科學, natural science), 형식과학(形式科學, formal science), 사회과학(社會科學, social science), 응용과학(應用科學, applied science)으로 나누어진다. 수학, 논리학, 게임이론, 의사결정론, 통계학, 정보이론, 시스템이론 등은 형식과학에 속하며 추상적인 구조를 특징으로 하고 있다. 아인슈타인의 수학에 대한 평가에서도 알 수 있듯이 모든 과학의 기저(基底)에는 수학과 논리학이 있다.[2]

---

1 김우식 외 28명, "사회과학이란 무엇인가?", 『사회과학의 이해』. 이화여자대학교 출판부. 2004, p.12~13.

2 One reason why mathematics enjoys special esteem, above all other sciences, is that its laws are absolutely certain and indisputable, while those of other sciences are to some extent debatable and in constant danger of being

수학이 다른 과학에 비해 특별한 존경을 받는 한 가지 이유는 수학법칙은 확실하며 이론의 여지가 없기 때문이다. 다른 학문들이 상당히 이론의 여지가 있으며 새롭게 발견되는 사실에 의해 부정될 위험에 늘 놓여있는 것과는 대비되는 것이다.

<그림 1-1> 학문 계통도에서 볼 수 있는 바와 같이 인간을 1로 단위 삼을 때 사회과학은 1에 해당하여 분석의 대상에 따라 미생물과 같이 10^{-15}도 있는가 하면 반대로 우주와 같이 10^{27}도 있다.

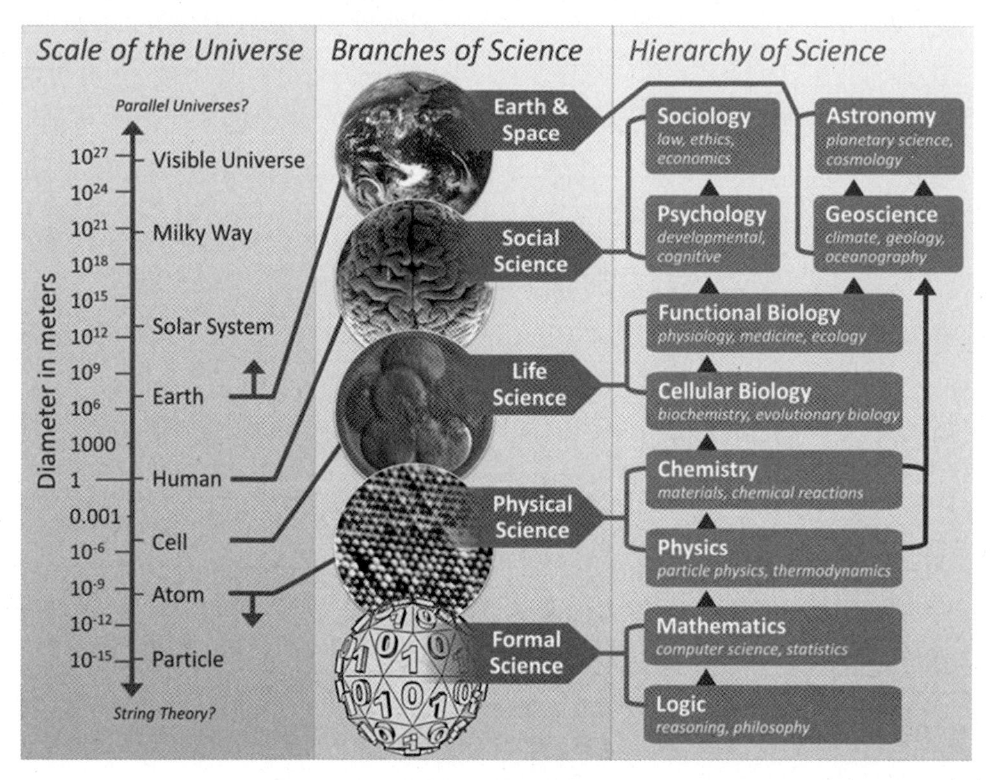

〈그림 1-1〉 학문 계통도
출처: 위키피디아, science 참고

overthrown by newly discovered facts. Albert Einstein, 위키피디아, Formal science 참고.

1.1.3 과학 발전의 의의

머리 위에 하늘을 두고 발밑에 땅을 딛고 사는 인간은 하늘과 땅에 의해 운명이 결정된다고 해도 과언이 아니다. 하늘과 땅을 자연(自然, nature)이라고 하지만, 사람까지 포함하는 경우도 있다. 일차적으로 자연은 인간에게 위협으로 다가온다. 벼락, 천둥, 가뭄, 홍수 등은 하늘이 주는 재앙이고 지진, 해일, 화산폭발 등은 땅이 주는 재앙이다. 이러한 자연이 주는 위협을 줄이고 대비하는 것이 인간 생존의 첫 번째 과제다. 따라서 자연에 대한 연구(관찰, 조사, 분석 등)가 필요하다. 다음 단계에는 자연을 이용하려고 하는 노력으로 발전하였다. 이 두 가지 난제를 해결한 것이 바로 과학(科學, science)이다. 오늘날 눈부신 문명사회의 기반에는 과학의 발전이 있다는 사실을 아무도 부정하지 못할 것이다.

한편으로는 인간의 본성과 인간관계에 대한 고민과 연구 역시 중요한 과제가 되었다. 인간 생활에서 볼 수 있는 개인 문제, 인간 간의 갈등, 계급 · 조직 간의 대립, 국가 간의 분쟁 등을 분석대상으로 하는 인문학과 사회과학은 나름대로 체계적 접근을 통해 인간 문제 해결에 기여하여 왔다. 물론 예술과 체육도 인간의 감성과 육체의 건강을 위해 인류발전에 기여해 왔음을 아마도 부정하지 못할 것이다.

인류는 만물의 기초와 원리, 인간의 본성, 사람 간의 관계에 대해 자연과학, 인문학, 사회과학, 그리고 예체능을 발전시켜 물질적 · 정신적 풍요를 누리고 있다.

1.2 사회과학

1.2.1 정의

사회과학(社會科學, social science)은 인간과 인간 사이의 관계에서 일어나는 사회 현상과 인간의 사회적 행동을 연구하는 과학의 한 분야이다. 인간 간의 갈등과 발전을 연구하고 해결책을 제시하고자 하는 학문이다. 문제점으로는 가치관의 개입과 인간 행동의 임의성(任意性)[3]을 바탕으로 하고 있다는 지적과 실증성(實證性)이 부족하고 재현성(再現性)이 부족하다는 비판을 받고 있다.

자연과학은 자연현상을 연구대상으로 하는 과학으로 재현성(再現性)을 - 실험가능, 정밀한 수리적 방법으로 현상들 사이에 함수관계 - 확정할 수 있다. 자연과학과 비교하여 사회과학의 과학성을 의심하는 과학자도 있는 것이 현실이다. 대표적인 학자로는 1965년 노벨물리학상 수상자인 리차드 필립스 파이만(Ricard Phillips Feynman 1918~1988)으로 "사회과학은 과학이라고 할 수 없다"고 주장하고 있다.

이런 지적에 대해 이론 경제학의 대가 사뮤엘슨(1915~2010, 1970년 노벨경제학상 수상자)은 사회과학의 목적으로 "엄밀한 과학이 아니다. 평균적으로 수긍이 가는 원리를 찾는 것"이라고 답하고 있다. 물리학자의 눈에는 엉성해 보일지 몰라도 그렇다고 손 놓고 있는 것보다는 낫지 않은가!

사회과학은 경제학, 법학, 인류학, 교육학, 언어학, 사학, 사회학, 정치학, 행정학, 심리학 등으로 나누어지며 자연과학과의 차이로는 ① 자연과학과는 달리 인간의 내면세계나 동기를 알아야 할 때가 있다. ② 가치판단에 영향을 받는다. ③ 연구자의 연구행위가 연구대상에 영향을 미치기 때문에 자연과학에 비해 객관적인 연구가 어렵다. ④ 다양한 시각이 공존한다는 점을 들 수 있다.

1.2.2 사회과학적 지식의 기능[4]

사회과학적 지식의 기능으로는 아래 5가지가 지적되고 있다. ① 기술(記述, description), 설명(說明, explanation), 예측(豫測, prediction) ② 이해(理解, understanding)와 감상(鑑賞, appreciation) ③ 계몽(啓蒙. enlightenment) ④ 지식을 통한 현실개입(現實介入, intervention) ⑤ 정책제공(政策提供, policy)이다.

1.2.3 경제학과 경영학의 정의

경제학(經濟學, economics)은 "사람과 사회가 여러 대안을 가지고 있는 희소한 자원을

---

3 "해가 서쪽에서 뜨겠다", "하던 짓도 멍석 깔아 놓으면 안 한다", "열길 물속은 알아도 한 길 사람 속은 알 수 없다", "물은 건너 봐야 알고 사람은 겪어 봐야 안다", "피레네 산맥 이쪽의 정의가 저쪽에서는 불의가 됩니다"라는 속담과 말에서 보듯 인간은 임의성을 가지고 있다.

4 김우식, 전게서, pp.14-15.

(여러 사람과 사회 그룹 간에, 현재나 미래에) 다양한 상품을 생산하기 위해 어떻게 쓰고 생산물을 어떻게 나누느냐에 대한 학문이다"라고 정의하고 있다. 최적화 문제와 일맥상통한 바가 상당히 있다. 하지만 이 정의는 가치판단을 배제한 것이기 때문에 한정된 정의라고 볼 수 있다.

최근 들어 경제학이 법학, 정치학, 사회학, 종교, 문화, 스포츠, 가족 등 과거 경제학과 관련이 없다고 생각한 주제까지 연구대상으로 하는 현상을 일컫는 표현으로 경제학 제국주의(economics imperialism)라는 표현을 쓰고 있다. 사회과학의 여왕이라고 부르며 1969년부터 노벨상이 주어지고 있다.

경제학과 가장 근접한 학문으로 경영학(經營學, business administration, business management)을 들 수 있다. 일반인들은 경제학과 경영학의 차이를 잘 모르는 경우가 많다. 경영학은 조직체를 성공적으로 이끌어 나갈 수 있는 전문적인 지식과 아이디어를 배우는 학문이며, 미래 전문경영인으로서의 능력향상, 조직체를 성공적으로 이끌어 나가는 지식의 습득, 그리고 조직체 발전을 통한 사회 발전의 도모를 목적으로 하고 있다.[5] 경영학은 경제학에 비해 역사는 짧으나 실용적인 면이 강하며, 기업을 비롯한 조직체의 이익을 바탕으로 사회에 기여하는 학문이다. 경제학 원리가 현실 경영에 적용되는 바를 경영학을 통해 확인할 수 있는 면이 있는가 하면 반대로 현실 경영에서 발견할 수 있는 원리가 경제학 발전에 기여하는 바도 있다. 즉 경제학이 더 먼저 발전하여 상류(上流)에 있는 학문으로서 경영학 이론의 기초를 제공하는 측면도 있지만 경영의 현실감을 받아 들여 상아탑에서 벗어나 문제 해결능력을 키워가고 있다. 이렇게 볼 때 두 학문은 개별 문제에 있어 다른 입장을 띨 수 있지만 전체 큰 틀에서 볼 때 상호보완적 관계에 있다고 보는 것이 옳다. 미국의 유수 경영대학원에는 경제학 전공자가 있다는 사실은 두 학문 간의 보완성을 보여 주는 좋은 예라고 본다.

이렇게 볼 때 경제학은 수학(통계학 포함)에 과학적 논거를 의존하고 있으며 철학과 사학이 결합하여 형성된 학문이다. 또 4개의 경제주체(가계, 기업, 정부, 해외)를 대상으로 좀 더 심도 있는 학문(소비자 경제학, 경영학, 재정학, 무역학 등)이 파생되었다고 볼 수 있다. 마지막으로 경제학은 과학성도 높이 평가할 수 있지만 실천성에 있어 정치와도

---

5 신유근, 『경영학원론 -시스템적 접근-』, 제3판, 다산출판사, 2011, pp.11-20.

깊은 관련성이 있다. 한마디로 경제학은 학문의 뿌리로 볼 때 수학, 사학, 철학에 많은 영향을 받았고, 소비자 경제학, 경영학, 재정학, 무역학의 근저가 되는 학문이며 정책과 정치에 기여할 수 있는 학문이라고 말할 수 있겠다.

케인즈의 충고

이 책을 공부하면서 여러분들은 자신의 지적 능력을 발휘할 기회가 생길 것이다. 이를 위해 위대한 경제학자 케인즈의 충고를 기억해두는 것이 유익하다.

"경제학을 공부하는 데 특별한 재능이 필요한 것은 아니다. 경제학이 고급철학이나 순수과학에 비해서 그렇게 쉬운 학문일까? 쉬운 학문이기는 하지만 뛰어난 능력을 발휘하기는 매우 어려운 학문이다. 이러한 역설이 성립하는 것은 아마도 경제학의 대가가 되려면 아주 희귀한 재능의 조합이 필요하기 때문일 것이다. 그는 수학자면서 어느 정도 역사학자, 정치가, 철학자여야 한다. 그는 수학의 기호를 이해하면서 이를 말로 설명해야 한다. 특수한 현상을 일반적 관점에서 사고해야 하고, 구상(concrete)과 추상(abstract)을 같은 사고의 틀로 접근해야 한다. 그는 미래를 위해 현실을 과거의 관점에서 연구해야 한다. 인간의 속성이나 제도의 어느 부분도 완전하게 그의 관심 밖에 있어서는 안 된다. 그는 의지를 가지면서도 동시에 무관심한 상태에 있어야 한다. 예술가처럼 초연하고 청렴하면서도, 어떤 때는 정치가처럼 현실적이 되어야 한다."

출처: 맨큐의 경제학, p.43에서 재인용

1.3 경제학과 수학

1.3.1 수학의 정의

수학(數學, mathematics)은 양, 구조, 변화, 공간 등을 대상으로 하여 몇 가지 가정에서 시작하여, 결과를 연역적(演繹的, deductive) 추론을 통해 얻는 사실[정리(定理)]로 보여지는 체계를 연구하는 학문이라고 정의한다.[6,7]

---

6 수학의 어원으로는 그리스어 mathema(학문), 라틴어 mathematica에서 왔으며, 한자로는 수학(數學) 數(수, 사물의 이치) + 學(학, 배움)의 결합이다. 또 기하학(幾何學)은 중국인에 의해 geometry를 음역(音譯)한 것이다.

7 연역적 추론은 일반적 보편적 전제(前提)에서 보다 개별적·특수한 결론을 얻는 추론방법이고 귀납적(歸納的, inductive) 추론은 개개의 특수한 사실로부터 일반적인 결론을 이끌어 내는 논증 방식이다. 귀납법에서 주어지는 자료(개개의 사실)에는 통계표, 도표, 그림 또는 여론 조사 등이 주를 이룬다.

수학을 패턴의 과학이라고 정의한다.[8] 수학자들이 하는 일은 추상적인 '패턴'을 탐구하는 것이다. 수의 패턴, 모양의 패턴, 운동의 패턴, 행동의 패턴, 유권자의 투표 패턴, 반복되는 우연적 사건의 패턴 등을 탐구하는 것이다.

수학의 보편성

수학이 추구하는 것 중의 하나는 여러 곳에 공통으로 들어있는 변화하지 않는 성질이라 할 수 있다.

…(중략) …

수학이 보편성을 가지는 까닭은 그 바탕에 깔려있는 정신이 매우 순수하여, 그것으로부터 얻을 수 있는 다양하고 놀라운 결과들을 누구나 이해할 수 있도록 설명할 수 있기 때문이다.

김홍종, 『문명, 수학의 하모니』, 효형출판, 2013, pp.88~89.

수학의 상대성

"수학의 진리는 절대적인 진리가 아니라 상대적인 진리이다. 하물며 세상살이인들 절대적으로 옳은 것은 없다"

이규봉, 『수학의 창을 통해 보다』, 경문사, 2013. p.83.

"사람들은 수학이 정확한 학문이라 생각하지만 알고 보면 수학은 꽤 불안정한 토대 위에 놓여 있다".

"그래서 저는 수학을 잘한다고 꼭 논리적인 사람이 된다고 믿지 않습니다. 수학의 논리와 세상사의 논리는 조금 다릅니다, 오히려 수학의 논리 자체에도 논란이 있다는 사실을 아는 것이 세상을 사는 데 도움이 될 겁니다. 세상은 이거 아니면 저거로 딱 나뉘지 않는다는 진실을 알려 주니까요"

신은주 옮김, 『이토록 수학이 재미있어지는 순간』, 다산에듀, 2015. p.172, p.195.

논증 기하학의 가치

논증 기하학의 가치는 문학 작품 속에서도 찾아볼 수 있다. 시인이자 국문학자인 양주동(梁柱東, 1903~1977)은 중학교 기하(幾何) 시간에 맞꼭지각(또는 대정각)이 서로 같다는 사실을 수학적 증명을 통해 확인하고는 수필 〈몇 어찌〉에 다음과 같이 썼다.

"멋모르고 "예, 예."하다 보니 어느덧 대정각(a와c)이 같아져 있지 않은가! 그 놀라움, 그 신기함, 그 감격, 나는 그 과학적, 실증적 학풍(學風) 앞에 아찔한 현기증을 느끼면서, 내 조국(祖國)의 모습이 눈앞에 퍼뜩 스쳐 감을 놓칠 수 없었다. 현대 문명(現代文明)에 지각(遲刻)하여, 영문도 모르고 무슨 무슨 조약에다 "예, 예."하고 도장만 찍다가, 드디어 "자 봐라, 어떻게 됐나."의 망국(亡國)의 슬픔을 당한 내 조국! 오냐, 신학문을 배우

8 데블린 케이, 『수학의 언어』, 전대호 옮김, 해나무, 2004, p.12.

리라. 나라를 찾으리라. 나는 그 날 밤을 하얗게 새웠다."

출처: 허민, 광운대학교

주: '몇 어찌'란 기하학(幾何學)에서 '기'는 몇, '하'는 어찌에 해당한다.

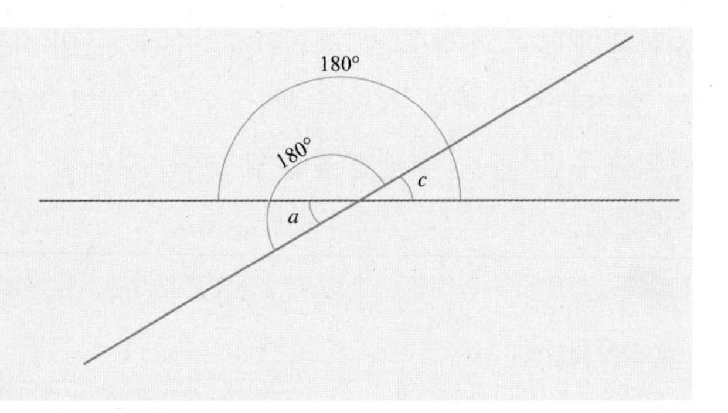

1.3.2 수학의 분류

수학은 순수수학과 응용수학으로 나누어진다. 순수수학은 전적으로 이론이나 추상에 대한 수학을 의미하며 해석학(解析學: mathematical analysis), 대수학(代數學, algebra), 정수론(定數論), 위상수학(位相數學), 이산수학(離散數學), 기하학(幾何學, geometry) 등이 이에 속한다.[9] 응용수학은 순수수학을 이용하여 다른 학문의 문제를 해결하는 수학의 한 분야이다. 전산학, 금융수학, 게임이론, 수치해석학, 수리물리학, 통계물리학, 유체역학, 생물수학 등이 여기에 속한다.

수학을 패턴의 학문으로 정의하면 패턴의 종류에 따라 다양한 수학 분야들이 생겨난다.[10] 산술학과 수 이론은 수와 셈의 패턴을, 기하학은 모양의 패턴을, 미적분학은 운동의 패턴을, 논리학은 추론의 패턴을, 확률 이론은 우연의 패턴을, 그리고 위상학은 근처에 있음과 위치의 패턴을 연구한다.

9 ○ 대수학: 수를 대신한 문자를 사용하여 방정식의 해를 연구한다. ○ 기하학: 도형이나 공간의 성질에 대해 연구한다. ○ 해석학: 미적분학, 측도, 무한급수, 분석적 함수를 대상으로 연구한다. 수식은 대수학·해석학과 관련이 있으며 그림과 표는 기하학과 관련되어 있다. "대수학은 글로 쓴 기하학이고, 기하학은 그림으로 그린 대수학이다." 소피 제르맹(Marie-Sophie Germain)의 말이다.

10 데블린 케이, 전게서, p.12.

〈표 1-1〉 대수학, 해석학과 기하학의 비교

<table>
<tr><th></th><th>계산을 위한 접근</th><th>장단점</th><th colspan="2">특성</th></tr>
<tr><td>대수학</td><td>공식으로</td><td>근의 공식이 항상 존재하는가, 값을 구하거나 못 구함.</td><td>엄밀성, 논리적, 구조적</td><td rowspan="3">상호 보완적</td></tr>
<tr><td>해석학</td><td>잘게 쪼개서</td><td>참값을 구하기 어려움, 정확한 값은 알 수 없으나 근사값을 알 수 있음.</td><td>분석, 끈기, 체계성</td></tr>
<tr><td>기하학</td><td>그려 봐서</td><td>상상력과 시각화 능력 향상, 계산할 수 있기는 한가? 직관적이지만 불안정한 측면 있음.</td><td>직관적, 전체적</td></tr>
</table>

출처: 최병문, "수학의 기초", 대전대학교 OCW강의를 기초로 저자가 정리한 것임

수학의 특징으로는 창조성, 독창성, 다양성을 들 수 있다. 다양성의 예로는 피타고라스 정리를 증명하는 방법이 300개 있다.[11] 또 " $\sqrt{2}$ 가 무리수이다"라는 명제를 증명하는 방법이 십여 가지가 있다. 다양성을 공부함으로써 수학적 통찰력을 얻을 수 있다.

1.3.3 경제 수학의 정의와 필요성

수학의 장점으로는 엄밀(rigor), 일반화(generality), 단순화(simplicity)를 들 수 있으며 단점으로는 배우기가 어렵고 추상화로 인한 그릇된 해석이 있다는 점을 들 수 있다.[12]

〈표 1-2〉 해부학, 경제학, 법학 책에서의 표현수단 비교

<table>
<tr><th></th><th>해부학(그레이)</th><th>경제학(맨큐)</th><th>경영학(신유근)</th><th>법학(박상기)</th></tr>
<tr><td>전체분량</td><td>1,549</td><td>1,034</td><td>569</td><td>615</td></tr>
<tr><td>사진</td><td rowspan="2">1,691</td><td>50</td><td>0</td><td>0</td></tr>
<tr><td>그림</td><td>200</td><td>84</td><td>12(상법에만 있음)</td></tr>
<tr><td>표</td><td>15</td><td>61</td><td>122</td><td>0</td></tr>
<tr><td>수식</td><td>0</td><td>62</td><td>0</td><td>0</td></tr>
</table>

주1) 해부학 책은 그림 사진의 합
주2) 맨큐의 경제학에서 수식 하나 하나를 세면 이보다 훨씬 더 많다.
출처: 임상일, 『공자와 케인즈 맞장 뜨기』, 2014.

11 이만근·전병기 공저, 『올댓 피타고라스 정리』, 경문사, 2007.
12 오컴의 면도날(Occam's razor): 이론체계는 간결할수록 좋다.

흔히 경제학도에게 '냉철(冷徹)한 머리'와 '따뜻한 가슴'(cool head and warm heart)을 가질 것을 권하였다. 수학은 '냉철한 머리'를 만들어 주는 수단과 관련이 깊다고 할 수 있다. 경제학에 수학은 또 백문(百聞)이 불여일견(不如一見)이라는 격언에서 알 수 있듯이 눈으로 확인하는 것이 매우 유용한데, 수학은 수식(방정식), 표, 그래프를 이용할 수 있는 능력을 부여하고 있다.

경제수학(經濟數學, Mathematics for Economics)이란 어떤 과목이며 왜 배워야 하는가? <그림 1-2>에 경제수학의 필요성을 개략적으로 설명해 보았다. 경제수학은 수학을 이용하여 경제 원리를 설명하는 분야다. 경제학이 대상으로 하는 인간의 경제행위(먹고 사는 일, 생산・소비・분배 과정)를 논리적으로 설명하는 분야라고 정의할 수 있다. 엄밀히 말하면 수리경제학(數理經濟學, mathematical economics)과는 다른 개념이다. 수리경제학은 경제 분석의 한 접근 방법으로서 경제학자가 수학의 기호를 사용하여 문제를 서술하고 그 해결을 위한 추론과정에 있어서 이미 알려져 있는 수학의 정리를 이용하는 것을 가리킨다.[13] 경제수학은 응용수학에 가깝고 수리 경제학은 경제학의 독립적인 영역이라고 할 수 있다.

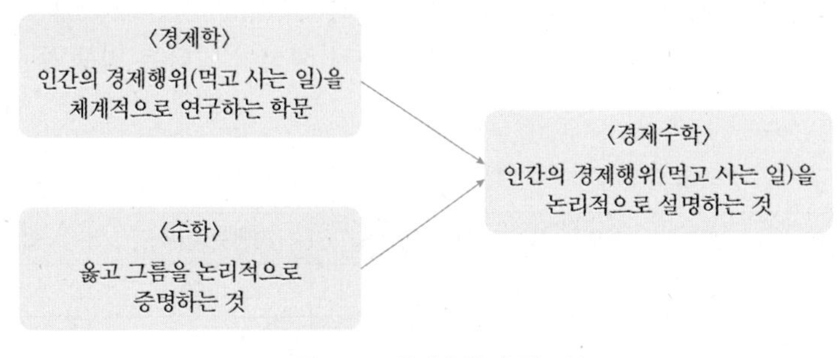

〈그림 1-2〉 경제수학의 필요성

수학을 경제학에 도입하는 데 큰 역할을 한 왈라스는 "수학은 양적 사실을 논의하기 위한 특별한 언어가 될 것이며, 경제학이 역학, 천문학과 같은 수리과학이라는 사실은 말할 필요도 없다"[14]고 주장하였다. 경제학에 수학을 적극 활용하는 노력은 이론 경제학의

13 Alpha C. Chiang &Kevin Wainwright, 『경제 경영수학 길잡이』, 정기준・이성순 역주, 지필미디어, p.4.

14 질베르 리스트 지음, 최세진 옮김, 『경제학은 과학적일 것이라는 환상』, 봄날의 책, 2010. p.46.

대세를 이루고 있다. 그러나 경제학자 모두가 경제학에 수학을 적극 사용하는 것을 권장하지는 않는다는 사실도 유념할 필요가 있다. 냉철한 머리를 강조했던 마샬도 경제학에 수학을 지나치게 쓰는 것을 비판적으로 보았으며, 케인즈, 하일브러너, 하이에크 등도 같은 입장이었다.

왈라스와 같이 경제학을 수리과학의 테두리에서 연구하는 것은 필요한 일이지만 여기에 함몰되어서는 안 될 것이다. "경제학의 논법에서 문제가 되는 것은 수학을 사용한다는 것 그 자체가 아니라, 경제 과정의 불가역성과 엔드로피를 특성으로 하는 자연을 설명하지 못하는 모형에 기대고 있다는 사실이다"라는 지적에서 보듯 수학활용의 한계도 늘 염두에 두어야 할 것이다.

경제학·경영학·사회과학을 공부하는 것을 부산에서 서울로 가는 일로 비유해 보기로 하자. 바로 서울(목적지)로 향하는 것이 아니라 수학을 공부하고 가면(자동차 운전을 배워 자동차로 가면) 처음에는 늦고 좀 힘이 들지만 일반화된 법칙과 분석 능력을 갖춤으로써 어느 시점이 지나면 더 빨리 더 정확하게 부산에 도달할 수 있다. 또 서울 도착 후 강릉을 가야할 일이 생긴다면 자동차 이용이 편리성과 신속성을 가져다주는 것처럼 수학의 편리성과 유용성이 더욱더 빛을 발할 것이다. 수학은 처음 배우기에는 인내와 노력이 필요하지만 일단 배우고 나면 비슷한 문제나 새로운 문제에 대해서도 정확히 신속하게 답을 구할 수 있다는 장점을 가지고 있다. 따라서 우리는 경제현상을 수학을 이용하여 분석하는 일을 함에 있어 그 장점과 한계에 대해서 늘 인식하고 있어야 할 것이다. 수학을 통해 경제현상을 분석하는 일은 비록 완전하지는 못하지만 속수무책으로 아무 것도 하지 않는 것보다는 낫지 않겠는가!

경제학을 비롯한 사회과학에서 수학을 활용하는 일은 마치 외줄타기와 같다고 생각한다. 인간의 행동이 이성 이외에 감성이나 우연에 의해 결정된다는 점과 가치관이 행동에 큰 영향을 미친다는 사실을 감안하여야 할 것이다. 한쪽에는 과학이, 다른 한쪽에는 사회가 있음을 명심하고 어느 한 쪽으로 치우치지 않고 균형 잡힌 자세로 가야한다.

마지막으로 경제학을 비롯한 다른 사회과학에서 배우고 있는 수학과 통계학이 기초가 되는 과목을 <표 1-3>에 정리해 보았다.

〈표 1-3〉 사회과학분야에서의 수학연관 과목[15]

과목	내용
경제학	제수학, 경제통계학, 수리경제학, 재무경제학, 계량경제학, 게임이론, 금융공학[15]
경영학	경영수학, 경영통계학, OR론, 게임이론
정치학	계량정치학, 게임이론
행정학	계량행정학, 경제분석, 계량분석

도올 김용옥 "영어 수학은 왜 공부해야 하는가?"

"세상의 모든 고급 정보는 영어로 씌여 있고, 논리적인 사고력을 가지기 위해서는 수학은 필수다."

영어는 경험명제의 대표로 지구상의 엄청난 정보가 영어로 쓰여 있으며 그 다음이 일본어와 중국어이고 수학은 이성, 분석명제로 이성적인 인간이 되기 위한 가장 적절한 학문이라는 것이다. 따라서 영어로 정보를 얻고 수학을 통해 합리적인 생각으로 자신을 세우고 나라를 바로 세우자.

젊은 청소년에게 철학자인 그는 "철학은 안 배워도 좋지만, 수학은 꼭 배워야 한다" 더 나아가 "독도를 지키는 일은 여러분이 영어와 수학을 잘 하는 수밖에 없습니다. 우리가 강대국이 돼야 남들이 깔보지 않기 때문입니다" 라고 말했다.

출처: 후즈닷컴 (www.hooz.com)

주1) 경험명제(經驗命題): 후천적으로 학습을 통해 알 수 있다. 예로는 한국전쟁은 1950년에 일어났다.

주2) 분석명제(分析命題): 이성의 힘으로 알 수 있다. 예로는 1+1은 2이다.

필드상(Fields Prize)

40세 미만의 수학자에게 주어지는 상으로 4년마다 열리는 세계수학자 대회에서 수여되고 있다. 2014년에는 서울에서 개최되었다. 수상주기가 4년이고 40세 미만의 학자에게 주어지기 때문에 노벨상보다 받기가 더 어렵다고 할 수 있다.

1936년 캐나다의 수학자 필드의 유언에 의해 창립되었다. 2014년까지 18회에 걸쳐 56명의 수상자(국적 불명 1명 포함)가 배출되었다. 미국인이 13명으로 가장 많고, 프랑스 11명, 러시아(구 소련포함) 9명, 영국 6명, 일본 3명, 벨기에 2명 순이다, 서독, 호주, 홍콩, 핀란드, 이스라엘, 이탈리아, 노르웨이, 뉴질랜드, 스웨덴, 베트남, 이란이 1명을 배

15 금융공학: 수학적 도구와 경제학・경영학・산업공학・응용수학 등이 어우러진 융합학문으로 주식과 채권, 원자재 등의 현물시장과 선물, 파생시장을 분석하는 분야다.

출하였다. 노벨상 수상자가 많은 독일 태생이 매우 적다는 사실이 매우 특이하다고 볼 수 있다. 여자수상자로는 2014년 수상한 이란 태생의 마리암 미르자하니(Maryam Mirzakhani, 1977년~)가 최초이다.

출처: www.mathunion.org/general/prizes/fields/details

노벨 경제학상

1969년 스웨덴 국립은행 창립 300주년 축하의 일환으로 시작되었다(http://www.nobelprize.org/nobel_prizes/economics/). 1969년 첫 수상자를 낸 이래 2016년까지 78명의 수상자가 영예를 안았는데, 국적별로 보면 미국 50명, 영국 8명, 노르웨이와 프랑스 3명, 네덜란드, 소련, 이스라엘, 스웨덴, 캐나다 2명, 독일, 오스트리아, 헝가리, 인도 1명이다. 미국이 압도적인 우위를 점하고 있다. 태생지가 미국인 수상자도 많지만 다른 나라에서 태어나 미국으로 이민 가 미국시민이 된 수상자도 많다. 2016년 공동수상자인 Hart는 출생지는 영국이지만 미국시민이고, Holmström 역시 핀란드가 고향이지만 미국시민이다. 또 유대인이 25명으로 무려 3분의 1을 차지하고 있다. 상은 스웨덴 사람이 만들지만 정작 미국사람 혹은 유대인이 상을 다 챙겨가는 꼴인 셈이다.

1979년 영국 국적의 루이스(William Arthur Lewis, 1915~1991, 세인트 루시아 출생)는 평화상을 제외한 노벨상을 받은 최초의 흑인이며, 아시아 최초의 수상자는 1998년에 수상한 센(Amartya Sen, 1933~)이며 여성 최초의 수상자는 2009년 오스트롬(Elinor Ostrom, 1933~2012)이다.

다른 노벨상 과학 분야인 물리학, 화학, 생리학/의학과는 달리 경제학자의 연구 성과가 사회적으로 널리 인정받기 위해서는 보통 10여년이 걸리기 때문에 노벨 경제학상을 받기 위해서는 장수(長壽)하여야 한다. 대표적인 예가 1911년생인 코우즈인데 그는 1930년대 주요 이론을 발표하여 1991년에 상을 받았다. 주요 업적에서 수상까지 무려 60년이 걸린 것이다. 호르위츠(Leonid Hurwicz, 1917~2008) 역시 2007년 노벨상을 수상하였는데, 그의 나이 90세일 때이다. 그는 1901년 노벨상이 생긴 이후 모든 분야를 통틀어 최고령 수상자로 기록되고 있다.

다른 분야의 수상자보다 최고령 수상자도 기록적이지만 최연소 수상자인 애로우 역시 다른 분야의 수상자보다 고령이다. 그는 51세에 수상을 하였는데, 다른 분야의 최연소 수상자보다는 적게는 9년 많게는 26년이나 늦은 나이에 수상한 것이다. 이렇게 볼 때 경제학은 자연과학에 비해 대기만성(大器晩成)의 학문이라고 이야기 할 수 있을 것이다. 아래 표에서 볼 수 있는 바와 같이 수상자의 평균 연령이 67세로 노벨상 6개 부분에서 가장 높게 나타나고 있다.

노벨상 수상자의 평균, 최연소, 최고령 나이(수상 당시)

	평균 나이	최연소	최고령
물리학	55	25	88
화학	57	35	85
생리의학	57	32	87
문학	64	42	88
평화	62	32	87
경제학	67	51	90

출처: 최병문, "수학의 기초", 대전대학교 OCW 강의 내용을 근거로 저자가 작성함

부록 경제기본원리

맨큐, 버냉키・프랭크, 리버만・홀, 크루그만, 이준구・이창용 등 국내외 저명한 경제학자들이 제시하고 있는 경제기본원리를 정리해 보았다. 많은 내용이 겹치지만 다른 것도 있다. 경제수학을 공부하면서 희소성, 제약조건하의 극대화, 최적화, 기회비용, 한계적 결정, 유인, 시장거래와 균형, 실질가치의 중요성, 비용－편익, 정부의 개입, 국가의 생산능력, 단기 장기 등 기본 원리를 이루는 개념에 대해 수학적으로 공부하게 될 것이다.

맨큐의 경제기본원리

Ⅰ. 사람들이 어떻게 결정을 내리는가에 대한 원리

(1) 모든 선택에는 대가가 있다. "공짜 점심은 없다"

(2) 선택의 대가는 그것을 얻기 위해 포기한 그 무엇이다. - 기회비용

(3) 합리적 판단은 한계적(限界的, marginal)으로 이루어진다.

(4) 사람들은 경제적 유인에 반응한다.

Ⅱ. 사람들은 어떻게 서로 상호작용 하는가에 대한 원리

(5) 자유거래는 모든 사람을 이롭게 한다.

(6) 일반적으로 시장이 경제활동을 조직하는 좋은 수단이다.

(7) 경우에 따라 정부가 시장성과를 개선할 수 있다.

Ⅲ. 나라경제는 어떻게 작동하는가에 대한 원리

(8) 한 나라의 생활수준은 그 나라의 생산능력에 달려 있다.

(9) 물가는 정부가 돈을 찍어내면 낼수록 상승한다.

(10) 물가안정과 고용 안정을 동시에 달성하기가 매우 어렵다.

버냉키・프랭크의 경제기본원리

• 기본원리1: 희소성의 원리(Scarcity Principle)

사람들의 필요와 욕구는 무한하지만 주어진 자원은 유한하다. 따라서 하나를 많이 가지면 다른 것을 적게 가져야 한다.

• 기본원리2: 비용-편익의 원리(Cost-Benefit Principle)

개인(기업 혹은 사회)은 특정 행동을 선택했을 때 발생하는 추가적인 편익이 추가적인 비용보다 작지 않을 경우에 한해서 그 행동을 선택하여야 한다.

• 기본원리 3: 유인의 원리(Incentive Principle)

한 행동의 편익이 증가하면 그 행동을 선택할 가능성은 증가하고, 반면에 한 행동의 비용이 증가하면 그 행동을 선택할 가능성은 감소한다.

• 기본원리 4: 비교우위의 원리(Principle of Comparative Advantage)

각 사람(국가)이 다른 사람과 비교하여 자신의 기회비용이 가장 낮은 일에 특화할 때 최선의 결과가 얻어진다.

• 기본원리 5: 기회비용 체증의 원리(Principle of Increasing Opportunity Cost)

한 재화의 생산을 늘릴 경우 기회비용이 낮은 자원을 먼저 사용하고, 기회비용이 높은 자원은 나중에 사용하여야 한다.

• 기본원리 6:효율성의 원리(Efficiency Principle)

효율성이 증가하면 경제 전체의 파이가 커져 모든 사람이 보다 큰 조각의 파이를 가질 수 있기 때문에 효율성은 매우 중요한 사회적 목표이다.

• 기본원리 7: 균형의 원리(Equilibrium Principle)

시장균형에서는 개인 차원에서 활용되지 않는 기회는 존재하지 않는다. 그러나 집단적 행동을 통해서 얻을 수 있는 모든 이득을 다 활용하지 못할 수 있다.

리버만 · 홀의 경제기본원리[16]

• 기본원리 1: 제약하의 극대화(Maximization Subject to Constraint)

어떤 문제를 이해하기 위한 경제적인 접근은 의사결정자가 누구인지 알아낸 후 그들이 무엇을 극대화하고 있는지, 또 직면하고 있는 제약들은 무엇인지를 알아내는 것이다.

---

16 Marc Lieberman & Robert E. Hall, 『경제학원론』, 김인철 · 이현재 · 이종민 공역, 생능출판사, 2006.

• 기본원리 2: 기회비용

개인이나 사회에 의해 만들어진 모든 경제적 결정은 비용이 든다. 어떤 선택의 값을 올바르게 측정하는 방법이 바로 기회비용이며 이것은 선택을 함으로써 포기되어야 하는 비용으로 나타낸 것이다.

• 기본원리 3: 특화와 교환

특화와 교환은 우리가 이를 하지 않았을 때보다 더 많은 생산량과 더 높은 삶의 질을 얻을 수 있도록 해준다. 결과적으로, 모든 경제시스템은 큰 규모의 특화와 교환을 보여준다.

• 기본원리 4: 시장과 균형

경제시스템이 어떻게 작동하는지 알기 위해서 경제학자들은 이 세계를 몇 개의 시장으로 나누고 각 시장에서의 균형에 대해서 조사한다.

• 기본원리 5: 정책의 상충관계

정부정책은 민간 의사결정자들의 반응에 의하여 제약을 받는다. 그 결과 정책 결정자들은 정책의 상충관계에 직면하게 된다. 즉 한가지의 목적을 향한 진행은 다른 목적의 희생을 필요로 한다.

• 기본원리 6: 한계적 의사결정(Marginal Decision Making)

개별 의사결정자들의 행위를 이해하고 예측하기 위해서 우리는 그들의 행동에 대한 증가적 혹은 한계적 영향에 초점을 맞춘다.

• 기본원리 7: 단기와 장기 결과

시장은 단기와 장기에서 서로 다르게 반응한다. 한 문제를 해결하기 위해 우리는 항상 어떤 시간 구조 안에서 조사를 하고 있는지 알아야 한다.

• 기본원리 8: 실질가치의 중요성

부분적으로 우리의 경제적 번영은 우리가 구입할 수 있는 상품과 서비스에 의존하기 때문에 명목적 가치(화폐단위로 측정된다)를 실질적 가치(화폐가치의 변화에 대한 조정이 이뤄진다)로 바꾸는 것이 중요하다.

크루그만의 경제기본원리

Ⅰ. 개인적 선택에 관한 경제학의 기본 원칙들

(1) 자원은 희소하다.

(2) 어떤 것의 실제비용이란 어떤 것을 얻기 위해 포기해야만 하는 것의 가치이다.

(3) '얼마나 많이?'는 한계개념에 의해 정해진다.

(4) 사람들은 자신의 편익을 증가시킬 수 있는 기회가 주어졌을 때 그 기회를 모두 사용한다.

Ⅱ. 개인적 선택의 상호작용에 관한 기본 원칙들

(5) 교역으로부터의 이익이 존재한다.

(6) 시장은 균형을 향하여 움직인다.

(7) 자원은 사회의 목적을 달성하기 위해 최대한 효율적으로 사용되어야 한다.

(8) 시장은 대부분 효율성을 달성한다.

(9) 시장이 효율성을 달성하지 못하는 경우 정부의 개입이 사회의 후생을 증가시킬 수 있다.

이준구 · 이창용의 경제기본원리[17]

(1) 이 세상에 공짜는 없다.

▸ 기회비용

(2) 교환은 모두에게 이득이 된다.

▸ 교환의 이득

(3) 수요와 공급의 힘을 거스르기는 힘들다.

▸ 수요공급의 법칙과 시장 균형

(4) 마지막 하나가 어떤 영향을 미치는지 보아야 한다.

▸ 한계결정원리

---

17 원리에 대한 개념화는 본 저자가 한 것임.

(5) 사람들은 유인에 민감한 반응을 보인다.

▸ 유인의 중요성

(6) 시장은 효율적이지만 완벽하지 않다.

▸ 시장의 효율성과 시장실패

(7) 정부가 유용한 역할을 할 수 있지만 문제를 더 악화시키기도 한다.

▸ 정부개입의 유용성과 정부실패

(8) 한꺼번에 효율성과 공평성의 두 마리 토끼를 쫓기는 어렵다.

▸ 효율성과 공평성 간의 상충관계(trade off)

(9) 물가 안정과 고용 안정을 동시에 달성하기는 매우 어렵다.

▸ 물가 안정과 고용 안정 간의 상충관계(trade off)

핵심어

- 사회과학
- 경제학
- 경영학
- 수학
- 해석학
- 대수학
- 기하학
- 경제수학
- 수리경제학

연습문제

○× 문제

1. 경제학자 마샬은 냉철한 머리를 강조하면서 경제학에 수학을 적극 이용할 것을 권하였다. ( )
2. 1965년 노벨물리학상 수상자인 리차드 필립스 파이만(Ricard Phillips Feynman 1918~1988)으로 "사회과학은 과학이라고 할 수 없다"고 주장하였다. ( )
3. 인간의 임의성 때문에 사회과학은 과학으로서 의미가 없다. ( )
4. 수학과 논리학은 형식과학으로 분류되며 모든 과학의 기저를 이룬다. ( )
5. 케인즈는 경제학도에게 사학이나 철학을 무시하고 수학적 분석능력을 기를 것을 크게 강조하였다. ( )

단답형

1. 인간이 지식을 습득하는 방법 네 가지를 설명하라.
2. 사뮤엘슨의 말이다. (　　)을 채우시오.
   "사회과학은 엄밀한 과학이 아니다. (　　)으로 수긍이 가는 원리를 찾는 것이다"
3. 수학의 노벨상이라고 불리는 상의 이름은 무엇인가?
4. 수학에서 가장 기초가 되는 세 분야를 설명하라.
5. 경제수학이란 무엇인가?

풀이형

1. 과학이란? 정의와 종류에 대해 설명하라.
2. 과학적 사고의 중요성에 대해 설명하라.

3. 사회과학적 지식의 기능에 대해 설명하라.
4. 경제학의 정의에 대해 설명하라.
5. 수학의 정의와 종류에 대해 설명하라.
6. 경제학에서 수학을 공부하는 이유에 대해 설명하라.
7. 백문이 불여일견이라는 격언이 경제학과 부합되는 면을 설명하라.
8. 사회과학과 자연과학의 차를 설명하라.

CHAPTER 2

수학의 기본 지식

방정식의 힘은 수학이라는 인간 정신의 집합적 창조와 물리적 외부세계 사이의, 철학적으로 쉽지 않은 교신에 바탕을 둔다.

• 이언 스튜어트

수는 현실 세계의 문제를 해결하기 위하여 고안한 개념으로서, 현실세계와 부단히 상호작용하는 인식 공간상의 존재 중의 하나이다.

• 고중숙[1]

1 고중숙, 『수학공부 개념있게』, 푸른 나무, 2003. p.25.

학습목표

실수의 체계, 집합론, 순서쌍, 필요조건과 충분조건 그리고 방정식에 대해 공부하게 될 것이다. 이 분야에 대해서는 이미 중고교 시절 충분히 공부하여 이해하였을 것으로 생각한다. 따라서 사족(蛇足)과 같은 느낌이 들 수 있겠지만, 여기에서는 사회·경제·경영 현상, 나아가 일상에서 경험한 현상과 연계시켜 분석함으로써 수학 개념을 일상화하는 데 도움을 주려고 한다. 또 마지막 절에서는 수학과 수학교육에 대한 명언을 모아보았다.

구성

2.1 실수의 체계
2.2 상수, 변수, 계수 및 파라미터
2.3 집합론
2.4 순서쌍과 카르테시안 곱
2.5 방정식과 항등식
2.6 필요조건과 충분조건
2.7 수학과 수학교육에 대한 명언 모음

2.1 실수의 체계

경제변수는 대부분 실수(實數, real numbers, ℝ)로 이루어져 있다. 실수의 체계에 대해 공부해 보기로 하자.

먼저 수의 가장 기본이 되는 – 계량(計量, counting)과 순서(順序) 매기기(ordering)가 가능한 수 – 자연수에 대해 알아보기로 하자. 반복적으로 1을 더하여 생기는 모든 수를 자연수(自然數, natural number, N)라고 부른다. 자연수끼리 서로 더하면 자연수가 된다. 0을 포함시키느냐 않느냐에 따라 정의가 달라질 수 있다.

양의 정수(positive integers; 1, 2, 3,...)만을 자연수로 정의하기도 하고 혹은 0을 포함하여 음이 아닌 정수(non-negative integers; 0, 1, 2, 3,...)를 자연수로 정의하기도 한다.[2] 또는 1, 소수와 합성수로 구성되어 있다고도 한다.

- **소수(素數, prime number)**[3]: 양의 약수가 1과 자기 자신 뿐인 1보다 큰 자연수로 정의된다. 1과 자기 자신만으로 나누어지는 1보다 큰 양의 정수이다.[4] 정수론에서 매우 중요한 역할을 담당한다.[5] 예 : 3,5,7,11 등

- **합성수(合成數, composite number)**: 1과 자기 자신이 아닌 다른 자연수의 곱으로 나타낼 수 있는 자연수를 의미한다. 1보다 큰 모든 정수는 소수이거나 합성수이다. 1은 소수도 아니고 합성수도 아니다. 예 : 4,6,8,10,12,14,15 등

다음으로 정수(整數, integer, whole number, Z)[6]란 양의 정수(1, 2, 3, ⋯), 0, 음의 정수(-1, -2, -3, ⋯)로 구성된다. 정수는 자연수와 밀접한 관련이 있기 때문에 자연수와 관련

2 음이 아닌 정수(0, 1, 2, 3, ...)를 범 자연수라고 부른다.

3 십진법을 나타내는 소수(小數, decimal number)와 구별하여야 한다.

4 0이 아닌 어떤 정수를 나누어떨어지게 하는 정수이다. 정수 a =b×c×d⋯가 될 때 b, c, d를 a의 약수(約數,divisor) 또는 인수(因數,factor)라고 부른다. 또 약수 중에서 소수(素數)인 수를 소인수(素因數, prime factor)라고 말한다. 예를 들어 12의 소인수는 2와 3이다. 1이외에 공약수를 갖지 않는 수를 서로 소하고 말한다.

5 정수론(number theory)이란 정수 혹은 정수에서 파생된 체계의 성질에 대해 연구하는 수학의 한 분야다. 보통 대수학의 한 분야로 보기도 한다.

6 integer는 라틴어로 "whole(전체)" 뜻을 가지고 있다.

지어 정의할 때는 두 가지 정의가 가능하다.

만약 자연수를 음이 아닌 정수, 즉 0과 양의 정수로 정의(범 자연수)하였다면 정수는 범 자연수와 음의 정수라고 정의할 수 있다. 한편 만약 자연수를 양의 정수로만 정의하였다면 정수는 자연수, 0, 그리고 음의 정수라고 정의할 수 있다.[7]

유리수(有理數, rational number, ℚ)는 두 정수의 분수 형태(단, 분모는 반드시 0이 아니다)로 나타낼 수 있는 실수를 말한다.[8] 정수와 분수로 나누어진다. 분수(分數, fraction, 어원은 broken)는 m/n[m: 분자(分子, numerator) n: 분모(分母, denominator)]으로 나타낸다. 이에 반해 두 정수의 분수 꼴로 나타낼 수 없는 실수를 무리수라 한다. 유리수끼리 서로 더하거나 빼거나 곱하거나 나누어도 그 결과는 다시 유리수가 된다.[9] 모든 유리수는 소수(小數, decimal number)로 표현할 수 있다. 그러나 자리수가 무한인 소수는 유리수로 표현되지 않을 수도 있다. 소수 중 순환하는 마디가 있는 소수는 분수로 표현할 수 있으나 순환하는 마디가 없는 소수는 분수로 표현할 수 없다. 따라서 순환하는 마디가 없는 소수는 무리수이다. 예를 들어 $\sqrt{2}(=1.414213\cdots)$, $\pi=3.14\cdots$, $e=2.718\cdots$ 등을 들 수 있다.

모든 유리수의 집합은 조건 제시법[10]을 사용하여 다음과 같이 나타낼 수 있다.[11]

$$\mathbb{Q}=\left\{\frac{m}{n} : m,\, n\in \mathbb{Z},\, n\neq 0\right\}$$

무리수(無理數, irrational number, $\mathcal{I}$)는 두 정수의 비의 형태로 나타낼 수 없는 실수를 말한다. 무리수의 집합은 $\mathcal{I}=\mathbb{R}-\mathbb{Q}$로 정의한다. 무리수는 소숫점 이하로 같은 수의 배열이 반복적으로 나타나지 않는 (순환하지 않는) 무한소수이다. 무리수는 다시

---

7 음수가 정수로 인정받은 것은 데카르트가 좌표를 만들면서부터이다.

8 rational number를 유리수, irrational number를 무리수라고 번역하고 있지만, 비(比)가 되느냐를 기준으로 분류하기 때문에 유비수나 무비수로 부를 수도 있을 것이다. 박세희, 『수학의 세계』, 서울대학교 출판문화원, 2006, p.17

9 이것을 사칙연산(±,×,÷)에 의하여 닫혀 있다고 한다.

10 조건제시법(條件提示法)이란 집합의 원소를 조건으로 제시하는 방법이며 원소나열법(元素羅列法)은 해당 원소를 나열하는 방법이다.

11 'Q'는 '몫'을 의미하는 'Quotient'에서 유래하였다.

$\sqrt{2}$와 같은 대수적 수인 무리수와 π 등의 초월수(超越數, transcendental number)로 나뉜다. 예로 $\sqrt{2}$, π, 비순환 무한소수, e, $\varphi(\simeq 1.618$ 황금률) 등을 들 수 있다.

실수(實數, real number, ℝ)는 유리수와 무리수의 합이다. 실수와 대비되는 수로 허수가 있다. 허수(虛數, imaginary number)는 말 그대로 실제 수가 아닌 가짜 수다. 머릿속으로만 존재하는 숫자이며 대수학(代數學)의 부족한 부분을 채우기 위해 만들어졌다. 실수와 허수를 합쳐 복소수(複素數)라 하고 모든 수는 복소수로 표현할 수 있다. 경제변수는 대부분 실수를 취한다.

역사적으로 자연수 → 0 → 정수 → 유리수 → 무리수 → 허수 등으로 범위를 확장해 왔다. 지금까지 공부한 실수의 체계를 <그림 2-1>에 개략적으로 그려 보았다.

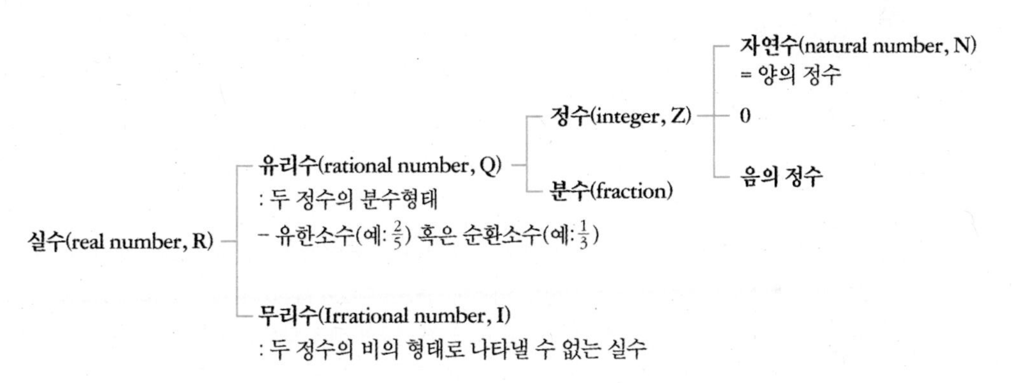

〈그림 2-1〉 실수의 체계

지리산(智異山)은 '소수(素數)의 화원(花園)'이다

이병주(李炳注, 1921~1992)는 소설 『지리산』에서 지리산을 **'소수(素數)의 화원(花園)'**이라고 비유한다. 지리산은 꽃밭 혹은 아름다운 정원이며, 그 공간은 소수에 의해 공유되고 지켜나가야 한다는 함의를 가지고 있다는 것이다. (… 중략 …) 소수는 "자연수의 세계에서 원자와 같고, 가장 아름다운 조화를 유지한다." 이런 점에서 보면 소수와 같은 존재란 자신의 본질적 특질을 잃지 않는 존재, 고결하고 순결한 자질을 지켜내는 존재일터이다. 이병주는 아름다운 화원과 같은 지리산에 모여든 주인공 박태영과 같은 젊은이들을 민족의 순수를 담보한 존재, 순결하고 고결한 존재로 표상한다.

그런데 이병주는 그들을 우리 모두의 정체성의 근원으로서 소수라 이름하고, 그들의 고결하게 지켜낸 것을 화원의 사상이라고 추앙하였다.

출처: 교수신문・부산대학교 한국민족문화연구소 로컬리티의 인문학연구단 외 지음, 『한국 근현대사 역사의 현장 40』, 휴머니스트, 2016. p.242

낭비를 막아주는 수 $\sqrt{2}$

어떤 직사각형일 때 가로 세로 비가 언제나 일정한 사각형을 얻을 수 있을까? 하는 물음에 직면하게 된다. 짧은 변의 길이를 1로 하고 긴 변의 길이를 x라고 해보자. 이 사각형을 반으로 나누었을 때(긴 변을 반으로 나눔) 나누기 전의 짧은 변이 긴 변이 되고 새롭게 짧은 변이 된 변은 $\frac{x}{2}$가 된다. 즉 $1 : x = \frac{x}{2} : 1$로 쓸 수 있으며 이 식을 풀면 $x = \sqrt{2}$가 나온다. 짧은 변과 긴 변의 길이의 비가 1: $\sqrt{2}$ 라면 직사각형을 계속 나누어도 두 변의 비가 1: $\sqrt{2}$ 를 그대로 유지함을 의미한다. 이런 수학적 지혜가 A4 용지를 비롯한 A 형태의 용지와 B 형태의 용지에 나타나고 있다.

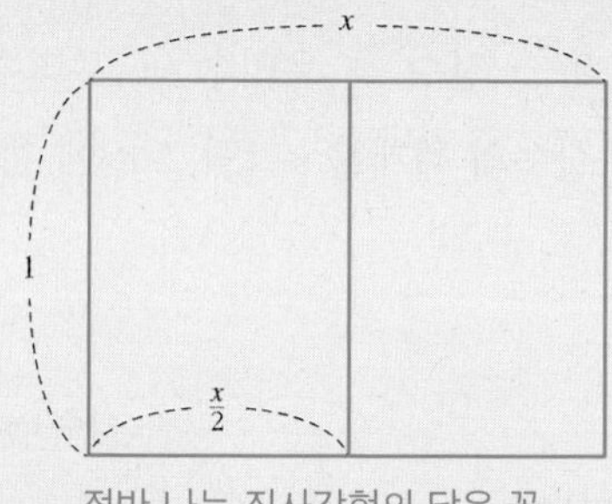

절반 나눈 직사각형의 닮은 꼴

전지인 A_0 용지의 두변의 길이는 각각 1189㎜와 841㎜로서 그 비는 약 1.4138이며 넓이는 1189㎜ × 841㎜로서 약 999949㎜, 약 1m이다. A_0 용지는 넓이가 1㎡이고 가로와 세로비가 $\sqrt{2}$가 되도록 만든 종이이다. 이 종이를 계속 절반으로 자르면 $A_1, A_2, A_3, A_4, A_5, \cdots$가 만들어 진다. 하지만 정사각형을 계속 나누면 첫 번째 모양은 정사각형이지만 두 번째는 직사각형이 나온다. 한 번 더 나누면 정사각형이 되며 또 한 번 더 나누면 길이의 비가 2 : 1인 직사각형이 나온다. 이렇게 계속한다면 정사각형, 직사각형(2:1)이 교대로 나타난다.

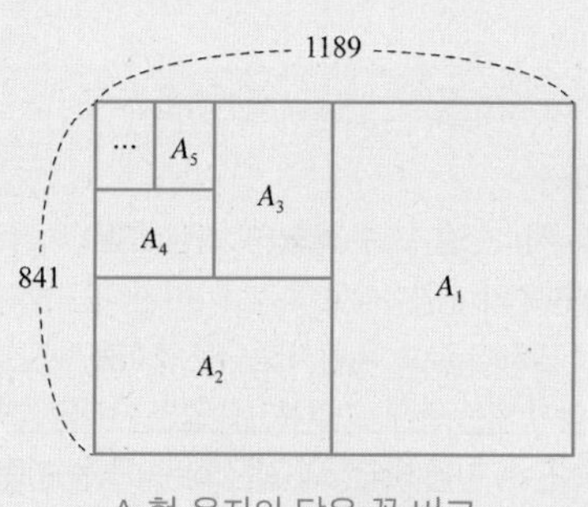

A 형 용지의 닮은 꼴 비교

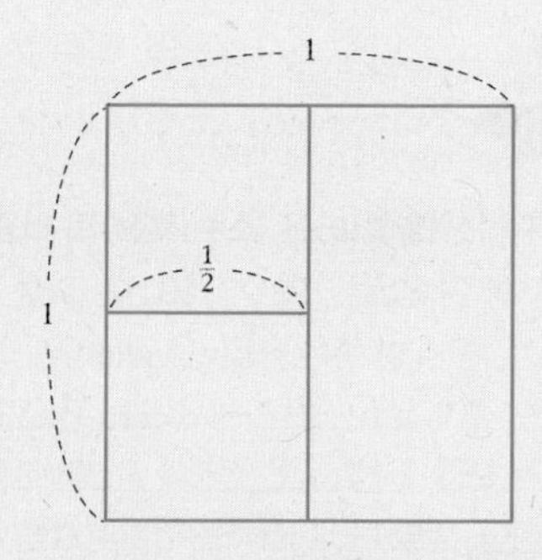

정사각형 용지의 닮은 꼴 비교

출처: 이규봉, 『수학의 창을 통해 보다』, 경문사, 2013,p.45~53

종이는 A_4, B_3, C_4, Letter, Legal 가 많이 쓰이고 있다. 세계적으로 가장 널리 쓰이고 있는 ISO 216은 독일의 종이크기 기준인 DIN 476을 기초로 하였다고 한다. A_3 : 297 × 420, A_4 : 210 × 297, A_5 : 148 × 210의 크기로 가로 세로의 비는 $\sqrt{2}$ 이고 큰 크기의 종이의 세로는 작은 크기 종이의 가로의 길이와 같다.

2.2 상수, 변수, 계수 및 파라미터

상수(常數, constant)란 2, 5와 같이 변하지 않는 양이다. 변수(變數, variables)란 상수와는 달리 여러 가지 값을 가질 수 있는 것이다. 생산량(quantity, q), 이윤(profit, π), 소비(Consumption, C), 소득(Yield, Y) 등 경제학에서는 여러 변수를 사용하고 있다. 상수가 변수에 결합될 때, 그 상수를 그 변수의 계수(係數, coefficient)라고 부른다.

$y = 2 + 5x$에서 5를 계수라고 부른다. $y = a + bx$라고 표시할 때, b가 계수이다. b는 처음에는 어떤 특정한 수치로도 지정되지 않았으므로, 어떤 값도 취할 수 있다. 변수 성격을 띤 상수이다. 주어진 분석대상의 특성을 잘 나타내는 상수를 파라미터(parameter)적 상수 혹은 파라미터라고 부른다. 즉 변수가 되는 상수를 파라미터[12]라고 부르며 특별한 시스템을 정의하는 데 도움을 주는 수치, 특성, 혹은 계측 가능한 요인(a characteristic, feature, or measurable factor that can help in defining a particular system)으로 나타난다.

계량경제학(計量經濟學, econometrics)에서는 a와 b의 값을 통계학적 방법을 이용하여 추정(推定, estimation)하여 구체적으로 숫자를 찾아내고 있다.[13] 계수추정이라는 용어를 쓰는데 예를 들어 소비함수 $C = a + bY$가 주어졌다고 할 때 C와 Y는 각각 변수이며 a와 b는 회귀계수이다. 이 함수를 추정한 결과 회귀계수 a의 추정 값으로 10, 회귀계수 b의 추정 값을 0.85를 구했다면 $\hat{C} = 10 + 0.85Y$로 추정회귀방정식 형태로 쓸 수 있다.[14] 이때 소비함수의 성격상 $a > 0$이고 $0 < b < 1$이라는 조건이 선행적으로 부과되며 만약 추정결과 이 조건을 만족시키지 못하는 값을 얻었다면 그 추정 방정식은 믿을 수 없는 것이 된다. 여기에서 보듯 파라미터는 그 함수의 성질을 내포하고 있기 때문에 한정된 범위 내의 상수만이 받아들여지고 있다.

또 경제학 · 경영학에서는 소득, 이자율, 투자, 환율 등 경제변수를 취급하면서 일정 시점

---

12 para는 beside subsidiary를 meter는 measure를 의미한다.

13 계량경제학이란 '적절한 추론방법과 관련되어 있으며 이론과 관측의 동시적 발달에 기초한 실제 경제 현상의 수량적 분석'이라고 정의하고 있다.

14 $\hat{C}$은 소비 C의 추정치를 의미한다.

에서의 각 변수 값을 대상으로 하기도 하며, 같은 변수가 시간에 따라 나타나는 값을 대상으로 한다. 전자의 경우는 $y_t = f(x_{1t}, x_{2t}, \cdots, x_{nt})$의 형식을, 후자의 경우는 $y_t = f(x_t, x_{t-1}, \cdots, x_{t-n})$의 형태를 취한다. 또 시차를 가진 종속변수를 독립변수로 하여 분석하는 경우가 있다. 이 경우는 $y_t = f(y_{t-1}, y_{t-2}, \cdots\cdots, y_{t-n})$의 형태를 띠게 된다.[15]

2.3 집합론

집합(集合, set)이란 우리들의 직관 또는 사고의 대상 a들로서, 확정되어 있고 또 서로 명확히 구별되는 것들을 하나의 전체로 본 A을 가리킨다. 이는 A의 원소(元素, element)라고 부른다.[16] 원소를 정하는 규칙이 집합의 내용을 결정한다.

A가 하나의 집합이고 a가 집합 A에 속하는 원소라고 하면, $a \in A$로 나타내고 "a가 A에 속한다"라고 말한다. 만일 a가 A의 원소가 아님을 나타낼 때는 $a \notin A$로 나타낸다. 어떤 원소들로 집합이 이루어져 있는지를 나타내기 위해 두 가지 방법이 쓰이고 있다.

- **조건제시법(條件提示法)** : 원소들의 속성을 표시하여 나타내는 방법
  $A = \{a \mid a$는 1보다 크고 10보다 작은 홀수$\}$
- **원소나열법(元素羅列法)** : 괄호 안에 집합에 속하는 원소를 모두 나열해 주는 것
  $A = \{1,3,5,7,9\}$

---

15 $y_t = f(x_{1t}, x_{2t}, \cdots, x_{nt})$는 횡단면 자료(cross- section data)를, $y_t = f(x_t, x_{t-1}, \cdots, x_{t-n})$는 시계열 자료(time series data)를 대상으로 하는 분석이라고 하며 $y_t = f(y_{t-1}, y_{t-2}, \ldots, y_{t-n})$는 시계열 분석(time series analysis)이라고 부른다.

16 집합론의 창시자는 칸토르(Cantor, 1845~1925)이다.

2.3.1 집합의 종류

(1) 전체집합(全體集合, universal set, U)

원소를 어떤 기준으로 무엇으로 인정하느냐에 따라 집합의 성격이 달라질 수 있다. 예를 들어 대한민국 국민을 하나의 집합이라고 본다면, 그 구성원인 국민을 어떻게 정의하느냐, 즉 누구를 대한민국 국민으로 인정할 것인가 하는 매우 중대한 문제에 부딪치게 된다. 복수국적을 인정할 것인가 말 것인가, 인정한다면 어떤 기준으로 할 것인가 등 생각보다 복잡한 문제라는 것을 알 수 있다. 태아를 사람의 집합에 포함시킬 것인가 아닌가에 따라 상속이나 유증 등 법률문제에서 매우 다른 결론에 이를 수 있다.

우리가 일상에서 만나는 집합은 무수히도 많다. 국적법에서의 국민, 민법에서 권리의 주체, 2016년 총선거 유권자, K기업의 노동조합원의 구성, 상장기업의 구성, OECD 국가의 구성, 2016년 올림픽 축구 출전국, 2016년 광역자치단체의 지역총생산 규모, 2000년 이후 2016년까지의 국내 총생산 규모 등이 그 예이다.

집합 간의 관계를 생각해 보기로 하자. 두 집합 A ={1, 2, 5, 3, m, $}와 B ={2, 1, 5, m, 3, $}는 비록 순서가 다르지만 동일한 원소를 포함하고 있기 때문에 A와 B는 같다고 한다. 즉 A = B이다. 한 집합 안에서 원소가 나타나는 순서는 중요하지 않다는 점을 명심하여야 할 것이다. 이 사실은 나중에 학습할 (순서가 중요하게 작용하는) 순서쌍과 비교해 보면 매우 중요한 것이다. 또 한 하나의 원소가 적거나 많아도 다른 집합이며, 단 하나의 원소만 달라도 다른 집합으로 취급된다. 예를 들어

- A의 한 원소($)가 없는 C ={1, 2, 5, 3, m}는 A≠C이며,
- A에 없는 한 원소(4)가 있는 D ={1, 2, 4, 5, 3, m, $}는 A≠D이고,
- A에 있는 한 원소(m)가 다른 형태(M)로 있는 집합 E ={1, 2, 5, 3, M, $}도 A≠E이다.

(2) 부분집합

집합 A의 구성원소가 집합 B의 구성요소라면 A를 B의 부분집합(部分集合, subset)이라고 부르며 A⊂ B 혹은 B⊃A로 표시한다. 집합 A의 구성요소가 n개일 때 집합 A의 부분집합의 수는 2^n 이다.

예를 들어 A ={1,2,3}이라면 부분집합은 {1}, {2}, {3}, {1,2}, {2,3}, {1,3}, {1,2,3}, ∅ 8개이다. 원소(element)는 1∈A, 2∈A, 3∈A로 표시한다.

진부분집합(眞部分集合, proper subset)이란 두 집합 A, B에 대하여 A⊆B이고, A≠B이면 A를 B의 진부분집합이라 한다. 예를 들어 대전 시민은 대한민국 국민 집합의 진부분집합이다. 또 국회의 상임위는 국회의 진부분 집합이다.

(3) 공집합

어떠한 구성요소도 갖지 않은 집합을 공집합(空集合, empty set)이라고 부르며 { } 혹은 ∅로 표시하며 모든 집합의 부분집합이다. 무소유를 공집합으로 해석할 수도 있다.[17]

(4) 멱집합[18]

어떤 집합의 부분집합 전체로 구성된 집합을 멱집합(冪集合, power set)이라고 말한다. 원소가 n개인 집합의 멱집합의 원소의 수는 2^n이다.[19] 예를 들어 원소가 3개인 집합인 경우, A ={1,2,3}일 때, 멱집합(p(A))은 {{1}, {2}, {3}, {1,2}, {2,3}, {1,3}, {1,2,3}, ∅}로 8개로 구성된다. 즉 공집합 1개, 원소가 하나인 집합 3개, 원소가 2개인 집합 3개, 전체 집합 1개로 이루어진다. 구성 원소로 만들어질 수 있는 모든 가능성을 보여주고 있다.

이합집산(離合集散)이나 합종연횡(合縱連横)의 가능성에 대해 생각할 때 유용하게 쓰인다. 예를 들어 어느 나라(시장)에 3국(기업)이 있고 이 세 나라(기업)가 취할 수 있는 모든 경우의 수를 나타내고 있다.

---

17 이규봉, 『수학의 창을 통해 보다』, 경문사, 2013, pp.139-148.

18 건집합[巾集合, 두건 건(巾)]이라고도 부른다.

19 n 개의 원소를 갖는 집합 {a,b,c, ⋯, n}이 있다고 하고, 그 부분집합의 수를 계산해 보기로 하자. 먼저 원소 a를 포함하는 것과 그렇지 않는 것의 두 범주로 나눌 수 있다. 또 원소 b에 대해서도 b를 포함하는 것과 그렇지 않는 것의 두 범주로 나눌 수 있다. 두 번째 요소 B를 추가함으로써 범주의 수는 2에서 4(=2^2)로 배로 증가한다. 같은 이치로 원소 c를 기준으로 나누어지는 범주는 2개가 될 것이고 범주의 총수는 8(=2^3)로 증가한다. 이렇게 모든 n개의 원소가 고려되면, 범주의 총수는 2^n이 된다. 이성순・정기준, 전게서, p.11.

2.3.2 집합의 연산

벤다어그램이란 전체 집합을 사각형으로 그리고 그 안에 문제에서 제시한 집합을 원으로 그려 나타낸 것을 말한다.

(1) 합집합

집합 A, B가 있을 때 A와 B의 합집합(合集合, union set) C는 A에 속하는 원소나 B에 속하는 원소들로 이루어진 집합이다.

$$C = A \cup B = \{ x \mid x \in A \text{ 혹은(or) } x \in B \}$$

(2) 교집합

집합 A, B가 있을 때 A와 B의 교집합(交集合, intersection set) D는 A에 속하고 B에도 속하는 원소들로 이루어진 집합이다.

$$D = A \cap B = \{ x \mid x \in A \text{ 그리고(and) } x \in B \}$$

국제결혼과 교집합

지금은 국제결혼이 보편화되어 국제결혼에 대한 두려움(?)이 많이 줄었지만 국제결혼을 할 때 가장 걱정되는 것은 나라 간 언어, 문화나 관습의 차이인데 이를 "교집합이 적다"라고 표현할 수 있을 것이다. 세계화 시대가 도래함에 따라 국내 거주 외국인이 증가하면서 언어, 문화나 관습의 차이가 줄어들어 "교집합이 커지고 있다"라고 해석할 수 있을 것이다.

교집합과 복수 국적

"인요한 박사는 선대의 업적뿐만 아니라 본인이 대한민국에 기여한 공로에 의해 특별귀화허가를 받은 최초의 사례입니다. 특별귀화허가를 받고 '외국국적 불행사 서약'을 함으로써 기존의 미국시민권을 포기하지 않고도 우리나라 국적과 함께 복수국적을 유지할 수 있게 되었습니다." - 법무부 홈페이지 2012년 3월 23일

복수 국적자인 인요한 박사는 한국인 집합과 미국인 집합의 교집합에 속하는 유일한 원소이다.

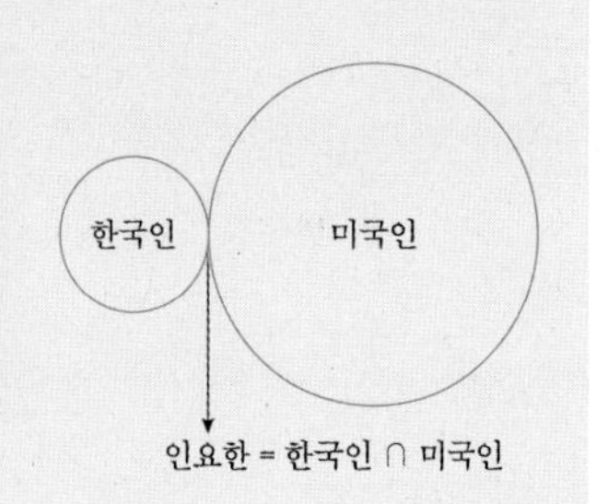

합병과 인수(Merger and Acquisition, M&A)

'인수(引受)'는 하나의 기업이 다른 기업의 경영권을 얻는 것이고, '합병(合併)'은 둘 이상의 기업들이 하나의 기업으로 합쳐지는 것이다.

교집합이 큰 기업들이 합병과 인수를 하면 경제성이 높아질 것이다. 교집합이 크다는 말은 공통요소가 많다는 뜻이며 규모의 경제(economy of scale, 생산량이 증가함에 따라 단가가 싸지는 경제성)나 범위의 경제(두 기업이 다른 제품을 각각 생산하는 것보다 한 기업이 두 제품을 같이 생산함으로써 비용이 절감되는 경제성, economy of scope)로 인한 효율성 증대를 기대할 수 있다.

(3) 여집합(혹은 보집합)

전체집합의 모든 원소들 중에서 집합 A에 속하지 않는 원소로 구성된 집합을 여집합[餘集合, complement set, 보집합(補集合)]이라고 부른다.

$$\overline{A} = A^C = \{ x \mid x \in U \text{ 그리고 } x \notin A \}$$

① $U = A \cup A^C$

② $A \cap A^C = \varnothing$

③ $U \cup A = U,\ U \cap A = A$

(4) 차집합

두 집합 A와 B가 있을 때 차집합(差集合, difference set)이라고 부른다.

$$A - B = \{ x \mid x \in A,\ x \notin B \}$$

$$\text{또는 } B - A = \{ y \mid y \in B,\ y \notin A \}$$

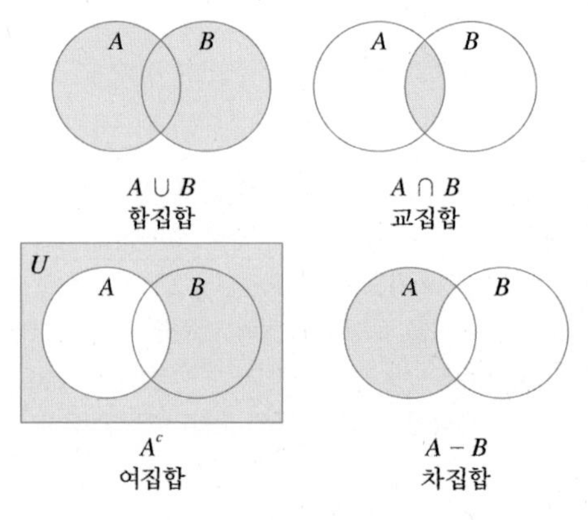

〈그림 2-2〉 합집합, 교집합, 여집합, 차집합

(5) 상호배반적인 집합

두 집합 A, B가 공통원소를 가지고 있지 않을 때, 즉 A의 모든 원소가 B에 속하지 않으면 상호배반적인 집합(mutually exclusive sets)이라고 한다. 두 집합 A, B가 A = $\{2,4,6,8,10\}$, B = $\{1,3,5,7,9\}$이면 A와 B는 공통원소가 없으므로 서로 배반집합이다. 로미오 집안과 줄리엣 집안의 관계 또 통계학 가설검정에서 쓰고 있는 귀무가설(歸無假說, null hypothesis)과 대립가설(對立假說, alternative hypothesis)의 관계도 좋은 예이다.

일란성 쌍둥이의 과거와 현재

너무 똑같아서 구별할 수가 없다. - 교집합(두 사람의 공통적인 면, 같음)
아무리 일란성 쌍둥이라도 다른 데가 있다. - 차집합(언니만의 특징, 동생만의 특성, 다름)
2014년 1월 25일 KBS 추적 60분에서 일란성 쌍둥이의 운명을 비교하는 내용이 방송되었다. 1975년 1월 5일 생 쌍둥이 자매 언니는 실종되어 미국으로 입양을 가 현재 심리학과 교수가 되었고, 실종되지 않은 동생은 한국에 살고 있으며 무당이 되었다. 미국 양부모 집안은 매우 지식수준이 높아 언니는 책을 보고 공부하는 것을 매우 즐겁다고 생각하고 있는 반면 동생은 전혀 그렇지 않았다. 언니는 운명보다는 선택의 영역이 더 지배한다고 믿고 있으나 동생은 운명의 영역을 더 믿고 있다.
벤다이어그램으로 그려 보면 아래와 같이 그릴 수 있겠다. 처음 태어났을 때 생물학적으로 공통점 매우 많고 비생물학적인 영역은 거의 없었다고 본다. 전체적으로 볼 때 매우 같으나, 세월이 지난 후 생물학적인 공통점의 크기는 그대로라고 생각할 수 있다. 반면 비생물학적인 영역이 매우 커졌으며 이 부분에 공통점이 거의 없어 전체적으로 볼 때 다른 성격을 보이고 있다. 비록 일란성 쌍둥이라고 할지라도 서로 다른 환경에서 자라게 되면 상대적으로 교집합은 줄어들고 차집합 영역이 점점 더 커지게 되어 다른 생각, 다른 운명의 소유자가 된 것이다.

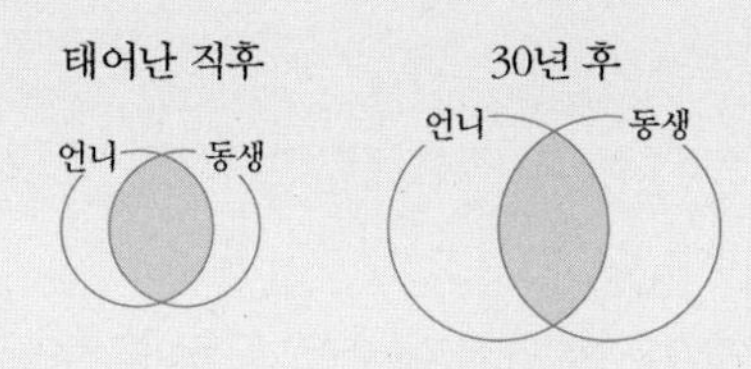

구동존이(求同存異)

2018년 4월2일 원내 의석수 14명인 민주평화당과 6명인 정의당이 '평화와 정의를 위한 의원모임'이라는 이름으로 원내 교섭단체를 구성하였다. 이 모임의 원내대표로 뽑힌 고 노회찬의원은 '공통된 부분을 함께 추구하고 이견이 있는 부분은 남겨둔다'는 뜻의 구존동이의 정신으로 조직을 운영하겠다고 포부를 밝혔다. 집합론으로 표현하면, '공통된 부분'은 교집합으로 '이견이 있는 부분'은 차집합으로 표현할 수 있다고 본다.

2.3.3 연산법칙

아래와 같은 연산(演算) 법칙이 성립한다.

① **교환법칙(交換法則, commutative law)**

$A \cup B = B \cup A, \quad A \cap B = B \cap A$

② **결합법칙(結合法則, associative law)**

$A \cup (B \cup C) = (A \cup B) \cup C, \quad A \cap (B \cap C) = (A \cap B) \cap C$

③ **분배법칙(分配法則, distributive law)**

$A \cup (B \cap C) = (A \cup B) \cap (A \cup C), \quad A \cap (B \cup C) = (A \cap B) \cup (A \cap C)$

■ 드 모르간(De Morgan)의 법칙

$$(A \cup B)^c = A^c \cap B^c, \ (A \cap B)^c = A^c \cup B^c$$

예제 2-1

A={1, 2, 5, $}, B={5, $, 7}, C={1, 4, 7}로 주어졌을 때, 분배법칙
(1) $A \cup (B \cap C) = (A \cup B) \cap (A \cup C)$, (2) $A \cap (B \cup C) = (A \cap B) \cup (A \cap C)$를 확인하라.

풀이

(1) $A \cup (B \cap C) = \{1, 2, 5, \$\} \cup \{7\} = \{1, 2, 5, \$, 7\}$

$(A \cup B) \cap (A \cup C) = \{1, 2, 5, \$, 7\} \cap \{1, 2, 5, \$, 7\} = \{1, 2, 5, \$, 7\}$

(2) $A \cap (B \cup C) = \{1, 2, 5, \$\} \cap \{5, \$, 7, 1, 4\} = \{1, 5, \$\}$

$(A \cap B) \cup (A \cap C) = \{5, \$\} \cup \{1\} = \{1, 5, \$\}$

존 벤(John Venn, 1834~1923)

영국의 논리학자이며 철학자이다. 할아버지 아버지 모두 목사를 지낸 엄격한 집안에서 태어난 그는 벤다이어그램을 도입한 학자로 유명하다. 당시에도 이미 라이프니츠나 오일러의 다이어그램이 존재했지만 벤의 다이어그램과는 다소 차이가 있었고 그가 훨씬 구체적이고 논리적으로 다이어그램을 사용하였기 때문에 그의 이름을 붙여 '벤다이어그램'이라고 불리고 있다. 그의 다이어그램은 집합론, 논리학, 확률, 통계학, 컴퓨터 과학에서까지 두루 쓰이고 있다. 영국 왕립협회(Royal Society)의 펠로우(fellow)로 선출되었으며 그의 탄생 180주년을 기념하여 2014년 8월 4일 구글 두둘(google doodle)에서는 그를 기념한 적이 있다.

출처: 위키피디아 백과사전과 대전일보 2014년 8월 5일

2.4 순서쌍과 카르테시안 곱 [20]

공집합이 아닌 두 집합 A와 B가 있을 때 A의 하나의 원소와 B의 하나의 원소로 이루어진 순서쌍(順序雙, ordered pair)의 집합을 집합 A와 B의 카르테시안 곱(Cartesian product)이라고 부르며 A × B로 표시한다.

$$A \times B = \{(a, b) \mid a \in A , b \in B\}$$

A를 학생들의 영어점수 집합, B를 수학점수 집합라고 하면, $0 \leq a \leq 100$, $0 \leq b \leq 100$ 범위가 정해질 것이다.

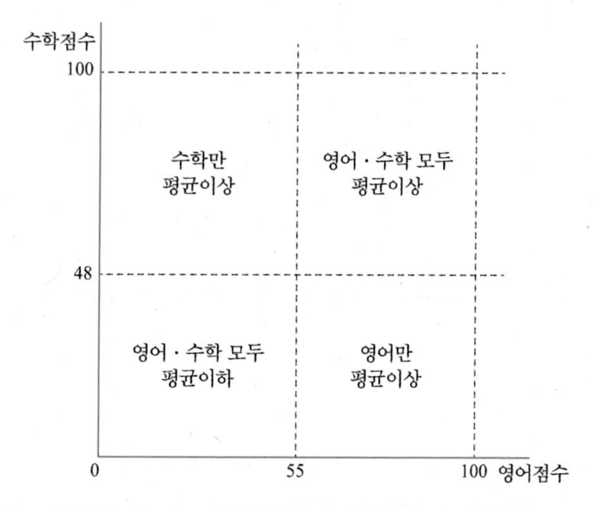

〈그림 2-3〉 카르테시안 곱의 예 (영어점수와 수학점수)

A × B는 그림에서와 같은 정사각형으로 그려진다. 만약 영어 평균이 55점이고 수학 평균이 48점이라면 4개의 영역으로 나눌 수 있다. 혹은 45° 선을 기준(영어점수와 수학점수가 같은)을 기준으로 상대적으로 어느 과목을 잘하는지를 판단할 수 있다.

위와 유사한 예는 수없이 들 수 있다. 예를 들어 A를 남편의 나이, B를 아내의 나이라고 할 때 $20 \leq a \leq 100$, $15 \leq b \leq 100$로 규정하고 카르테시안 곱의 영역을 그릴 수 있다. 동

---

20 Cartesian product는 프랑스의 수학자 데카르트가 처음 고안한 개념이며 그의 이름을 기초로 지어진 이름이다.

갑내기 커플은 45도선 위에, 연상녀·연하남 커플은 45도선 위 영역에, 연상남·연하녀 커플은 45도선 아래 영역에 그려 질 것이다. 소위 트로피 아내(trophy wife)는 45도선 아래 영역에서도 낮은 곳에 표시될 것이다.[21]

나이, 점수, 키 등과 같이 대상 자체를 숫자로 나타낼 수 있는 경우는 물론 추상적인 개념에 대해서도 그 정도를 숫자로 표시하여 분석할 수 있다. 또 좌표를 사용하면 숫자나 수식을 가지고 도형을 정확하게 표현할 수 있으며 어떤 물체의 움직임을 가로축과 세로축의 관계로 나타낼 수 있다는 장점이 있다. 예를 들어 재벌(다각화와 소유관계), 교통사고에서 가해자와 피해자의 책임 정도, 맞선본 상대에 대한 평가(인상과 능력), 장관의 유형(똑똑함과 부지런함), 후흑학(厚黑學, 얼굴 두껍기와 검은 마음) 등을 2 × 2의 범주(範疇)로 나누어 분석할 수 있다.[22]

순서쌍(ordered pair)을 생각해 보자. 집합에서 원소의 순서는 중요하지 않다. 즉 {a,b} = {b,a}이다. 그러나 순서쌍 (a,b) ≠ (b,a). a=b가 아닌 한 그렇다. 예를 들어 어느 학생의 경제학 점수와 경영학 점수를 나타내기 위한 순서쌍(eco, man)이라는 순서쌍을 만들었을 때 (100, 40)과 (40,100)은 완전히 다르다.

또 다른 예로서 순서쌍으로 표시된 산 정상의 위치를 (경도, 위도, 고도)의 순서로 나타내 보면 백두산 정상은 (동경 128도, 북위 42도, 해발 2744 m)로 에베레스트산 정상은 (동경 87도, 북위 28도, 해발 8848 m)로 쓸 수 있다.

이와 같이 실수의 순서쌍 (a, b, c)를 점 P의 좌표 또는 공간좌표라 하고, P(a, b, c)와 같이 나타낸다. 이때 a, b, c를 각각 점 P의 x 좌표, y 좌표, z 좌표라고 한다. 또 좌표가 주어진 공간을 좌표공간(座標空間)이라고 부른다.

좌표가 2개일 때는 2차원 공간에 좌표가 3개일 때는 3차원 공간에 좌표가 n개일 때는 n차원 공간에 나타낼 수 있다. 3차원의 예를 들어 보면 입체적인 모습이 그려진다. 좌표를 하나, 하나 늘려감에 따라, 1차원 선에서 2차원 평면상의 점으로 3차원 입체로 변해가고 있다.

---

21 트로피 아내란 성공한 장년의 남자와 결혼한 젊은 여자를 일컫는 용어로서, 도널드 트럼프(1947년생)와 결혼한 멜라니아 트럼프(1970년생)가 대표적인 예이다.

22 2×2를 넘어 가로로 m개, 세로로 n개로 나누어 $m \times n$개의 범주를 확률로 분석할 수 있다.

예제 2-2

경도: 동경 +, 서경 -, 위도: 북위 +, 남위 -, 고도: 해발 +, 해저 -로 표기하면 리우데자네이루에 있는 예수상은 (-42, -22, 700)로 남산타워 꼭대기는 (127, 38, 480)으로 표기할 수 있다.
(130, 38, 750), (-50, -23, -250) (-30, 35, -120)을 해석하라.

데카르트(René Descartes, 1596 ~ 1650)

프랑스 태생의 수학자, 철학자이다. 근대 철학의 아버지, 해석기하학(解析幾何學, analytical geometry)의 아버지라고 불리고 있다. 그는 과학혁명에 큰 족적을 남겼으며 천재의 전형이었다.
어려서 몸이 약해 침대에 누워 있을 시간이 많았던 그는 천장에 붙어있는 파리를 보고 파리의 위치를 나타내는 일반적인 방법을 찾으려고 애쓰다가 '좌표(座標, coordinate)'라는 발상을 하게 되었다는 유명한 일화가 있다. '기하'와 '수'가 합쳐질 수 있다는 가능성을 발견한 위대한 수학자이다.
한편 젊었을 때는 놀기도 하고 방황도 했던 모양이다. 나쁜 친구들과 사귀는 것을 그만두기 위해 자원해서 군인이 되었으며 최종적으로 중장 정도까지 진급하였다고 한다. 이성을 중요시하는 과학적 방법론을 주장한 그에게 추기경 리슬리외는 든든한 후견인이었다. "신이 유일한 진리다'라는 믿음을 가진 로마 카톨릭과 마찰을 일으킬 수밖에 없었지만 리슬리외의 비호를 받아 무사할 수 있었다.

* 해석기하학이란 좌표를 이용하여 대수적적 산법에 의해 이차원 · 삼차원 유크리드 공간의 도형의 성질을 연구하는 기하학의 한 분야이다. 대수학(代數學, algebra)과 기하학(幾何學, geometry)의 다리를 놓는 분야이다.

그는 1637년 발표한 『방법서설(方法敍說)』에서 가장 단순한 요소에서 시작하여 그것을 연역(演繹)해 간다면 결국에는 복잡한 것에 이를 수 있다고 주장하였다. 또 형이상학은 방법적 회의(懷疑)에서 출발한다고 주장하였다. 환원주의적·수학적 사고를 규범으로 하여, 아래 네 가지 규칙을 정하였다.

가) 명증적(明証的) 진리라고 인정하는 것 외에는 결코 받아들여서는 안 된다.(명증)
나) 문제를 가능한 한 작은 부분으로 나누어야 한다.(분석)
다) 가장 단순한 것에서 시작하여 복잡한 것에 이른다.(총합)
라) 무언가 빠뜨린 것이 없는지 전체적으로 보아야 한다.(음미)

"우리가 인식하는 모든 것을 의심하여 너무 명백해서 의심할 수 없을 때까지 진실을 탐구해야 한다"는 진리에 대한 진지한 자세는 후세에도 더욱 빛을 발하고 있다.

예제 2-3

$A=\{1,2\}$, $B=\{1,2,3\}$에서 AB와 BA를 구하고 그림으로 나타내라.

풀이

$AB=\{(1,1),(1,2),(1,3),(2,1),(2,2),(2,3)\}$
$BA=\{(1,1),(1,2),(2,1),(2,2),(3,1),(3,2)\}$

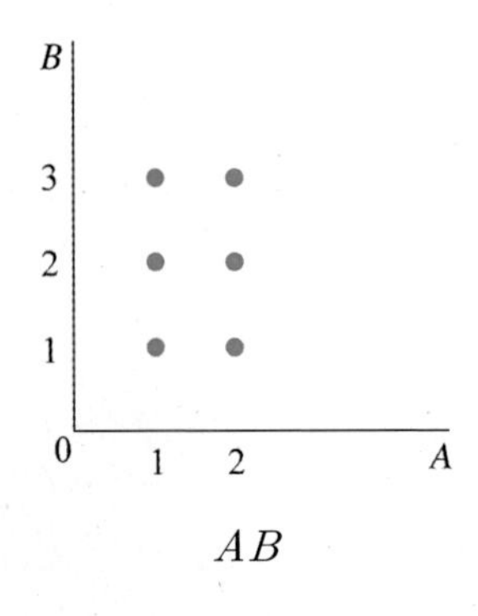

AB

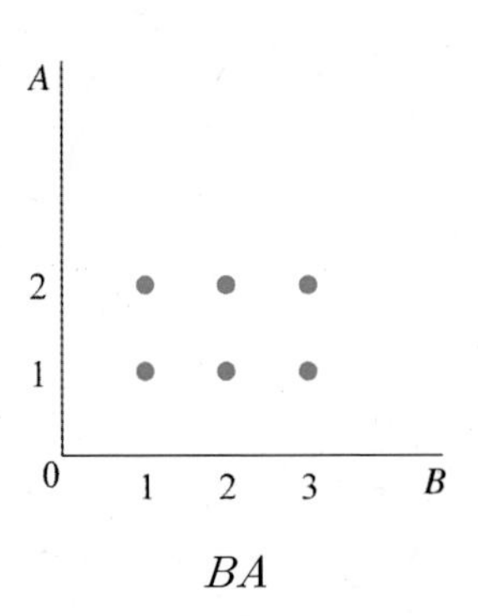

BA

2.5 방정식과 항등식

먼저 수식(줄여서 식)이라고 함은 "수와 문자를 일정한 규칙에 따라 나열한 것"이라고 정의할 수 있다. 다음으로 등식(等式, equality)과 부등식(不等式, inequality)에 대한 정의가 필요하다. 숫자 · 문자로 식을 표현하고 수가 등호(=)로 식을 연결하여 나타낸 것을 등식이라고 하고 부등호로 연결되어 있는 식을 부등식이라고 한다. 등식에는 방정식(方程式, equation)[23]과 항등식(恒等式, identity)이 있다.

---

23 방정식이라는 명칭은 중국 고대의 대표적인 수학 저서인 '구장산술(九章算術)' 제8장의 이름이 '방정'인데, 거기에 몇 가지 일차연립방정식의 풀이가 다루어져 있다는 점에서 유래한다. '방정'은 그 당시 계산에 사용되었던 나무로 만든 도구인 산목(算木)의 배열방식 및 그 결과로서 배열 상태를 지칭한다.

- **방정식(方程式, equation)**: x 값에 따라 참이 되기도 하고 거짓이 되기도 하는 등식이다. $2x+4=0$, x가 -2일 때만 참이 된다. 이때 등식을 성립시키는 특정한 값을 방정식의 근(根) 또는 해(解)라고 하고, 근을 구하는 것을 '방정식을 푼다'라고 한다.

- **항등식(恒等式, identity)**: x가 어떤 값을 갖더라도 항상 참이 되는 등식이다. $2(x+2)=2x+4$. 어떤 값이라도 참이 된다.[24] 양변이 우연히 같은 것이 아니라 본질적으로 서로 '그 자체'이다. 특별히 '$\equiv$' 기호를 쓰기도 한다.

- **부정방정식(不定方程式)**: 식을 만족시키는 x, y의 값이 너무 많아 딱히 얼마라고 정할 수 없어서 정할 수 없다는 뜻의 부정이라는 말을 붙인 방정식을 말한다. 예를 들어 $2x+4y-1=0$에서 x가 5일 때 y는 9/4, x가 10일 때 y는 19/4 등 수 많은 x와 y의 조합이 존재한다.

경제・경영 모델에서 주로 쓰이는 방정식으로는 정의방정식, 기술방정식, 행동방정식, 제도방정식 그리고 조건방정식이 있다.[25] 다섯 방정식이 서로 연계되어 경제・경영 모델이 만들어지며 여기에 수학적 도구를 활용함으로써 유용한 경제・경영원리를 찾고 있다. 이 중에서도 행동방정식이 가장 중요한 역할을 한다. 방정식을 설정함에 있어 그 밑바탕에는 경제・경영이론이 있음을 명심하여야 할 것이다.

- **정의방정식(定義 方程式, definitional equation)**: 똑같은 의미를 갖는 2개의 다른 표현 사이에 항등관계를 설정하는 것이다. 항등식(恒等式, identity)이라고도 불리며 등호(=) 대신 항등부호($\equiv$)를 쓰기도 한다.

$$Y(\text{국내총생산}) = C(\text{소비}) + I(\text{투자}) + G(\text{정부지출}) + X(\text{수출}) - M(\text{수입})$$

$$\Pi(\text{이윤}) \equiv R(\text{수입}) - C(\text{비용})$$

$$S(\text{저축}) = Y(\text{소득}) - C(\text{소비})$$

$$P_1 \times E_1(P_1, P_2) + P_1 \times E_2(P_1, P_2) \equiv 0$$: 왈라스 법칙 E_i는 i시장의 초과수요

24 항등식을 나타내는 부호로 '≡'를 쓰고 있다. 이 부호는 정의, 항등식, 필요충분조건, 합동 등을 나타낼 때 쓰이며 완전 동일성을 의미한다.

25 이효구・박승안,『경제경영수학』, 박영사, 1982, pp.4-5.

- **기술방정식(技術 方程式, technological equation)**: 변수 간에 존재하는 기술적 관계를 나타내 주는 방정식이다.

  $Q = AL^{\alpha}K^{\beta}$ Q: 생산량, L: 노동 투입량, K: 자본 투입량, A, α, β: 파라미터 : 콥 다글러스 생산함수

  $aX^2 + bY^2 = c$ X : X 재화의 생산량, Y : Y 재화의 생산량 : 생산가능함수

- **행동방정식(行動 方程式, behavioral equation)**: 가장 일반적인 형태로 한 변수가 다른 변수들의 변화에 어떤 식으로 대응하는가를 규정하고 있다.

  $C = 100 + 10Q^2$ C : 비용 Q : 생산량 : 비용함수

  $C = 100 + 0.8Y$ C : 소비 Y : 소득 : 소비함수

  r(실질이자율) $= i$(명목이자율) $- \pi$(물가상승률) : 피셔 방정식

  $MV = PY$ M: 화폐수량, V : 화폐유통속도, P: 생산물 가격, Y: 생산량

  화폐수량방정식(교환방정식)

- **제도방정식(制度 方程式, institutional equation)**: 경제제도로 인하여 존재하는 변수 간의 관계를 나타내 주는 식이다.

  $T = T_0 + tY$ T : 조세, T_0 : 정액세, t : 소득세율, Y : 소득

  $R = rD$ R : 지불준비금, r : 지불 준비율, D : 예금

- **조건방정식(條件 方程式, conditional equation)**: 경제변수 간에 충족되어야 할 조건을 나타내는 식이다.

  Q^d (수요량) = Q^s (공급량),

  Y(국민소득) = C(소비) + I(투자) +G(정부지출)

세계를 바꾼 17개 방정식

1. 피타고라스 정리: 우주를 측량하다.
2. 로그 : 곱셈을 덧셈으로 바꾸는 마법
3. 미적분: 현대 과학의 나사 돌리기
4. 뉴턴의 중력법칙: 태양계의 숨은 구조
5. −1의 제곱근: 오일러의 아름다운 선물
6. 오일러의 다면체 공식: 세상의 모든 매듭
7. 정규분포: 우연에도 패턴이 있다.
8. 파동방정식: 조화로운 파동
9. 푸리에 전환: 디지털시대의 주역
10. 나비에-스토크스 방정식: 하늘을 지배하는 공식
11. 맥스웰방정식: 빛은 전자기파다.
12. 열역학 제 2법칙: 무질서는 증가한다.
13. 상대성이론: 우주의 탄생과 진화
14. 슈뢰딩거 방정식: 괴상한 양자 세계
15 정보이론: 통신 혁명
16. 카오스 이론: 자연은 균형 상태라는 환상
17. 블랙-숄스 방정식; 황금의 손

출처: 이언 스튜어트 지음, 김지선 옮김, 『세계를 바꾼 17개 방정식: 위대한 방정식에 담긴 영감과 통찰』, 사이언스 북스, 2016.

2.6 필요조건과 충분조건

명제 P가 참이면 명제 Q도 반드시 참일 때 명제 P는 명제 Q를 유도한다고 하며, “P이면 Q다(If P then Q)” 혹은 P ⇒ Q(P가 Q를 의미한다, P implies Q)로 표현한다. 이때 Q를 P이기 위한 필요조건(必要條件, necessary condition), P를 Q이기 위한 충분조건(充分條件, sufficient condition)이라 한다.

“A는 B의 아버지다”라는 명제는 “A는 남자다”라는 명제가 참이 되기에 충분하다. “A는 B의 아버지다”를 P명제라고 하고 “A는 남자다”를 Q명제라고 할 때, 아버지라는 사실은 알면 당연히 남자라는 사실을 알 수 있다.

이번에는 반대로 “A는 남자다”라는 Q명제가 참이라면 “A는 B의 아버지다”는 P명제가 참이 되는 필요요건이 된다. 남자 중에 총각도 있기 때문에 P명제가 참이라고 주장할 수 없기 때문이다.

〈표 2-1〉 필요조건과 충분조건의 의미

P는 Q의 필요조건이다	P가 없으면 Q도 없다. 필수적인 조건(an essential condition)으로 해석된다.
P는 Q의 필요조건이 아니다	Q는 존재하지만 P는 존재하지 않는 상태를 발견할 수 있다.
P는 Q의 충분조건이다	P의 존재는 Q의 존재를 보장한다. Q가 없으면 P를 갖는 것이 불가능하다. P가 있다면 Q는 반드시 존재하여야 한다(If P then Q).
P는 Q의 충분조건이 아니다	P는 존재하지만 Q가 존재하지 않는 경우를 만날 수 있다.

4가지 가능성의 예를 들어 보면 다음과 같다.

① **P는 Q의 필요조건이지만 충분조건은 아니다.**

"4개의 각을 가지고 있다"는 사실은 정사각형이 되기 위한 필요조건이지만 충분조건은 아니다.

'함수의 연속성'은 '미분가능성'의 필요조건이지 충분조건은 아니다.

"$y = f(x)$가 연속이고 미분가능한 함수라면, $f'(x) = 0$"은 상대적 극값을 구하기 위한 필요조건이지 충분조건은 아니다. 이 조건을 만족하는 x(임계점) 중에는 상대적 극값도 있지만 변곡점도 있기 때문이다.

"행렬의 정방성(正方性)은 역행렬이 존재하기 위한 필요조건이지 충분조건은 아니다."

"앙트레 프레너십(enterpreneur ship, 기업가 정신 企業家 精神)은 경제발전의 필요조건이지 충분조건은 아니다."

② **P는 Q의 충분조건이지만 필요조건은 아니다.**

아들이 있다는 사실은 부모가 되기 위한 충분조건이지만 필요조건은 아니다(자식이 딸이든 아들이든 자식이 있으면 부모이다).

③ **P는 Q의 필요충분조건이다.**

결혼 안한 남자는 미혼남이기 위한 필요충분조건이다.

"21세기 지식과 정보의 시대에 책의 문화란 우리 삶의 필요·충분조건이다."

– 김언호(출판도시문화재단 이사장)

④ **P는 Q의 필요조건도 충분조건도 아니다.**

키가 크다는 것은 행복하기 위한 필요조건도 충분조건도 아니다.

피타고라스(B.C 570~B.C 495)

피타고라스 정리로 유명한 그는 수학자인 동시에 최고의 철학자였다.[26] 기원전 570년 소아시아의 섬 사모스에서 출생한 그는 자신의 사상을 기록하는 것을 금지했기 때문에 그의 삶과 철학에 대한 책은 많지 않다. 그는 만물이 근본을 캐고 들어가 수학이라는 위대한 질서를 발견한 1세대 수학자, 최초의 철학공동체를 만들어 운영한 철학학교 교장, 이 모두가 그가 이루어놓은 서양문명의 바탕이다.

그가 창설한 피타고라스 학파는 연구단체인 동시에, 금욕과 구제를 지향한 종교수행단체였다. 그는 또 음악에도 조예(造詣)가 깊었다고 한다.

피티고리스는 오늘날 흔히 인정받는 것보다 더 높게 평가받아야 한다. 그가 해낸 일들 때문이 아니라 그가 시작한 일들 때문이다.

2.7 수학과 수학교육에 대한 명언 모음

1. * 만물의 근원은 수다.
   * 머릿속에서 만들어진 수학적 형상이 현실세계에서 벌어지는 일과 일치해야만 과학이 성립한다. - 피타고라스(Pythagoras, B.C 570~B.C 495)
2. 기하학에는 왕도가 없다. - 유클리드(Euclid, B.C 330~B.C 275)
3. 역사는 인간을 현명하게 하며, 시는 기지(機智)를 갖추게 하며, 수학은 정세(精細)하게 하며, 자연과학은 깊이 생각하게 하며, 윤리학은 신중하게 하며, 논리학과 수사학은 논쟁을 할 수 있게 한다. - 프랜시스 베이컨(Francis Bacon, 1561~1626)
4. 자연의 거대한 책은 수학적 기호로 쓰였다. - 갈릴레오(Galiei, 1564~1642)
5. 기하학은 하나님이 지금까지 인류에게 보내고 만족한 단 하나의 과학이다.
   - 홉스(Hobbes, 1588~1679)
6. 나에게는 만물이 수학으로 환원된다. - 데카르트(Descartes, 1596~1650)

26 황광우, 『철학콘서트 2』, 웅진지식하우스, pp.14-30.

7. * 진실은 복잡함이나 혼란 속에 있지 않고 언제나 단순함 속에 있다.
   * 산술을 알고 있는 양으로부터 구하고자 하는 양으로 나아간다. 반대로 대수는 미지의 양을 마치 아는 것처럼 다루면서 미리 주어져 있는 양으로 식을 세워 나간다.
   - 뉴턴(Newton, 1642~1727)

8. 우리는 우리의 판단력보다는 도리어 대수적 계산에 신뢰를 두어야 한다.
   - 오일러(Euler, 1707~1783)

9. 자연과학은 수학적일 때에 한하여 과학이라 불린다. - 칸트(Kant, 1724~1804)

10. * 수학은 과학의 여왕이다.
    * 수는 순전히 우리의 정신적 산물이다.
    * 신도 수학을 한다.
    * 나만큼만 깊이, 그리고 끊임없이 수학적 진실을 생각하기만 한다면, 내가 발견한 것 정도는 누구라도 발견할 수 있을 것이다. - 칼 가우스(Gauss, 1777~1855)

11. 과학에 있어서는 증명할 수 있는 것이 증명 없이 믿어져서는 안 된다.
    - 데데 킨트(Dedekind, 1831~1916)

12. 수학의 본질은 자유에 있다 - 칸토어(Cantor, 1845~1918)

13. * 수학은 사고를 절약하는 과학이다.
    * 수학은 서로 다른 것에 같은 이름을 붙이는 기술이다. - 푸앙 카레(Poincare, 1854~1912)

14. 수학은 인종이나 지리적 경계도 모르기에, 수학에 있어서 문화를 지닌 세계는 모두 한 나라이다. - 힐베르트(Hilbert, 1862~1942)

15. * 수학의 정리는 절대적으로 확실하다.
    * 다른 과학의 확실성은 어느 정도 의심의 여지가 있으며, 새로 발견되는 사실에 의해서 뒤집힐 위험성이 항상 내재되어 있다.
    * 경험과 무관한 인간 사고의 산물임에도 어찌하여 수학은 현실의 대상에 그토록 적용될 수 있을까?
    * 만약에 유클리드가 그대의 정열에 불을 붙이지 못하다면, 그대는 과학자가 될 수 없을 것이다. - 아인슈타인(Einstein, 1879~1955)

16. 수량화는 마음의 눈으로 보는 물체들의 모습을 더 선명하게 해준다. 이것은 외적 현상과 내적 개념 모두에 해당되지만, 옳은 것들이 시야로 들어가기 전까지는 아무 소용이 없거나, 오히려 더 해로울 수 있다. - R. W. 제라드(Gerard, 1900~1974)

17. 음악은 감각의 수학이며, 수학은 이성의 음악이다. - 실베르터

18. 정밀과학의 두 눈은 수학과 논리이다. - 드 모르갈

19. 수학 정신은 현대 과학문명의 토대입니다. (중략) 수학은 자유롭고 유능한 시민이 되는 데 필요한 소양이기도 합니다. 사유방식이자 문화로서 수학은 핵심 교양(liberal arts)의 중심축입니다. 연역추론으로서 수학은 인간이 만들어낸 것 가운데 가장 확실한 지식체계입니다. 모호함이 전혀 없게끔 구성된 정교한 언어이기도 합니다. 수학은 엄밀한 개념 정의와 정교한 문장 구성, 정량적 사고와 추상적 사고, 그리고 논리적 추론을 가능하게 하는 강력한 사유체계입니다.
    우리 수학교육은 안타깝게도 엄청나게 많은 물고기를 학생들에게 강제로 먹이는 식입니다. 생각하는 훈련 대신 반복 작업을 강요합니다. 반(反)수학적입니다. (중략) 수학은 자유로운 시민의 필수 교양이기도 하기 때문입니다. 수학은 권위에 맹종하지 않습니다. 엄정한 논리가 곧 권위입니다. 지금 필즈상이 문제가 아닙니다.
    - 윤태웅, 고려대 전기전자공학부 교수

20. "대한민국은 입시공화국이 아니라 수학의 제국"
    그동안 우리는 수학이 변별력을 책임져야 하고, 수학 잘하는 학생이 공부 잘하는 학생이라는 통념을 지켜왔다. 그러나 이제는 수학이 모든 입시 결과를 좌우하고, 학생들의 공부시간, 학부모의 사교육비의 블랙홀이 되는 상황을 비판적으로 검토해야 할 것이다. 게다가 그렇게 수학에 올인한 결과가 이공계 대학에서 수업이 제대로 안될 정도의 수학소양 부족이라면 더더욱 수학에 대해 재고할 필요가 있다. 교육개혁, 입시개혁. 먼저 수학에서부터 시작해야 한다.
    - [권재원의 교육창고] 수학이 변별력이 책임진다는 통념, 이제는 바뀌어야, 2014-04-11

부록 지수와 포인트

(1) %와 % 포인트

- %는 백분율을 나타낸다. % 포인트는 %의 차이를 나타낼 때 쓰인다.
- "이번 국회의원선거에 '관심있다'고 응답한 사람은 73.3%로 지난 1차 조사결과보다 2.5%p(포인트) 증가하였다." - 2016년 4월 11일
- "올해 우리나라 경상 GDP는 3.8% 성장할 것으로 예상하고 있다. 작년 성장률 4.0%(추정치)보다 0.2%포인트 낮은 수치이다." - 2016년 12월 29일
- %와 % 포인트를 제대로 이해하지 못하고 낸 문제로 2015년 수능 영어 문제를 들 수 있다. ⑤에서 an eighteen percent increase가 아니라 an eighteen percent *point* increase이어야 한다.

25. 다음 도표의 내용과 일치하지 않는 것은?

The above graph shows the percentages of Americans aged 12-17 who posted certain types of personal information on social media sites in 2006 and in 2012. ① The year 2012 saw an overall percentage increase in each category of posted personal information. ② In both years, the percentage of the young Americans who posted photos of themselves was the highest of all the categories. ③ In 2006, the percentage of those who posted city or town names was higher than that of those who posted school names. ④ Regarding posted email addresses, the percentage of 2012 was three times higher than that of 2006. ⑤ Compared to 2006, 2012 recorded an eighteen percent increase in the category of cell phone numbers.

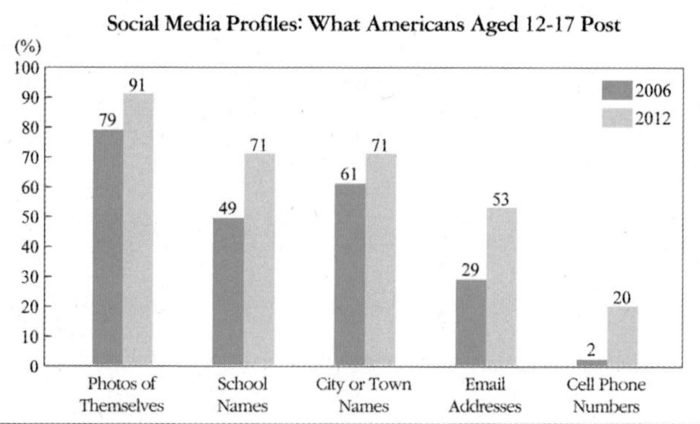

(2) 지수와 '포인트' 변화

지수(指數, index number)는 시간의 흐름에 따라 수량이나 가격 등이 어떻게 변화되었는지를 쉽게 파악할 수 있게 만든 통계로서 통상 비교의 기준이 되는 시점의 수치를 100으로 하여 산출하고 있다. 지수의 변화는 포인트로 표시하고 있다.

2017년 1월 31일 KOSPI 지수[27]는 2067.57포인트(pt)에서 2017년 2월 1일 2080.48포인트(pt)로 변화하였다. 2080.48포인트(pt)−2067.57포인트(pt) = 12.21포인트(pt)상승하였으며, (12.21/2067.57)×100= 0.62% 상승하였다. 즉 2017년 2월 1일 KOSPI 지수는 전일에 비해 12.21포인트(pt), 0.62% 상승하였다고 말한다.

27 KOSPI 지수는 1983년 1월 4일 시세를 기준으로 삼고 있으며 2005년 11월 1일부터 종합주가지수라는 표현 대신 KOSPI 지수라고 부르고 있다. 2008년 10월 30일 종가 1084.72 115.75포인트 상승, 11.95% 상승: 역대 상승률 1위를 기록하였고, 불과 1주일 전인 2008년 10월 24일 종가 938.75 110.96포인트 하락, 10.57% 하락하여 역대 하락률 3위를 기록하였다.

핵심어

- 자연수
- 소수
- 합성수
- 정수
- 분수
- 유리수
- 무리수
- 실수
- 허수
- 상수
- 변수
- 계수
- 파라미터
- 집합
- 원소
- 조건제시법
- 원소나열법
- 부분집합
- 진부분집합
- 공집합
- 멱집합
- 합집합
- 교집합
- 여집합
- 차집합
- 드 모르간의 법칙
- 카르테시안의 곱
- 등식
- 부등식
- 방정식
- 항등식
- 필요조건
- 충분조건

연습문제

○× 문제

1. 소수(素數)란 양의 약수가 1과 자기 자신 뿐인 1보다 큰 자연수로 정의된다.
2. 원소의 순서는 집합에서도 순서쌍에서도 중요하다.
3. 해석기하학이란 좌표를 이용하여 대수적적 산법에 의해 이차원・삼차원 유크리드 공간의 도형의 성질을 연구하는 기하학의 한 분야이다. 대수학과 기하학의 다리를 놓는 분야이다.
4. 어떤 집합의 부분집합 전체로 구성된 집합을 멱집합이라 말하며, 원소가 n개인 집합의 멱집합의 원소의 수는 (2^n-1)이다.
5. 변수가 되는 상수를 파라미터라고 부르며 특별한 시스템을 정의하는 데 도움을 주는 수치, 특성, 혹은 계측 가능한 요인으로 나타난다.

단답형

1. 등식의 종류는 무엇인가?
2. 순서쌍이란 무엇인가?
3. 항등식과 방정식의 차이는 무엇인가?
4. %와 % 포인트의 차는 무엇인가?
5. 지수란 무엇인가? 유용성에 대해 설명하라.
6. 필요조건과 충분조건의 차는 무엇인가?
7. 서울 남산을 좌표공간에 표시하라.
8. 실수, 자연수, 정수, 허수 등의 관계를 집합을 이용해 표시하라.

풀이형

1. $S_1 = \{a, b, c\}$, $S_2 = \{d, e\}$, $S_3 = \{f, g, h\}$일 때

   (1) $S_1 \times S_2$ (2) $S_2 \times S_3$

   (3) $S_3 \times S_1$ (4) $S_1 \times S_2 \times S_3$

2. 1번 문제에서 $S_2 \times S_1$을 구하라. $S_1 \times S_2 = S_2 \times S_1$라고 할 수 있는가? 이 두 카테이션 값이 같아지기 위한 조건은 무엇인가?

3. $S_a = \{a \mid a$는 경제활동을 하는 한국인$\}$

   $S_b = \{b \mid b$는 한국영토에서 경제활동을 하는 한국인$\}$

   $S_c = \{c \mid c$는 외국에서 경제활동을 하는 한국인$\}$

   $S_d = \{d \mid d$는 경제활동을 하는 외국인$\}$

   $S_e = \{e \mid e$는 한국영토에서 경제활동을 하는 외국인$\}$

   $S_f = \{f \mid f$는 한국 이외의 영토에서 경제활동을 하는 외국인$\}$

   (1) 국내총생산(GDP, Gross Domestic Product)에 포함되는 인적구성을 집합으로 나타내라.

   (2) 국민총생산(GNP, Gross National Product)에 포함되는 인적구성을 집합으로 나타내라.

   (3) 국내총생산과 국민총생산 간의 차이를 설명하라.

GDP와 GNP와의 관계

GDP: 한 국가에서 일정기간동안 생산된 모든 최종 재화와 서비스의 시장가치의 총합

GNP: 국민에 의해 일정기간동안 생산된 모든 최종 재화와 서비스의 시장가치의 총합

GDP = GNP - 대외수취요소소득 + 대외 지불 요소소득

GNP = GDP + 대외 순(純) 수취요소소득(대외수취요소소득 - 대외 지불 요소소득)

CHAPTER 3

함수론

과학이란 부정확한 인과관계라는 개념을 수학적인 함수라는 개념으로 대체하면서 발전한다.[1]

• 버트랜트 러셀(Bertrand Russell, 1872~1970)[2]

함수는 단지 기호적 수식이 아니고, 그것은 우주의 법칙이며, 모래알들과 가장 먼 거리에 있는 별들의 동작까지 포함된다.

• 모리스 크라인(Morris Klein)

---

1 Science advances by replacing the imprecise of "cause" with the precise mathematical concept of a "function."

2 Bertrand Russell, On the Notation of Causes, 13 PROCEEDING OF THE ARISTOTELIAN SOCIETY(1912 ~1913) Cooter and Ulen 5th. p.331 재인용

학습목표

이미 중고등학교 때 함수에 대해 공부하였기 때문에 다시 공부하는 것이 사족(蛇足)처럼 느껴질 수 있다. 그렇지만 함수에 대한 정의를 복습한 다음 함수가 경제학과 사회과학 연구에 어떻게 쓰이는가를 의식하고 공부하게 되면 함수의 유용성을 실감하게 될 것이다.

1절에서는 함수에 대한 정의를 공부한다. 2절에서는 유형에 대하여 3절에서는 경제학에서 쓰이고 있는 기본적인 함수에 대해 공부하기로 한다. 한마디로 이 장에서는 그저 우리 일상이나 경제생활에서 본 현상을 함수로 취급하고 분석할 수 있는 기초를 배우게 될 것이다.

경제현상을 함수로 표현하고 분석한다는 것에 의아해 할 가능성이 있다. 복잡다기한 인간의 행동을 간단한 함수로 표현하는 것이 무리라는 생각이 드는 것은 인지상정이다. 하지만 여러 경제현상이나 사회현상을 곰곰이 들여다보면 근사적으로 적합하다고 인정할 수 있는 함수를 발견할 수 있다. 어차피 경제학을 포함한 사회과학이 평균의 학문임을 감안하고, 100% 맞는 함수가 현실적으로 불가능하다면 상당한 정도로 맞는다고 인정되는 함수를 쓰는 것이 현명한 일일 것이다.

구성

3.1 함수의 정의와 표현
3.2 함수의 유형
3.3 응용

3.1 함수의 정의와 표현

3.1.1 함수란

일정한 법칙에 따라서 집합 X의 각 원소에 대하여 집합 Y의 단 하나의 원소에 대응시킬 때, 이러한 대응법칙을 X에서 Y로의 함수(函數, function, 줄여서 fn)라고 한다. 함수는 사상(寫像, mapping)이나 변환(變換, transformation)이라고도 부른다.

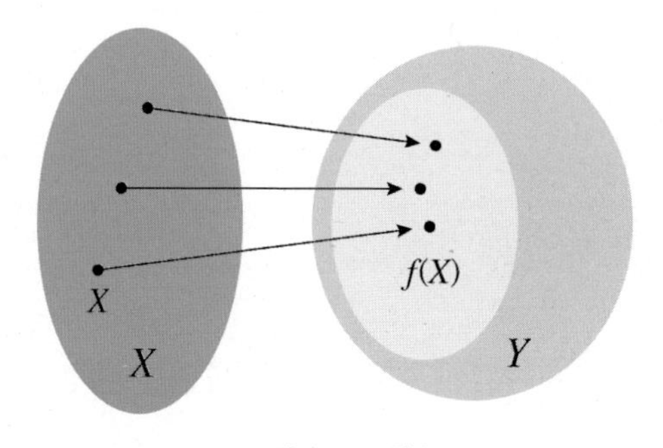

〈그림 3-1〉 함수

집합 X에서 집합 Y로의 함수 f가 정의되어 있을 때, 이 사실은

$$f : X \rightarrow Y$$

로 나타내고 집합 X는 정의역(定義域, domain of definition)이라고 불리고, Y는 가능한 값들의 집합으로 f의 공역(共域, co-domain)이라고 불린다. $\{f(x) | x \in X\}$에서 실제로 대응되는 값들의 집합은 f의 치역(値域, range)이라고 불린다. 또 x를 함수의 독립변수(獨立變數, independent variables, 혹은 argument), y를 함수의 값, 종속변수(從屬變數, dependent variables)[3]라고 부른다. 그래프를 그릴 때 통상 독립변수 x는 수평축에, 종속변수 y는 수직축에 표시한다.

---

3 독립변수와 종속변수 외에도 내생변수(內生變數)와 외생변수(外生變數) 개념도 쓰이고 있다. 내생변수(endogeneous variable)는 분석모형 내에서 설명하고자 하는 변수이며 외생변수(exogeneous variable)는 내생변수를 결정하는 데 관여하지만 분석모형 내에서 설명되지 않고 모형 외적으로 결정되는 변수를 말한다. 연립방정식(聯立方程式) 체계를 풀어야 하는 경우가 많이 있다.

기호 f가 함수를 나타내지만, 모든 함수를 f라는 기호로 나타내는 것은 아니다. 예를 들어 y와 z가 독립적으로 모두 x의 함수인 경우라면 y와 x의 함수관계를 $y=f(x)$로 썼다면 z와 x의 함수관계는 $z=g(x)$로 표기함으로써 구별하기도 한다. 하지만 기호 f와 g를 쓰지 않고 $y=y(x)$ 또는 $z=z(x)$로 써도 무방하다.

함수의 성격에 따라 함수기호도 편리하게 정하면 된다. 예를 들어 소비함수(consumption function)는 $C=C(Y)$로 쓰고 있다. 소비(C)는 소득(Y, $Yield$)의 함수임을 의미한다. 총비용함수(cost function)는 $C=C(Q)$로 쓰고 있다. 총비용(C)은 생산량(Q, $Quantity$)의 함수임을 의미한다.

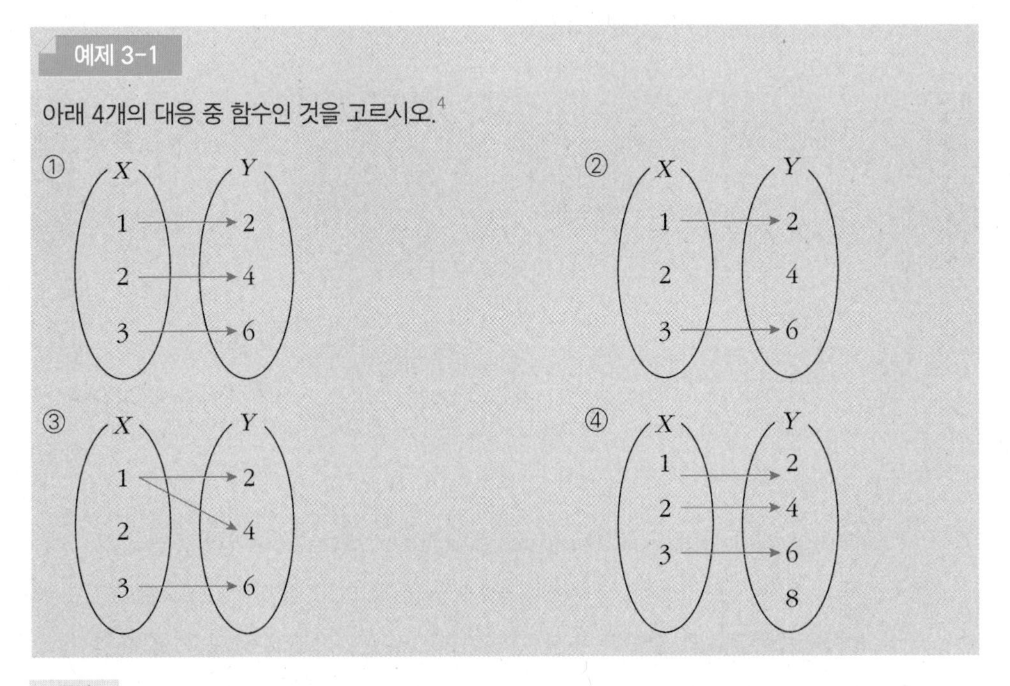

풀이

두 집합 사이의 짝짓기를 대응이라고 하며 그 대응 중에서 아주 특수한 경우를 가리켜 함수라고 한다. 함수가 되기 위해서는 정의역에 있는 값 중에 왕따가 없어야 한다. ②와 ③ 정의역에 있는 2가 왕따를 당하고 있다. 두 번째, 양다리를 걸쳐서는 안 되는데, 즉 X의 짝이 딱 하나씩만 있어야 한다. ③에서 1의 짝은 2와 4다. 여기에서는 ①과 ④가 함수이다.

---

4 나숙자, 『친절한 수학 2』, 부키, 2005, p.162.

함수의 역사

함수는 function의 의미를 따서 붙인 이름이 아니라 소리를 따서 번역한 음역(音譯)으로 중국의 '대미적습급(代微積拾級, 1895)'에 나온다. 그러나 function이 기능, 작용의 뜻을 가지고 있는 것과 마찬가지로 함수는 입력(input)된 것이 블랙박스(black box)를 통과하여 나온 출력(output)을 나타내는 의미를 가지고 있으므로 단순한 음역 이상의 의미를 지닌다. 일본에서는 '관수(関数)'라고 쓰고 있다.

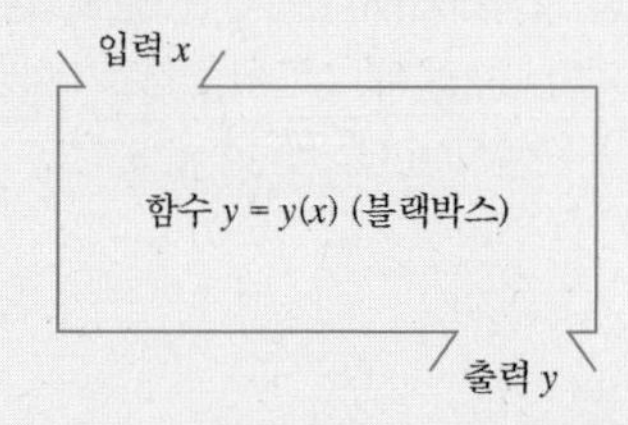

함수의 기호로 자주 쓰이는 f는 Wilhelm Leibniz(1646~1716)에 의하여, $f(x)$는 1734년 Leonhard Euler(1707-1783)에 의하여 처음으로 사용되었으며, 절대값 기호 | • |는 Karl Weierstrass(1815~1897)가 처음으로 사용하였다. 또 집합 X에서 Y로의 함수를

$$f : X \to Y$$

와 같이 나타내는데, 이것은 1940년 경 W.Hurewicz의 논문에 처음으로 나타나는 것으로 알려져 있다.

혼인제도와 함수

우리는 일부 일처제도를 근본으로 하고 있지만 시대마다 나라마다 다르다. 이슬람 국가에서는 일부다처제를 용인하고 있으며 아주 옛날에는 모계사회기기도 하였다.
모계사회에서 임의의 한 여자의 남편은 여럿인 동시에 어느 한 남자의 부인도 여럿인 상태이다. 정의역을 어떻게 설정하든 함수가 아니다.
일부다처제도에서는 임의의 한 여자의 남편은 한 명이기 때문에 함수 관계가 성립하지만 반대로 남자의 부인은 여럿이기 때문에 함수가 성립하지 않는다. 즉 남자 집합을 정의역으로 여자의 집합을 치역으로 삼는다면 함수라고 할 수 없으나 반대로 여자 집합을 정의역으로 남자의 집합을 치역으로 삼는다 해도 함수라고 할 수 있을 것이다.
일부일처제도에서는 임의의 한 여자에 대해 남편은 한 명이며 그 남자의 아내도 한 명이다. 일부일처제는 함수 관계이며 역함수도 성립한다.

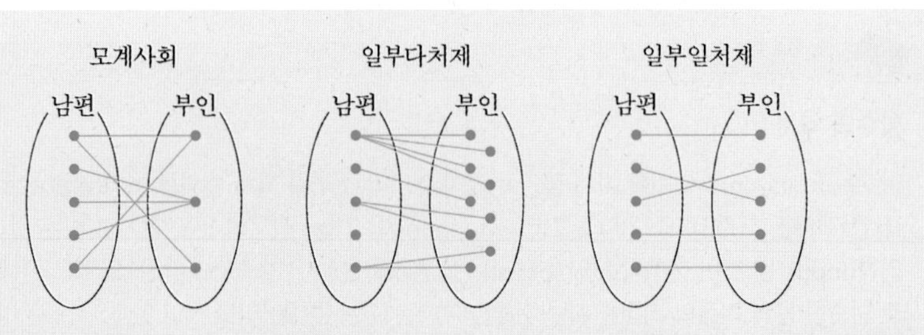

모계사회보다는 일부다처제도가, 일부다처제도보다는 일부일처제도가 부부관계가 확실하고 간단한다는 사실을 알 수 있다. 이를 확대해 본다면 함수관계가 성립하는 경우가 아닌 경우보다 변수 간의 관계가 확실하며, 역함수가 성립하는 경우라면 더욱더 확실하고 간단한다.

3.1.2 함수의 표현

함수는 여러 가지 형태로 다양하게 표현된다. 일곱 가지가 가능하다.[5] ① 대응표(변화표)를 만들 수 있다. ② 짝을 지을 수 있다. 즉 순서쌍으로 나타낼 수 있다. ③ 입출력이 가능한 함수상자로 표현할 수 있다. ④ 대응관계를 다이어그램으로도 나타낼 수 있다. ⑤ 그래프로 그릴 수 있다. ⑥ 관계식으로 나타낼 수 있다. ⑦ 방정식을 만들 수 있다.

실습문제 3-1

어느 기업의 1년간 총비용은 생산량 Q의 함수로서 $C = 50 + 0.5Q$로 나타나고 있다. 이 기업의 생산능력은 1년에 100단위로 제한되어 있다.

(1) 이 기업 비용함수의 정의역과 치역을 구하라.

(2) 그래프로 그려라.

풀이

(1) 정의역 = $\{Q|0 \leq Q \leq 100\}$ 치역 = $\{C|50 \leq C \leq 100\}$

(2)

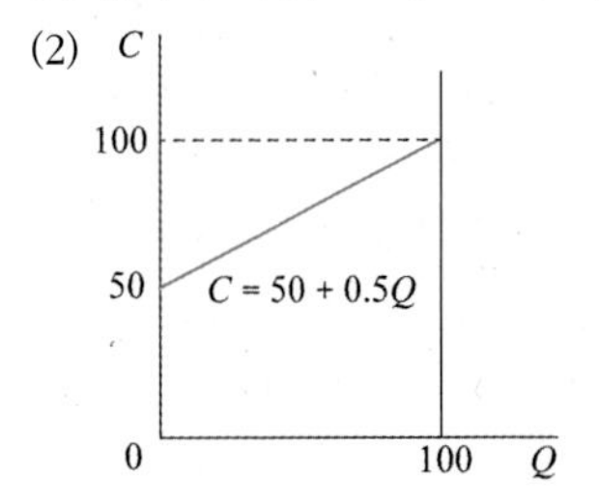

5 나숙자, 『친절한 수학 2』, 부키, 2005, pp.164-167.

3.2 함수의 유형

3.2.1 일반적인 함수

수학에서 일반적으로 다루는 함수들을 기본함수(基本函數, elementary function)라고 부르며 <그림 3-2>와 같이 분류된다.

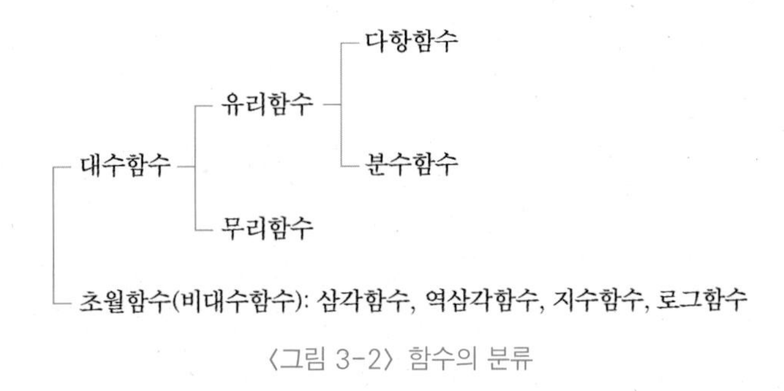

〈그림 3-2〉 함수의 분류

사칙 연산 외에 거듭제곱근 연산까지 허용하는 대수식으로 나타나는 함수를 대수함수(代數函數, algeblic function)라고 부른다. $f(x) = \sqrt{a^2 - x^2}$ 과 같이 유리함수가 아닌 대수함수를 무리함수라고 부른다. 변수 x와 상수 a들에 대해서 덧셈・뺄셈・곱셈의 세 연산을 유한 번 시행한 꼴로 나타내는 대응 규칙 $y = f(x) = a_0 + a_1x + a_2x^2 + a_3x^3 + \cdots + a_nx^n$ 으로 정해지는 함수를 다항함수라고 부른다. 다시 나눗셈까지 허용한 네 가지 연산을 유한 번 허용하여 얻어지는 함수를 유리함수라고 부른다.

(1) 다항함수

다항함수(多項函數, polynomial function)는 $y = a_0 + a_1x + a_2x^2 + a_3x^3 + \cdots + a_nx^n$ 로 표기한다.

1) 상수함수

상수함수(常數函數, constant function)는 치역이 단 하나의 원소로 이루어진 함수로 $y = f(x) = 10,\ I = I_0,\ G = G_0$ 등이 있다.[6]

2) 일차함수

일차함수(一次函數, liner function) $y = a + bx$, $a \neq 0$는 <그림 3-3> 같이 절편(截片, intercept)이 a, 기울기(slope)가 b로 나타난다.

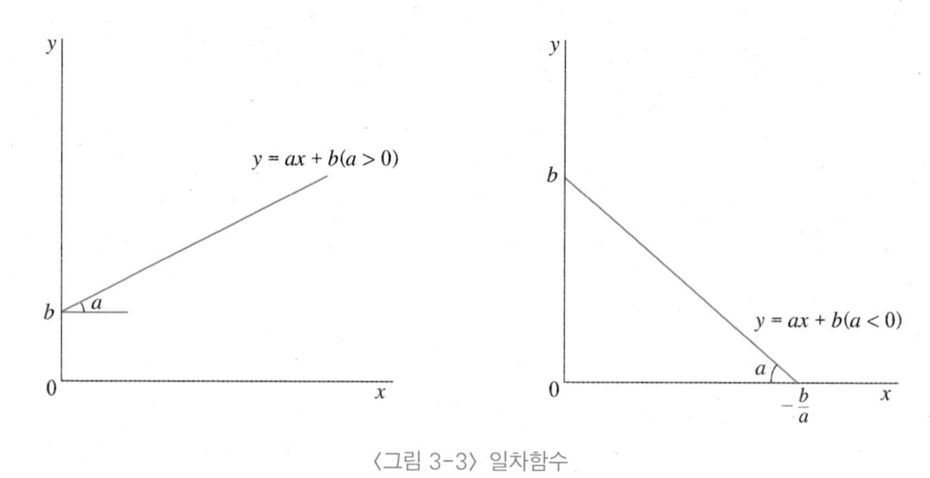

〈그림 3-3〉 일차함수

경제학에서 쓰이는 일차함수로는 수요곡선, 공급곡선, 예산선(豫算線, budget line) 등 비용곡선(等費用曲線, iso-quant cost line), IS곡선, LM곡선 등 무수히 많다.[7]

실습문제 3-2

예산선이 $I = p_x x + p_y y$일 때(p_x : 재화 x의 가격, p_y 는 재화 y의 가격, I : 예산수준)

(1) 그림으로 나타내라(x축 절편과 y축 절편을 정확히 표시하라).

예산선을 y에 대해 풀어쓰면 $y = \dfrac{I}{p_y} - \left(\dfrac{p_x}{p_y}\right)x$이다. 기울기는 $-\left(\dfrac{p_x}{p_y}\right)$이고 x축 절편은 $\dfrac{I}{p_x}$ 이고 y축 절편은 $\dfrac{I}{p_y}$ 이다. $\left(\dfrac{p_x}{p_y}\right)$는 시장에서 x재 1 단위와 교환할 수 있는 y재의 수량, 즉 y재 수량으로 표시한 x재의 가격으로 x재의 상대가격이라고 불린다. 가로축 절편 $\dfrac{I}{p_x}$ 는 y를 전혀 구입하지 않고 오직 x만을 구입하였을 때 구입할 수 있는 양이다. x가 가질 수 있는 최댓값이다.[8]

---

6 아래 첨자에 0를 쓰는 경우 상수임을 나타낸다.

7 IS곡선 : 재화시장의 균형을 가져오는 여러 소득(Y)와 이자율(i)의 조합을 그림으로 나타낸 것.
LM곡선 : 화폐시장의 균형을 가져오는 여러 소득(Y)와 이자율(i)의 조합을 그림으로 나타낸 것.

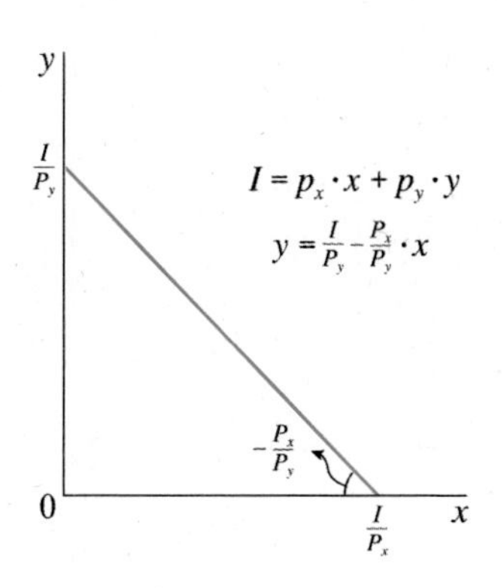

(2) I가 2배로 증가한 경우와 I가 1/2로 감소한 경우

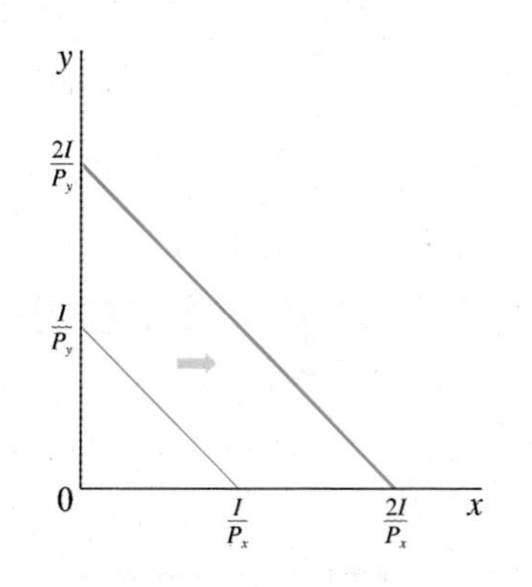

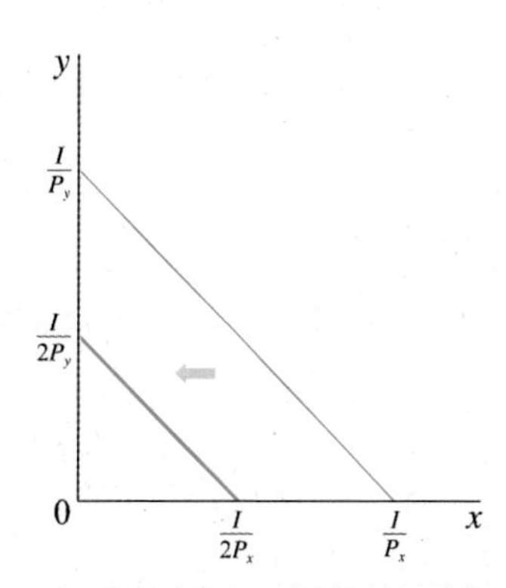

(3) P_X, P_Y 각각 2배로 증가한 경우

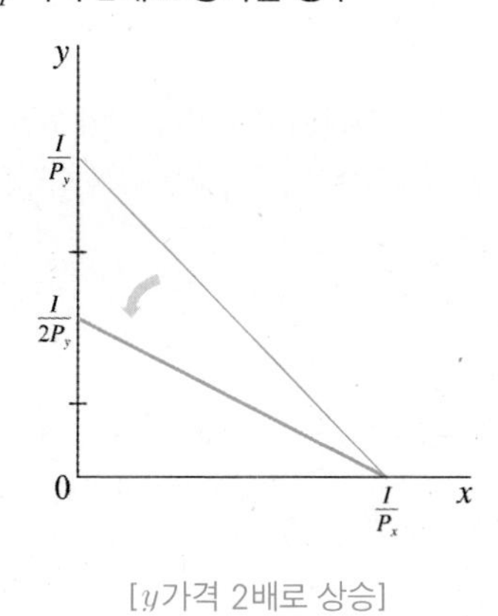

[y가격 2배로 상승]

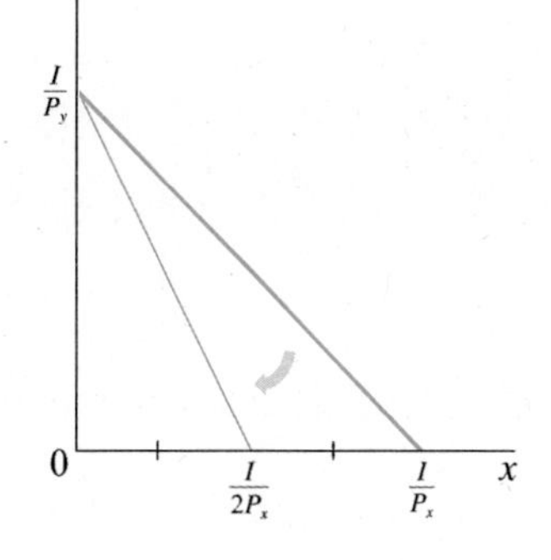

[x가격 2배로 상승]

---

8 세로축 절편 $\frac{I}{p_y}$는 x를 전혀 구입하지 않고 오직 y만을 구입하였을 때 구입할 수 있는 양이다. y가 가질 수 있는 최댓값이다.

(4) P_X, P_Y 각각 1/2배로 감소한 경우

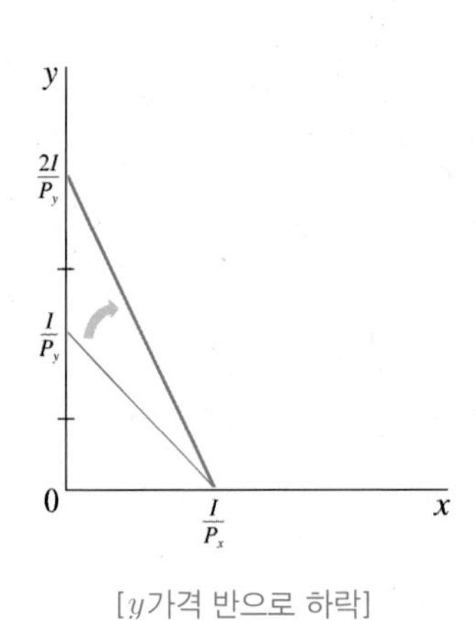

[y가격 반으로 하락]

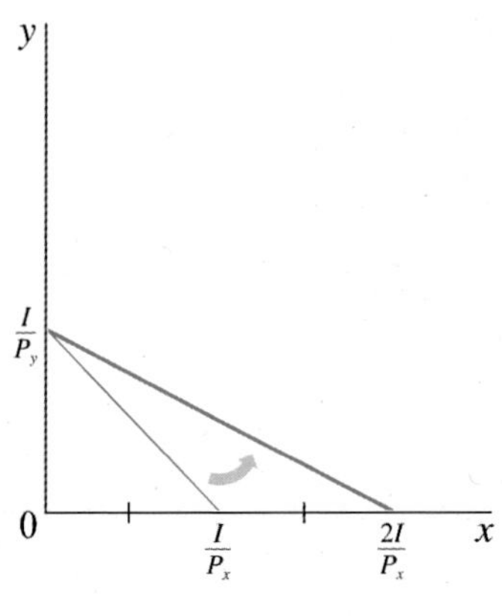

[x가격 반으로 하락]

실습문제 3-3

정년 퇴임자 A씨는 5억 원을 부동산과 금융자산, 두 곳에 투자하여 연 4,000만원의 수입을 올리고 있다. 부동산에는 5%의 수익률을, 금융자산에는 10%의 수익률을 얻고 있다. 부동산에 투자한 금액과 수입은 얼마인가? 금융자산에 투자한 금액과 수입은 얼마인가?

풀이

부동산에 투자한 금액을 x라고 하면 금융자산에 투자한 금액은 (5억 원$-x$)이다.

$$4{,}000\text{만 원} = 0.05 \times x + 0.1 \times (5\text{억 원} - x)$$

x=2억 원이 구해지며 따라서 (5억 원$-x$)=3억 원

이 퇴임자는 2억 원을 부동산에 투자하여 1,000만 원의 수익을(5%의 수익률), 3억 원을 금융자산에 투자하여 3,000만 원의 수익을(10%의 수익률)을 얻고 있다. 전체적으로는 4,000만 원의 수익을 얻고 있다.

3) 이차함수

이차함수(二次函數, quadratic function)의 일반형은 $y = ax^2 + bx + c \quad (a \neq 0)$이고 표준형은 $y = a(x-p)^2 + q \ (a \neq 0)$이다. $p = -\dfrac{b}{2a}$이고 $q = -\dfrac{b^2 - 4ac}{4a}$이다.

$$y = ax^2 + bx + c = a(x^2 + \frac{b}{a}x) + c = a\left\{\left(x + \frac{b}{2a}\right)^2 - \frac{b^2}{4a^2}\right\} + c$$
$$= a\left(x + \frac{b}{2a}\right)^2 - \frac{b^2 - 4ac}{4a}$$

이차함수는 직선 $x=-\dfrac{b}{2a}$을 대칭축으로 하고 꼭지점이 $(-\dfrac{b}{2a}, \dfrac{-(b^2-4ac)}{4a})$인 포물선(抛物線, parabola)으로 그려진다. 불꽃놀이를 할 때 불꽃이 움직이는 자취와 같아 포물선이라고 부른다. a는 포물선의 모양과 방향을, c는 y절편을 나타내고 있다. 또 x축 절편은 보통 근의 공식으로 불리는 두 점 $\left(\dfrac{-b \pm \sqrt{b^2-4ac}}{2a}, 0\right)$으로 표시된다.[9]

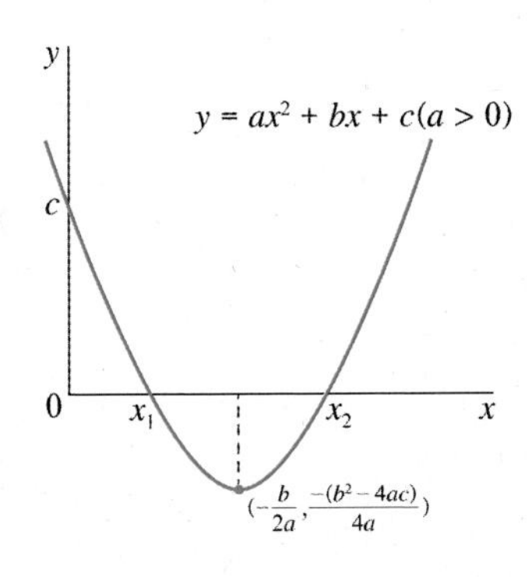

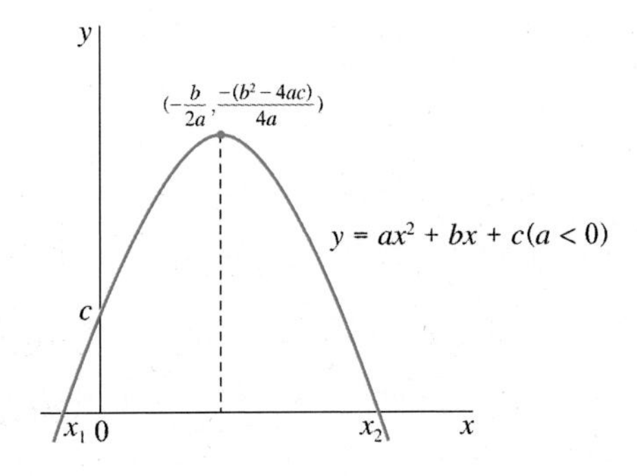

〈그림 3-4〉 이차함수

예제 3-2

평균비용함수는 $AC=aQ^2+bQ+c$으로 나타난다. $Q \geq 0$, $a>0, b<0, c>0$이고 AC 값이 언제나 양의 값을 갖는 평균비용함수를 그려라.

실습문제 3-4

수입함수 $R(q)=300q-2q^2$이고 비용함수 $C(q)=60q+6000$이다.

(1) 수입함수를 그리고 수입이 극대화되는 생산량을 구하라.
(2) 이윤함수를 구하고 이윤극대화 생산량을 구하라.
(3) 수입극대화 생산량에서의 이윤과 이윤 극대화 생산량에서의 이윤을 비교하라.

$$\begin{cases} R(q)=300q-2q^2 \\ C(q)=60q+6000 \end{cases}$$

---

9 근의 공식은 $y=ax^2+bx+c=a\left(x+\dfrac{b}{2a}\right)^2-\dfrac{b^2-4ac}{4a}=0$을 풀면 얻을 수 있다.

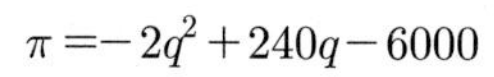

$$\pi = -2q^2 + 240q - 6000$$

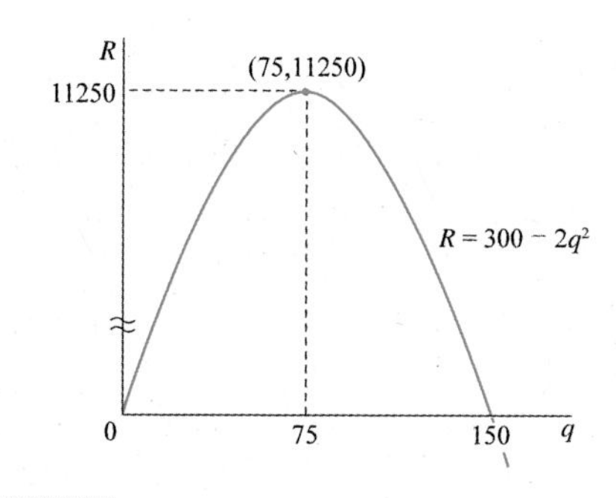

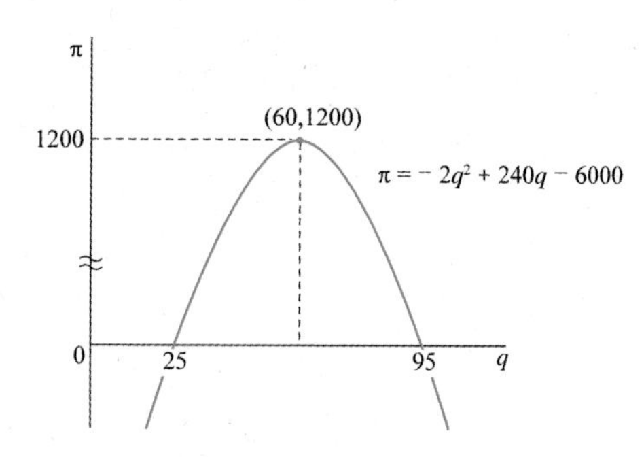

풀이

(1) $R(q) = 300q - 2q^2 = 2q(150 - q)$

수입이 극대가 되는 생산량은 $q^* = -\dfrac{300}{(-4)} = 75$, $R^* = 11,250$이 구해진다.

x축 절편은 (0,0)와 (150,0)이다.

(2) 이윤함수 $\pi(q) = (300q - 2q^2) - (60q + 6000) = -2q^2 + 240q - 6000$

이윤이 극대가 되는 생산량은 $q^* = -\dfrac{240}{(-4)} = 60$, $\pi^* = 1,200$이 구해진다.

x축 절편은 (25,0)와 (95,0)이다.

(3) 수입이 극대화되는 생산량 75에서 총이윤은 750으로 계산된다.

$\pi(q) = -2(75)^2 + 240 \times 75 - 6000 = 750$

당연한 말이지만, 수입극대화를 목적으로 하여 얻는 생산량에서의 이윤이 이윤극대화를 목적으로 하여 얻는 이윤보다 적음을 확인할 수 있다.

예제 3-3

어느 전자제품 매장에서 컴퓨터 본체와 프린터를 합하여 1,000,000원에 구입하였다. 본체는 1,200,000원에 프린터는 300,000원에 판매한 결과, 본체에서 얻는 이익률이 프린터에서 얻은 이익률과 같았다. 컴퓨터 본체와 프린터 각각의 구입가격을 구하라. 또 이익률은 얼마인가?

풀이

컴퓨터 본체 구입가격(단위: 만원)을 x라고 하면 프린터 구입가격은 $y = 100 - x$이다. 컴퓨터 본체의 이익률은 $\dfrac{120-x}{x}$이고 프린터의 이익률은 $\dfrac{30-(100-x)}{(100-x)} = \dfrac{(-70+x)}{(100-x)}$, $\dfrac{(120-x)}{x} = \dfrac{(-70+x)}{(100-x)}$, $x = 80$ 즉, 컴퓨터 본체 구입가격은 80만 원이고 프린터 구입가는 40만 원이다. 이익률은 $\dfrac{(120-80)}{80} \times 100 = 50\%$, $\dfrac{(-70+80)}{(100-80)} \times 100 = \dfrac{10}{20} \times 100 = 50\%$다.

4) 삼차함수[10]

일반적으로 삼차함수(三次函數, cubic function)는 $f(x)=ax^3+bx^2+cx+d \quad (a \neq 0)$ 이고 그래프는 <그림 3-5>와 같이 근이 3개로 그려진다. 총비용함수가 대표적인 예이다.

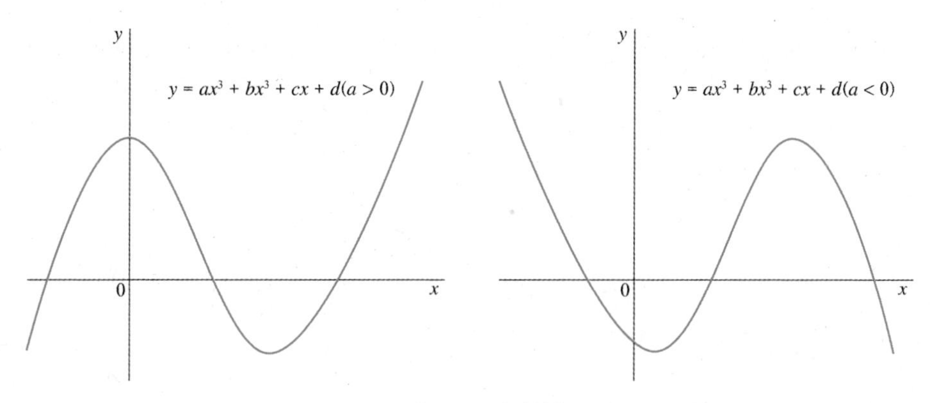

〈그림 3-5〉 삼차함수

(2) 유리함수와 분수함수

두 다항식 $P(x)$, $Q(x)$의 몫으로 표시되는 식 P(x)/Q(x)를 유리식이라고 하고 이 식에 의해 정의되는 함수 f(x)=P(x)/Q(x)를 유리함수(有理函數, rational function)라고 부른다. 이 함수의 정의역은 $\{x \in R | Q(x) \neq 0\}$이다. Q(x)가 상수이면 다항함수, Q(x)가 1차 이상의 다항식이면 분수함수(分數函數)이다. 즉 분수함수와 다항함수를 합쳐서 유리함수라고 한다.

유리함수 $f(x)=\dfrac{ax+b}{cx+d} \quad (c \neq 0, ad-bc \neq 0)$

$$=\frac{a}{c}+\frac{(bc-ad)}{c}\cdot\frac{1}{(cx+d)}=\frac{a}{c}+\frac{(bc-ad)}{c^2}\cdot\frac{1}{x+\frac{d}{c}}$$ 는

10 경제학에서는 삼차함수 이상의 함수는 잘 쓰지 않는다. 3차 방정식의 해는 카르디노(Cardano, 1501~1576)의 공식으로 4차 방정식은 페라리(Ferrari, 1522~1565)의 공식으로 해를 구할 수 있다. 또 5차 이상의 방정식에 대해서는 가감승제와 거듭제곱이라는 대수적 연산만으로 유한 번 시행함으로써 해를 구하는 것이 불가능하다고 아벨(Abel, 1802~1829)이 증명하였다. 노르웨이 사람인 아벨은 우표 모델이 될 정도로 유명하며 우수한 수학자에게 주는 그의 이름을 딴 상이 있을 정도로 유명하다. 박세희, 전게서, p.62.

$$p = -\frac{d}{c}, \quad q = \frac{a}{c}, \quad k = \frac{bc - ad}{c^2}$$

$f(x) = q + \dfrac{k}{x - p}$로 표현되며 <그림 3-6>과 같이 직각쌍곡선(直角雙曲線, rectangular hyperbola)으로 그려지며 두 직선 $x = p$와 $y = q$는 점근선(漸近線, asymptote)이다.

$$p = -\frac{d}{c}, \quad q = \frac{a}{c}, \quad k = \frac{bc - ad}{c^2}$$

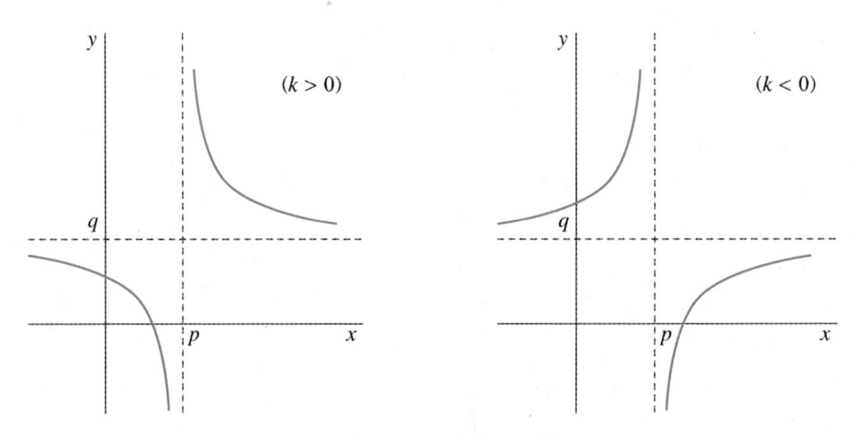

〈그림 3-6〉 유리함수 곡선

실습문제 3-5

어느 화력발전소에서 배출되는 대기 오염물질을 x% 제거하는 데 드는 비용함수(단위 억 원)가 아래와 같다고 한다.

$$C(x) = \frac{60x}{(100 - x)} \qquad (0 \le x < 100)$$

(1) x가 0%, 20%, 40%, 60%, 90%, 99%일 때 배출비용을 구하라.
(2) 위의 비용함수를 그림으로 그려라.

(3) 무리함수

함수 $y = f(x)$에서 $f(x)$가 x에 대해 무리식인 경우를 무리함수(無理函數, irrational function)라 지칭한다. 특히 무리함수는 $\sqrt{\ }$ 안의 값이 음수가 되지 않는 조건을 만족해야 함수가 되므로 정의역이 한정된다.

무리함수의 표준형은 $y = \sqrt{a(x-m)}+n,\ \ a>0$이다. 이 함수는 $y=\sqrt{ax}$를 x 축으로 m, y 축으로 n만큼 평행 이동한 그래프이다.

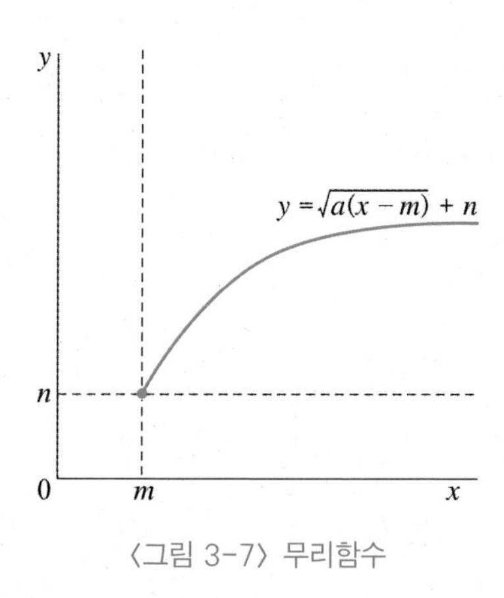

〈그림 3-7〉 무리함수

실습문제 3-6

어느 회사가 광고를 한 달 동안 x분을 광고한 후 매출액 변화를 분석해 본 결과 광고 방송시간과 매출액 간의 관계는 $R(x)=2\sqrt{x}$ (억 원)로 나타났다. 광고를 많이 할수록 매출액은 증가하지만 시간에 비례해서 늘어나지는 않았다. 광고비가 1분에 1,000만 원이라고 할 때, 몇 분 이상 광고를 하면 손해를 보겠는가?

풀이

광고비용은 $1{,}000x$와 수입 $R(x)=2\sqrt{x}$ (억 원)가 같아지는 시간을 구하면 된다. $1{,}000x = 20{,}000\sqrt{x}$ (만 원) x=400, 400분 이상의 광고는 손해를 야기한다.

(4) 비대수함수

$f(x)$가 x에 대한 대수식으로 주어져 있지 않을 때 비대수함수(非代數函數, non-algebric function)라고 부르며 좀 더 전문적인 이름으로는 초월함수(超越函數, transcendental function)라 알려져 있다. 예를 들면 지수함수(指數函數)・로그함수・삼각함수・역삼각함수 등이 있다. 지수함수와 로그함수는 매우 중요한 함수이기 때문에 독립적으로 공부해 보기로 하자.

3.2.2 지수함수와 로그함수

(1) 지수함수와 로그함수의 정의

지수(指數)함수는 a를 양의 상수, x를 모든 실수 값을 취하는 변수라 할 때 $y = a^x$ $(a > 0, a \neq 1)$로 주어진 함수를 가리킨다. 지수함수 $y = a^x$ $(a > 0, a \neq 1)$의 역함수 $y = \log_a x$ $(a > 0, a \neq 1)$를 a를 밑으로 하는 로그(log)함수라고 한다.

지수함수는 a를 x번 곱하면 얼마인가(y)를 알려 준다. 예를 들어 5의 제곱(2승)은 25이다($y = 5^2 = 25$). 역으로 $y = a^x$가 a를 몇 번(x)을 제곱해서 얻은 수인가를 알고 싶을 때 로그함수를 사용한다. 25(y)는 5(a)를 두 번(x) 곱하면 얻을 수 있다($\log_5 25 = 2$). 밑수 5에 대한 25의 로그를 취한다고 말한다. 이미 알고 있는 y의 로그 $\log_a y$의 값으로부터 y를 구하는 역의 과정을 $\log_a y$의 역 로그를 취한다고 말한다. 밑수가 10이면 상용(常用)로그(common log), 밑수가 e이면 자연(自然)로그(natural log)라고 부르며 ln 이라고 표기한다. 상용로그는 계산 작업에서, 자연로그는 분석 작업에서 많이 사용되고 있다. 그리고 상용로그와 자연로그와의 관계를 나타내보면 다음과 같다.

$$y = e^x \quad \Leftrightarrow \quad x = \log_e y \text{ 또는 } x = \ln y \quad (\because y = b^t \Leftrightarrow t = \log_b y)$$

그리고 일반적으로 다음의 관계가 성립한다.

$$\ln e^k = k \ (k\text{는 임의의 실수})$$

즉 기호 ln과 e가 서로 상쇄되는 것 같은 결과를 얻는다.

자연지수함수와 자연로그함수가 서로 역함수라는 이 성질을 이용하면 자연지수함수나 자연로그함수의 값을 계산할 수 있다.

$$e^{\ln a} = a \quad e^{\ln x} = x \quad e^{\ln f(x)} = f(x)$$

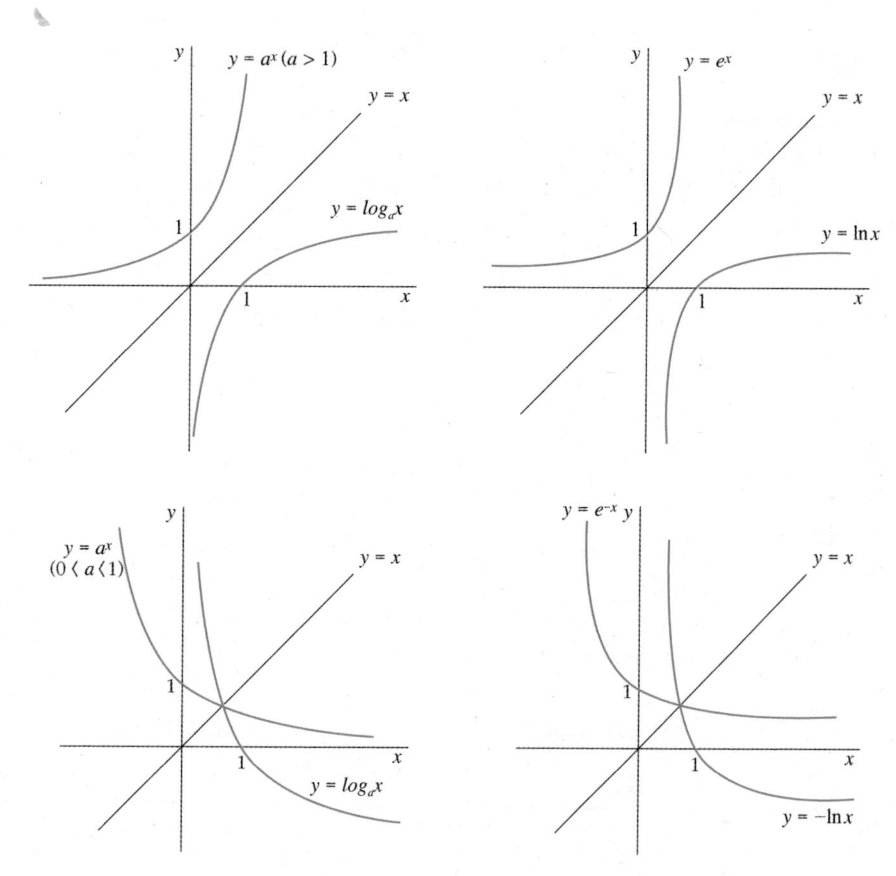

〈그림 3-8〉 지수함수와 로그함수의 그래프

역으로 $\ln e^{a} = a \quad \ln e^{x} = x \quad \ln e^{f(x)} = f(x)$을 얻을 수 있다.

a가 1보다 큰 지수함수($y = a^{x}$, $a > 1$ 또는 $y = e^{x}$)는 <그림 3-8>에서 보듯 x값이 커짐에 따라 함수 값이 빠른 속도로 증가하는(exponentially) 특성을 가지고 있다. 반대로 a가 1보다 작은 지수함수($y = a^{x}$, $0 < a < 1$)는 x값이 커짐에 따라 빠른 속도로 감소하는 특성을 가지고 있다.

지수함수의 예

1. 어린이 성장곡선

   어린이의 키가 성장하는 모습은 로그함수와 유사한 형태를 취하고 있다.

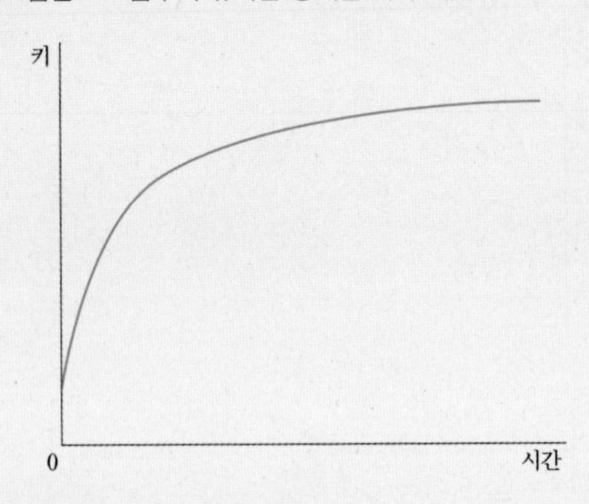

출처: 서울대 병원 교수진 편역·감수, 『평생가정건강 가이드』, 이지케어텍(주), 2003, p.41.

2. 3·1운동을 지수함수로 분석하다(신일고등학교 수리역사연구회).

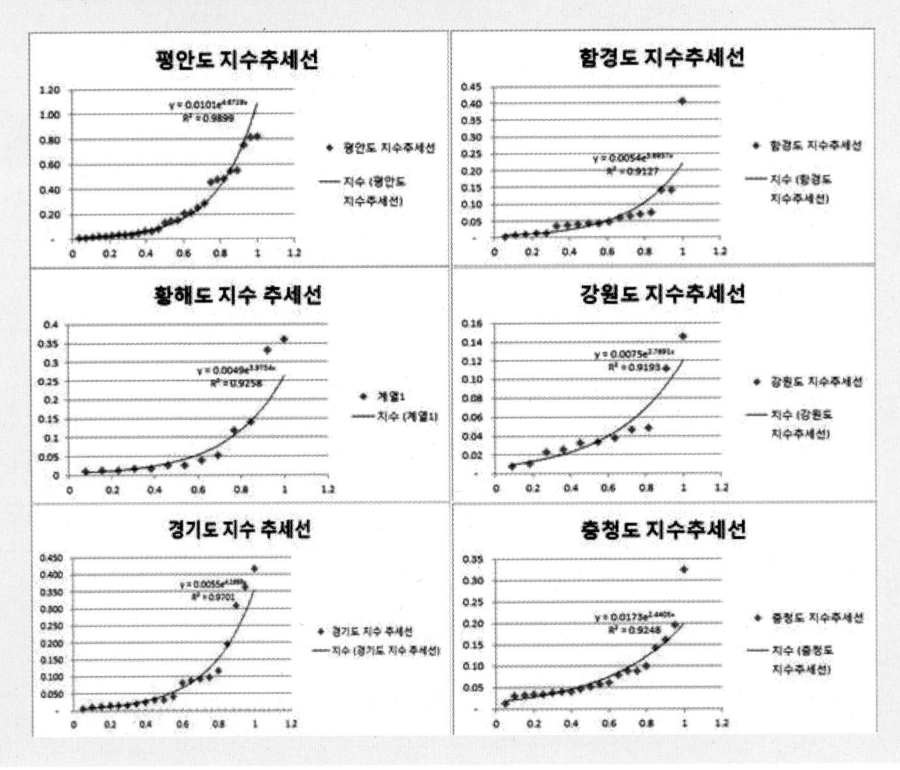

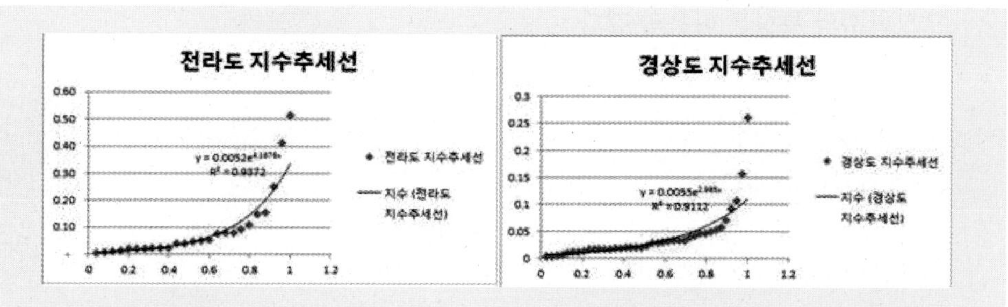

- 최문원: 우선 저희의 연구는 Sean Gourley의 'The Mathematics of War'라는 TED 강연에서부터 시작되었습니다. Sean Gourley는 진쟁 속 데이터에서 수학적인 규칙을 얻어 이를 공식으로 도출해 내었습니다.
- 권용현: 저희는 이를 보고 겉보기에는 무질서한 데이터 속에서 규칙을 발견할 수 있다는 영감을 얻었습니다. 그리고 Sean Gourley가 전쟁을 가지고 해본 시도를 우리 역사에 대입해 시도해보자는 생각으로 마음이 맞는 친구들과 함께 연구를 하게 되었습니다.

  (중략)
- 최문원: 지수 추세선의 기울기 값은 특정 지역의 독립운동이 얼마나 중앙집권화되어 있는지를 보여줍니다. 기울기 값이 큰 경기도 지역은 서울을 중심으로 집회밀도 값이 높았고, 전라도 지역은 군산이나 목포 같은 대도시를 중심으로 독립만세운동이 이루어졌습니다. 특히 평안도 지역은 철도가 발달해 있어서 조직력이 높았을 것이라 유추해 볼 수 있습니다.

출처: 민족문제연구소, "민족문제", 2015년 3월

(2) 지수함수와 로그함수의 성격

먼저 지수함수의 특성은 다음과 같다.

특성 1) $f(0) = x^0 = 1 \;\; (x \neq 0)$

특성 2) $f(1) = x^1 = x$

특성 3) $f(m+n) = x^{m+n} = x^m \times x^n = f(m)f(n)$

특성 4) $f(m-n) = x^{m-n} = \dfrac{x^m}{x^n} = f(m)f(-n)$

특성 5) $f(-n) = x^{-n} = \dfrac{1}{x^n} = \dfrac{1}{f(n)}$

특성 6) $f(\dfrac{1}{n}) = \sqrt[n]{x}$

특성 7) $(x^m)^n = x^{mn}$

특성 8) $x^m \times y^m = (xy)^m$

로그함수의 특성은 다음과 같다.

특성 1) $\lim_{x \to +\infty} \ln x = \infty$

특성 2) $\lim_{x \to 0^+} \ln x = -\infty$

특성 3) $\ln(xy) = \ln x + \ln y \qquad (x, y > 0)$

특성 4) $\ln(\frac{y}{x}) = \ln y - \ln x \qquad (x, y > 0)$

특성 5) $\ln x^a = a \ln x \qquad (x > 0)$

특성 6) $e^{\ln x} = x$

특성 7) $\ln_a e = \frac{1}{\log_e a} = \frac{1}{\ln a}$ (로그밑수의 역변환)

특성 8) $\ln_a b = (\log_a e)(\log_e b)\ (b > 0, a \neq 1)$ (로그밑수의 변환)

특성 9) $\log_a b = \frac{\log_e b}{\log_e a} = \frac{\ln b}{\ln a}$

수능 2016년 2015년 11월 시행 수학 A형 짝수

16. 어느 금융상품에 초기자산 W_0를 투자하고 t년이 지난 시점에서의 기대자산 W가 다음과 같이 주어진다고 한다. [4점]

$$W = \frac{W_0}{2} 10^{at}(1 + 10^{at})$$
$$W_0 \geq 0,\ t \geq 0,\ a; \text{상수}$$

이 금융상품에 초기자산 w_0을 투자하고 15년이 지난 시점에서의 기대자산은 초기자산의 3배이다. 이 금융상품에 초기자산 w_0을 투자하고 30년이 지난 시점에서의 기대자산이 초기자산의 k배일 때, 실수 값 k의 값은? (단, $w_0 > 0$)

① 9 ② 10 ③ 11 ④ 12 ⑤ 13

풀이

15년 투자 후 $3W_0 = \frac{W_0}{2} 10^{15a}(1 + 10^{15a})$에서 $6 = 10^{15a}(1 + 10^{15a})$가 얻어진다. $10^{15a} = m$라고 치환하면 $6 = m(1 + m)$로 변하며 $m^2 + m - 6 = 0$이 되어 $m = 2, -3$이 얻어진다. m는 음수가 될 수 없기 때문에 $m = 2$가 된다.

30년 투자 후 $kW_0 = \frac{W_0}{2} 10^{30a}(1 + 10^{30a})$에서 $2k = 10^{30a}(1 + 10^{30a})$가 얻어진다.

$10^{30a} = (10^{15a})^2$이므로 $2k = 2^2(1 + 2^2)$가 되어 $k = 10$이 된다.

답 : ②

위의 지수함수와 로그함수의 성격에서 볼 수 있듯이 로그함수는 지수와 관련된 큰 숫자나 복잡한 식을 단순하게 해주고 있다는 사실에 주목할 필요가 있다.[11]

$$A_t = A_0 e^{rt}$$

양변에 자연로그를 적용한 후 정리하면 $\ln A_t = \ln A_0 + rt$ 가 된다. 이 함수는 가로축을 t로, 세로축을 $\ln A_t$로 만들어진 평면에 그릴 수 있고, 절편은 $\ln A_0$, 기울기는 r인 선형 직선으로 그려진다. 큰 값으로 나타나는 A_t, A_0를 $\ln A_t, \ln A_0$와 같이 작은 수치로 다룰 수 있을 뿐 아니라 (변형된) 1차 방정식을 다루게 됨으로써 훨씬 정확하고도 쉽게 문제를 풀 수 있다. $\ln A_t, \ln A_0$ 값을 얻은 후 역지수화하면 A_t, A_0 값을 얻을 수 있다.

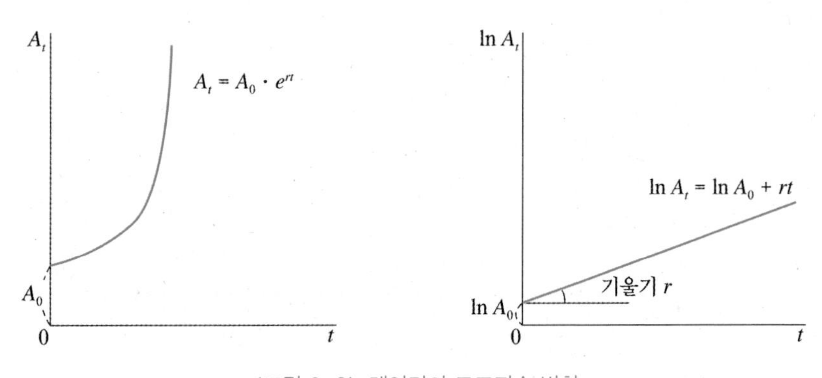

〈그림 3-9〉 데이터의 로그지수 변환

지수함수는 시간 경과에 따른 변화를 잘 반영하는 특성을 가지고 있다. 예를 들어 $f(t) = 2e^{-2t}$ $t \geq 0$ 는 시간이 지남에 따라 계속 값이 하락하는 경제변수를 나타내는데 유용하게 쓰일 수 있다. 구체적으로는 새로운 제품이 출시된 후 그 제품을 구입하지 않은 사람의 숫자나 비율을 나타낼 때 혹은 일정기간 동안 발생한 사건의 빈도를 나타낼 때도 유용하게 쓰이고 있다. <그림 3-10>에 그려져 있다. 이 함수의 원시함수는 적분을 통해 $F(x) = 1 - e^{-2t}$을 구할 수 있다. 일정 시점에서의 이 함수 값은 일정기간 동안 누적된 값이다.[12]

---

11 네이피어(Napier 1550~1617)가 발견한 로그수가 당시의 복잡한 수치 계산을 간편하게 하는 데 얼마나 획기적인 것이었는가는, 뒤에 라플라스(Laplace, 1749~1827)로 하여금 "계산에 들이는 노력을 경감시켜 줌으로써 천문학자의 수명을 두 배로 연장시켜 주었다"고 하였을 정도이다.

$$f(t) = 2e^{-2t} \quad t \geq 0 \quad F(x) = \int_0^x 2e^{-2t}dt = (1-e^{-2t})$$

신제품을 개발하고 수요예측을 하고 있다. 잠재적 소비자가 1,000만 명이라고 하자. 미사용자는 연간 10% 비율로 감소할 것으로 기대한다. $f(t) = 1000e^{-0.1t} \quad t \geq 0$로 쓸 수 있다. 이 함수의 원시함수는 $F(x) = 1000(1-e^{-0.1t})$을 구할 수 있다. 5년 후 이 제품에 대한 잠재적 수요자의 수는 $F(x) = 1000(1-e^{-0.5}) = 1000(1-0.6) = 400$, 약 400만 명쯤이 될 것이라는 계산이 나온다.

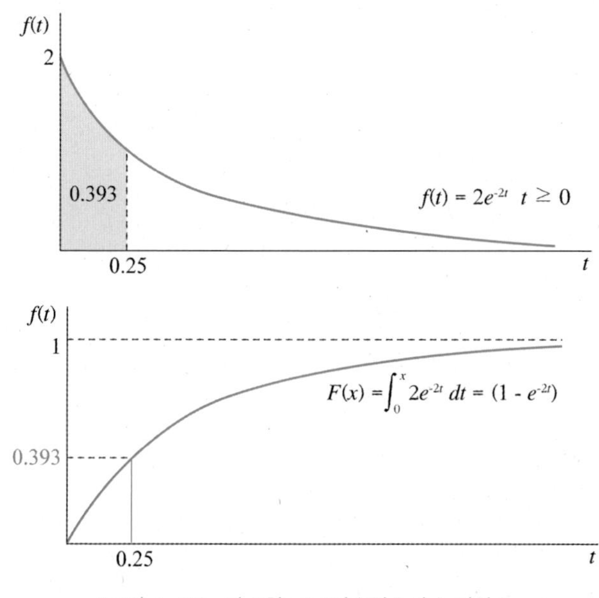

〈그림 3-10〉 감소형 로그지수함수와 누적함수

실습문제 3-7

우리나라의 연평균 국내총생산상승률을 기하평균으로 구해 보도록 하자. 2010년 1,265,308십억 원, 2011년 1,332,681십억 원, 2012년 1,377,457십억 원, 2013년 1,429,445십억 원, 2014년 1,486,079십억 원, 2015년 1,558,592십억 원으로 나타났다. 기하평균에 의한 2010~2015년 중 연평균 국내총생산상승률은 다음과 같이 계산된다.[13,14]

12 이 책 10장 적분을 참고하기 바람.

풀이

1,558,592 = 1,265,308×(1+r)^5 (1+r)^5 =1,558,592/1,265,308

(1+r) = $\sqrt[5]{1558592/1265308}$

r = $\sqrt[5]{1558592/1265308}$ -1 = 0.0426

연간 명목적으로 약 4.3% 성장률을 보였다.

예제 3-4

(1) $y = 2^x, y = 3^x, y = 4^x$을 그려라.

(2) $y = 2^{-x}, y = 3^{-x}, y = 4^{-x}$을 그려라.

(3) $y = e^{0.5x}, y = e^x, y = e^{2x}$을 그려라.

(4) $y = e^{-0.5x}, y = e^{-x}, y = e^{-2x}$을 그려라.

3.2.3 1변수함수와 다변수함수

1변수함수란 $y = f(x)$에서처럼 독립변수가 하나인 함수다. 소비함수($C = a + bY$ C: 소비 Y: 소득)가 좋은 예이며 2차원공간에 그려진다.

2변수함수란 $y = f(x_1, x_2)$에서처럼 독립변수가 2개인 함수다. 생산함수[$Q = f(L, K)$ Q: 생산량, L: 노동, K: 자본]가 좋은 예이며 3차원공간에 그려진다.

일반적으로 다변수함수 $y = f(x_1, x_2, x_3, \cdots x_n)$에서처럼 독립변수가 n개인 함수다. 시장수요함수

$$Q^d = f(P_B, P_S, P_C, I, T, N)$$

Q_d :빵 수요량, P_B :빵값, P_S :자장면값, P_C :우윳값, I:소득, T:선호, N:수요자수

가 좋은 예이며 $n+1$차원 공간에 그려진다.

---

13 기하평균(geometric mean)은 연평균 물가상승률, 경제성장률 등 일정 기간에 걸친 평균 변화율을 산출하는 데 주로 이용하고 있으며 다음과 같이 계산된다. $MG= \sqrt[n]{X_1 \times X_2 \cdots \times X_n}$
예를 들어 10년 전 25억 원이던 매출이 10년 후 250억 원으로 증가한 경우, 연평균 성장률은 엑셀함수: POWER(250/25, 1/10)−1 = 58.4%로 구해진다.

14 이 문제에서 2011년의 성장률 5.3%, 2012년의 성장률 3.4%, 2013년의 성장률 3.8%, 2014년의 성장률 4.0%, 2015년의 성장률 4.9%를 평균하면 약 4.3%가 계산되어 기하평균과 비슷하게 나온다.

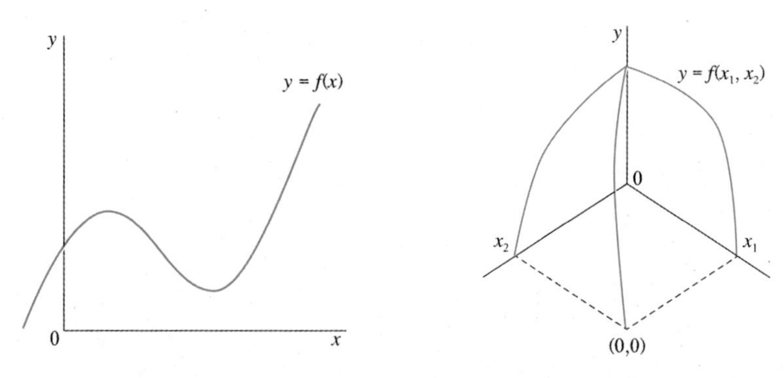

〈그림 3-11〉 1변수함수와 2변수함수를 그림으로 표현하기

3.2.4 동차함수

동차함수(同次函數, homogeneous function)는 아래와 같이 정의된다. 함수 $y = f(x_1, x_2, \cdots x_n)$가 주어져 있을 때 $(x_1, x_2, \cdots x_n)$을 t배로 늘여, 즉 $(tx_1, tx_2, \cdots tx_n)$로 확대시켰을 때, 즉 $f(tx_1, tx_2, \cdots tx_n)$로 되었을 때 t^k $t^k f(x_1, x_2, \cdots x_n)$로 나타난다면 k차 동차함수라고 부른다. 예를 들어 $z = 9x + 8y$는 1차 동차함수이고, $z = 9x + 8y^2$ 는 동차함수가 아니다.

경제학에서는 동차함수를 통해 규모 변화에 따른 생산량의 변화를 분석할 수 있다.

k =1: 규모에 대한 보수 불변(Constant Return To Scale, CRTS)
k >1: 규모에 대한 보수 증가(Increasing Return To Scale, IRTS)
k <1: 규모에 대한 보수 감소(Decreasing Return To Scale, DRTS)

$Q = f(L, K) = AL^{\alpha}K^{\beta}$ 형태의 콥 더글라스(Cobb Douglas) 생산함수[15]에서

$\alpha + \beta = 1$이면 1차 동차함수, CRTS

$\alpha + \beta > 1$이면 1차 이상 동차함수, IRTS

$\alpha + \beta < 1$이면 1차 이하 동차함수, DRTS

15 생산함수(生産函數, production function)란 생산요소가 일정량 투입되면 재화를 일정량 산출하는 함수관계이다.

1차 동차함수는 규모에 대한 보수 불변을 의미한다. 규모가 2(5, 10)배가 되면 생산량도 2(5, 10)배로 증가하는 경우이다. 만약 $\alpha+\beta=2$이면 2차 동차함수이다. 규모가 2(5, 10)배가 되면 생산량도 4(25, 100)배가 되는 경우이다. 규모에 대한 보수 증가를 의미한다. 마지막으로 $\alpha+\beta=0.5$이면 0.5차 동차함수이다. 규모가 2(5, 10)배가 되면 생산량은 $\sqrt{2}$($\sqrt{5}$, $\sqrt{10}$)배가 되는 경우이다. 규모에 대한 보수 감소를 의미한다.

예제 3-5

아래의 함수는 몇 차 동차함수인가?

(1) $z=9x+8y$

(2) $z=x^2+2xy+y^2$

(3) $z=2x^{0.3}y^{0.5}$

(4) $z=\dfrac{3y}{x}$

(5) $z=x^2+3xy+y^3$

풀이

(1)은 1차 동차함수 (2)는 2차 동차함수 (3)은 0.8차 동차함수 (4)는 0차 동차함수

(5) $(tx)^2+3(tx)(ty)+(ty)^3=t^2(x^2+3xy+ty^3)$는 동차함수가 아니다.

예제 3-6

아래의 함수는 몇 차 동차함수인가?

(1) $z=9x^{0.2}y^{0.6}$

(2) $z=9x^{0.4}y^{0.6}$

(3) $z=9x^{0.5}y^{0.6}$

풀이

(1)은 0.8차 동차함수 (2)는 1차 동차함수 (3)은 1.1차 동차함수

지수함수인 경우 지수의 합이 차수가 된다.

실습문제 3-8

Q = A L^a K^{-a}는 몇 차 동차함수인가? 의미하는 바는 무엇인가?

풀이

L이 tL, K가 tK로 증가하였을 때

$A(tL)^a\ (tK)^{-a} = A\ t^{a-a}(L)^a(K)^{-a} = At^0(L)^a(K)^{-a} = t^0\ Q$

0차 동차 생산함수이다. 규모가 두(열, 스무) 배가 되었어도 생산량은 변화가 없는(처음과 같음) 경우이다.

실습문제 3-9

용세 부모님은 커피점을 운영하고 있다. 생산함수는 $Q = f(L, K) = \sqrt{L+K}$ 이다. 이 함수는 몇 차 동차함수인가? 의미하는 바는 무엇인가?

풀이

L이 tL, K가 tK로 증가하였을 때

$$f(tL, tK) = \sqrt{tL+tK} = \sqrt{t}\ \sqrt{L+K} = t^{\frac{1}{2}}\ \sqrt{L+K}$$

0.5차 동차 생산함수이다. 규모에 대한 보수체감을 의미한다.

실습문제 3-10

수요함수 $Q^d = -\frac{3I}{p}$는 몇 차 동차함수인가? 의미하는 바는 무엇인가?

풀이

$-\frac{3kI}{kp} = -\frac{3I}{p} = Q^d$ 0차 동차함수이다. 0차 함수란 모든 독립변수들이 같은 비율로 증가 또는 감소하면 함수 값이 전혀 변화하지 않는 것을 의미한다. 수요함수가 0차 동차함수라고 함은 화폐착각(貨幣錯覺, money illusion)이 없음을 의미한다.[16]

3.2.5 역함수

함수 f가 일대일 함수인 동시에 공 번역과 치역이 같으면 이 함수를 일대일 대응(對應, correspondence)이라 한다. 함수 $f: x \rightarrow y$가 일대일 대응일 때 그 역대응 $g: y \rightarrow x$

16 화폐착각이란 사람들이 실질 값이 아닌 명목 값에 기초하여 경제행위를 판단해 버리는 것이라고 정의할 수 있다. 화폐가치의 변화를 감안한 구매력에 근거하여 판단하여야 하지만 그렇지 못하는 경우이다.

는 하나의 함수가 된다. 이때 g를 f의 역함수(逆函數, inverse function)라 부르고 f^{-1}로 나타낸다. f^{-1}는 $1/f$를 의미하지 않는다.

이를 그림으로 나타내 보면 <그림 3-12>와 같다. 예제 3-1에서 ①과 ④가 함수지만 ①만이 역함수가 존재한다.

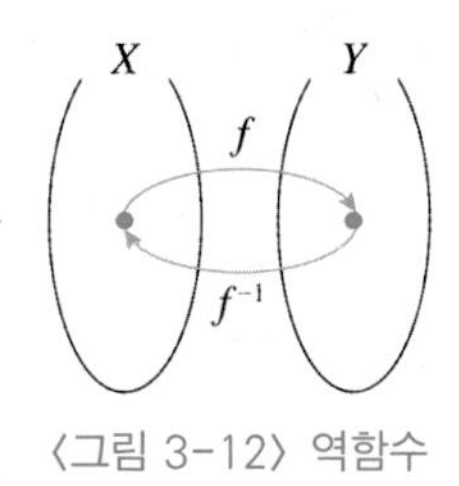

〈그림 3-12〉 역함수

$$y = f(x) \quad x: \text{ 독립변수(정의역)} \quad y: \text{종속변수(치역)}$$

$$x = g(y) = f^{-1}(y) \quad y: \text{ 독립변수(정의역)} \quad x: \text{종속변수(치역)}$$

예를 들어 $y = f(x) = 5x$를 생각해 보기로 하자. 이 방정식은 독립변수는 x이고 종속변수는 y이다. 이 방정식을 y를 독립변수로, x를 종속변수로 쓴다면 $x = g(y) = 0.2y$가 된다. 이와 같이 원래 주어진 함수에서 독립변수와 종속변수가 바뀌어 새롭게 도출되는 관계가 역시 함수이면, 후자를 원래 주어진 함수의 역함수라고 부른다. 함수 f의 역함수는 원래 f로부터 도출된 것임을 나타내기 위해 f^{-1}로 쓰고 있다. $x = f^{-1}(y) = 0.2y$로 표기하고 있다. <그림 3-13> 역함수의 그래프에서 보듯 역함수는 $y = x$에 대칭이다. 원점을 지나는 45° 선을 기준으로 좌우대칭임을 의미한다.

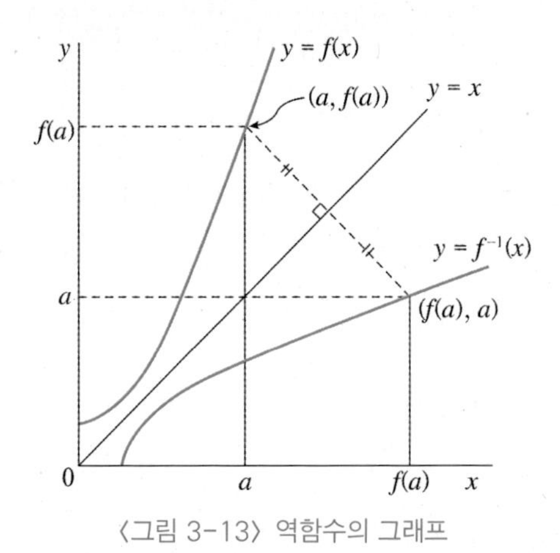

〈그림 3-13〉 역함수의 그래프

일반적으로 $y = f(x)$가 단조증가함수(單調增加, monotonic increasing function)이면, 그 역함수 $x = f^{-1}(y)$가 존재한다. 단조증가함수란 정의역 전체에서 $y = f'(x) > 0$인 경우를 말한다. $x_1 < x_2 \Rightarrow f(x_1) < f(x_2)$

반대로 $y = f(x)$가 단조감소함수(單調減少, monotonic decreasing function)이면, 그 역함수 $x = f^{-1}(y)$가 존재한다. 단조감소함수란 정의역 전체에서 $y = f'(x) < 0$인 경우를 말한다. $x_1 < x_2 \Rightarrow f(x_1) > f(x_2)$

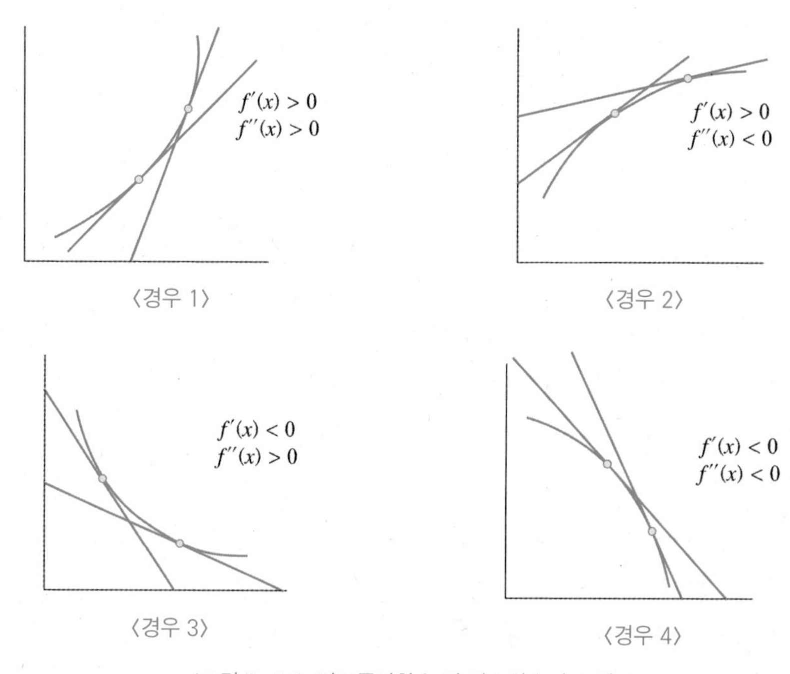

〈그림 3-14〉 단조증가함수 및 감소함수의 그래프

<경우 1>과 <경우 2>는 단조증가함수($f'(x) > 0$)이고 <경우 3>과 <경우 4>는 단조감소함수($f'(x) < 0$)이다. 직선으로 나타나는 선형함수는 단조 증가 혹은 단조 감수이다.

3.2.6 합성함수

X에서 Y로의 함수 f와 Y에서 Z로의 함수 g가 있다고 할 때, $g \circ f$가 $(g \circ f)(x = g(f(x)), \forall x \in X$와 같이 정의될 때, 이 $g \circ f$를 X에서 정의되는 합성함수(合成函數, composite function)라고 한다.

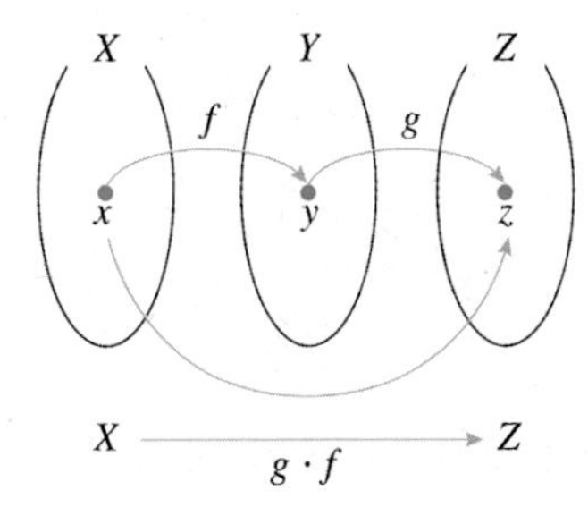

〈그림 3-15〉 합성함수

예를 들어 어머니가 전업주부인 가정에서 아버지 수입의 일부를 엄마만 아들에게 용돈으로 주는 경우를 생각해 보기로 하자. 아들의 용돈에서 얻는 만족을 u, 아버지의 수입을 x, 엄마의 수입(아버지로부터 받은 생활비)을 m이라고 하자.

$u=g(m)$, $m=f(x)$이고 $u=g(f(x))\equiv h(x)$로 쓸 수 있다.

이 경우 아들이 용돈에서 얻는 효용은 아버지의 소득의 함수이다. 아들이 용돈을 올려 달라고 요구하면 엄마는 "돈 나올 데는 한 군데 밖에 없는데…"라고 답하는 수밖에 없다.

남북한 수학용어 차이

남한	북한	남한	북한
교점(交點)	사귀는 점	전체(全體)집합(集合)	옹근 집합
역수(逆數)	거꿀 수	수직선(垂直線)	드림선
소수(素數)	씨 수	제곱근(根)	두제곱뿌리
소인수분해(素因數分解)	씨 인수분해	이항(移項)	마디 옮기기
A와 B의 교집합(交集合)	A와 B의 사귐	근(根)의 공식(公式)	풀이 공식
공집합(空集合)	빈 모임	근사(近似)값	가까운 값
포물선(抛物線)	팔매선		

출처: 나숙자 지음, 『친절한 수학교과서 ② 식과 함수』, 뷰키, 2005. p.222.

3.3 응용

3.3.1 수요함수와 수요곡선

수요함수(需要函數, demand function)란 상품의 가격과 다른 요소(다른 상품의 가격, 소득, 선호 등)들에 따라 그 상품의 수요량(需要量, quantity demanded)이 어떻게 결정되는가를 나타내는 함수이다. 개인의 수요함수와 시장 수요함수로 나누어 분석할 수 있다. 먼저 어느 개인의 빵에 대한 수요함수는[18]

$Q^d = f(P_B, P_S, P_C, I, T)$: 개인의 수요함수

P_B : 빵값, P_S : 자장면 값, P_C : 우윳값, I: 소득, T: 선호

빵의 수요량 (Q^d)은 빵값, 자장면값, 우윳값, 소득, 선호에 영향을 받음을 함수로 나타낸 것이다[17]. 여기서 자장면은 빵의 대체재(代替財, substitutes)로, 우유는 빵의 보완재(補完財, complements)로 보았다.

시장 수요함수(Q^D)는 개인의 수요함수를 기초로 하며 소비자의 수(N)를 추가하여 나타내고 있다[18].

$Q^D = f(P_B, P_S, P_C, I, T, N)$: 시장 수요함수

P_B : 빵값, P_S : 자장면 값, P_C : 우윳값, I: 소득, T: 선호, N: 소비자의 수

수요량(需要量, quantity demanded)은 주어진 가격과 다른 요소에 대해 소비자들이 일정 기간 구매하려는 최대한의 수량을 말하며, 그 가격과 수요량과의 관계를 2차원 평면에 그림으로 그린 것이 개인의 수요곡선(需要曲線, demand curve) 혹은 시장 수요곡선

17 개인의 수요량은 제도, 습관, 유행, 날씨 등 비경제적 요인에도 많은 영향을 받지만 여기에서는 경제적 요인만을 집중적으로 분석하기로 한다.

18 일반적으로 각 개인의 수요곡선을 수평으로 합하면 시장 수요곡선을 구할 수 있다.

이다. 그런데 수요함수와 수요곡선 간에는 상당한 주의가 요구된다. 수요함수에서 그 상품의 가격은 독립변수이고 수요량이 종속변수여서 <그림 3-16>(a)처럼 그려지지만(수요함수에서 유도된 곡선), 수요곡선은 반대로 그 상품의 가격은 세로축(Y축)에 수요량은 가로축(X축)에 <그림 3-16>(b)처럼 그리고 있다.

수요곡선을 그리기 위해서는 세테리스 파리부스(ceteris paribus, the other things unchanged) 가정이 매우 중요한 작용을 한다. 위에서 본 빵 시장 수요함수는 7차원 공간에 그려진다. 6개의 독립변수(P_B, P_S, P_C, I, T, N)와 수요량이 종속변수이기 때문이다. 그 상품의 가격과 수요량을 제외한 나머지 변수(P_S, P_C, I, T, N)가 변화가 없다고 가정하여 그 상품의 가격과 수요량과의 관계를 2차원 공간에 그리면 우하향(右下向, downward sloping)하는 곡선을 그릴 수 있다. 이는 "가격이 오르면(내려가면) 그 상품의 수요량은 감소(증가)한다"는 수요의 법칙(law of demand)을 의미한다.

하지만 경제학에서 통상적으로 수요곡선은 <그림 3-16>(b)에서와 같이 가로축에 수요량(Q^D)를 세로축에 가격(P)을 나타내고 있음을 유의할 필요가 있다. 이는 수요곡선을 처음으로 정식화한 영국의 경제학자 마샬이 쓴 이래 관례로 그렇게 써오고 있기 때문이다. 통상수요곡선이라고 부르기도 한다.

수학적으로 볼 때 통상 수요곡선이 수요함수에서 유도된 곡선을 대체하기 위해서는 역함수 조건이 만족하여야 한다. 일차 함수 혹은 쌍곡선으로 대표되는 대부분의 수요함수는 역함수가 성립하기 때문에 관례대로 통상 수요곡선을 무리 없이 쓰고 있다. 따라서 통상 수요곡선은 역수요함수(inverse demand function)를 2차원 평면에 그려진 것이다[19]. 당연히 우하향하는 모양을 띠며 수요법칙이 성립하고 있다. 즉 수요함수가 $Q^D = f(P) = \alpha - \beta P$ 일 때 역수요함수는 $P = f^{-1}(Q^D) = \frac{\alpha}{\beta} - \frac{1}{\beta}Q^D = a - bQ^D$ 로 나타낼 수 있다.

그러나 역수요함수를 더욱 적극적으로 해석하여 수요가격(demand price)함수라고 부르기도 한다. Q는 상품의 일정기간 수량이며 수요가격(P^D)은 소비자들이 Q개를 구매

19 역수요함수에 대한 해석은 "소비자들의 수요량이 Q^D개이면, 그들로 하여금 최대한 그 Q^D개를 구매하게 하는 상품의 시장가격은 $a - bQ^D$으로 주어진다"라고 하여야 할 것이다. 노응원, 『수리 경제학』, 명진, P.75.

할 때 마지막 Q번째 재화를 구입하기 위하여 지불할 용의가 있는 최대한의 가격이라고 정의할 수 있다.

$$P^D = f^{-1}(Q) = \frac{\alpha}{\beta} - \frac{1}{\beta}Q = a - bQ \text{ : 수요가격함수}$$

이상의 논의를 정리해 보면 수요함수가 3가지로- 수요함수, 역수요함수, 수요가격함수-로 나누어지며 곡선도 3가지- 수요함수에서 유도된 곡선, 통상 수요곡선, 수요가격함수에서 유도된 곡선으로 나누어짐을 알 수 있다.

$Q^D = f(P) = \alpha - \beta P$: 수요함수에서 유도된 곡선

$P = f^{-1}(Q^D) = \frac{\alpha}{\beta} - \frac{1}{\beta}Q^D = a - bQ^D$: (역 수요함수에서 유도된, 통상) 수요곡선

$P^D = f^{-1}(Q) = \frac{\alpha}{\beta} - \frac{1}{\beta}Q = a - bQ$: 수요가격함수에서 유도된 곡선

<그림 3-16>에 1차함수형태의 3가지 (수요)곡선을 그려 놓았다. 세 곡선 모두 수요의 법칙을 만족하고 있지만, 각각 종축과 횡축의 표기가 다르다. 통상수요곡선 과 수요가격함수에서 유도된 곡선은 종축과 횡축의 표기가 다르나, X, Y절편과 기울기가 같다.

수요함수에서 유도된 곡선은 종축과 횡축의 표기도 다를 뿐 아니라 X, Y절편과 기울기도 다른 두 곡선과 다르게 나타나고 있음을 확인하여야 할 것이다.

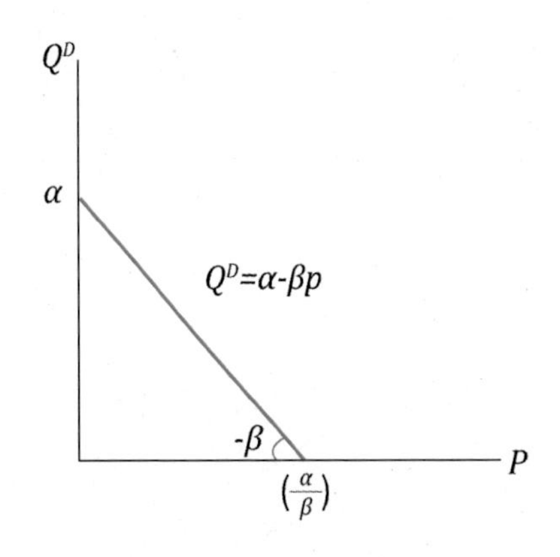

(a) 수요함수에서 유도된 곡선

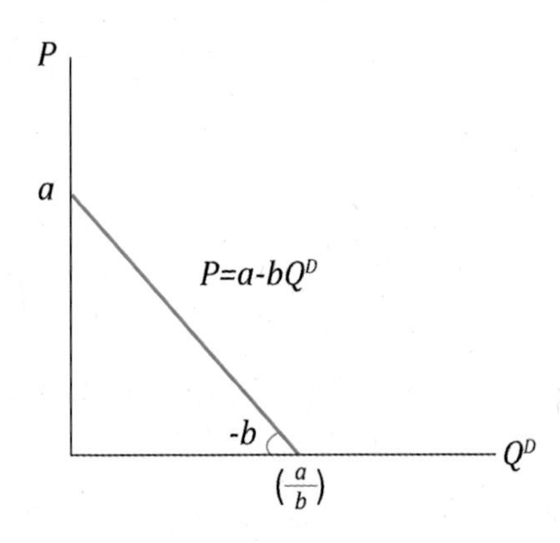

(b) 통상수요곡선

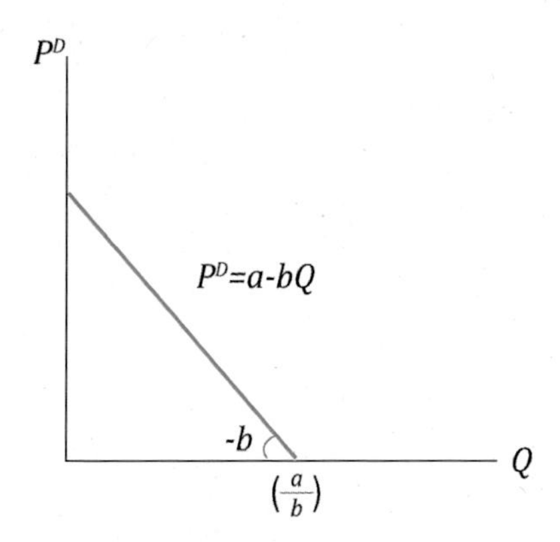

(c) 수요가격함수에서 유도된 곡선

〈그림 3-16〉 수요함수와 수요곡선

함수론을 다루는 이 장에서는 수요함수와 역수요함수를 구별하여 공부하지만, 이후로는 가격을 독립변수로 하고 수요량을 종속변수로 하는 함수를 수요함수로 부를 것이고, 수요량을 독립변수로 하고 가격을 종속변수로 하는 함수는, 때로는 역수요함수라고 부를 때도 있겠지만, 관례에 따라 수요곡선이라고 불러 구별할 것이다.

실습문제 3-11

구체적으로 커피의 수요함수를 $Q^d = 7 - 2P + 4P_S - 0.5P_C + 0.01I$ 로 나타낼 수 있다고 해보자.[20]

(1) 만약 P_S가 2, P_C 가 1, I 가 200이라면 수요함수를 구하고 이 상품의 가격과 수요량과의 관계를 2차원 평면에 그리시오.

(2) 위에서 구한 수요함수의 절편이 의미하는 바는 무엇인가?

(3) (1)에서 구한 수요함수의 역수요함수를 구하고 수요곡선을 그리시오.

풀이

(1) $Q^d = 7 - 2P + 4(1) - 0.5(2) + 0.01(200) = 12 - 2P$로 쓸 수 있다.

---

20 선호가 수요에 미치는 영향을 숫자로 나타내는 것이 어렵기 때문에 생략하였다.

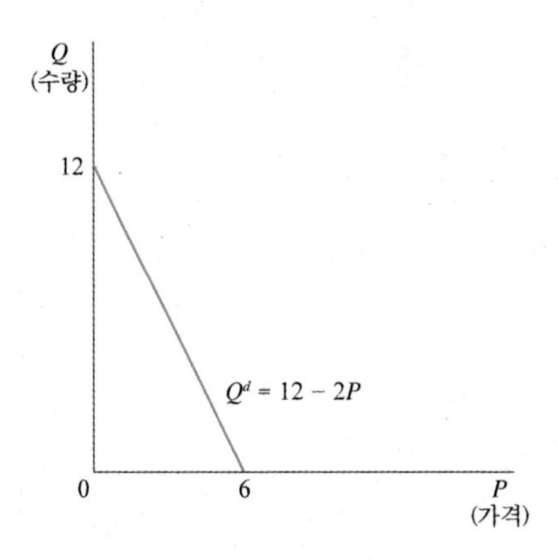

(2) 수요함수의 절편(세로축의 절편) 12는 해당 상품의 가격 외의 변수들(P_S, P_C, I)의 주어진 값들을 함축적으로 나타내고 있다.

(3) 역수요함수는 $P = 6 - 0.5Q^d$이며 횡축에 Q^d(수요량) 종축에 P(가격)를 나타내는 수요곡선을 그릴 수 있다.

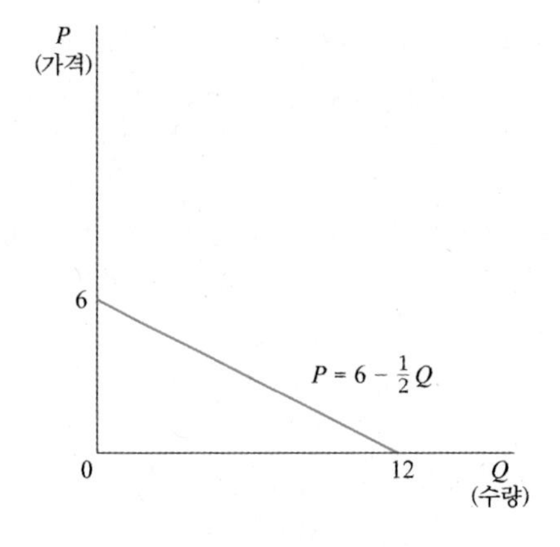

수요곡선에서 해당 상품의 가격이 변화함에 따라 발생한 수요의 변화를 '수요곡선 상의 변화(movement along the demand curve)'라고 부르며 이때 나타나는 변화를 '수요량(quantity demanded)의 변화'라고 부른다. 한편 해당 상품의 가격 이외의 변수가 변하여 수요가 변화한 경우를 '수요곡선의 이동(shift of demand)'이라고 부르며 이 경우 나타나는 변화를 '수요(demand)의 변화'라고 부르며 앞의 경우와 구별하고 있다.

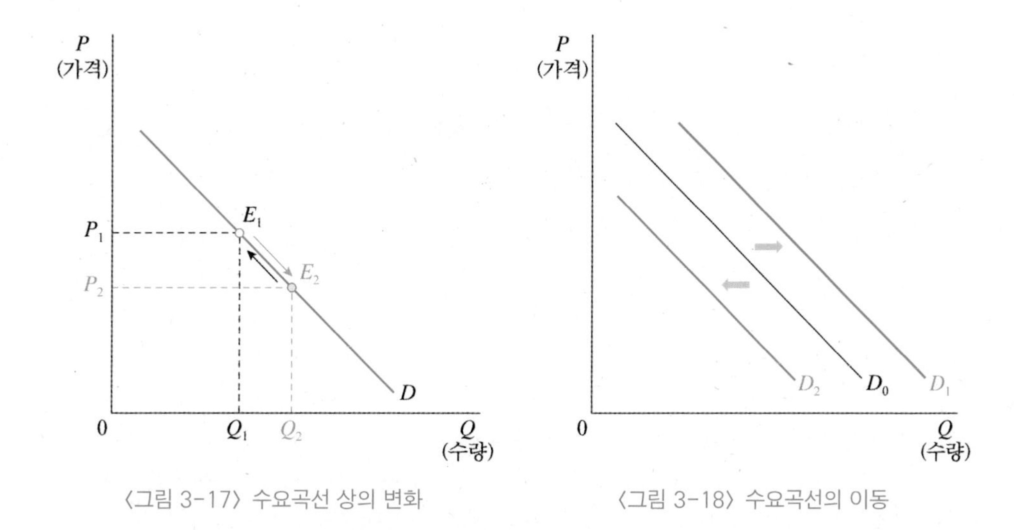

〈그림 3-17〉 수요곡선 상의 변화 〈그림 3-18〉 수요곡선의 이동

시장 수요곡선을 $P=a-bQ^D$로 나타냈을 때 가격이 오르면($P_2 \rightarrow P_1$) 수요량이 감소하는($Q_2 \rightarrow Q_1$) 것은 <그림 3-17> 수요곡선 상의 변화에서 E_2점에서 E_1점으로 움직이는 것으로 그려지며 반대로 가격이 내리면($P_1 \rightarrow P_2$) 수요량이 증가하는 것($Q_1 \rightarrow Q_2$)은 E_1 점에서 E_2 점으로 움직이는 것으로 그려진다.

한편 a의 증가(감소)는 P_S(대체재의 가격)의 상승(하락), P_C(보완재의 가격)의 하락(상승), I(소득)의 증가(감소), T(선호)의 증가(감소), N(소비자수)의 증가가 나타날 때 나타난다. 다시 말해 P_S(대체재의 가격), P_C(보완재의 가격), I(소득), T(선호), N(소비자수)의 변화가 <그림 3-18>에서 a의 변화로 나타나며 수요곡선의 이동으로 그려진다. a의 증가가 나타나면 수요곡선은 D_0에서 D_1으로 이동하며(수요의 증가) a의 감소가 나타나면 수요곡선은 D_0에서 D_2으로 이동하는 것(수요의 감소)으로 그려진다.

실습문제 3-12

수요함수: $Q^d = f(P) = 10 - 2P$

(1) 역함수를 구할 수 있는가? 구할 수 있다면 함수식을 써라.
(2) 수요함수와 수요곡선(역수요함수)을 그려라.

풀이

(1) 단조 감소하므로 그 역함수는 분명히 존재하며 $P=f(Q^d)=5-0.5Q^d$이다.

(2) 생략

실습문제 3-13

아이스크림에 대한 수요함수가 아래와 같이 추정된다고 하자.

$$Q^d = -30P + 2P_S + 0.05I + 4T$$

Q^d 수요량 P 아이스크림 값 P_S 쥬스 값 I 소득 T 선호

(1) 세테리스 파리부스(ceteris paribus)란?
(2) $P_S = 25,\ I = 5{,}000,\ T = 30$일 때 수요함수를 구하고 그림으로 그리시오.
(3) 역수요함수를 구하고 그래프로 그리시오(수요곡선을 그리시오).
(4) 아이스크림 가격이 5에서 6으로 상승할 때 수요량의 변화를 위의 수요곡선에 표시하시오.
(5) 소득이 7400으로 변했을 때 수요함수를 구하고 그래프로 나타내시오.
(6) 위의 (4)와 (5)의 답을 근거로 곡선상의 이동(movement along the demand curve) vs. 곡선의 이동(shift of the demand curve)을 구별하여 설명하시오.

경제학자 이야기

마샬(Alfred Marshall, 1842~1924)

• 생애

잉글랜드 은행의 출납계원인 아버지를 둔 그는 런던에서 태어났으며 물리학과 수학에 탁월한 재능을 보인 수재였다. 케임브리지 대학을 졸업했으며 케임브리지 대학에 경제학과를 창설(1885년 1월)하였고 피구(Arthur Cecil Pigue, 1877~1959)와 케인즈 같은 제자를 길러낸 대학자이다.

다윈의 진화론, 칸트의 독일철학에도 영향을 받았으며 미국을 여행하고 보호무역에 대해 조사연구를 하는 등 실제적인 경제문제에 대해서도 매우 적극적인 태도를 보였다. 런던의 빈민굴을 찾아 그들의 생활실태를 관찰하였고 자신의 이론에 결부시키려고 노력하였다.

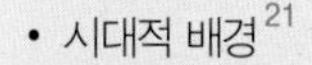

• 시대적 배경[21]

세계의 공장, 해가 지지 않는 제국, 영국이 완성된 시기인 동시에 쇠락의 길로 접어들기 시작한 때였다. 두 가지 국민이 존재하던 시기였다.

• 업적

그는 경제학의 명칭으로 종전에 사용되던 정치경제(political economy)보다는 경제학(economics)이 더 적

절하다고 주장하였고, 그의 저서 이름도 『경제학 원리』(Principles of Economics, 1890)로 지었다. 이 책에서 수요와 공급곡선을 최초로 사용하였다. 이 책은 1948년 사뮤엘슨의 경제학이 출간되기까지 스미스의 국부론, 밀의 정치경제학 원리를 잇는 대표적인 경제학 교과서였다.

• 어록
케인즈는 "그는 경제라는 우주의 모든 인자들이 상호균형과 상호작용에 의해 각자의 위치를 지키는 코페르니쿠스의 세계를 창조했다"라고 스승인 마샬에 대해 썼다. (p .271)
"경제학은 정확한 물리학과 비교될 수 없다. 왜냐하면 그것은 끊임없이 변화하는 인간본성의 힘을 다루기 때문이다."

• 평가[22]
그는 신고전학파의 창시자였지만, 현재의 신고전학파와는 달리 진화(進化)를 강조하였고, 필요 이상의 수학적 방법의 활용에는 반대하였다.

3.3.2 공급함수[22]와 공급곡선

공급함수(供給函數, supply function)란 상품의 가격과 다른 요소들(임금, 재료값, 기술, 공급자 수 등)에 따라 그 상품의 공급량(供給量, quantity supplied)이 어떻게 결정되는가를 나타내는 함수이다. 개인의 공급함수와 시장 공급함수로 나누어 분석할 수 있다. 먼저 어느 기업의 빵에 대한 공급함수는[23]

$$Q^s = g(P_B, w, P_R, Te) : \text{개별 기업의 공급함수}$$

$$P_B : \text{빵 값}, \; w : \text{임금}, \; P_R : \text{재료값}, \; Te : \text{기술}$$

로 쓸 수 있다. 빵의 공급량(Q^s)은 빵 값, 임금, 재료 값, 기술 등에 영향을 받음을 함수로 나타낸 것이 임금과 재료값은 생산요소시장에서 관찰되는 변수이다. 또한 시장(산업)의 공급함수는

21 CCTV 다큐멘터리 대국굴기 제작진, 『강대국의 조건-영국편』, 안그라픽스, 2007.

22 홍훈, 『경제학의 역사』, 박영사, 2007, p.272.

23 공급함수는 가격을 주어진 것으로 간주하는 기업(가격 수용자: price taker)에 대해서만 정의할 수 있다.

$$Q^s = g(P_B, w, P_R, Te, M) : \text{시장(산업)의 공급함수}$$

$$P_B : \text{빵값}, w : \text{임금}, P_R : \text{재료값}, Te : \text{기술}, M : \text{공급자수}$$

로 개별 기업의 생산함수에 공급자수(M)가 추가된 형태로 쓸 수 있다.

공급량(供給量, quantity supplied)은 주어진 가격과 다른 요소에 대해 공급자들이 일정 기간 공급하려는 최대한의 수량을 말하며, 그 가격과 공급량과의 관계를 2차원 평면에 가격을 세로축(횡축, Y축)으로 공급량을 가로축(종축, X축)으로 하여 그림으로 그린 것이 공급곡선(供給曲線, supply curve)이다.

공급함수를 근거로 공급곡선을 그리기 위해서는 수요이론에서와 같이 세테리스 파리부스(ceteris paribus, the other things unchanged) 가정이 매우 중요한 작용을 한다. 위에서 본 빵의 시장 공급함수는 6차원 공간에 그려진다. 5개의 독립변수(P_B : 빵값, w : 임금, P_R : 재료값, T_e : 기술, M: 공급자수)와 공급량(Q^S)이 종속변수이기 때문이다. 그 상품의 가격과 공급량과의 공급곡선을 위해서는 빵 값 이외의 변수(w : 임금, P_R : 재료값, T_e : 기술, M: 공급자수)에 변화가 없다고 가정하여야 한다. 이런 과정을 거쳐 얻어진 곡선을 <그림 3-19>(a)에 그렸으며 우상향(右上向, upward sloping)하는 모양으로 나타난다. 이는 "가격이 오르면(내려가면) 그 상품의 공급량은 증가(감소)한다"는 공급의 법칙(law of supply)을 의미한다.

하지만 경제학에서 통상적으로 공급곡선은 <그림 3-19>(b)에서와 같이 가로축에 공급량(Q^S)를, 세로축에 가격(P)을 나타내고 있음을 유의할 필요가 있다. 이는 2차원 평면에 가격을 세로축(Y축)으로 공급량을 가로축(X축)으로 하여 그린 수요곡선과 보조를 같이하기 위해서이다. 여기에서도 역함수관계가 성립하며 공급곡선은 우상향하는 곡선이며 공급의 법칙을 충족한다.

공급함수가 $Q^S = g(P) = -\gamma + \delta P$라면 공급곡선은 $P = g^{-1}(Q^S) = \frac{\gamma}{\delta} + \frac{1}{\delta}Q^S = c + dQ^S$로 쓰고 있다. 여기에서 공급곡선에서 절편은 양수인데 반해 공급함수에서 유도된 곡선의 절편은 음수임을 주의해서 봐야한다. 해당 재화 가격이외의 변수(임금, 재료값)와 공급량과는 반대로 움직이며, 가격과는 같은 방향으로 움직이기 때문이다(임금이나 재료값이 상승하면 공급가격 상승).

$$Q^S = g(P) = -\gamma + \delta P \quad \gamma > 0, \delta > 0 : \text{공급함수에서 유도된 곡선}$$

$$P = g^{-1}(Q^S) = \frac{\gamma}{\delta} + \frac{1}{\delta} Q^S = c + dQ^S \quad c > 0, d > 0 : \text{공급곡선}$$

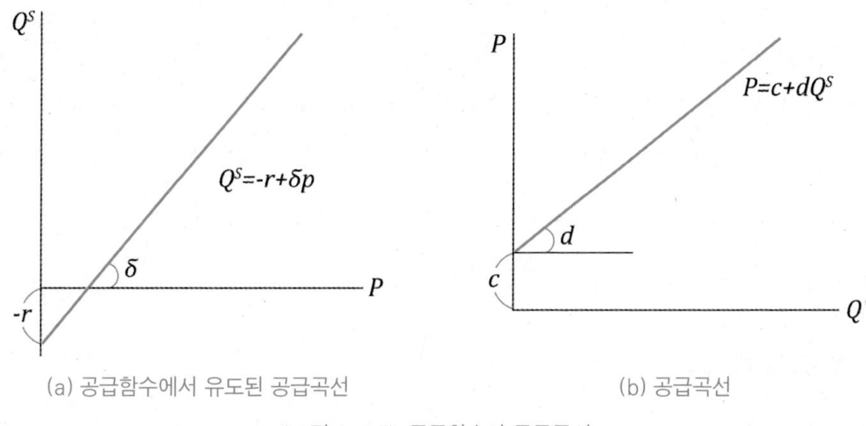

〈그림 3-19〉 공급함수와 공급곡선

해당 상품의 가격이 변화함에 따라 발생한 공급의 변화를 '공급곡선 상의 변화(movement along the supply curve)'라고 부르며 이때 나타나는 판매수량의 변화를 '공급량의 변화(quantity supplied)'라고 부른다. 한편 해당 상품의 가격 이외의 변수가 변하여 공급이 변화한 경우를 '공급곡선의 이동(shift of supply)'이라고 부르며 이 경우 나타나는 판매수량의 변화를 '공급(supply)의 변화'라고 앞의 경우와 구별하여 부른다.

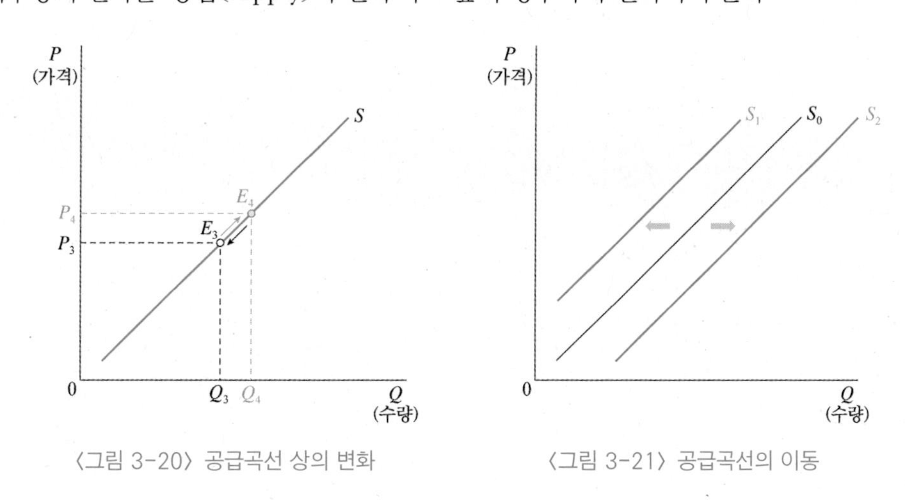

〈그림 3-20〉 공급곡선 상의 변화 〈그림 3-21〉 공급곡선의 이동

공급곡선을 $P = c + dQ^S \quad c > 0, d > 0$로 표기하였을 때 가격이 오르면($P_3 \rightarrow P_4$) 공

급량이 증가하는($Q_3 \rightarrow Q_4$) 것은 <그림 3-20> 공급곡선에서 E_3점에서 E_4점으로 상승하는 것으로 그려지며 반대로 가격이 내리면($P_4 \rightarrow P_3$) 공급량이 감소하여($Q_4 \rightarrow Q_3$), E_4점에서 E_3점으로 하락하는 것으로 그려진다.

또 P_R(재료값)의 상승(하락), w(노동자의 임금)의 상승(하락), Te(기술)의 퇴보(발전), 공급자수의 감소(증가)는 c의 증가(감소)로 반영되며 <그림 3-21>에서 공급곡선은 위쪽(아래쪽)으로 이동하는 것으로 그려진다. 다시 말해 c의 증가가 나타나면 공급곡선은 S_0에서 S_1으로 이동하며(공급의 감소) c의 감소가 나타나면 공급곡선은 S_0에서 S_2으로 이동하는 것(공급의 증가)으로 그려진다.

실습문제 3-14

커피 공급함수를 $Q^s = 9 + 5P - 1.25P_R - 2w$로 나타낼 수 있다고 해보자.[24]
(1) 만약 P_R(재료값)이 8, w(임금)가 2.5라면 공급함수를 구하고 그려라.
(2) 위에서 구한 공급함수에서 세로축의 절편이 의미하는 바는 무엇인가?
(3) 가격을 세로축에, 공급량을 가로축에 두고 공급곡선을 구하고 그리시오.

풀이

(1) $Q^s = 9+5P-1.25(8)-2(2.5) = -6+5P$ 로 쓸 수 있다.
(2) 세로축 절편 −6은 커피 가격 외의 변수들의 주어진 값들이 공급량에 미치는 영향을 나타내고 있다.
(3) $Q^s = -6+5P$ 에서 $P = \frac{6}{5} + \frac{1}{5}Q^s$를 구할 수 있다.

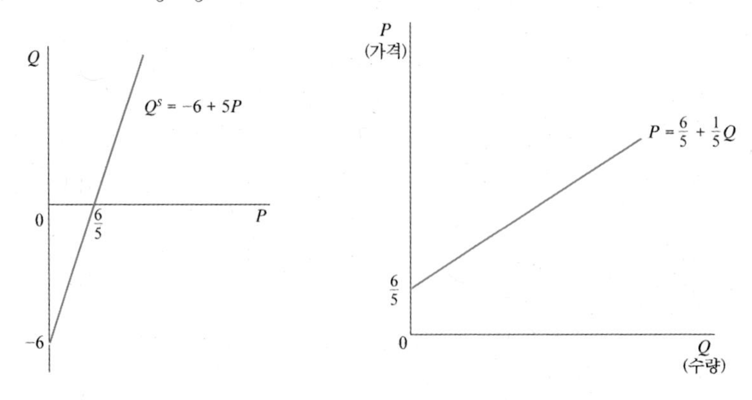

24 기술이 공급에 미치는 영향을 숫자로 나타내는 것이 어렵기 때문에 생략하였다.

실습문제 3-15

공급함수: $Q^s = g(P) = -5+2P$로 주어졌다고 하자.
(1) 공급곡선을 그리시오.
(2) 노동자의 임금이 상승한 경우 공급곡선의 변화를 그리시오.

풀이

(1) $Q^s = -5+2P$에서 $P = 2.5 + \frac{1}{2}Q^s$를 구할 수 있다.

(2)

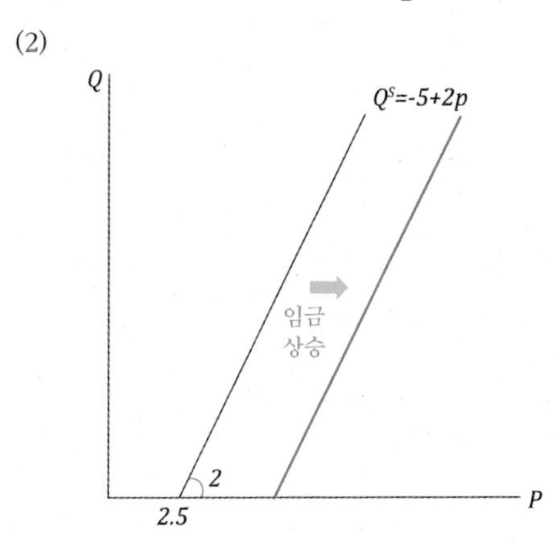

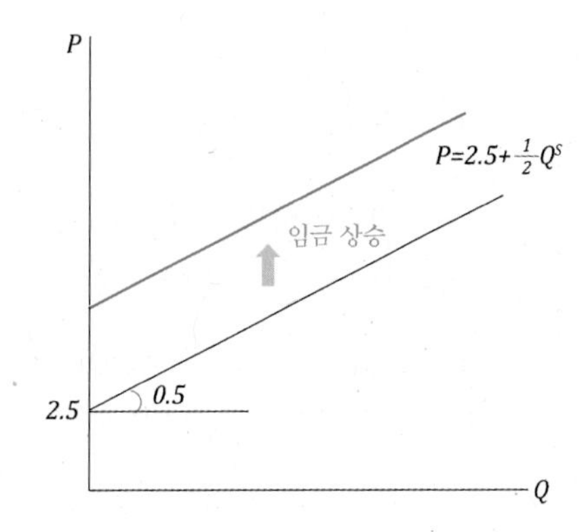

3.3.3 생산가능곡선

생산가능곡선(生産可能曲線, production possibility curve)이란 주어진 기술 수준하에서 생산자원을 최대한 활용하여 생산할 수 있는 생산량의 조합을 일컫는다. 보통 2개의 재화를 대상으로 그리고 있다. 어느 경제에 x, y 2개의 재화만 있는 경우 만약 생산가능함수가

$$y = -\frac{1}{5}x^2 - \frac{3}{5}x + 26 \qquad x \geq 0,\ y \geq 0$$

로 주어졌다면 그래프는 <그림 3-22>처럼 그려질 것이고 x가 5, 7, 9일 때 y는 각각 18, 12, 4.4로 계산된다. 이와 같이 x가 증가함에 따라 y의 감소분이 증가하는 현상을 한계변환율 체증의 법칙(the law of increasing marginal rate of transformation, MRT_{xy})이라고 부른다. 생산가능곡선이 원점에 대해 오목한 모양을 하고 있으며 기회비용이 체증(遞增)함을 의미한다.[25]

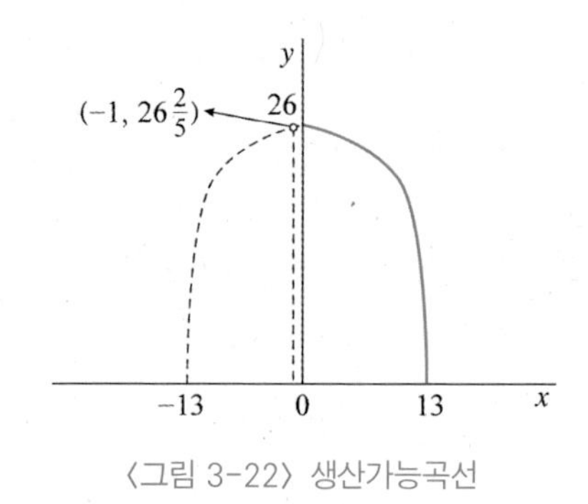

〈그림 3-22〉 생산가능곡선

3.3.4 확률밀도함수

함수는 통계학에서도 매우 유용하게 쓰이고 있다. 이산(離散, discrete)확률변수인 경우에는 확률질량함수(確率質量函數, probability mass function, PMF), 연속확률변수의 경우에는 확률밀도함수(確率密度函數, probability density function, PDF)로 나타난다. 즉 연속확률변수의 양상을 나타내는 곡선을 식으로 표현한 것이 확률밀도함수이다. 대표적인 예로 일양분포(一樣分布, uniform distribution, UD), 정규분포(正規分布, Normal distribution), 카이제곱분포(χ^2 distribution) 등이 있다.

가장 널리 쓰이는 정규분포란 분포의 형태가 종을 엎어 놓은 모양의 분포를 말하며, 분포의 형태는 평균(μ)과 분산(σ^2)에 의해 결정된다. 확률변수 X가 평균(μ)과 분산(σ^2)를 갖는 정규분포를 따른다면

$$X \sim N(\mu,\ \sigma^2)$$

이라고 표현하며, X의 확률밀도함수는

$$f(X)= \frac{1}{\sqrt{2\pi}\ \sigma}\ e^{-\frac{1}{2}\left(\frac{X-\mu}{\sigma}\right)^2} (-\infty < X < \infty)$$

---

25 한계 변환율이란 특정 재화의 생산을 포기하고 다른 재화의 생산으로 전환하고자 할 때 발생하는 생산 감소분과 생산증가분의 비율이다. 여기에서는 x재의 생산량을 한 단위 증가시키기 위해 감소시켜야 하는 y재의 양, 즉 y재로 표시한 x재의 기회비용을 나타낸다. x가 5에서 7로 증가할 때 y는 6이 감소하지만 7에서 9로 증가할 때는 (6보다 더 큰) 7.6이 감소한다.

이다. <그림 3-23> 정규분포 그림에서 보듯 좌우대칭이며 종 모양을 하고 있다. 여기서 e는 자연대수의 밑수로서 값은 2.71829이다.

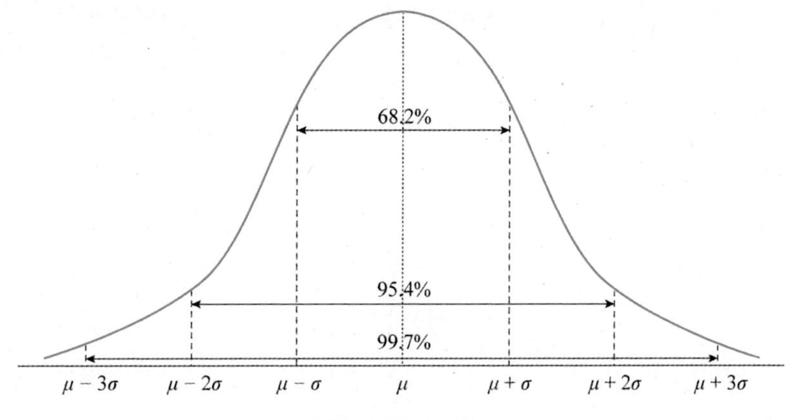

〈그림 3-23〉 정규분포

〈표 3-1〉 평균을 중심으로 한 범위와 분포의 비율

$\overline{X}+\sigma$	68%
$\overline{X}+2\sigma$	95%
$\overline{X}+3\sigma$	99%

〈표 3-2〉 95% 신뢰수준하에서의 최대 허용오차

표본의 크기	최대 허용오차(%)
100	9.8
500	4.4
1,000	3.1
1,500	2.5

핵심어

- 함수
- 정의역
- 공역
- 치역
- 독립변수
- 종속변수
- 대수함수
- 다항함수
- 상수함수
- 일차함수
- 이차함수
- 삼차함수
- 유리함수
- 분수함수
- 무리함수
- 비대수함수
- 지수함수
- 로그함수
- 1변수함수
- 다변수함수
- 동차함수
- 역함수
- 합성함수
- 수요함수와 수요곡선
- 공급함수와 공급곡선
- 생산가능곡선
- 확률밀도함수
- 역수요함수
- 가격수요함수

연습문제

○× 문제

1. 독립변수가 n개인 방정식은 n차 공간에 그려진다.
2. 모든 함수가 동차함수가 되는 것은 아니다.
3. 2차 동차함수에서는 생산요소가 2배가 되면 생산량도 2배가 된다.
4. 단조 증가(감소)함수는 역함수를 갖는다.
5. 0차 동차함수라고 함은 화폐착각이 없음을 의미한다.

단답형

1. 동차함수와 규모에 대한 보수와의 관계를 설명하라.
2. Ceteris Paribus란 무엇인가?
3. 수요(공급)함수와 수요(공급)곡선과의 관계를 나타내라.
4. 수요(공급)곡선상의 변화와 수요(공급)의 이동을 설명하라.

풀이형

1. 어느 가계의 한 달 총소비(C)는 소득 Y의 함수로서 $C = 80 + 0.8Y$로 나타나고 있다. 이 가계의 한 달 소득은 500만 원으로 제한되어 있다. 이 가계의 소비함수의 정의역과 치역을 구하라.

2. 총수입(TR)은 $TR = aQ - bQ^2$으로 나타난다. 총수입함수를 그려라.

3. 한계비용함수(MC)는 $MC = aQ^2 + bQ + c$으로 나타난다. $Q \geq 0$, $a > 0$, $b < 0$, $c > 0$이고 MC 값이 언제나 양의 값을 갖는 한계비용함수를 그려라.

4. 경제학자들은 "R&D 강도(R&D 지출액/산업 매출액)는 산업집중도가 높아지면서 증가하는 것으로 나타나지만 산업집중도가 어느 정도가 될 때까지만 그러한 현상이 나타나고 산업집중도가 그보다 더 높아지면 총매출액의 비율로 측정되는 기업의 R&D 노력은 더 이상 증가하지 않거나 오히려 감소한다"는 사실을 발견하였다.

   이 사실을 함수로 나타내려고 한다. (1) 어떤 함수가 가장 잘 부합되겠는가? (2) 독립변수로 적절한 개념은 무엇이며 종속변수로 적절한 개념은 무엇인가?

5. 어느 문구점에서 볼펜과 샤프펜을 합하여 15,000원에 구입하였다. 볼펜은 12,000원에, 샤프펜은 4,000원에 판매한 결과, 볼펜 판매에서는 이익을 본 반면, 샤프펜 판매에서는 손해를 보았다. 그 이익률과 손해율이 같았을 때, 볼펜과 샤프펜 각각의 구입가를 구하라.

6. (1) 2010~2013년 우리나라의 소비자물가지수는 100.0, 104.0, 106.3, 107.7이다. 이 기간 소비자물가지수 연평균 인상률을 기하평균으로 구하라.

   (2) 2010~2013년 우리나라의 생산자물가지수는 100.0, 107.7, 107.5, 105.7이다. 이 기간 생산자물가지수 연평균 인상률을 기하평균으로 구하라.

7. AR = 10－Q 일 때

   (1) TR(Total Revenue)을 구하고 그림으로 그려라.

   (2) MR(Marginal Revenue)을 구하고 AR과 같이 그림으로 그려라.

   (3) MR이 0인 생산량은 얼마인가? 이때 AR과 TR은 얼마인가?

   (4) 총수입이 극대화되는 곳의 수요의 가격탄력도는 얼마인가?

8. 예산선이 $I = P_X X + P_Y Y$ 일 때 $I = 150,\ P_X = 2,\ P_Y = 5$일 때

(1) 그래프로 나타내라(X 절편과 Y 절편을 정확히 표시하라).

(2) I가 20% 증가한 경우

(3) P_X가 $\frac{1}{2}$로 하락한 경우

(4) P_Y 가 2배로 증가한 경우

9. 예산선이 $10 = 2X + Y$일 때

(1) 그래프를 그려라.(x축 : X, y축 : Y) (기울기, X 절편, Y 절편을 정확하게 표시하라)

(2) 예산이 2배로 증가한 경우의 그래프를 그려라.[(1)의 그래프와 비교하라]

(3) P_Y가 2배로 증가한 경우의 그래프를 그려라.

10. 등비용(iso - cost)곡선 $E = P_K \cdot K + P_L \cdot L$

(1) 그래프를 그려라.(x축 : L, y축 : K) (기울기, L 절편, K 절편을 정확하게 표시하라)

(2) E가 2배로 증가한 경우의 그래프를 그려라.[(1)의 그래프와 비교]

(3) P_L가 2배로 증가한 경우의 그래프를 그려라.

(4) E가 $\frac{1}{2}$로 감소한 경우

(5) P_L가 $\frac{1}{2}$ 로 감소한 경우

(6) P_K이 2배로 증가, P_K이 $\frac{1}{2}$로 감소한 경우

11. 어느 군 지역의 농업용지가 매년 2.0% 감소하고 있다고 한다. 20년 후에는 현재의 녹지의 몇 %가 남아있겠는가? ($e^{-0.4} = 0.67$)

12. 신제품을 개발하고 수요예측을 하고 있다. 잠재적 소비자가 1,000만 명이라고 하자. 미사용자는 연간 5% 비율로 감소할 것으로 기대한다. $F(x) = 1000(1 - e^{-0.05t})$로 나타난다. 5년 후 수요와 10년 후 수요를 구하고 비교하라.

$e^{-0.25} = 0.78 \quad e^{-0.5} = 0.6$

13. $Q^d = 20 - 30P_x + 2P_r + 0.05I + 4T$

Q^d: 수요량, P_x : 재화 값, P_r : 대체재 값, I: 소득, T: 선호

(1) Ceteris Paribus란 무엇인가?

(2) $P_r = 25$, $I = 5{,}000$, $T = 10$ 일 때 수요함수를 구하고 그림으로 나타내라.

(3) (2)에서 주어진 조건하에서 통상적인 수요곡선을 구하고 그려라.

(4) X의 가격이 5에서 6으로 상승할 때 수요량의 변화를 위의 수요곡선에 표시하라.

(5) 소득이 6200으로 변했을 때 수요함수를 구하고 그래프로 나타내라.

(6) 위의 (4)와 (5)의 답을 근거로 곡선상의 이동(movement along the demand curve) *vs*. 곡선의 이동(shift of the demand curve)을 구별하여 설명하라.

14. $Q^s = 10 + 4P_x - 2P_y - 1.5P_z - 0.5W$

Q^s: 공급량, P_x : 재화 값, P_y : 재료가격, P_y : 대체재가격, W: 임금

(1) $P_y = 4$, $P_z = 6$, $W = 2$일 때 공급함수를 구하고 그림으로 나타내라.

(2) (1)에서 주어진 조건하에서 공급곡선을 구하고 그려라.

(3) X의 가격이 5에서 6으로 상승할 때 공급량의 변화를 위의 공급곡선에 표시하라.

(4) 임금이 4로 증가했을 때 공급함수를 구하고 그래프로 나타내라.

(5) 위의 (3)과 (4)의 답을 근거로 곡선상의 이동(movement along the demand curve) *vs*. 곡선의 이동(shift of the demand curve)을 구별하여 설명하시오.

15. (1) 13번과 14번을 종합하여 균형 가격과 거래량을 구하라.

(2) 소득이 6200으로 변했을 때 균형 가격과 거래량을 구하라. 그림으로도 나타내라.

(3) 임금이 4로 증가했을 때 균형 가격과 거래량을 구하라. 그림으로도 나타내라.

16. $Q_d = -4P + 0.01Y - 5P_r + 10T$

(1) $Y = 8{,}000$, $P_r = 8$, $T = 4$일 때 수요곡선을 그려라.

(2) 두 재화의 관계는 대체재인가? 보완재인가?

(3) 역수요함수를 구하고 그려라.

(4) $T = 8$로 상승할 경우, 그래프를 그려라.

17. $Q_d = -2P + 0.01Y + 2P_r + 5T$

(1) $Y = 2{,}000$, $P_r = 2$, $T = 5$일 때 수요곡선을 그려라.

(2) 두 재화의 관계는 대체재인가? 보완재인가?

(3) 역수요함수를 구하고 그려라.

(4) $T = 10$로 상승할 경우, 그래프를 그려라.

18. 콥 더글라스 생산함수 $Q = AL^{\alpha}K^{-\alpha}$

(1) 몇 차 동차함수인가? 규모의 변화에 대해 보수는 어떻게 변하는가?

(2) MPP_L은 몇 차 동차함수인가? 또 그것의 의미는 무엇인가?

(3) MPP_K은 몇 차 동차함수인가? 또 그것의 의미는 무엇인가?

19. 용미네 세탁소의 생산함수는 $Q = AL^{\alpha}K^{\beta}M^{\gamma}$이다($L$: 노동, K: 자본, M: 원자재). 규모에 대한 보수불변이 되기 위해서는 α, β, γ는 어떤 값을 가져야 하는가? 규모에 대한 보수 체증과 체감인 경우도 생각하라.

20. 세금의 효과에 대해 분석해 보자.

(가) $Y = C + I$
$C = 85 + 0.75Y$
$I_o = 30$

(나) $Y = C + I$　　$Y_d = Y - T$
$C = 85 + 0.75Y_d$　　$T = 20 + 0.2Y$
$I_o = 30$

(1) (가)모형에서의 총수요, (나)모형에서의 총수요를 구하라.

(2) (가) 모형에서의 균형 Y와 C를 구하라.

(3) (나) 모형에서의 균형 Y, Y_d, C, T를 구하라.

(4) 위의 내용을 그래프로 그려라.

21. 생산가능곡선이 다음과 같을 때

$$y = -\frac{1}{4}x^2 - \frac{1}{2}x + 42 \qquad x \geq 0,\ y \geq 0$$

(1) 그래프를 그려라.

(2) x가 4,6,8,10일 때 y 값을 구하고 한계 변환율 체증의 법칙(곡선의 오목성)이 성립함을 보여라.

22. 우리나라 GDP에 관한 다음 표를 보고 물음에 답하라.

연도	명목GDP(1조원)	GDP 디플레이터 (기준 연도=2010)
2010	1,265	100
2013	1,429	103.5
2015	1,558	106.4

(1) 2010~2015년의 명목 GDP의 증가율을 구하라.

(2) 2010~2015년의 GDP 디플레이터 증가율을 구하라.

(3) 2010년 가격으로 계산한 2013년과 2015년의 실질 GDP는 얼마인가?

(4) 2010~2015년의 실질 GDP의 증가율은 얼마인가?

(5) 명목 GDP 증가율은 실질 GDP 증가율에 비해 더 높은가, 낮은가? 그 이유를 설명하라.

(6) 2013년을 기준연도로 할 때 2010년과 2015년의 실질 GDP는 얼마인가?

CHAPTER 4

행렬과 행렬식

단순히 수학을 가르치는 것이 아니라 수학을 통해 볼 수 있는 미래를 보여주는 것이 중요하다.
다양한 미래를 열어두기 위해서 꼭 필요한 것이 수학이고, 수학이 세상을 바꿔가는 모습을 보여주고 관심을 가질 수 있게 하는 것이 필요하다.

• 박형주(2014년 세계수학자대회 준비 위원장)

수학의 진보와 개선은 국가의 번영을 좌우한다.

• 나폴레옹 보나파르트(Napoléon Bonaparte, 1769~1821)

학습목표

경제・경영 정보는 말할 것도 없이 우리가 일상에서 보는 많은 정보는 수(數)로 표현되어 있다. 수를 체계적으로 다루면 필요하고 정확한 정보를 보다 쉽게 얻을 수 있다. 또 함수나 방정식(方程式)으로 표현되어 있는 인간의 행동과 상호관계를 풀면 유용한 정보를 얻을 수 있다.

이 장에서는 행렬, 벡터, 행렬식의 정의와 연산방법, 더 나아가 경제·경영에 응용되고 있는 예를 학습하고자 한다. 마지막 절에서는 일반균형이론과 투입산출분석에 응용해 보기로 하자.

구성

4.1 수학적 모델, 경제 모델과 선형(행렬)대수

4.2 벡터와 행렬

4.3 행렬의 연산과 역행렬의 정의와 성질

4.4 행렬식과 역행렬 구하기

4.5 연립방정식 해 구하기

4.6 응용

마리 에스프리 레옹 발라스(Marie Esprit Léon Walras, 1834 ~ 1910)

그는 저서『순수 정치경제의 원리』에서 여러 재화시장과 생산요소시장이 어떻게 동시에 균형을 이루며 (균형)가격이 결정되는지를 연립방정식 체계를 규명하고자 하였다. 이는 일반균형이론의 초석이 되었다. 그는 왈라스의 법칙을 주창하였다. 이 법칙은 n개의 시장이 있는 경제(n개의 방정식으로 표현되는)에서 상호독립적인 방정식의 수는 (n-1)개뿐이며, 가격이 특정화되는 뉴메레르(numéraire)를 설정하면 (n-1)개의 가격(미지수)만이 존재하며, 미지수의 수와 방정식의 수가 같은 경우 연립방정식 체계의 해를 구할 수 있다는 것이다. 균형의 존재를 증명한 것이다.

그는 비록 전문 경제학자는 아니었지만 경제학에 상당한 지식과 식견을 가지고 있었던 오귀스트 발라스의 아들로 태어났다. 부자(아버지와 아들) 경제학자로도 유명하다.

그는 아담 스미스의 보이지 않는 손이라는 '공리'를 입증하려고 했다. 1965년 애로우와 드브뢰가 왈라스보다 더 정교한 현대 수학을 이용하여 '일반균형의 존재'를 증명하였다. 이 공로로 애로우는 1972년, 드브뢰는 1984년 노벨 경제학상을 수상하였다. 그러나 일반균형론이 가정하고 있는 전제 조건의 비현실성으로 인해 많은 비판을 받고 있는 것도 사실이다.[1]

4.1 수학적 모델, 경제모델과 선형(행렬)대수

일반적으로 모델(model)이란 객체, 시스템, 또는 개념에 대한 구조나 작업을 보여주기 위한 패턴, 계획, 또는 설명이라고 정의한다. 예를 들어 모형 비행기, 모델 하우스, 패션 모델이라고 하면 군더더기가 없고 필수적인 요소만으로 구성되어 있으며, 보여주고자 하는 곳에 핵심적인 자원이나 정보가 집중되어 있다.

경제모형이란 복잡한 경제문제를 분석함에 있어 꼭 필요한 변수들만을 모아 모형화한 후 그것에서 얻어지는 논리적 귀결이나 계산으로 원하는 결과를 얻는 과정이라고 말할 수 있을 것이다.[2] 이런 방법의 뿌리에는 수학적 이론모형이 있으며 <그림 4-1>에 수학

1 질베르 리스트 지음, 최세진 옮김, 전게서. pp.133-145.

2 경제모형의 중요성과 공부의 비법에 대해서는 김성현,『미시경제이론강의』,이화출판, 2015, pp.15-30.

적 모형으로 그려 보았다.

먼저 실세계는 어떤 데이터들로 구성되었다고 파악되고 있다. 어떤 관측 결과, 생산량 또는 완전히 파악하는 것이 불가능한 사회현상 등으로서 수치적 혹은 통계적으로 처리된 것이다. 다음은 실모형 단계로 가능한 문제를 단순화시켜야 하고, 불필요한 정보를 제거하여야 하며, 또 사용하는 개념은 엄밀하게 정의되어야 한다. 다음으로는 실모형을 추상화 기호화함으로써 수학적 모형을 만들어내는 단계가 있다. 고도의 창조력과 유사한 수학적 구조를 찾아내는 능력이 요구된다. 그 다음에는 거기에 수학적 방법(이론 혹은 계산방법)을 적용하여 결론[하나의 가설(假說)]을 얻게 된다. 연역논증(演繹論證, deduction)의 영역에 속한다.[3] 마지막 단계로는 이 결론과 실세계를 비교하여 예측을 적용함으로써, 비로소 실세계에 대한 수학적 이해를 얻게 된다. 이 단계에는 실증적 분석 방법을 동원함으로써 과학성을 확보하려고 한다. 귀납논증(歸納論證, induction)의 영역에 속한다.[4] 통계학과 계량경제학의 도움을 받고 있다. 따라서 수학 모델이란 사회의 어떤 현상이나 문제를 수학의 방식으로 나다낸 것이다. 현재를 바탕으로 미래를 예측할 때도 이용되고 있다. 맬더스의 인구론이 그 좋은 예이다.[5]

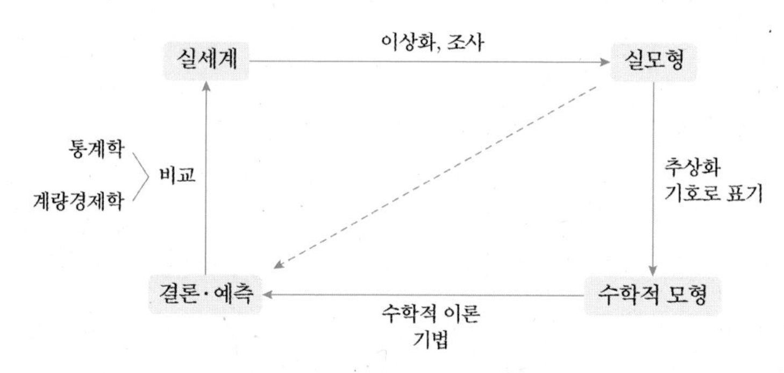

〈그림 4-1〉 수학적 모형과 경제모형

출처: 박세희, 『수학의 세계』, 서울대학교 출판문화원, 2014, p.625를 근거로 저자가 변형함.

3 연역논증이란 전제들이 결론이 진리임을 보여 주는 결정적인 근거가 되는 논증이다.

4 귀납논증은 흔히 유수한 표본 사례를 근거로 그 집합 전체가 어떠어떠하리라고 주장하는 일반화의 형식을 취한다.

5 이 책 10장 적분을 참고하기 바람.

많은 경영경제 모형들이 연립방정식 체계로 구성되어 있고 그 해를 구하는 방법 가운데 유용하게 사용되는 것이 행렬대수(matrix algebra)를 이용하는 것이다. 특히 연립방정식이 선형으로 주어지는 경우가 대부분이기 때문에 선형대수를 집중적으로 배우고 활용하게 된다.

따라서 이 장에서는 선형방정식(線型方程式, liner equation)을 대상으로 하여 이 방정식들을 행렬로 나타내는 방법과 그 해(solution)를 구하는 방법을 공부하게 된다. 선형이라는 제약은 언뜻 생각하기처럼 그렇게 제한적인 것은 결코 아니다. 많은 경제경영(사회현상) 현상이 개략적으로 보아 선형으로 표현되는 경우가 많으며, 설령 방정식이 선형이 아닌 비선형 형태로 주어진다 하더라도 우리는 적절한 변환을 통해 선형으로 나타낼 수 있으므로 선형이라는 제약은 언뜻 생각하기처럼 그렇게 제한적인 것은 결코 아니다.

선형대수(혹은 행렬대수, Linear algebra)는 이러한 목적에 가장 잘 부합하는 수학 분야이다. 선형대수는 세 가지 역할을 한다.[6]

첫째, 선형방정식 체계를 명료하고 단순하게(간결하게) 표현하게 해준다.

둘째, 방정식의 해를 찾기 전에 해가 존재하는지를 빠르고 쉽게 알 수 있게 해준다.

셋째, 해를 구하는 방법을 제공한다.

애로우(Kenneth Arrow, 1921~2017)

• 생애

어릴 때 이민 온 가난하지만 매우 지적인 부모를 둔 그는 어려서부터 잡식성 책벌레로 자랐다. 집안의 가난 때문에 무료로 다닐 수 있는 뉴욕시립대학(City College of New York)을 졸업하였으며 콜롬비아대학(Columbia University)에서 석박사 학위를 취득하였다. 1948~9년 시카고대학교에서 근무한 적도 있다. 노벨상을 받을 당시에는 하버드 대학에 재직 중이었으며 1979년 스탠포드 대학으로 옮겨 그곳에서 은퇴하였다.

6 Edward T.Dowling, 『Mathematical Methods for Business and Economics』, McGraw Hill, 1993, p.128

• 업적

1972년 51세라는 사상 최연소로 '일반 경제 균형이론과 후생이론에 대한 선구적 공헌(for their pioneering contributions to general economic equilibrium theory and welfare theory)'을 인정받아 힉스(John R. Hicks, 1904~1989)와 함께 노벨 경제학상을 수상하였다. 공동 수상자인 힉스가 당시 68세였으며 애로우 이후에 노벨상을 받은 기라성(綺羅星) 같은 학자들을 감안하면 그의 업적이 얼마나 대단한가를 미루어 짐작할 수 있다. 그는 일반균형이론, 후생경제학의 기본 정리, 불가능성 정리, 내생적 성장이론, 정보경제학 등 경제학 전 분야에 영향을 미쳤다.

• 어록[7]

"나는 언제나 경제사상사에 관심이 많았다."

"나는 학부 때 경제학 분야에서 똑똑하기로 손꼽히는 인물은 절대 아니었다."

"이 사회를 발전의 엔진으로 만드는 것은 성공과 심지어 실패의 집합체이다. 실패에서도 우리 모두는 배움을 얻고 있지 않은가 말이다."

4.2 벡터와 행렬

4.2.1 벡터의 정의

벡터(vector)는 크기와 방향을 갖는다. 이와 대비되는 스칼라(scalar)는 크기만 있는 개념이다. <그림 4-2>와 같이 스칼라는 평면 위의 점으로 표시되지만 벡터는 2차원 이상의 공간에 점으로 표시된다.

예를 들어 한 개인의 몸무게는 스칼라이다. 두 사람의 몸무게를 순서쌍으로 나타내는 경우, (용세의 몸무게 용기의 몸무게) = (75kg 72kg)으로 나타내면 벡터가 된다. 그밖의 예로 A기업의 특정 연도 매장별 영업이익=(2억 4억 3.5억 1억 5천만), 홍길동의 상품 구매량 $Q=(q_1\ q_2\ q_3 \cdots q_n)$ 상품의 가격 $P=(p_1\ p_2 \cdots p_n)$도 모두 벡터로 나타낼 수 있다. 벡터하면 수학과 공학의 전유물로 생각하기 쉽지만, 우리 일상에서 너무나도 자주 쉽게 볼 수 있는 개념이다.

---

7 올리엄 브레이트, 베리 T.허쉬 편집, 김민주 옮김, 『노벨경제학 강의』, 미래의 창, p.81과 p.98에서 인용함.

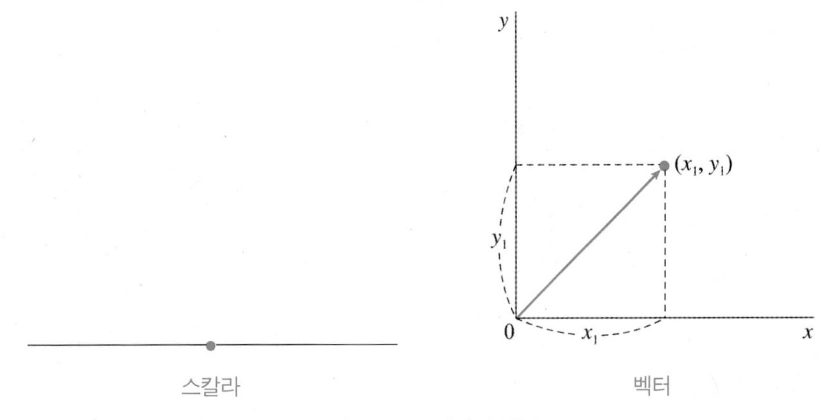

〈그림 4-2〉 스칼라와 벡터

$b_1\ b_2 \cdots b_i \cdots b_n$를 실수라 할 때 이들 실수를 $(b_1\ b_2 \cdots b_i \cdots b_n)$와 같이 순서대로 가로로 나열하면 n차원 행(行)벡터(row vector)라고 부르고, 세로 형태로 나열된 것을 m차원 열(列)벡터(column vector)라 한다. 그리고 $b_1\ b_2 \cdots b_i \cdots b_n$를 벡터의 성분 (component) 혹은 좌표(coordinate)라 하고 성분의 수를 차원(次元, dimension)이라 한다.

$$(b_1\ b_2 \cdots b_i \cdots b_n) : n\text{차원 행(行)벡터(row vector)}$$

$$\begin{bmatrix} b_1 \\ b_2 \\ \cdot \\ \cdot \\ b_i \\ \cdot \\ \cdot \\ b_n \end{bmatrix} : m\text{차원 열(列)벡터(column vector)}$$

4.2.2 행렬의 정의, 벡터의 종류 및 행렬의 종류

(1) 행렬의 정의

행렬(行列, matrix)이란 숫자, 변수 또는 파라미터 등을 직사각형(혹은 정사각형)으로 배열해 놓고 [ ], ( ) 등의 괄호로 묶은 것을 말한다. 배열을 구성하는 요소들을 행렬의 원소(元素, element)라고 부른다. a_{ij}로 쓰고 있다. 각 원소는 콤마가 아니라 띄우면서 쓰는 여백으로 구분되고 있음을 유의하기 바란다.

$$A = \begin{bmatrix} a_{11} & a_{12} & \cdot & \cdot & \cdot & a_{1n} \\ a_{21} & a_{22} & \cdot & \cdot & \cdot & a_{2n} \\ \cdot & \cdot & & & & \cdot \\ \cdot & \cdot & & & & \cdot \\ a_{m1} & a_{m2} & \cdot & \cdot & \cdot & a_{mn} \end{bmatrix}$$

여기서 가로줄을 행(row)이라 하고 세로줄을 열(column)이라 한다. 이때 위의 행렬 A와 같이 m개의 행과 n개의 열로 구성된 행렬을 $m \times n$차원(m by n dimension) 행렬이라 한다. m by n이라고 읽고 항상 행의 수를 먼저 쓰고 열의 수를 나중에 쓴다. a_{ij}는 행렬(A)에서 i번째 행, j번째 열에 있는 원소를 특정하고 있다. 2개의 값이 같은 경우는 매우 이례적인 경우에 한한다. 특히 $m = n$일 경우 정방행렬(正方行列, square matrix) 또 n차 행렬이라 부른다.

실습문제 4-1

용세의 경제학원론, 경제수학, 미시경제학, 경영학원론의 중간고사성적은 85, 80, 91, 88이고 용미의 성적은 76, 92, 84,73 이었다.

(1) 용세와 용미 각각의 중간고사성적을 경제학원론, 경제수학, 미시경제학, 경영학원론의 순으로 행벡터로 나타내라.

(2) 용세의 성적을 첫 번째 행에, 용미의 성적을 두 번째 행으로 하여 행렬로 나타내라.

(3) 각 행의 합을 구하고 그 의미는 무엇인가?

(4) 각 열의 합을 구하고 그 의미는 무엇인가?

풀이

(1) 용세의 성적 벡터 (85 80 91 88), 용미의 성적벡터 (76 92 84 73)이다.

(2) 두 사람의 시험 성적을 행렬로 나타내 보면, 2×4의 $A = \begin{bmatrix} 85 & 80 & 91 & 88 \\ 76 & 92 & 84 & 73 \end{bmatrix}$로 나타낼 수 있다.

(3) 이 행렬 제1(2)행의 합, 344점(315점)은 용세(용미)의 중간고사 성적 합이다.

(4) 열벡터는 용세와 용미의 각 과목별 시험성적을 나타내고 있다. 제1열 $\begin{bmatrix} 85 \\ 76 \end{bmatrix}$, 제2열 $\begin{bmatrix} 80 \\ 92 \end{bmatrix}$, 제3열 $\begin{bmatrix} 91 \\ 84 \end{bmatrix}$, 제4열 $\begin{bmatrix} 88 \\ 73 \end{bmatrix}$이며 합을 구하면 각 과목별 점수 합계가 된다. 두 사람의 경제학원론(경제수학, 미시경제학, 경영학원론) 점수의 합은 161점(172점, 175점, 161점)이다.

실습문제 4-2

닭강정으로 전국적으로 유명한 대전에 있는 식당의 매출액은 크게 3범주 - 매장에서 파는 수입, 대전 지역 택배로 얻는 수입, 다른 지방 택배로 얻는 수입 -로 나눌 수 있다.

(1) 각 범주별 5년간 매출액을 행벡터로 나타내라.
(2) 각 연도별 매출을 열벡터로 나타내 보라.
(3) 이 식당의 매출액 정보(범주별, 연도별 매출액)를 행렬로 나타내라.
(4) 각 행의 합을 구하고 그 의미는 무엇인가?
(5) 각 열의 합을 구하고 그 의미는 무엇인가?
(6) (4)와 (5)에서 구한 값까지를 포함한 이 식당의 매출 정보로 만들어진 새로운 행렬의 차원을 구하라.

일반적으로 n개의 변수($x_1, x_2, x_3, \cdots x_n$)에 관한 m개의 식으로 이루어지는 선형방정식 체계는 다음과 같은 모양으로 정리될 수 있다. 많은 공간을 차지하는 방정식 체계를 간결하게 표현하게 해주는 장점을 확인할 수 있다.

$$\begin{array}{l} a_{11}x_1 + a_{12}x_2 + \cdot\ \cdot\ \cdot + a_1x_n = b_1 \\ a_{21}x_1 + a_{22}x_2 + \cdot\ \cdot\ \cdot + a_2x_n = b_2 \\ \cdot\ \cdot\ \cdot\ \cdot\ \cdot\ \cdot\ \cdot\ \cdot\ \cdot\ \cdot\ \cdot\ \cdot\ \cdot\ \cdot\ \cdot\ \cdot\ \cdot \\ \cdot\ \cdot\ \cdot\ \cdot\ \cdot\ \cdot\ \cdot\ \cdot\ \cdot\ \cdot\ \cdot\ \cdot\ \cdot\ \cdot\ \cdot\ \cdot\ \cdot \\ a_{m1}x_1 + a_{n2}x_2 + \cdot\ \cdot\ \cdot + a_{mn}x_n = b_m \end{array}$$

$$A = \begin{bmatrix} a_{11} & a_{12} & \cdot\ \cdot\ \cdot & a_{1n} \\ a_{21} & a_{22} & \cdot\ \cdot\ \cdot & a_{2n} \\ \cdot & \cdot & & \cdot \\ \cdot & \cdot & & \cdot \\ a_{m1} & a_{m2} & \cdot\ \cdot\ \cdot & a_{mn} \end{bmatrix} \quad x = \begin{bmatrix} x_1 \\ x_2 \\ \cdot \\ \cdot \\ x_n \end{bmatrix} \quad b = \begin{bmatrix} b_1 \\ b_2 \\ \cdot \\ \cdot \\ b_m \end{bmatrix}$$

$$\underset{(m\times n)}{A}\ \underset{(n\times 1)}{x} = \underset{(m\times 1)}{b}$$

행렬 A를 계수(係數)행렬(coefficient matrix)이라고 부르며 각 구성 원소 a_{ij}를 행렬 A의 원소라 한다. 행렬에서의 각 원소의 위치는 아래첨자에 의해 특정화되기 때문에, 각각의 행렬은 하나의 순서집합이다.

$$A = [a_{ij}] \qquad i = 1, 2, \cdots, m \qquad j = 1, 2, \cdots, n$$

(2) 벡터의 종류

만약 $m=1$이면 A 는 $1\times n$ 행렬이 되는데 이것을 n차원 행벡터(row vector)라고 부른다. 만약 $n=1$이면 A는 $m\times 1$ 행렬이 되는데 이것을 m차원 열벡터(column vector)라고 부른다. 벡터는 행렬의 특수한 형태임을 알 수 있다.

벡터의 합에 대해서는 아래와 같은 정리가 성립한다.

$a+b=b+a$	교환법칙
$(a+b)+c=a+(b+c)$	결합법칙
$k(a+b)=ka+kb$	스칼라 곱

(3) 행렬의 종류

1) 영행렬

모든 원소 값이 0으로 이루어진 벡터를 영행렬(零 行列, null matrix, zero matrix)이라고 부른다.

$$0=\begin{bmatrix}0&0&0\\0&0&0\\0&0&0\end{bmatrix}\quad 0=\begin{bmatrix}0&0&0\\0&0&0\\0&0&0\\0&0&0\end{bmatrix}\quad 0=\begin{bmatrix}0&0&0&0\\0&0&0&0\\0&0&0&0\end{bmatrix}$$

다음에 공부하게 될 단위(항등)행렬은 정방형만 존재하지만 위에서 보는 바와 같이 영행렬은 정방형이 아니어도 무방하다. 그리고 $m\times n$인 모든 행렬에 대해서 다음과 같은 연산법칙이 성립한다.

① $A+O=O+A=A$

② $A\times O=O\times A=O$

또한 임의의 행렬 A에 대해서

$A+(-A)=(-A)+A=O$ 이 성립한다.

2) 단위행렬

단위행렬(單位行列, 혹은 항등행렬, identity matrix)은 정방행렬로서 I 라고 표시하고 주대각선에는 전부 1이 원소이고 나머지는 전부 0인 원소를 갖는 행렬을 나타낸다. I_n 으로 표시되는 $n \times n$차원의 행렬의 보기는 다음과 같다.

$$I_2 = \begin{bmatrix} 1 & 0 \\ 0 & 1 \end{bmatrix} \quad I_3 = \begin{bmatrix} 1 & 0 & 0 \\ 0 & 1 & 0 \\ 0 & 0 & 1 \end{bmatrix} \quad I_n = \begin{bmatrix} 1 & 0 & 0 \cdots & 0 \\ 0 & 1 & 0 \cdots & 0 \\ 0 & 0 & 1 \cdots & 0 \\ \cdot & \cdot & \cdot \cdots & \cdot \\ \cdot & \cdot & \cdot \cdots & \cdot \\ 0 & 0 & 0 \cdots & 1 \end{bmatrix}$$

단위행렬은 대수에서 숫자 1과 비슷한 역할을 한다. 임의 수 a에 대해서 $1(a)=a(1)=a$인 것처럼 임의의 행렬 A에 대하여

$$AI = IA = A$$

예제 4-1

$A = \begin{bmatrix} 2 & 3 & 4 \\ 5 & 6 & 7 \end{bmatrix}$ 일 때 그리고

$$AI = \begin{bmatrix} 2 & 3 & 4 \\ 5 & 6 & 7 \end{bmatrix} \begin{bmatrix} 1 & 0 & 0 \\ 0 & 1 & 0 \\ 0 & 0 & 1 \end{bmatrix} = \begin{bmatrix} 2 & 3 & 4 \\ 5 & 6 & 7 \end{bmatrix} = A$$

$$IA = \begin{bmatrix} 1 & 0 \\ 0 & 1 \end{bmatrix} \begin{bmatrix} 1 & 3 & 5 \\ 7 & 0 & 9 \end{bmatrix} = \begin{bmatrix} 1 & 3 & 5 \\ 7 & 0 & 9 \end{bmatrix} = A$$

가 성립한다. 즉 행렬의 앞이나 뒤에 곱해줘도 행렬의 값은 변하지 않는다.
항등행렬은 몇 번 제곱해도 변하지 않는 멱등행렬이다.[8] 즉 $AA = A$, $II = I$, 더 나아가 $(I_n)^k = I_n \; (k = 1, 2, \cdots)$가 성립한다.

---

8 멱(冪)자는 '덮다'라는 뜻을 가지고 있다. 막(幕)자와 뜻을 나타내는 민갓머리(冖)로 이루어져 있는 한자이다.

실습문제 4-3

아래의 대각행렬(對角行列, diagonal matrix), A이 멱등행렬이 되기 위해서는 각각의 대각원소가 0 또는 1이어야 함을 보여라. 또 이 행렬에서 $n\times n$차원의 상이한 멱등대각행렬(idempotent diagonal matrix)을 몇 개나 만들 수 있는가?

풀이

$$AA=\begin{bmatrix} a_{11} & 0 & \cdots & 0 \\ 0 & a_{22} & \cdots & 0 \\ \vdots & \vdots & & \vdots \\ 0 & 0 & \cdots & a_{nn} \end{bmatrix}\begin{bmatrix} a_{11} & 0 & \cdots & 0 \\ 0 & a_{22} & \cdots & 0 \\ \vdots & \vdots & & \vdots \\ 0 & 0 & \cdots & a_{nn} \end{bmatrix}=\begin{bmatrix} a_{11}^2 & 0 & \cdots & 0 \\ 0 & a_{22}^2 & \cdots & 0 \\ \vdots & \vdots & & \vdots \\ 0 & 0 & \cdots & a_{nn}^2 \end{bmatrix}=\begin{bmatrix} a_{11} & 0 & \cdots & 0 \\ 0 & a_{22} & \cdots & 0 \\ \vdots & \vdots & & \vdots \\ 0 & 0 & \cdots & a_{nn} \end{bmatrix}=A_n$$

$$a_{11}^2=a_{11},\ a_{22}^2=a_{22},\quad \cdots, a_{nn}^2=a_{nn}$$

$$a_{11}^2-a_{11}=0,\ a_{22}^2-a_{22}=0,\quad \cdots, a_{nn}^2-a_{nn}=0$$

$$a_{11}(a_{11}-1)=0,\ a_{22}(a_{22}-1)=0,\quad \cdots, a_{nn}(a_{nn}-1)=0$$

$$a_{11}=0, a_{11}=0,\ a_{22}=0, a_{22}=1,\quad \cdots, a_{nn}=0, a_{nn}=0$$

또한 A_n을 대상으로 한다면 a_{ii}가 0으로 이루어진 0 행렬과 1로 이루어진 항등행렬이 만들어진다. 따라서 멱등대각행렬을 2^n개나 만들 수 있다.

3) 정방행렬과 대칭행렬

행의 수와 열의 수가 같은 경우, 즉 $m=n$인 경우로 정사각형으로 나타난다. 차원이 $n\times n$인 정방행렬(正方行列, square matrix)은 A_n으로 표기한다.

$$A_n=\begin{bmatrix} a_{11} & a_{12} & \cdot & \cdot & a_{1n} \\ a_{21} & a_{22} & \cdot & \cdot & a_{2n} \\ \cdot & \cdot & \cdot & \cdot & \cdot \\ \cdot & \cdot & \cdot & \cdot & \cdot \\ a_{n1} & a_{n2} & \cdot & \cdot & a_{nn} \end{bmatrix}$$

원래 행렬과 전치행렬이 같은 행렬을 대칭행렬(對稱行列, symmetric matrix)이라고 부른다. 주대각원소의 양쪽에 위치하고 있는 원소들이 대칭으로 배열된 형태이다. 예를 들어 $A=\begin{bmatrix} 1 & 2 & 3 \\ 2 & 5 & 4 \\ 3 & 4 & 6 \end{bmatrix}$에서 보듯 첫 번째 행은 첫 번째 열과 같으며 두 번째 행은 두 번째 열과 같다. 일반적으로 i번째 행은 i번째 열과 같다. $A=A^T$인 정방행렬의 특수한 예이다. 항등행렬이 가장 쉽게 볼 수 있는 대칭행렬이다.

4.2.3 벡터 연산

(1) 벡터의 전치

벡터 b가 행벡터일 때 벡터 b의 전치(轉置, transpose)는 벡터 b를 시계 방향으로 90° 회전시켜 열벡터로 변환시키는 것이다. 전치를 표시하는 표식으로 위 첨자에 t, T, 혹은 ′(프라임)을 쓰고 있다.

$$b = (b_1 \;\; b_2 \cdot\cdot\cdot b_i \cdot\cdot\cdot b_n)\text{이면} \quad b^T = \begin{bmatrix} b_1 \\ b_2 \\ \cdot \\ \cdot \\ b_n \end{bmatrix}$$

(2) 벡터의 곱(product)

벡터 a와 b가 있을 때 이들 두 벡터의 차원이 같으면 두 벡터의 곱이 가능하며 곱의 결과 스칼라가 나오거나 행렬이 된다. 예를 들어 벡터 a와 b가 아래와 같이 주어져 있다면 $a = (a_1 \; a_2 \cdot\cdot\cdot a_i \cdot\cdot\cdot a_n)$이고 $b = (b_1 \; b_2 \cdot\cdot\cdot b_i \cdot\cdot\cdot b_n)$이면

$$ab^T = [a_1 \; a_2 \cdot\cdot\cdot a_i \cdot\cdot\cdot a_n] \begin{bmatrix} b_1 \\ b_2 \\ \cdot \\ \cdot \\ b_i \\ \cdot \\ \cdot \\ b_n \end{bmatrix} = a_1b_1 + a_2b_2 + \cdot\cdot\cdot\cdot + a_nb_n = \sum_{i=1}^{n} a_ib_i$$

계산의 결과 스칼라가 나온다. 또

$$a^Tb = \begin{bmatrix} a_1 \\ a_2 \\ \cdot \\ \cdot \\ a_i \\ \cdot \\ a_n \end{bmatrix} [b_1 \; b_2 \cdot\cdot\cdot b_i \cdot\cdot\cdot b_n] = \begin{bmatrix} a_1b_1 & a_1b_2 \cdot\cdot\cdot & a_1b_n \\ a_2b_1 & a_2b_2 \cdot\cdot\cdot & a_2b_n \\ & \cdot & \\ & \cdot & \\ & \cdot & \\ a_nb_1 & a_nb_2 \cdot\cdot\cdot & a_nb_n \end{bmatrix}$$

계산의 결과 $n \times n$ 행렬이 나온다.

앞 곱하기를 하느냐 뒤 곱하기를 하느냐에 따라 다르다.

예제 4-2

$a=(3\ 2\ 1)$이고 $b=(1\ -1\ 0)$일 때 ab^T와 a^Tb를 계산하라.

풀이

(1) $ab^T = [3\ 2\ 1]\begin{bmatrix}1\\-1\\0\end{bmatrix} = 3-2+0=1$이고

(2) $a^Tb = \begin{bmatrix}3\\2\\1\end{bmatrix}[1\ -1\ 0] = \begin{bmatrix}3\times1 & 3\times(-1) & 3\times0\\2\times1 & 2\times(-1) & 2\times0\\1\times1 & 1\times(-1) & 1\times0\end{bmatrix} = \begin{bmatrix}3 & -3 & 0\\2 & -2 & 0\\1 & -1 & 0\end{bmatrix}$이다.

예제 4-3

$u' = [u_1\ u_2\ \cdots\ u_n]$일 때, $u'u$는 원소 u_j들의 제곱 합(스칼라)임을 보여라.

풀이

$$u'u = u_1^2 + u^{2_2} + \cdots + u^2{}_n = \sum_{i=1}^{n} u_i^2$$

예제 4-4

행렬 $A = \begin{bmatrix}a_{11} & a_{12}\\a_{21} & a_{22}\end{bmatrix}$와 $x = \begin{bmatrix}x_1\\x_2\end{bmatrix}$가 있을 때 x^TAx를 구하라.

풀이

$$x^TAx = [x_1\ x_2]\begin{bmatrix}a_{11} & a_{12}\\a_{21} & a_{22}\end{bmatrix}\begin{bmatrix}x_1\\x_2\end{bmatrix} = [a_{11}x_1 + a_{21}x_2\ \ a_{12}x_1 + a_{22}x_2]\begin{bmatrix}x_1\\x_2\end{bmatrix} = a_{11}x_1^2 + a_{21}x_1x_2 + a_{12}x_1x_2 + a_{22}x_2^2$$

이 값은 스칼라이며, 두 변수 x_1과 x_2의 2차 형식(quadratic form)이라고 부른다. 만약 $a_{12}=a_{21}$이라면 $x^TAx = a_{11}x_1^2 + 2a_{12}x_1x_2 + a_{22}x_2^2$ 형태로 바뀌게 된다. 또 $a_{12}=a_{21}=0$라면 $x^TAx = a_{11}x_1^2 + a_{22}x_2^2$가 된다.

실습문제 4-4

어느 한식당에서 (곰탕 설렁탕 갈비탕) 메뉴를 가지고 있다. 각각의 가격은(6000 7000 8000)이고 판매량은 (30 60 45)이다. 각각 원가가 (3500 4000 6500)일 때 총매출액, 총비용, 이윤을 구하라.[9]

풀이

(1) 총수입 = 가격 × 판매량 $(6000\ 7000\ 8000)(30\ 60\ 45)^T = 960{,}000$

(2) 총비용 = 원가 × 판매량 $(3500\ 4000\ 6500)(30\ 60\ 45)^T = 637{,}500$

(3) 이윤 = 960,000 − 637,500 = 322,500

(3) 선형종속과 독립[10]

유크리드 n차원 공간으로부터 벡터 $\nu_1, \nu_2, \ldots, \nu_n$의 집합이 모두 영이 아닌 스칼라 λ_i가 존재하며 다음 식을 만족하면 벡터들 간에 선형종속(線形從屬, linearly dependent)이라고 한다.

$$\lambda_1\nu_1 + \lambda_2\nu_2 + \cdots + \lambda_n\nu_n = 0 \ (\lambda_i\text{는 모두 0이 아님})$$

한편, 위 식에서 만약 모든 $\lambda_i = 0$, 즉 $\lambda_1, \lambda_2, \cdots, \lambda_n = 0$을 만족하면 벡터 ν_i들은 선형독립(linearly independent)이라고 한다.[11] 여기서 유의할 것은 위 식에서

$$\sum_{i=1}^{n}\lambda_i\nu_i = \lambda_1\nu_1 + \lambda_2\nu_2 + \cdots + \lambda_n\nu_n$$

을 선형결합이라고 하는데 n차원 공간을 생성한다고 말한다. 이 같은 개념은 n개의 미지수가 있을 때 적어도 n개의 선형독립인 방정식이 있어야 유일한 해를 구할 수 있다는 시사점을 주고 있어 중요한 개념이다. 예를 들어,

---

9 엑셀함수를 이용하면 매출액은 SUMPRODUCT((6000 7000 8000)(30 60 45)) = 960,000, 총비용은 SUMPRODUCT((3500 4000 6500)(30 60 45)) = 637,500을 구할 수 있다.

10 숫자로 나타나 있는 벡터의 원소는 정보를 가지고 있다. 벡터는 정보의 모임이라고 해석할 수 있다. 예를 들어 (실습문제 4-4)에서 가격 벡터 (6000 7000 8000)는 곰탕 값 6,000원, 설렁탕 값 7,000원, 갈비탕 값 8,000원이라는 정보를 주고 있다. 벡터들 간의 관계가 선형종속이라고 함은 벡터들이 주는 정보의 성격이 같음을, 선형독립이라고 함은 벡터들이 주는 정보의 성격이 다름을 의미한다.

11 벡터 $\nu_1, \nu_2, \cdots, \nu_i, \cdots \nu_n$의 집합 S가 있을 때 이들 벡터들을 선형 결합하여 그 결과를 0벡터로 놓은 방정식의 유일한 해가 자명해(自明解, trivial solution)이면 집합 S는 1차 독립이라고 한다.

$$\nu_1 = \begin{bmatrix} 1 \\ 2 \end{bmatrix} \quad \nu_2 = \begin{bmatrix} 3 \\ 4 \end{bmatrix} \quad \nu_3 = \begin{bmatrix} -7 \\ -10 \end{bmatrix}$$

$$\nu_1 + 2\nu_2 + \nu_3 = \begin{bmatrix} 1 \\ 2 \end{bmatrix} + 2\begin{bmatrix} 3 \\ 4 \end{bmatrix} + \begin{bmatrix} -7 \\ -10 \end{bmatrix} = \begin{bmatrix} 0 \\ 0 \end{bmatrix}$$

이므로 $\lambda_1 = 1$, $\lambda_2 = 2$, $\lambda_3 = 1$로 모든 λ가 영이 아니므로 선형종속이다. v_3는 v_1과 v_2의 선형결합으로 표시되기 때문에 선형종속이다.

예제 4-5

두 벡터 $a = (2\ 1)$, $b = (3\ 9)$는 선형종속인가 선형독립인가?

풀이

$\lambda_1(2\ 1) + \lambda_2(3\ 9) \quad = (0\ \ 0)$

$(2\lambda_1\ \ \lambda_1) + (3\lambda_2\ \ 9\lambda_2) = (0\ \ 0)$

$(2\lambda_1 + 3\lambda_2\ \ \ \lambda_1 + 9\lambda_2) = (0\ 0)$

따라서 $2\lambda_1 + 3\lambda_2 = 0$,$\lambda_1 + 9\lambda_2 = 0$의 연립방정식을 풀면 $\lambda_1 = \lambda_2 = 0$이 된다. 따라서 a와 b는 선형독립이다.

예제 4-6

두 벡터 $a = (3\ 1)$, $b = (9\ \ 3)$는 선형종속인가 선형독립인가?

풀이

$\lambda_1(3\ 1) + \lambda_2(9\ 3) \quad = (0\ \ 0)$

$(3\lambda_1\ \ \lambda_1) + (9\lambda_2\ \ 3\lambda_2) = (0\ \ 0)$

$(3\lambda_1 + 9\lambda_2\ \ \ \lambda_1 + 3\lambda_2) = (0\ 0)$

$\lambda_1 = -3\lambda_2$의 관계가 성립하므로 a와 b는 선형종속이다. $b = 3a$라는 특수한 관계가 존재하고 있음을 알 수 있다.

실습문제 4-5

세 벡터 v_1, v_2, v_3가 선형종속이 될 필요충분조건은 이것들 중 적어도 하나가 다른 벡터의 1차 결합이 되는 것이다. 이를 증명하라.

풀이

$\lambda_1 \nu_1 + \lambda_2 \nu_2 + \lambda_3 \nu_3 = 0$와 같이 선형결합으로 나타내었을 때 0이 아닌 λ_i가 반드시 하나 존재한다. 만약 $\lambda_3 \neq 0$라면 위의 식은 $v_3 = (-\frac{\lambda_1}{\lambda_3})v_1 + (-\frac{\lambda_2}{\lambda_3})v_2$ 와 같이 v_3는 v_1, v_2의 1차 결합으로 나타낼 수 있다.

또 $\lambda_1 \neq 0 (\lambda_2 \neq 0)$라면 위의 식은 $v_1 (v_2)$ 는 v_2 , v_3 (v_1 , v_3)의 1차 결합으로 나타낼 수 있다. 한 걸음 더 나아가 벡터의 수가 n인 일반적인 경우($\nu_1, \nu_2, . . . , \nu_n$)에도 성립한다.

<그림 4-3> 선형독립과 종속에서 보면 선형 종속인 경우, 두 벡터가 가지고 있는 정보가 같음을 의미한다. "초록이 동색이다", "오십 보 백 보다"와 같은 표현이 가능하다. 반면 선형독립인 경우, 두 벡터가 가지고 있는 정보가 다름을 의미한다.

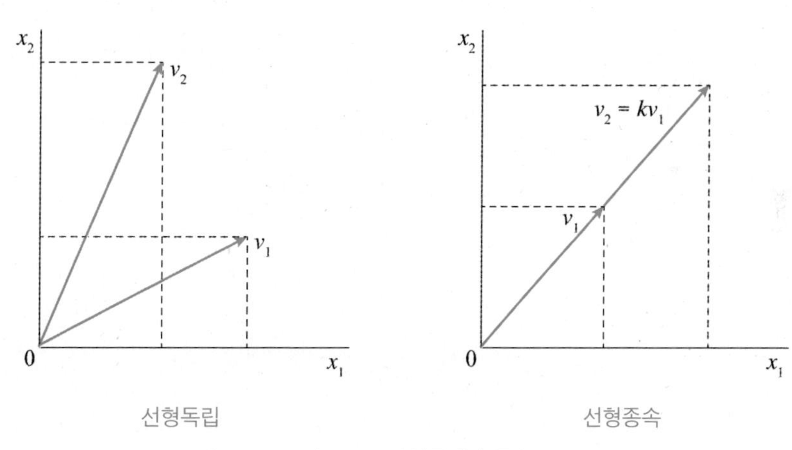

〈그림 4-3〉 선형독립과 종속

예제 4-7

세 벡터 $v_1 = (1 \quad 2)$, $v_2 = (2 \quad 1)$, $v_3 = (8 \quad 7)$는 선형종속인가 선형독립인가?

풀이

$2v_1 + 3v_2 = v_3$가 성립하기 때문에 선형종속이다.

예제 4-8

두 벡터 $a=(2\ -1\ -3)$, $b=(-1\ 3\ 5)$는 선형종속인가 선형독립인가?

풀이

선형독립

4.3 행렬의 연산과 역행렬의 정의와 성질

4.3.1 행렬의 연산

(1) 행렬의 동등관계

행렬의 연산법칙을 다루기 전에 행렬의 동등관계(同等關係, equality)에 대해서 민저 정의하자. 두 행렬 A와 B는 다음과 같이 두 가지 조건을 만족하여야만 동등하다고 할 수 있다. 먼저 두 행렬의 차원이 같아야 한다. 차원의 행렬이라고 하자. A의 차원이 $m \times n$이면 B의 차원도 $m \times n$이어야 한다.

$$A = (a_{ij}),\ B=(b_{ij})$$

또 대응하는 원소가 모두 같아야 한다. 모든 i , j에 대해 $a_{ij} = b_{ij}$이어야 한다.

$$A = B \quad \Leftrightarrow a_{ij} = b_{ij}$$

만약 행렬 B가 차원이 11×9인 A 행렬과 같은 행렬이 되기 위해서는 먼저 차원이 11×9인 행렬이어야 한다. 행의 수와 열의 수가 바뀐 행렬은 - 차원이 9×11인 행렬 - A 행렬과 같은 행렬이 될 수 없다. 또 A 행렬에서 i번째 행과 j번째 있는 원소와 B 행렬에서 i번째 행과 j번째 있는 원소의 값이 같아야 한다. 만약 99개 원소의 값이 같고 하나의 원소만 달라도 A 와 B는 같은 행렬이 아니다.

예를 들어 보면 $A = \begin{bmatrix} 1\,2\,3 \\ 4\,5\,6 \end{bmatrix}$, $B= \begin{bmatrix} 1\,2\,3 \\ 4\,5\,6 \end{bmatrix}$이면 두 행렬은 같다. 주의해야 할 것은 두 행렬의 차원이 같아야 한다는 것이다. 하지만 $\begin{bmatrix} 1 & 2 \\ 3 & 0 \end{bmatrix} = \begin{bmatrix} 1 & 2 \\ 3 & 0 \end{bmatrix} \neq \begin{bmatrix} 1 & 2 \\ 0 & 3 \end{bmatrix}$이다.

(2) 스칼라 곱

행렬에 어떤 수(스칼라)를 곱한다는 것은 행렬의 모든 원소에 그 스칼라를 곱하는 것이다. 어떤 행렬 $A = [a_{ij}]$에 스칼라를 곱하면 $kA = [ka_{ij}]$가 된다.

주어진 행렬에 어떤 임의의 수 k를 곱한다는 것은 그 행렬의 모든 원소에 k를 곱해준다는 의미이다.

예제 4-9

$k=2$ $A=\begin{bmatrix}3 & 2\\ 5 & 6\end{bmatrix}$일 때 $kA=\begin{bmatrix}2\times 3 & 2\times 2\\ 2\times 5 & 2\times 6\end{bmatrix}=\begin{bmatrix}6 & 4\\ 10 & 12\end{bmatrix}$

즉 임의의 수를 곱해줌으로써 행렬의 모든 원소들이 일정 배수 증가하고 있음을 알 수 있다. 물론 음수를 곱해주면 일정 배수 감소하게 된다.

(3) 행렬의 덧셈과 뺄셈

두 행렬의 덧셈연산은 두 행렬의 원소를 더한 행렬이 된다. 덧셈연산이 가능하기 위해서는 두 행렬의 차원이 같아야 한다. 예를 들어

$$A=\begin{bmatrix}1 & 2\\ 5 & 6\end{bmatrix}\ B=\begin{bmatrix}2 & 4\\ 6 & 3\end{bmatrix}\text{이면 } A+B=\begin{bmatrix}1+2 & 2+4\\ 5+6 & 6+3\end{bmatrix}=\begin{bmatrix}3 & 6\\ 11 & 9\end{bmatrix}$$

가 된다. 뺄셈도 덧셈과 동일하게 $A-B$가 정의되기 위해서는 A와 B가 동일한 차원을 가져야 한다. 예를 들면 다음과 같다.

$$A=\begin{bmatrix}1 & 2\\ 5 & 6\end{bmatrix}\ B=\begin{bmatrix}2 & 4\\ 6 & 3\end{bmatrix}\text{이면 } A-B=\begin{bmatrix}1-2 & 2-4\\ 5-6 & 6-3\end{bmatrix}=\begin{bmatrix}-1 & -2\\ -1 & 3\end{bmatrix}$$

위의 예에서 알 수 있듯이 행렬의 덧셈과 뺄셈의 결과는 행렬도 나타나며 그 차원은 합해지는 두 행렬의 차원과 같다는 것이다.

(4) 행렬의 곱셈[12]

스칼라 곱의 경우는 행렬의 차원에 관계없이 모든 행렬에 곱해질 수 있었지만 행렬끼리의 곱은 앞 행렬의 열(列)의 수와 뒤 행렬의 행(行)의 수가 같아야한다는 조건을 갖추었을 때에만 가능하다.

$$A_{m \times n} \times B_{k \times l} = C_{m \times l}$$

즉 $n = k$이어야 한다. 이를 적합성 조건(適合性 條件, conformability condition)이라고 부른다. 그리고 두 행렬의 곱의 결과인 행렬 C는 $m \times l$차원의 행렬이 된다.

일반적으로 $AB = C$에서 c_{ij}를 계산하는 과정은[13]

① A의 i행과 B의 j열을 선택하여

② 원소들을 차례로 쌍을 만들어서

③ 각 쌍끼리 서로 곱하고

④ 이 곱들을 전부 더하면 된다.

적합성조건[앞 행렬의 열의 수(n) = 뒷 행렬의 행의 수(k)]을 만족한다면, 행렬 곱셈의 과정을 그림으로 나타내면 <그림 4-4>와 같다.

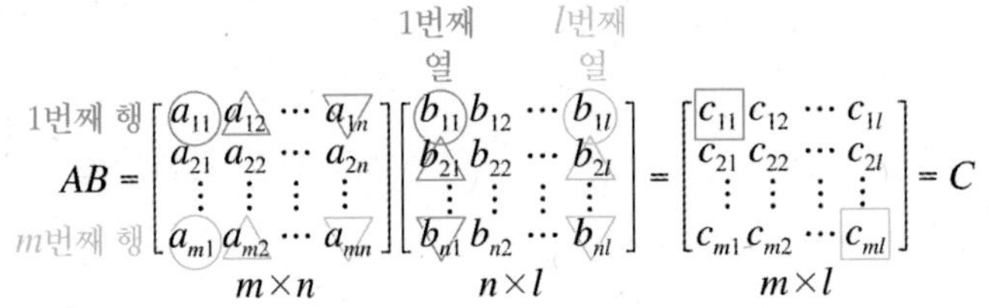

1번째 열　l번째 열

1번째 행

$$AB = \underset{m \times n}{\begin{bmatrix} a_{11} & a_{12} & \cdots & a_{1n} \\ a_{21} & a_{22} & \cdots & a_{2n} \\ \vdots & \vdots & \vdots & \vdots \\ a_{m1} & a_{m2} & \cdots & a_{mn} \end{bmatrix}} \underset{n \times l}{\begin{bmatrix} b_{11} & b_{12} & \cdots & b_{1l} \\ b_{21} & b_{22} & \cdots & b_{2l} \\ \vdots & \vdots & \vdots & \vdots \\ b_{n1} & b_{n2} & \cdots & b_{nl} \end{bmatrix}} = \underset{m \times l}{\begin{bmatrix} c_{11} & c_{12} & \cdots & c_{1l} \\ c_{21} & c_{22} & \cdots & c_{2l} \\ \vdots & \vdots & \vdots & \vdots \\ c_{m1} & c_{m2} & \cdots & c_{ml} \end{bmatrix}} = C$$

m번째 행

〈그림 4-4〉 행렬의 곱셈

---

12 엑셀함수 MMULT를 이용하면 쉽게 행렬의 곱셈을 쉽게 할 수 있다. 배열입력이기 때문에 Control +Shift+ Enter 키를 동시에 눌러야 한다.

13 이때 곱의 결과인 행렬 C의 원소는 두 행렬 A와 B의 원소들의 내적(inner product)이 된다.

$$C_{11} = a_{11}b_{11} + a_{12}b_{21} + ... + a_{1n}b_{n1} = \sum_{k=1}^{n} a_{1k}b_{k1}$$

....

$$C_{ml} = a_{m1}b_{1l} + a_{m2}b_{2l} + ... + a_{mn}b_{nl} = \sum_{k=1}^{n} a_{mk}b_{kl}$$

일반화시켜 $C_{ij} = a_{i1}b_{1j} + a_{i2}b_{2j} + ... + a_{in}b_{nj} = \sum_{k=1}^{n} a_{ik}b_{kj}$

$i = 1,2,3,\cdots,m,\ j = 1,2,3,\cdots,l$로 표현할 수 있다.

예를 들어 $A = \begin{bmatrix} a_{11} & a_{12} \\ a_{21} & a_{22} \end{bmatrix}$이고 $B = \begin{bmatrix} b_{11} & b_{12} & b_{13} \\ b_{21} & b_{22} & b_{23} \end{bmatrix}$일 때 이 행렬들의 곱을 구해보면

$$C = \begin{bmatrix} a_{11} \times b_{11} + a_{12} \times b_{21} & a_{11} \times b_{12} + a_{12} \times b_{22} & a_{11} \times b_{13} + a_{12} \times b_{23} \\ a_{21} \times b_{11} + a_{22} \times b_{21} & a_{21} \times b_{12} + a_{22} \times b_{22} & a_{21} \times b_{13} + a_{22} \times b_{23} \end{bmatrix}$$

이 된다. A는 2 × 2 행렬이고 B는 2 × 3행렬이다. 적합성조건[A의 열의 수(2) = B 뒤 행렬의 행의 수(2)]을 만족하며 곱셈의 결과인 C는 2 × 3행렬도 계산되었다.

예제 4-10

$A = \begin{bmatrix} 0 & 0 \\ 0 & 0 \end{bmatrix}, B = \begin{bmatrix} 3 & 2 \\ 1 & 5 \end{bmatrix}$일 때, $AB = \begin{bmatrix} 0(3)+0(1) & 0(2)+0(1) \\ 0(3)+0(1) & 0(2)+0(1) \end{bmatrix} = \begin{bmatrix} 0 & 0 \\ 0 & 0 \end{bmatrix}$

예제 4-11

$A = \begin{bmatrix} 1 & 2 \\ 3 & 4 \\ 2 & 0 \end{bmatrix} \quad B = \begin{bmatrix} 1 \\ 3 \end{bmatrix} \quad AB = \begin{bmatrix} 1(1)+2(3) \\ 3(1)+4(3) \\ 2(1)+0(3) \end{bmatrix} = \begin{bmatrix} 7 \\ 15 \\ 2 \end{bmatrix}$

예제 4-12

AB와 BA를 계산하라.

$A = \begin{bmatrix} 1 & 2 \\ 3 & 4 \\ 2 & 0 \end{bmatrix} \quad B = \begin{bmatrix} 1 \\ 3 \end{bmatrix} \quad AB = \begin{bmatrix} 1(1)+2(3) \\ 3(1)+4(3) \\ 2(1)+0(3) \end{bmatrix} = \begin{bmatrix} 7 \\ 15 \\ 2 \end{bmatrix}$

풀이

AB는 적합성조건(A;3 × 2, B;2 × 1, 앞 행렬의 열의 수 = 뒤 행렬의 행의 수)을 만족하고 있다. 계산 결과 AB는 3 × 1 차원의 행렬이 계산된다. BA는 적합성조건[B;2 × 1, A;3 × 2, 앞 행렬의 열의 수(1) ≠ 뒤 행렬의 행의 수(3)]을 만족하고 있지 않다. 계산이 불가능하다.

예제 4-13

$A=\begin{bmatrix}0 & 1\\ 2 & 3\end{bmatrix}$, $B=\begin{bmatrix}3 & 2\\ 1 & 0\end{bmatrix}$ 일 때, AB와 BA를 구하라.

풀이

$$AB=\begin{bmatrix}0(3)+1(1) & 0(2)+1(0)\\ 2(3)+3(1) & 2(2)+3(0)\end{bmatrix}=\begin{bmatrix}1 & 0\\ 9 & 4\end{bmatrix}\text{이지만}$$

$$BA=\begin{bmatrix}3(0)+2(2) & 3(1)+2(3)\\ 1(0)+0(2) & 1(1)+0(3)\end{bmatrix}=\begin{bmatrix}4 & 9\\ 0 & 1\end{bmatrix}\text{이다.}$$

그래서 결론적으로 $AB \neq BA$이다. 실수에서는 곱셈에서 교환법칙이 성립하지만 행렬에서는 일반적으로 성립하지 않고 특수한 경우에만 성립한다.

예제 4-14

$A=\begin{bmatrix}0 & 1\\ 0 & 0\end{bmatrix}$, $B=\begin{bmatrix}1 & 0\\ 0 & 0\end{bmatrix}$ 일 때, AB와 BA를 구하라.

풀이

$$AB=\begin{bmatrix}0(1)+1(0) & 0(0)+1(0)\\ 0(1)+0(0) & 0(0)+0(0)\end{bmatrix}=\begin{bmatrix}0 & 0\\ 0 & 0\end{bmatrix}\text{이지만}$$

$$BA=\begin{bmatrix}1(0)+0(0) & 1(1)+0(0)\\ 0(0)+0(0) & 0(1)+0(0)\end{bmatrix}=\begin{bmatrix}0 & 1\\ 0 & 0\end{bmatrix}\text{이다.}$$

교환법칙이 성립하지 않는다. 즉 $AB \neq BA$이다. 또 $BA = A$가 될 수 있으며 영행렬이 아닌 두 행렬의 곱 AB가 영행렬이 된다는 사실도 주목할 만하다.
실수 연산에서 두 수의 곱셈에 있어 한쪽 또는 양쪽이 모두 0이면 곱은 0이 된다. 하지만 행렬 연산에서는 영행렬이 아닌 두 행렬의 곱이 영행렬이 된다. $A \neq 0$, $B \neq 0$이라 하더라도 $AB = 0$가 성립하는 경우가 있다.

예제 4-15

$A=\begin{bmatrix}2&3\\6&9\end{bmatrix}, B=\begin{bmatrix}1&1\\1&2\end{bmatrix}, C=\begin{bmatrix}-2&1\\3&2\end{bmatrix}$으로 주어졌다면

$AB=\begin{bmatrix}((2\times1)+(3\times1)) & ((2\times1)+(3\times2))\\((6\times1)+(9\times1)) & ((6\times1)+(9\times2))\end{bmatrix}=\begin{bmatrix}5&8\\15&24\end{bmatrix}$이고

$AC=\begin{bmatrix}((2\times(-2))+(3\times3)) & ((2\times1)+(3\times2))\\((6\times(-2))+(9\times3)) & ((6\times1)+(9\times2))\end{bmatrix}=\begin{bmatrix}5&8\\15&24\end{bmatrix}$이다.

$AB=AC$이지만 $B\neq C$의 경우가 성립한다. 이는 스칼라의 경우 $ab=ac\,(a\neq0)$이면 $b=c$이다는 사실과 비교하면 특이한 점이다. 이런 특이점은 A가 특이행렬이기 때문에 발생한 일이다.

예제 4-16

$C=\begin{bmatrix}2&3\\6&9\end{bmatrix},\ \ D=\begin{bmatrix}3&1\\-2&-(2/3)\end{bmatrix}$으로 주어졌다면

$CD=\begin{bmatrix}((2\times3)+(3\times(-2)) & ((2\times1)+3\times(-2/3))\\((6\times3)+(9\times(-2)) & ((6\times1)+9\times(-2/3))\end{bmatrix}=\begin{bmatrix}0&0\\0&0\end{bmatrix}$이고

$CD=0$이지만 C 나 D 어느 것도 영행렬이 아니다. 스칼라의 경우 $cd=0$이면 c나 d 둘 중의 하나는 0이지만($c=0$ 혹은 $d=0$) 행렬에서는 그렇지 않다. 이런 특이점은 C와 D가 특이행렬이기 때문에 발생한 일이다.

행렬에서는 다음의 법칙이 성립한다.[14]

① **덧셈의 교환법칙** A+B=B+A

② **덧셈의 결합법칙** (A+B)+C=A+(B+C)

③ **곱셈의 결합법칙** (AB)C=A(BC)=ABC

$$A\ B\ C$$

$$(m\times n)(p\times q)(k\times r)$$

14 곱셈의 교환법칙은 앞 행렬의 열의 수와 뒤 행렬의 행의 수가 같아야 적합성 조건을 만족시켜야 하고 (AB가 정의된다고 하더라도 BA가 정의되지 않을 수도 있으며) <예제 4-13>에서 볼 수 있듯이 두 곱이 모두 정의된다고 하더라도 일반적으로 AB≠BA이다.

이때 인접한(隣接, adjacent) 한 쌍의 행렬은 곱셈의 적합성조건을 만족하여야 한다. 중간에 위치하는 행렬의 행의 수는 바로 앞 행렬의 열의 수와 같아야 하고, 열의 수는 바로 뒤 행렬의 행의 수와 같아야 한다. 여기에서는 B 행렬이 이 조건을 만족하여야 한다($n=p$, $q=k$). 계산의 결과 만들어진 행렬의 차원은 $m \times r$이 된다.

④ **곱셈의 분배법칙** A(B+C)=AB+AC A에 의한 앞 곱셈

(B+C)A=BA+CA A에 의한 뒤 곱셈

각각의 경우 당연히 덧셈과 곱셈에 대한 적합성 조건이 충족된다는 조건하에서 가능한 것이다.

실습문제 4-6

아래의 시장모형을 Q_d, Q_s, P의 순서대로 행렬로 나타내라.

$$Q_d = Q_s, \quad Q_d = a - bP, \quad Q_s = -c + dP$$

풀이

$$\begin{aligned} Q_d - Q_s \quad &= 0 \\ Q_d \quad + bP &= -a \\ Q_s - dP &= c \end{aligned}$$

$$\begin{bmatrix} 1 & -1 & 0 \\ 1 & 0 & b \\ 0 & 1 & -d \end{bmatrix} \begin{bmatrix} Q_d \\ Q_s \\ P \end{bmatrix} = \begin{bmatrix} 0 \\ -a \\ c \end{bmatrix}$$

실습문제 4-7

아래의 국민소득모형을 Y, C 의 순서대로 행렬로 나타내라.

$$Y = C + I + G, \ C = a + bY$$

풀이

$$\begin{aligned} Y - C &= I + G \\ -bY + C &= a \end{aligned}$$

$$\begin{bmatrix} 1 & -1 \\ -b & 1 \end{bmatrix} \begin{bmatrix} Y \\ C \end{bmatrix} = \begin{bmatrix} I+G \\ a \end{bmatrix}$$

실습문제 4-8

D대학교의 인문사회계열 학생수는 6,000명이고 그 중 남학생이 3,500명, 여학생이 2,500명이다. 또 자연계열 학생수은 4,000명이고 남학생 3,000명, 여학생 1,000명이다. 이 내용을 A 행렬로 나타낼 수 있다.

	인문사회계	자연계
남	3500	3000
여	2500	1000

인문사회계열 등록금은 300만 원, 실험 실습비는 30만 원이다. 자연계열 등록금은 400만 원, 실험 실습비는 100만 원이다. 이 내용을 B 행렬로 나타낼 수 있다.

	등록금	실험 실습비
인문사회계	300	30
자연계	400	100

(1) 두 행렬의 곱 AB를 구하고 각 원소의 의미를 설명하라.

$$A=\begin{bmatrix}3500 & 3000\\ 2500 & 1000\end{bmatrix} \quad B=\begin{bmatrix}300 & 30\\ 400 & 100\end{bmatrix} \quad AB=C=\begin{bmatrix}2250000 & 405000\\ 1150000 & 175000\end{bmatrix}$$

AB의 결과를 C 라고 할 때

$c_{11}=2250000$ 는 남학생의 등록금 총액 $c_{12}=405000$ 는 남학생의 실험 실습비 총액

$c_{21}=1150000$ 는 여학생의 등록금 총액 $c_{22}=175000$ 는 여학생의 실험 실습비 총액

(2) 이 대학의 등록금 수입, 실험 실습비 수입, 그리고 총 수입(등록금 수입과 실험 실습비 수입의 합)을 각각 계산하라.

등록금 수입: $c_{11}+c_{21}=2250000+1150000=3400000$

실험 실습비 수입: $c_{12}+c_{22}=405000+175000=580000$

총수입: $c_{11}+c_{21}+c_{12}+c_{22}=3980000$

(5) 전치행렬

행렬 $A=(a_{ij})$의 행과 열을 바꾸어 놓은 것을 전치행렬(轉置行列, transpose matrix)이라 말하고 A', A^t 혹은 A^T로 나타낸다. 즉

$$A_n=\begin{bmatrix}a_{11} & a_{12} & \cdot & \cdot & a_{1n}\\ a_{21} & a_{22} & \cdot & \cdot & a_{2n}\\ \cdot & \cdot & \cdot & \cdot & \cdot\\ \cdot & \cdot & \cdot & \cdot & \cdot\\ a_{n1} & a_{n2} & \cdot & \cdot & a_{nn}\end{bmatrix} \quad A_n^T=A_n'=A_n^t=\begin{bmatrix}a_{11} & a_{21} & \cdot & \cdot & a_{n1}\\ a_{12} & a_{22} & \cdot & \cdot & a_{n2}\\ \cdot & \cdot & \cdot & \cdot & \cdot\\ \cdot & \cdot & \cdot & \cdot & \cdot\\ \cdot & \cdot & \cdot & \cdot & \cdot\\ a_{1n} & a_{2n} & \cdot & \cdot & a_{nn}\end{bmatrix}$$

$A = \begin{bmatrix} 3 & 2 & 4 \\ 1 & 5 & 7 \end{bmatrix}$의 전치행렬은 $A^T = \begin{bmatrix} 3 & 1 \\ 2 & 5 \\ 4 & 7 \end{bmatrix}$이 된다.

일반적으로 $m \times n$인 행렬을 전치행렬로 바꾸면 $n \times m$행렬이 된다. 전치행렬은 다음과 같은 특성을 갖는다.

① $(A^T)^T = A$

② $(A+B)^T = A^T + B^T$

③ $(AB)^T = B^T A^T$

증명

$AB = C = \{c_{ij}\} = \left\{ \sum_k a_{ik} b_{kj} \right\}$

그런데 $(AB)^T = C^T = \{c_{ij}^T\} = \{c_{ji}\}$

$$= \left\{ \sum_k a_{jk} b_{ki} \right\} - \left\{ \sum_k a_{ki}^T b_{ik}^T \right\} = \left\{ \sum_k b_{ik}^T a_{kj}^T \right\} = B^T A^T$$

③의 특성을 확장하여 $(ABC)^T = C^T B^T A^T$

위 ③의 성질에 의해 $(ABC)^T = (BC)^T A^T = C^T B^T A^T$

이 결과를 일반화하여 보면

$$(ABC \cdots Z)^T = Z^T \cdots C^T B^T A^T$$

모두 적합성이 성립한다는 조건이 있음을 유의하여야 할 것이다.

예제 4-17

$A = \begin{bmatrix} 2 & 3 \\ 4 & 5 \end{bmatrix}$ $B = \begin{bmatrix} 1 & 4 \\ 3 & 7 \end{bmatrix}$ 이면

$A' = \begin{bmatrix} 2 & 4 \\ 3 & 5 \end{bmatrix}$이고 $(A')' = \begin{bmatrix} 2 & 3 \\ 4 & 5 \end{bmatrix}$ $A+B = \begin{bmatrix} 3 & 7 \\ 7 & 12 \end{bmatrix}$이고 $(A+B)' = \begin{bmatrix} 3 & 7 \\ 7 & 12 \end{bmatrix}$

$AB = \begin{bmatrix} 2 & 3 \\ 4 & 5 \end{bmatrix} \begin{bmatrix} 1 & 4 \\ 3 & 7 \end{bmatrix} = \begin{bmatrix} 11 & 29 \\ 19 & 51 \end{bmatrix}$ 이고 $(AB)' = \begin{bmatrix} 11 & 19 \\ 29 & 51 \end{bmatrix}$,

한편 $B'A' = \begin{bmatrix} 1 & 4 \\ 3 & 7 \end{bmatrix} \begin{bmatrix} 2 & 4 \\ 3 & 5 \end{bmatrix} = \begin{bmatrix} 11 & 19 \\ 29 & 51 \end{bmatrix}$

특히 대칭행렬($A^T = A$, $B^T = B$)에서는 아래 세 가지 관계가 성립한다.

1) $(AB)^T = B^T A^T = BA$ 　AB의 결과가 필연적으로 대칭일 필요는 없다.

<예> $A = \begin{bmatrix} 1 & 2 \\ 2 & 3 \end{bmatrix}$ $B = \begin{bmatrix} 3 & 7 \\ 7 & 6 \end{bmatrix}$, $AB = \begin{bmatrix} 17 & 19 \\ 27 & 32 \end{bmatrix}$

2) $(AA^T)^T = (A^T)^T A^T = AA^T$ 　또 $(A^T A)^T = A^T (A^T)^T = A^T A$

(AA^T)와 $A^T A$가 대칭이라고 할지라도 그 값들이 필연적으로 같지는 않다.

예제 4-18

$A = \begin{bmatrix} 1 & 0 & 1 \\ 2 & -1 & 3 \\ 0 & 0 & 4 \end{bmatrix}$ 이면

$AA^T = \begin{bmatrix} 2 & 5 & 4 \\ 5 & 14 & 12 \\ 4 & 12 & 16 \end{bmatrix}$ 　또 $A^T A = \begin{bmatrix} 2 & 5 & 4 \\ 5 & 14 & 12 \\ 4 & 12 & 16 \end{bmatrix}$

3) 같은 차원의 열벡터에 의해 앞 곱하기가 된 행벡터는 스칼라이며 대칭이다.

$$x^t y = (x^t y)^t = y^t x$$

예제 4-19

$x^t = [1\ 2\ 3]$, $y^t = [4\ 3\ 7]$, $x^t y = 31 = y^t x$

4.3.2 역행렬 정의와 성질[15]

행렬 A가 정방행렬이고 비특이(非特異, nonsingular) 행렬일 경우 $AA^{-1} = A^{-1}A = I$를 만족하면 A^{-1}은 A의 역행렬(逆行列, inverse matrix)이라 한다.[16]

---

15 엑셀함수 MINVERSE를 이용하면 쉽게 역행렬을 구할 수 있다. 배열입력이기 때문에 Control+Shift+Enter 키를 동시에 눌러야 한다.

A가 정방행렬이라고 할지라도 반드시 역행렬이 존재하는 것이 아님을 유의할 필요가 있다. 예를 들어

$$A = \begin{bmatrix} 3 & 2 \\ 0 & 0 \end{bmatrix} \quad B = \begin{bmatrix} a & b \\ c & d \end{bmatrix}$$

$AB = I$가 성립하여야 B가 역행렬 A^{-1}가 되는 데 A는 이 조건을 성립할 수 없다.

$3a + 2c = 1$, $3b + 2d = 0$, $0 \times a + 0 \times c = 0$, $0 \times b + 0 \times d = 1$이 성립하여야 하는데, $0 \times b + 0 \times d = 1$이라는 모순이 발생한다.

역행렬은 아래의 성질을 가지고 있다.

① $(A^{-1})^{-1} = A$ A의 역행렬 A^{-1}가 존재하면 역으로 A^{-1}의 역행렬는 A이다.

② $(AB)^{-1} = B^{-1}A^{-1}$ 곱의 역행렬은 순서를 바꾼 역행렬의 곱으로 나타난다.

③ $(A^T)^{-1} = (A^{-1})^T$ 전치행렬의 역행렬은 역행렬의 전치행렬이다.

증명

$I = (A^{-1}A)$를 전치행렬을 구하면 $I^T = I = (A^{-1}A)^T = A^T(A^{-1})^T$가 나온다. 여기에 $(A^T)^{-1}$를 I 앞에서 앞 곱하기하면 $(A^T)^{-1}I = (A^T)^{-1}A^T(A^{-1})^T$를 얻으며, $(A^T)^{-1}I = I(A^{-1})^T$, $(A^T)^{-1} = (A^{-1})^T$를 구할 수 있다.

예제 4-20

A가 대칭이면, 역행렬도 대칭이다. 즉 $A^T = A$이면, $(A^{-1})^T = A^{-1}$이다.

증명

$A^T = A$이면, $(A^T)^{-1}$를 양변에 앞 곱하기를 하면 $(A^T)^{-1}A^T = (A^T)^{-1}A = I$,
$(A^T)^{-1} = (A^{-1})^T$이므로 $(A^{-1})^T A = I$가 된다. 여기에 A^{-1}을 뒤 곱하기하면 $(A^{-1})^T AA^{-1} = IA^{-1}$,
$(A^{-1})^T = A^{-1}$가 얻어진다.

16 비특이행렬이란 행이나 열이 선형독립인 행렬을 말하며 반대로 특이행렬(혹은 정칙행렬)이란 행이나 열이 선형종속인 행렬을 말한다.

④ 역행렬은 유일(唯一, unique)하다.

A^{-1}가 A의 유일한 역행렬이 아니라고 가정하자. S가 다른 역행렬이라고 해보자. $SA = I$. 이 식에 A를 뒤 곱하기를 해보면, $SAA^{-1} = IA^{-1} = A^{-1}$. $SI = A^{-1}$ 이며 $S = A^{-1}$가 된다. A^{-1}가 A의 유일한 역행렬이다.

예제 4-21

$$(ABC)^{-1} = C^{-1}B^{-1}A^{-1}$$

위 ②의 성질에 의해 $(ABC)^{-1} = (BC)^{-1}A^{-1} = C^{-1}B^{-1}A^{-1}$

이 결과를 일반화하여 보면

$$(ABC\cdots Z)^{-1} = (Z^{-1}\cdots C^{-1}B^{-1}A^{-1})$$

또 유일한 존재이며 A의 차원이 n×n이면 A−1의 차원도 n×n이다.

이런 성질은 역행렬이 존재하고 적합성 조건이 성립한다는 조건을 전제하고 있음을 유의하여야 한다.

실습문제 4-9

2차 행렬 $A = \begin{bmatrix} a & b \\ c & d \end{bmatrix}$가 비특이행렬이기 위한 필요충분조건을 구하라. 또 역행렬을 구하라.

풀이

먼저, $A = \begin{bmatrix} a & b \\ c & d \end{bmatrix}$를 비특이행렬이라고 가정하고 그 역행렬을 $B = \begin{bmatrix} m & p \\ n & q \end{bmatrix}$이라고 하자.

$AB = \begin{bmatrix} a & b \\ c & d \end{bmatrix}\begin{bmatrix} m & p \\ n & q \end{bmatrix} = \begin{bmatrix} 1 & 0 \\ 0 & 1 \end{bmatrix}$이므로

아래 두 연립방정식이 성립한다.

$am + bn = 1 \quad ap + bq = 0$

$cm + dn = 0 \quad cp + dq = 1$

이 방정식은 $|A|m = d, \quad |A|n = -c$

$|A|p = -b, \quad |A|q = a$

그런데 $|A| = ad - bc = 0$이라면, $a = b = c = d = 0$이라는 결과를 얻게 되며 이것은 $am + bn = 1$과 $cp + dq = 1$ 조건과 모순된다. 따라서 $|A| \neq 0$이어야 한다.

따라서 $m = \dfrac{d}{|A|}, \quad n = -\dfrac{c}{|A|}, \quad p = -\dfrac{b}{|A|}, \quad q = \dfrac{a}{|A|}$ 가 구해진다.

이상을 정리해 보면 $A=\begin{bmatrix} a & b \\ c & d \end{bmatrix}$가 비특이행렬이기 위한 필요충분조건은 $|A|=ad-bc\neq 0$이다. 이때 $A^{-1}=\frac{1}{|A|}\begin{bmatrix} d & -b \\ -c & a \end{bmatrix}$으로 구해진다.

예제 4-22

행렬 $A=\begin{bmatrix} 3 & 2 \\ 1 & 0 \end{bmatrix}$이면 A의 역행렬 $A^{-1}=\begin{bmatrix} 0 & 1 \\ 0.5 & -1.5 \end{bmatrix}$이 된다. 역행렬을 구하는 과정에 대해선 뒤에서 배우게 되만 위의 공식을 이용하면 쉽게 구할 수 있다.

예제 4-23

다음의 두 행렬에 대해서 서로 역행렬인지를 검토하라.

(1) $A=\begin{bmatrix} 2 & 3 \\ 1 & 2 \end{bmatrix}$ $\quad B=\begin{bmatrix} 2 & -3 \\ -1 & 2 \end{bmatrix}$

(2) $A=\begin{bmatrix} 2 & 0 \\ 0 & 3 \end{bmatrix}$ $\quad B=\begin{bmatrix} 1/2 & 0 \\ 0 & 1/3 \end{bmatrix}$

드브뢰(Gerard Debreu, 1921~2004)

프랑스 태생으로 수학을 공부한 후 경제학에 몰두하여 일반균형이론의 철저한 재구성과 경제이론에 새로운 분석수법을 조합시킨 공로로 1983년 노벨 경제학상을 수상하였다(for having incorporated new analytical methods into economic theory and for his rigorous reformulation of the theory of general equilibrium).

1954년 애로우와 함께 『Existence of an Equilibrium for a Competitive Economy(경쟁경제에 있어서 균형의 존재)』를 공저하였으며 1959년에는 『Theory of Value: An Axiomatic Analysis of Economic Equilibrium(가치이론: 경제균형의 공리적 분석)』을 출간하였다.

■ 역행렬의 유일성과 선형방정식 체계의 해

$$\begin{aligned} a_{11}x_1 + a_{12}x_2 + \cdots + a_1x_n &= b_1 \\ a_{21}x_1 + a_{22}x_2 + \cdots + a_2x_n &= b_2 \\ \cdots\cdots\cdots\cdots\cdots\cdots \\ a_{n1}x_1 + a_{n2}x_2 + \cdots + a_{nn}x_n &= b_n \end{aligned}$$

$$A = \begin{bmatrix} a_{11} & a_{12} & \cdots & a_{1n} \\ a_{21} & a_{22} & \cdots & a_{2n} \\ \cdot & \cdot & & \cdot \\ \cdot & \cdot & & \cdot \\ a_{n1} & a_{n2} & \cdots & a_{nn} \end{bmatrix} \quad x = \begin{bmatrix} x_1 \\ x_2 \\ \cdot \\ \cdot \\ x_n \end{bmatrix} \quad b = \begin{bmatrix} b_1 \\ b_2 \\ \cdot \\ \cdot \\ b_n \end{bmatrix}$$

$$Ax = b$$

$$\overline{x} = A^{-1}b$$

앞의 역행렬 성질에서 역행렬이 존재한다면 유일하다는 사실을 알았다. 따라서 연립방정식의 해인 $\overline{x}$ 벡터의 값도 유일한 값이 나온다.

4.4 행렬식과 역행렬 구하기

4.4.1 정의와 계산법

행렬과 관련되어 유일하게 정의되는 스칼라 값이다. $|A|$, $|a_{ij}|$ 혹은 det A로 표시한다. 절댓값과 혼동하지 말아야 한다. 행렬은 반드시 정방일 필요는 없지만 행렬식(行列式, determinant)[17]은 정방행렬에서만 정의된다는 사실을 유의하여야 한다.

17 엑셀함수 MDETERM을 이용하면 쉽게 행렬식을 구할 수 있다.

■ 임의의 n차원 정방형 행렬

$$A = \begin{bmatrix} a_{11} & a_{12} & \cdots & a_{1n} \\ a_{21} & a_{22} & \cdots & a_{2n} \\ \cdots & \cdots & & \cdots \\ a_{n1} & a_{n2} & \cdots & a_{nn} \end{bmatrix}$$

에 대해서 A의 행렬식을 n차 행렬식이라 하고 이를

$|A|$ 또는 $\det A$ 또는 $|A| = \begin{vmatrix} a_{11} & a_{12} & \cdots & a_{1n} \\ a_{21} & a_{22} & \cdots & a_{2n} \\ \cdots & \cdots & & \cdots \\ a_{n1} & a_{n2} & \cdots & a_{nn} \end{vmatrix}$ 으로 나타낸다.

그리고 이 행렬식 $|A|$의 값을 구하는 과정을 행렬식을 계산한다. 혹은 행렬식을 전개한다고 한다.

미지수의 수: 자물쇠의 수, 방정식의 수: 열쇠의 수로 비유할 수 있다.

○ 독립된 자물쇠 2개(A, B)가 있는 경우

① 독립된 열쇠 2개(A, B)가 있으면, 자물쇠를 열 수 있다.

② A 열쇠만 2개 혹은 B 열쇠만 2개로는, 자물쇠를 열 수 없다.

○ 종속인 자물쇠 2개(A, A)가 있는 경우

③ A 열쇠 하나만으로도, 자물쇠를 열 수 있다.

→ 자물쇠 수나 열쇠 수가 중요한 것이 아니라 독립된 자물쇠 수나 열쇠 수가 중요하다.

2차 행렬 $A = \begin{bmatrix} a_{11} & a_{12} \\ a_{21} & a_{22} \end{bmatrix}$의 행렬식은 다음과 같이 정의한다. 대각원소들을 곱해주고 비대각원소들을 곱한 후 그 차이를 계산하면 된다.

$$|A| = \begin{vmatrix} a_{11} & a_{12} \\ a_{21} & a_{22} \end{vmatrix} = a_{11}a_{22} - a_{12}a_{21}$$

$-$ $+$

예제 4-24

아래 행렬식을 구하라.

(1) $|A| = \begin{vmatrix} 1 & 2 \\ 3 & 4 \end{vmatrix} = 1(4) - 2(3) = -2$

(2) $|B| = \begin{vmatrix} 2 & 4 \\ 6 & 3 \end{vmatrix} = (2)(3) - (4)(6) = -18$

(3) $|C| = \begin{vmatrix} 5 & 3 \\ 4 & 8 \end{vmatrix} = (5)(8) - (4)(3) = 28$

(4) $|D| = \begin{vmatrix} -2 & -3 \\ 4 & -1 \end{vmatrix} = (-2)(-1) - (4)(-3) = 14$

다음으로는 3차 행렬식

행렬 $A = \begin{bmatrix} a_{11} & a_{12} & a_{13} \\ a_{21} & a_{22} & a_{23} \\ a_{31} & a_{32} & a_{33} \end{bmatrix}$ 의 행렬식은 다음과 같이 정의한다.

$$|A| = \begin{vmatrix} a_{11} & a_{12} & a_{13} \\ a_{21} & a_{22} & a_{23} \\ a_{31} & a_{32} & a_{33} \end{vmatrix} = a_{11}\begin{vmatrix} a_{22} & a_{23} \\ a_{32} & a_{33} \end{vmatrix} - a_{12}\begin{vmatrix} a_{21} & a_{23} \\ a_{31} & a_{33} \end{vmatrix} + a_{13}\begin{vmatrix} a_{21} & a_{22} \\ a_{31} & a_{32} \end{vmatrix}$$

$$= a_{11}a_{22}a_{33} + a_{12}a_{23}a_{31} + a_{13}a_{32}a_{21} - a_{13}a_{22}a_{31} - a_{12}a_{21}a_{33} - a_{11}a_{32}a_{23}$$

한편 3×3 행렬의 경우 행렬식을 구하는 방법을 <그림 4-5>와 같이 나타낼 수 있다. $|A| = a_{11}a_{22}a_{33} + a_{12}a_{23}a_{31} + a_{13}a_{21}a_{32} - a_{13}a_{23}a_{32} - a_{12}a_{21}a_{33} - a_{13}a_{22}a_{31}$ 이는 다음과 같이 그래프 방법을 이용하여 구할 수 있다.

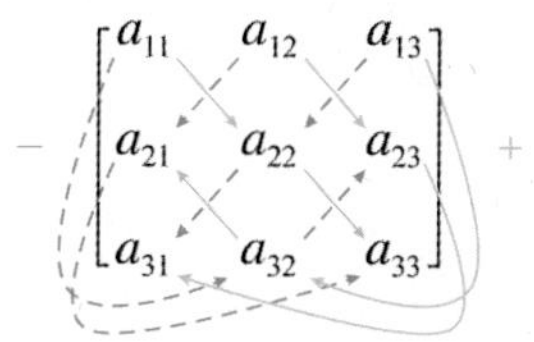

$$- \begin{bmatrix} a_{11} & a_{12} & a_{13} \\ a_{21} & a_{22} & a_{23} \\ a_{31} & a_{32} & a_{33} \end{bmatrix} +$$

〈그림 4-5〉 3×3 행렬식 구하기

첫 번째 행의 원소($a_{11,} a_{12,} a_{13}$)로부터 출발하여 실선 또는 점선의 화살표 방향으로 곱하되 실선의 화살표 (→) 방향으로 곱한 원소에는 (+)부호를 붙이고, 점선의 화살표(⇢)

방향으로 곱한 원소는 $(-)$부호를 붙여 순서대로 놓으면 행렬식은 위와 같이 된다.

즉, $a_{11}\rightarrow a_{22}\rightarrow a_{33}$, $a_{12}\rightarrow a_{23}\rightarrow a_{31}$, $a_{13}\rightarrow a_{32}\rightarrow a_{21}$로 곱한 것은 모두(+)가 되므로 $a_{11}a_{22}a_{33}+a_{12}a_{23}a_{31}+a_{13}a_{21}a_{32}$가 되며, $a_{11}\dashrightarrow a_{32}\dashrightarrow a_{23}$, $a_{12}\dashrightarrow a_{21}\dashrightarrow a_{33}$, $a_{13}\dashrightarrow a_{22}\dashrightarrow a_{31}$로 곱한 것은 모두$(-)$가 되므로 $-a_{11}a_{23}a_{32}-a_{12}a_{21}a_{33}-a_{13}a_{22}a_{31}$이 되어 이를 정리하면 전체적으로 앞의 결과와 동일한 행렬식이 된다.

즉, $|A|=a_{11}a_{22}a_{33}+a_{12}a_{23}a_{31}+a_{13}a_{21}a_{32}-a_{11}a_{23}a_{32}-a_{12}a_{21}a_{33}-a_{13}a_{22}a_{31}$ 또 다른 방법으로는 다음과 같이 행렬식 우측에 차례로 1열과 2열을 보조로 나열하여 실선 방향으로 곱한 것은 더하고, 점선 방향으로 곱한 것을 빼주면 위와 동일한 행렬식을 구할 수 있다.

그러나 4차원 이상의 경우에는 더 이상 위의 방법에 의해 행렬식의 값을 구할 수 없고 소위 '라플라스 전개(Laplace expansion)' 방법에 의해 구할 수 있다.

예제 4-25

아래 행렬식을 구하라.

$$|A|=\begin{vmatrix}1&3&5\\2&1&2\\1&2&3\end{vmatrix}=1(1)(3)+3(2)(1)+5(2)(2)-5(1)(1)-3(2)(3)-1(2)(2)=2$$

$$|B|=\begin{vmatrix}1&2&3\\2&3&1\\8&7&9\end{vmatrix}=1(3)(9)+2(1)(8)+3(7)(2)-3(3)(8)-2(2)(9)-1(7)(1)=-30$$

행렬식 값은 음수가 될 수 있다. 행렬식 표기가 절댓값 표기와 같기 때문에 -30을 30으로 바꾸는 실수를 범해서는 안 될 것이다.

4.4.2 라플라스 전개와 n차 행렬식의 계산

라플라스 전개(展開, Laplace expansion)에 의한 행렬식을 계산하는 방법을 보기 위해 위에서 살펴본 3차원 행렬의 행렬식을 구하는 방법을 살펴보자.

주어진 행렬식의 i번째 행과 j번째의 열을 삭제함으로써 얻어지는 소행렬식(小行列植, Minor, $|M_{ij}|$)을 말하며, 스칼라 값을 갖는다. 예를 들어

$$A = \begin{bmatrix} a_{11} & a_{12} & a_{13} \\ a_{21} & a_{22} & a_{23} \\ a_{31} & a_{32} & a_{33} \end{bmatrix} \text{에서}$$

첫 번째 행의 요소들의 소행렬식은

$$| M_{11} | = \begin{bmatrix} a_{11} & a_{12} & a_{13} \\ a_{21} & a_{22} & a_{23} \\ a_{31} & a_{32} & a_{33} \end{bmatrix} = a_{22}a_{33} - a_{23}a_{32}$$

$$| M_{12} | = \begin{bmatrix} a_{11} & a_{12} & a_{13} \\ a_{21} & a_{22} & a_{23} \\ a_{31} & a_{32} & a_{33} \end{bmatrix} = a_{21}a_{33} - a_{23}a_{31}$$

$$| M_{13} | = \begin{bmatrix} a_{11} & a_{12} & a_{13} \\ a_{21} & a_{22} & a_{23} \\ a_{31} & a_{32} & a_{33} \end{bmatrix} = a_{21}a_{32} - a_{22}a_{31}$$

이다.

두 번째 행의 요소들의 소행렬식은

$$| M_{21} | = \begin{bmatrix} a_{11} & a_{12} & a_{13} \\ a_{21} & a_{22} & a_{23} \\ a_{31} & a_{32} & a_{33} \end{bmatrix} = a_{12}a_{33} - a_{13}a_{32}$$

$$| M_{22} | = \begin{bmatrix} a_{11} & a_{12} & a_{13} \\ a_{21} & a_{22} & a_{23} \\ a_{31} & a_{32} & a_{33} \end{bmatrix} = a_{11}a_{33} - a_{13}a_{31}$$

$$| M_{23} | = \begin{bmatrix} a_{11} & a_{12} & a_{13} \\ a_{21} & a_{22} & a_{23} \\ a_{31} & a_{32} & a_{33} \end{bmatrix} = a_{11}a_{33} - a_{13}a_{31}$$

세 번째 행의 요소들의 소행렬식은

$$| M_{31} | = \begin{bmatrix} a_{11} & a_{12} & a_{13} \\ a_{21} & a_{22} & a_{23} \\ a_{31} & a_{32} & a_{33} \end{bmatrix} = a_{12}a_{23} - a_{13}a_{22}$$

$$| M_{32} | = \begin{bmatrix} a_{11} & a_{12} & a_{13} \\ a_{21} & a_{22} & a_{23} \\ a_{31} & a_{32} & a_{33} \end{bmatrix} = a_{11}a_{23} - a_{13}a_{21}$$

$$| M_{33} | = \begin{bmatrix} a_{11} & a_{12} & a_{13} \\ a_{21} & a_{22} & a_{23} \\ a_{31} & a_{32} & a_{33} \end{bmatrix} = a_{11}a_{22} - a_{12}a_{21}$$

일반적으로 $n \times n$ 행렬인 경우 n^2가 가능하며 $m \times n$ 행렬인 경우에는 $m \times n$개가 가능하다. 방법은 위의 예와 같다.

한편 소행렬식에 일정한 규칙에 따라 대수부호를 붙인 것을 a_{ij}의 여인수(餘因數, cofactor)라 하고 $|C_{ij}|$로 나타내면

$$|C_{ij}| = (-1)^{i+j}|M_{ij}|$$

$$i+j \text{ 짝수이면 } |C_{ij}| = |M_{ij}|$$

$$i+j \text{ 홀수이면 } |C_{ij}| = (-1)|M_{ij}|$$

가 된다. 이때 $i+j$가 홀수이면 여인수는 $(-)$가 되어 소행렬식과 다른 부호가 되고, 짝수이면 (+)가 되어 소행렬식과 같은 부호를 갖게 된다. 이를 좀 더 알아보기 쉽게 정리하면 여인수 $|C_{ij}|$는 소행렬식 $|M_{ij}|$에 다음 표와 같이 (+)기호와 $(-)$기호를 붙인 것이다.

$$\begin{vmatrix} + & - & + \\ - & + & - \\ + & - & + \end{vmatrix}$$

따라서

$$|A| = a_{11}|C_{11}| + a_{12}|C_{12}| + a_{13}|C_{13}| \quad (\text{식 } 4\text{-}1)$$

로 나타낼 수 있다. 그리고 식 (4-1)을 $|A|$의 1행에 대한 라플라스 전개라 한다.[18] 이러한 라플라스 전개는 행렬 A의 어떤 임의의 행이나 열을 기준으로 해도 동일한 결과를 얻을 수 있다.

---

18 $|A| = a_{11}|M_{11}| - a_{12}|M_{12}| + a_{13}|M_{13}|$ 로도 표현할 수 있다.

이제 이를 일반화시켜 n차 정방행렬 $A=[a_{ij}]_{n\times n}$의 행렬식을 다음과 같이 나타내자.

$$|A|=\begin{vmatrix} a_{11} & a_{12} & \cdots a_{1n} \\ a_{21} & a_{22} & \cdots a_{2n} \\ \cdots & \cdots & \cdots \\ a_{n1} & a_{m2} & \cdots a_{nn} \end{vmatrix}$$

그리고 소행렬식을 $|M_{ij}|$, 그리고 여인수를 $C_{ij}=(-1)^{i+j}|M_{ij}|$로 나타내면 n차 행렬식 $|A|$는 다음과 같이 정의된다.

첫 번째 행을 기준으로 전개하는 경우

$$|A|=a_{11}|C_{11}|+a_{12}|C_{12}|+\cdots\cdots+a_{1n}|C_{1n}|=\sum_{j=1}^{n}a_{1j}|C_{1j}|$$

일반적으로 i번째 행을 기준으로 전개하므로

$$|A|=a_{ij}|C_{ij}|+a_{ij}|C_{ij}|+\cdots\cdots+a_{ij}|C_{ij}|=\sum_{j=1}^{n}a_{ij}|C_{ij}| \quad i=1,2,3\cdots,n$$

첫 번째 열을 기준으로 전개하는 경우

$$|A|=a_{11}|C_{11}|+a_{21}|C_{21}|+\cdots\cdots+a_{n1}|C_{n1}|=\sum_{i=1}^{n}a_{i1}|C_{i1}|$$

일반적으로 열을 기준으로 전개하면

$$|A|=a_{ij}|C_{ij}|+a_{ij}|C_{ij}|+\cdots\cdots+a_{ij}|C_{ij}|=\sum_{i=1}^{n}a_{ij}|C_{ij}| \quad j=1,2,3\cdots,n$$

하지만 타 여인수(alien cofactor)와 결합되는 경우[19]

19 일반적으로 표현하면 다른 한 행 또는 한 열의 여인자들에 의해 전개하면 행렬식 값은 0이 된다. 한마디로 "궁합이 안 맞는다" "번지수가 틀렸다"는 말이다.

$$\text{행기준} \quad a_{1j}|C_{1i}| + a_{2j}|C_{2i}| + ... + a_{nj}|C_{ni}| = 0 \qquad i \neq j \quad (\text{식 } 4\text{-}2)$$

$$\text{열기준} \quad a_{j1}|C_{i1}| + a_{j2}|C_{i2}| + ... + a_{jn}|C_{in}| = 0 \qquad i \neq j \quad (\text{식 } 4\text{-}3)$$

(식 4-2)에서 a_{ij} 값은 j번째 열의 값이지만 여인수는 i번째 열의 값으로 이루어져 있다. 즉 타 여인수의 결합이기 때문에 행렬식 값이 0이 나온다. (식 4-3)에서 a_{ij} 값은 j번째 행 값이지만 여인수는 i번째 행 값으로 이루어져 있다. 즉 타 여인수의 결합이기 때문에 행렬식 값이 0이 나온다.

실습문제 4-10

타 여인수에 의한 라플러스 전개 결과가 0임을 3차원 행렬에서 보여라.

풀이

$A = \begin{bmatrix} a_{11} & a_{12} & a_{13} \\ a_{21} & a_{22} & a_{23} \\ a_{31} & a_{32} & a_{33} \end{bmatrix}$ 행렬을 대상으로 $a_{21}|C_{11}| + a_{22}|C_{12}| + a_{23}|C_{13}|$를 구해 보기로 하자.

$$|C_{11}| = \begin{vmatrix} a_{22} & a_{23} \\ a_{32} & a_{33} \end{vmatrix} = a_{22}a_{33} - a_{23}a_{32} \quad |C_{12}| = \begin{vmatrix} a_{21} & a_{23} \\ a_{31} & a_{33} \end{vmatrix} = a_{21}a_{33} - a_{23}a_{31}$$

$$|C_{13}| = \begin{vmatrix} a_{21} & a_{22} \\ a_{31} & a_{32} \end{vmatrix} = a_{21}a_{32} - a_{22}a_{31}$$

$$a_{21}|C_{11}| + a_{22}|C_{12}| + a_{23}|C_{13}| = a_{21}(a_{22}a_{33} - a_{23}a_{32}) - a_{22}(a_{21}a_{33} - a_{23}a_{31}) + a_{23}(a_{21}a_{32} - a_{22}a_{31}) = 0$$

또는 $a_{21}|C_{11}| + a_{22}|C_{12}| + a_{23}|C_{13}| = \begin{vmatrix} a_{21} & a_{22} & a_{23} \\ a_{21} & a_{22} & a_{23} \\ a_{31} & a_{32} & a_{33} \end{vmatrix} = 0$

실습문제 4-11

다음 행렬식의 값을 구하라.

(1) 첫 번째 행을 기준으로 구하라.

(2) 두 번째 열을 기준으로 구하라.

(3) 첫 번째 열에 두 번째 열의 여인수를 기준으로 구하라.

$$|A| = \begin{vmatrix} 1 & 2 & 3 \\ 4 & 5 & 6 \\ 7 & 8 & 10 \end{vmatrix}$$

풀이

① 첫 번째 행을 기준으로 하는 경우

$a_{11}=1$의 소행렬식은 $\begin{vmatrix}5&6\\8&10\end{vmatrix}$=(50−48)=2, 여인수 $|C_{11}|=(-1)^{1+1}|M_{12}|=1(2)=2$

$a_{12}=2$의 소행렬식은 $\begin{vmatrix}4&6\\7&10\end{vmatrix}$=(40−42)=-2, 여인수 $|C_{12}|=(-1)^{1+2}|M_{12}|=-1(-2)=2$

$a_{13}=3$의 소행렬식은 $\begin{vmatrix}4&5\\7&8\end{vmatrix}$=(32−35)=-3, 여인수 $|C_{13}|=(-1)^{1+3}|M_{12}|=1(-3)=-3$

따라서 $|A|=a_{11}|C_{11}|+a_{12}|C_{12}|+a_{13}|C_{13}|$ = 1(2) +2(2) +3(-3) = -3

② 두 번째 열을 기준으로 하는 경우

$$|A|=a_{21}|C_{21}|+a_{22}|C_{22}|+a_{32}|C_{32}|=2\begin{vmatrix}4&6\\7&10\end{vmatrix}+5\begin{vmatrix}1&3\\7&10\end{vmatrix}+8\begin{vmatrix}1&3\\4&6\end{vmatrix}$$

$$=2(-1)(40-42)+5(1)(10-21)+8(-1)(6-12)=2(2)+5(-11)+8(6)=-3$$

③ 첫 번째 열에 두 번째 열의 여인수를 기준으로 구하는 경우

$$|A|=a_{11}|C_{21}|+a_{21}|C_{22}|+a_{31}|C_{32}|=1\begin{vmatrix}4&6\\7&10\end{vmatrix}+4\begin{vmatrix}1&3\\7&10\end{vmatrix}+7\begin{vmatrix}1&3\\4&6\end{vmatrix}$$

$$=(-1)(40-42)+4(1)(10-21)+7(-1)(6-12)=2+4\times(-11)+7\times(6)=0$$

실습문제 4-12

다음 행렬식의 값을 구하라.

$$|A|=\begin{vmatrix}1&2&3&0\\0&4&5&6\\1&0&2&3\\4&0&2&3\end{vmatrix}$$

풀이

주어진 행렬식을 제2행에 관해 전개하면

$$|A|=a_{21}|C_{21}|+a_{22}|C_{22}|+\dots\dots+a_{2n}|C_{2n}|$$

한편 소행렬식에 부호를 붙여가면서 여인수 행렬을 구해보면 다음과 같다.

$$|C_{21}|=-|M_{21}|=-\begin{vmatrix}2&3&0\\0&2&3\\0&2&3\end{vmatrix}=12-12=0 \qquad |C_{22}|=+|M_{22}|=+\begin{vmatrix}1&3&0\\1&2&3\\4&2&3\end{vmatrix}=42-9-6=27$$

$$|C_{23}|=-|M_{23}|=-\begin{vmatrix}1&2&0\\1&0&3\\4&0&3\end{vmatrix}=-(24-6)=-18 \qquad |C_{24}|=+|M_{24}|=+\begin{vmatrix}1&2&3\\1&0&2\\4&0&2\end{vmatrix}=16-4=12$$

따라서 $|A|=0+4(27)5(18)+6(12)=90$

0이 많이 포함되어 있는 행이나 열을 기준으로 구하면 좀 더 쉽게 구할 수 있다.

4.4.3 행렬식의 성질

① 행렬 A의 전치행렬을 A^T라 하면 $|A|=|A^T|$이다.

$$\begin{vmatrix} a & b \\ c & d \end{vmatrix} = \begin{vmatrix} a & c \\ b & d \end{vmatrix} = ad-bc$$

② 두 n차 행렬 A, B의 곱 AB와 BA에 대하여, 행렬식 $|AB|$, $|BA|$는 두 행렬식 $|A|$, $|B|$의 곱과 같다. 즉

$$|AB|=|A||B|=|B||A|=|BA|$$

증명

일반적으로 $AB \neq BA$ 이지만 행렬식의 경우에는 $|AB|=|BA|$가 성립한다.

$$|A| = \begin{vmatrix} a & b \\ c & d \end{vmatrix} \quad |B| = \begin{vmatrix} m & k \\ n & l \end{vmatrix}$$

$$|A| = (ad-bc) \quad |B| = (ml-kn)$$

$$|A|\,|B| = (ad-bc)(ml-kn) = adml - adkn - bcml + bckn = |B||A|$$

$$\begin{aligned} |AB| &= (am+bn)(ck+dl)-(ak+bl)(cm+dn) \\ &= (amck+amdl+bnck+bndl)-(akcm+akdn+blcm+bldn) \\ &= adml-adkn-bcml+bckn \end{aligned}$$

$$\begin{aligned} |BA| &= (am+kc)(bn+dl)-(bm+dk)(an+cl) \\ &= (ambn+amdl+bnck+kcdl)-(abmn+bmcl+adkn+cdkl) \\ &= adml-adkn-bcml+bckn \end{aligned}$$

그러므로 $|AB| = |A|\,|B| = |B|\,|A| = |BA|$

예제 4-26

$|A^{-1}|=\dfrac{1}{|A|}$ 를 보여라.

$AA^{-1}=I$에 위의 성질을 이용하면 $|AA^{-1}| = |A|\,|A^{-1}| = |I| = 1$

그러므로 $|A^{-1}| = \dfrac{1}{|A|}$

예제 4-27

$|A| = \begin{vmatrix} 1 & 2 \\ 3 & 4 \end{vmatrix}$ $|B| = \begin{vmatrix} 5 & 6 \\ 7 & 8 \end{vmatrix}$

$|A| = -2$, $|B| = -2$, $|A||B| = |B||A| = 4$

$AB = \begin{bmatrix} 19 & 22 \\ 43 & 50 \end{bmatrix}$ $|AB| = 950 - 946 = 4$

$BA = \begin{bmatrix} 23 & 34 \\ 31 & 46 \end{bmatrix}$ $|BA| = 1058 - 1054 = 4$

$|AB| = |A|\,|B| = |B|\,|A| = |BA| = 4$

③ 임의의 두 행(혹은 열)을 서로 교환하면 행렬식의 부호는 변하지만 수치는 변하지 않는다.

$$\begin{vmatrix} a & b \\ c & d \end{vmatrix} = ad - bc \quad \text{두 행을 교환하면}$$

$$\begin{vmatrix} c & d \\ a & b \end{vmatrix} = bc - ad = -(ad - bc)$$

예제 4-28

$\begin{vmatrix} 6 & 2 & 3 \\ 4 & 5 & 1 \\ 2 & 4 & 3 \end{vmatrix}$ = 64 한편 1행과 3행을 서로 바꾸면 $\begin{vmatrix} 2 & 4 & 3 \\ 4 & 5 & 1 \\ 6 & 2 & 3 \end{vmatrix}$ = - 64

④ 행렬식의 한 행(렬)이 두 수의 합으로 되어 있으면, 다른 행(렬)의 원소와 같고 그 행(렬)이 각각 두 수로 나뉜 행렬식의 합과 같다.

$$\begin{vmatrix} a+e & b+f \\ c & d \end{vmatrix} = (a+e)d - c(b+f) = \begin{vmatrix} a & b \\ c & d \end{vmatrix} + \begin{vmatrix} e & f \\ c & d \end{vmatrix}$$

예제 4-29

$\begin{vmatrix} 8 & 7 \\ 2 & 9 \end{vmatrix} = \begin{vmatrix} 3+5 & 1+6 \\ 2 & 9 \end{vmatrix} = (3+5)9 - 2(1+6) = \begin{vmatrix} 3 & 1 \\ 2 & 9 \end{vmatrix} + \begin{vmatrix} 5 & 6 \\ 2 & 9 \end{vmatrix} = 58$

⑤ 임의의 한 행(혹은 열)에 스칼라 k를 곱하면 행렬식의 값은 k배가 된다. 여기에서 주의해야 할 점은 k가 모든 요소에 곱해지는 것이 아니라 임의의 한 행 혹은 한 열에만 곱해진다는 점이다. 역으로 설명하면 한 행(열)의 공통인수(k)는 행렬식의 밖으로 나올 수 있다.

$$\begin{vmatrix} ka & kb \\ c & d \end{vmatrix} = kad - kbc = k(ad-bc) = k\begin{vmatrix} a & b \\ c & d \end{vmatrix}$$

예제 4-30

위의 $\begin{vmatrix} 2 & 4 & 3 \\ 4 & 5 & 1 \\ 6 & 2 & 3 \end{vmatrix}$ 의 첫 열에 2를 곱하면 $\begin{vmatrix} 4 & 4 & 3 \\ 8 & 5 & 1 \\ 12 & 2 & 3 \end{vmatrix}$ 가 되어 행렬식 값은 −128이 된다.

⑥ 어떤 행의 배수를 다른 행에 더해주어도(혹은 다른 행에 빼주어도) 행렬식 값은 변하지 않는다. 이 성질은 열에 대해서도 같게 적용된다.

$$\begin{vmatrix} a & b \\ c+ka & d+kb \end{vmatrix} = a(d+kb) - b(c+ka) = ad - bc = \begin{vmatrix} a & b \\ c & d \end{vmatrix}$$

예제 4-31

행렬식 $\begin{vmatrix} 2 & 4 \\ 4 & 5 \end{vmatrix} = -6$ 이고 이제 첫 행의 2배를 둘 째 행에 더해 주면 $\begin{vmatrix} 2 & 4 \\ 8 & 13 \end{vmatrix} = -6$이 성립한다.

⑦ 어떤 한 행(또는 열)이 다른 행(또는 열)의 배수이면 행렬식의 값은 0이다. 특수한 예로 2개의 행(또는 열)이 동일하면 행렬식의 값은 0이다.

$$\begin{vmatrix} ka & kb \\ a & b \end{vmatrix} = kab - kab = 0$$

예제 4-32

$\begin{vmatrix} 2 & 3 & 4 \\ 2 & 4 & 8 \\ 1 & 2 & 4 \end{vmatrix}$ 는 셋째 행을 2배 한 것이 둘째 행이 되므로 행렬식의 값은 0가 된다.

행렬식의 행(렬)벡터가 1차 종속이면 행렬식의 값은 0이다. 반대로 행렬식의 행(렬)벡터가 1차 독립이면 행렬식의 값은 0가 아니다.

이 성질에서 볼 수 있듯이 n차원 행렬이라 할지라도 어떤 한 행(또는 열)이 다른 행(또는 열)이 종속관계이면 행렬식의 값은 0이다. 실제로 독립인 행이나 열의 수를 새로운 개념으로 정의할 필요가 있으며, $n\times n$행렬 A에서 n개의 행(열)들 중에서 '선형종속이 아닌' 즉 '선형독립인' 행들의 수를 그 행렬의 위수(位數, rank)라고 부르며 $r(A)$로 표기한다. $n\times n$행렬의 위수가 n미만, 즉 $r(A)< n$이면 그 행렬식은 0이 된다.

예제 4-33

$|A| = \begin{vmatrix} 2 & 0 & 4 \\ 2 & 0 & 8 \\ 1 & 0 & 4 \end{vmatrix}$ 의 행렬식을 구하라. $|A| = 0$ 이다. 이 행렬은 3×3 형식을 취하고 있지만 3×2와 마찬가지인 셈이다. 정방행렬만이 행렬식 값을 갖는다는 사실을 확인할 수 있다.

4.4.4 역행렬 구하기

역행렬을 구하는 공식은 아래와 같다.

$$A^{-1} = \frac{1}{|A|} adj(A)$$

수반행렬(隨伴行列, adjoint matrix, $adj(A)$) 혹은 부수행렬(副率行列)을 행렬식 값으로 나누어서 얻는다.

n차 정방행렬 $A = [a_{ij}]_{n\times n}$에 대해서 여인자들만의 행렬을 C라 하자.

$$C = \begin{bmatrix} |c_{11}| & |c_{12}| & \dots |c_{1n}| \\ |c_{21}| & |c_{22}| & \dots |c_{2n}| \\ . & . & . \\ |c_{n1}| & |c_{n2}| & \dots |c_{nn}| \end{bmatrix}$$

이때 이 여인자 행렬의 전치행렬 C^T을 행렬 A의 수반행렬이라 하고 다음과 같이 나타낸다.

$$C^T = adjA = \begin{bmatrix} |c_{11}| & |c_{21}| & \ldots |c_{n1}| \\ |c_{12}| & |c_{22}| & \ldots |c_{n2}| \\ \cdot & \cdot & \cdot \\ |c_{1n}| & |c_{2n}| & \ldots |c_{nn}| \end{bmatrix}$$

예제 4-34

다음의 행렬 $A = \begin{bmatrix} 1 & 3 & 2 \\ 2 & 4 & 8 \\ 0 & 1 & 3 \end{bmatrix}$ 의 수반행렬을 구해 보기로 하자.

풀이

첫 번째 행에 대해 여인수를 구하면

$|C_{11}| = \begin{vmatrix} 4 & 8 \\ 1 & 3 \end{vmatrix} = 4 \quad |C_{12}| = -\begin{vmatrix} 2 & 8 \\ 0 & 3 \end{vmatrix} = -6 \quad |C_{13}| = \begin{vmatrix} 2 & 4 \\ 0 & 1 \end{vmatrix} = 2$

$|C_{21}| = -\begin{vmatrix} 3 & 2 \\ 1 & 3 \end{vmatrix} = -7 \quad |C_{22}| = \begin{vmatrix} 1 & 2 \\ 0 & 3 \end{vmatrix} = 3 \quad |C_{23}| = -\begin{vmatrix} 1 & 3 \\ 0 & 1 \end{vmatrix} = -1$

$|C_{31}| = \begin{vmatrix} 3 & 2 \\ 4 & 8 \end{vmatrix} = 16 \quad |C_{32}| = -\begin{vmatrix} 1 & 2 \\ 2 & 8 \end{vmatrix} = -4 \quad |C_{33}| = \begin{vmatrix} 1 & 3 \\ 2 & 4 \end{vmatrix} = -2$

따라서 여인수 행렬을 나타내보면

$C = \begin{bmatrix} |c_{11}| & |c_{12}| & |c_{13}| \\ |c_{21}| & |c_{22}| & |c_{23}| \\ |c_{31}| & |c_{32}| & |c_{33}| \end{bmatrix} = \begin{bmatrix} 4 & -6 & 2 \\ -7 & 3 & -1 \\ 16 & -4 & -2 \end{bmatrix}$ 이다. 따라서 수반행렬은 C의 전치행렬이므로

$C^T = adj(A) = \begin{bmatrix} 4 & -7 & 16 \\ -6 & 3 & -4 \\ 2 & -1 & -2 \end{bmatrix}$ 가 된다.

역행렬을 구하는 방법을 단계별로 요약하면 다음과 같다.

1단계 : 행렬식 $|A|$를 구한다. 이 값이 0이면($|A| = 0$) 역행렬은 존재하지 않기 때문에 이 단계에서 끝낸다. 그렇지 않고 0이 아니라면($|A| \neq 0$) 다음 단계로 간다.

2단계 : A의 모든 원소 a_{ij}의 여인수(餘因數, alien cofactor)를 구하여, 여인수 행렬 $C = [|C_{ij}|]$로 표시한다. 단 $|C_{ij}| = (-1)^{i+j}\ |M_{ij}|$

$$C = \begin{bmatrix} |C_{11} & |C_{12}| \cdot \cdot \cdot & |C_{1n}| \\ |C_{21}| & |C_{22}| \cdot \cdot \cdot & |C_{2n}| \\ \cdot & \cdot & \cdot \\ \cdot & \cdot & \cdot \\ \cdot & \cdot & \cdot \\ |C_{n1}| & |C_{n2}| \cdot \cdot \cdot & |C_{nn}| \end{bmatrix}$$

3단계 : 여인수행렬 C를 전치(轉置)시켜 수반행렬 $C' \equiv adj(A)$를 구한다.

$$C' = adjA = \begin{bmatrix} |c_{11}| & |c_{21}| \ldots & |c_{n1}| \\ |c_{12}| & |c_{22}| \ldots & |c_{n2}| \\ \cdot & \cdot & \cdot \\ |c_{1n}| & |c_{2n}| \ldots & |c_{nn}| \end{bmatrix}$$

4단계 : $A^{-1} = \frac{1}{|A|} adj\ A$ 공식에 따라 역행렬을 구한다.

5단계 : 역행렬 A^{-1}가 제대로 구해졌는지를 확인하기 위해 $A^{-1}A = I$ 가 되는지를 확인한다.

예제 4-35

다음 행렬 $A = \begin{bmatrix} 3 & 7 \\ 8 & 9 \end{bmatrix}$의 역행렬을 구하시오

1단계: $|A| = 27 - 56 \neq -29$ 이므로 역행렬이 존재한다.

2단계: 여인수 행렬을 구한다.

$$C = \begin{vmatrix} 9 & -8 \\ -7 & 3 \end{vmatrix}$$

3단계: 수반행렬을 구한다.

$$adj(A) = \begin{bmatrix} 9 & -7 \\ -8 & 3 \end{bmatrix}$$

4단계: $A^{-1} = \frac{1}{|A|} adj(A) = \frac{1}{-29} \begin{bmatrix} 9 & -7 \\ -8 & 3 \end{bmatrix} = \begin{bmatrix} -9/29 & 7/29 \\ 8/29 & -3/29 \end{bmatrix}$

$$5단계: AA^{-1} = \begin{bmatrix} 3 & 7 \\ 8 & 9 \end{bmatrix} \begin{bmatrix} -9/29 & 7/29 \\ 8/29 & -3/29 \end{bmatrix} = I$$

실습문제 4-13

$AA^{-1} = A^{-1}A = I$ 를 증명하라.

증명

행렬 A에 수반행렬 C^T을 뒤에서 곱하면 다음과 같이 된다.

$$AC^T = \begin{bmatrix} a_{11} & a_{12} & \cdots & a_{1n} \\ a_{21} & a_{22} & \cdots & a_{2n} \\ \cdot & \cdot & & \cdot \\ \cdot & \cdot & & \cdot \\ \cdot & \cdot & & \cdot \\ a_{n1} & a_{an2} & \cdots & a_{nn} \end{bmatrix} \begin{bmatrix} |C_{11}| & |C_{21}| & \cdots & |C_{n1}| \\ |C_{12}| & |C_{22}| & \cdots & |C_{n2}| \\ \cdot & \cdot & & \cdot \\ \cdot & \cdot & & \cdot \\ \cdot & \cdot & & \cdot \\ |C_{1n}| & |C_{2n}| & \cdots & |C_{nn}| \end{bmatrix} = \begin{bmatrix} \sum_{j=1}^{n} a_{1j}|C_{1j}| & \sum_{j=1}^{n} a_{1j}|C_{2j}| & \cdots & \sum_{j=1}^{n} a_{1j}|C_{nj}| \\ \sum_{j=1}^{n} a_{2j}|C_{1j}| & \sum_{j=1}^{n} a_{2j}|C_{2j}| & \cdots & \sum_{j=1}^{n} a_{2j}|C_{nj}| \\ \vdots & \vdots & & \vdots \\ \sum_{j=1}^{n} a_{nj}|C_{1j}| & \sum_{j=1}^{n} a_{nj}|C_{2j}| & \cdots & \sum_{j=1}^{n} a_{nj}|C_{nj}| \end{bmatrix}$$

$$= \begin{bmatrix} |A| & 0 & \cdots & 0 \\ 0 & |A| & \cdots & \cdot \\ \cdot & \cdot & \cdots & \cdot \\ \cdot & \cdot & \cdots & \cdot \\ \cdot & \cdot & \cdots & \cdot \\ 0 & 0 & \cdots & |A| \end{bmatrix} = |A| \begin{bmatrix} 1 & 0 & \cdots & 0 \\ 0 & 1 & \cdots & \cdot \\ \cdot & \cdot & \cdots & \cdot \\ \cdot & \cdot & \cdots & \cdot \\ \cdot & \cdot & \cdots & \cdot \\ 0 & 0 & \cdots & 1 \end{bmatrix} = |A| I_n$$

이번에는 수반행렬 C^T를 앞에 놓고 행렬 A를 뒤에서 곱하면 위의 결과와 같음을 쉽게 알 수 있다.

예제 4-36

$A = \begin{bmatrix} 4 & 2 & 7 \\ 5 & 3 & 9 \\ 1 & 6 & 8 \end{bmatrix}$ 의 역행렬을 구하라.

풀이

먼저 $|A| = 7$

$|M_{11}| = \begin{vmatrix} 3 & 9 \\ 6 & 8 \end{vmatrix} = -30 \quad |M_{12}| = \begin{vmatrix} 5 & 9 \\ 1 & 8 \end{vmatrix} = 31 \quad |M_{13}| = \begin{vmatrix} 5 & 3 \\ 1 & 6 \end{vmatrix} = 27$

$|M_{21}| = \begin{vmatrix} 2 & 7 \\ 6 & 8 \end{vmatrix} = -26 \quad |M_{22}| = \begin{vmatrix} 4 & 7 \\ 1 & 8 \end{vmatrix} = 25 \quad |M_{23}| = \begin{vmatrix} 4 & 2 \\ 1 & 6 \end{vmatrix} = 22$

$|M_{31}| = \begin{vmatrix} 2 & 7 \\ 3 & 9 \end{vmatrix} = -3 \quad |M_{32}| = \begin{vmatrix} 4 & 7 \\ 5 & 9 \end{vmatrix} = 1 \quad |M_{33}| = \begin{vmatrix} 4 & 2 \\ 5 & 3 \end{vmatrix} = 2$

다음으로는

$|C_{11}| = -30 \quad |C_{12}| = -31 \quad |C_{13}| = 27$

$|C_{21}| = \quad 26 \quad |C_{22}| = 25 \qquad |C_{23}| = -22$

$|C_{31}| = \ -3 \quad |C_{32}| = -1 \qquad |C_{33}| = 2$

따라서 $A^{-1} = \begin{bmatrix} -\frac{30}{7} & \frac{26}{7} & \frac{-3}{7} \\ -\frac{31}{7} & \frac{25}{7} & -\frac{1}{7} \\ \frac{27}{7} & -\frac{22}{7} & \frac{2}{7} \end{bmatrix}$

다시 $A^{-1}A = AA^{-1} = I$를 증명해 보자.

예제 4-37

〈예 4-35〉의 역행렬을 구하라.

풀이

$|A| = -10$

$$A^{-1} = \begin{bmatrix} -\frac{4}{10} & \frac{7}{10} & \frac{-16}{10} \\ \frac{6}{10} & -\frac{3}{10} & \frac{4}{10} \\ -\frac{2}{10} & \frac{1}{10} & \frac{2}{10} \end{bmatrix}$$

이상에서 우리는 연립방정식($Ax = d$)의 해를 찾기 위해서는 $|A| \neq 0$이어야 함을 알 수 있었다. 이 조건은 아래의 표현과 같은 내용을 가지고 있다.

$|A| \neq 0 \Leftrightarrow A$의 행(열)벡터는 독립이다.

$\Leftrightarrow A$는 비특이행렬(정칙행렬)이다.

$\Leftrightarrow A^{-1}$이 존재한다.

$\Leftrightarrow$ 유일한 해 $x^* = A^{-1}b$가 존재한다.

A역행렬 A^{-1}가 존재하면 역으로 A^{-1}의 역행렬은 A이다. 또 유일한 존재이며 A의 차원이 $n \times n$ 이면 A^{-1}의 차원도 $n \times n$이다.

4.5 연립방정식 해 구하기

4.5.1 해의 종류

일반방정식 체계의 해를 구해 보기로 하자.

[예 1] $y = x + 2$

$y = x + 3$ 모순(inconsistent) - 불능(不能)

[예 2] $y = x + 2$

$2y = 2x + 4$ 함수적으로 종속(functionally dependent) - 부정(不定)[20]

[예 3] $y = x + 2$

$y = 2x - 1$ $x = 3$, $y = 5$ 유일한 해를 가짐

[예 1]은 얼핏 보아도 말이 안 된다. y가 x보다 2가 더 크다고 해놓고, 뒤돌아서 3만큼 더 크다니! 앞뒤가 안 맞는다. [예 2]는 식은 2개이지만 둘 중 하나는 전혀 의미가 없다. 다른 식의 1/2이거나 2배여서 새로운 정보가 없다. [예 3]은 두 식이 주는 정보가 모두 의미 있다. 따라서 x, y의 유일한 값을 구할 수 있다.

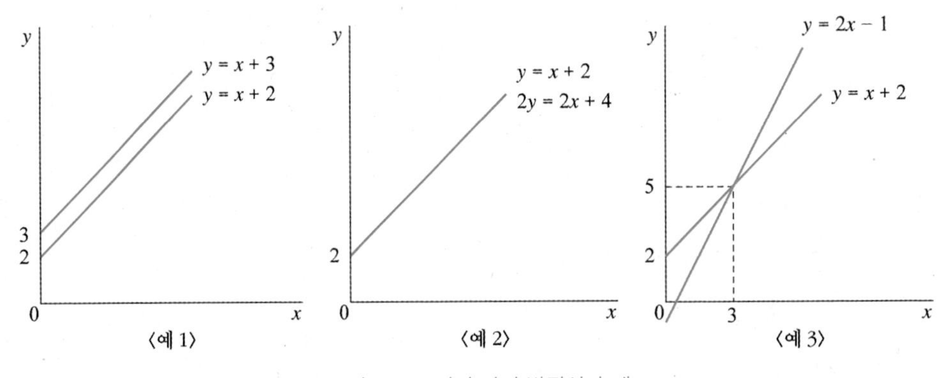

〈그림 4-6〉 여러 가지 방정식과 해

20 2원 1차 방정식에서 미지수가 2개이고 식이 1개라면 부정(不定, indefinite)이다.

위의 예에서 알 수 있듯이 방정식의 수와 미지수의 수를 세는 방법을 적용하기 위해서는 [예 1]과 같아서는 안 된다. 이를 ① 무모순성(consistent)이라고 한다. 또 [예 2]와 같아서도 안 된다. 즉 ② 함수적으로 독립(functionally independent)되어 있어야 한다.

<그림 4-6>에서 보면 <예 1>은 기울기는 같고 절편이 다르기 때문에 만나는 점이 존재하지 않는다. 불능(不能)이라고 한다. <예 2>는 기울기는 같고 절편도 같기 때문에 두 직선이 아니라 하나의 직선이다. 답을 하나로 정할 수 없다. 부정(不定, indefinite)이라고 한다.

4.5.2 크래머 공식

크래머(Cramer)[21] 공식을 이용하여 연립 1차 방정식의 해를 구한다. 일반적으로 변수가 n개$(x_1, x_2, \cdots, x_n)$이고 식이 n개로 이루어지는 선형방정식 체계는 다음과 같이 나타낼 수 있다.

$$\begin{array}{l} a_{11}x_1 + a_{12}x_2 + \cdot\ \cdot\ \cdot + a_{1n}x_n = b_1 \\ a_{21}x_1 + a_{22}x_2 + \cdot\ \cdot\ \cdot + a_{2n}x_n = b_2 \\ \cdot\ \cdot\ \cdot\ \cdot\ \cdot\ \cdot\ \cdot\ \cdot\ \cdot\ \cdot\ \cdot\ \cdot\ \cdot\ \cdot\ \cdot\ \cdot \\ a_{n1}x_1 + a_{n2}x_2 + \cdot\ \cdot\ \cdot + a_{nn}x_n = b_n \end{array}$$

위의 연립방정식을 행렬식을 사용하여 나타내면 다음과 같다.

$$A = \begin{bmatrix} a_{11} & a_{12} & \cdot & \cdot & \cdot & a_{1n} \\ a_{21} & a_{22} & \cdot & \cdot & \cdot & a_{2n} \\ \cdot & \cdot & & & & \cdot \\ \cdot & \cdot & & & & \cdot \\ a_{n1} & a_{n2} & \cdot & \cdot & \cdot & a_{nn} \end{bmatrix} \quad X = \begin{bmatrix} x_1 \\ x_2 \\ \cdot \\ \cdot \\ x_n \end{bmatrix} \quad B = \begin{bmatrix} b_1 \\ b_2 \\ \cdot \\ \cdot \\ b_n \end{bmatrix}$$

그리고 이를 $AX = B$ 형태로 나타낼 수 있다. 만약 역행렬 A^{-1}가 존재하면(즉 $|A| \neq 0$인 경우) $AX = B$에 역행렬 A^{-1}를 좌측과 우측에 앞 곱하기를 해주면

21 크래머(1704~1751)는 스위스의 수학자이다. 물리학자인 부모 밑에서 태어난 그는 어려서부터 수학에 천재성을 보여 18살에 박사학위를 받았으며 20세에 제네바대학교 수학과의 부주임이 되었다. 물리학에도 상당한 기여를 하였다.

$$A^{-1}BX = A^{-1}B$$
$$\rightarrow IX = A^{-1}B$$
$$\rightarrow X^* = A^{-1}B$$

한편 $A^{-1} = \frac{1}{|A|}adj(A)$이므로 이것을 위의 식에 대입하면

$$X^* = \frac{1}{|A|}(adjA)B$$

가 된다. 즉

$$\begin{bmatrix} x_1^* \\ x_2^* \\ \cdot \\ \cdot \\ x_n^* \end{bmatrix} = \frac{1}{|A|} \begin{bmatrix} |c_{11}| & |c_{21}| \ldots |c_{n1}| \\ |c_{12}| & |c_{22}| \ldots |c_{n2}| \\ \cdot & \cdot \quad \cdot \\ |c_{1n}| & |c_{2n}| \ldots |c_{nn}| \end{bmatrix} \begin{bmatrix} b_1 \\ b_2 \\ \cdot \\ \cdot \\ b_n \end{bmatrix} = \frac{1}{|A|} \begin{bmatrix} b_1|c_{11}| + b_2|c_{21}| \ldots + b_n|c_{n1}| \\ b_1|c_{12}| + b_2|c_{22}| \ldots + b_n|c_{n2}| \\ \cdot \quad \cdot \quad \cdot \\ b_1|c_{1n}| + b_2|c_{2n}| \ldots + b_n|c_{nn}| \end{bmatrix}$$

$$= \frac{1}{|A|} \begin{bmatrix} \sum_{i=1}^{n} b_i|c_{i1}| \\ \sum_{i=1}^{n} b_i|c_{i2}| \\ \cdot \\ \cdot \\ \cdot \\ \sum_{i=1}^{n} b_i|c_{in}| \end{bmatrix}$$

따라서 j번째 해 x_j^*는

$$x_j^* = \frac{1}{|A|}(b_1|c_{1j}| + \ldots + b_n|c_{nj}|)$$

그런데 위의 식에서 괄호 안의 상수항($b_1, b_2, \cdots b_n$)과 인수행렬의 곱의 합($b_1|c_{1j}| + \ldots + b_n|c_{nj}|$)은 $|A|$에서 j번째의 열을 상수항 열벡터 $B(b_1, b_2, \cdots b_n)$로 바꾸어 놓은 것과 같다.

즉 ($b_1|c_{1j}| + \ldots + b_n|c_{nj}|$)는 $\begin{vmatrix} a_{11} & a_{12} & \ldots & b_1 & \ldots & a_{1n} \\ a_{21} & a_{22} & \ldots & b_2 & \ldots & a_{2n} \\ \cdot & \cdot & & \cdot & & \cdot \\ a_{n1} & a_{n2} & \ldots & b_n & \ldots & a_{nn} \end{vmatrix}$를 j번째의 열 값($b_1, b_2, \cdots b_n$)을

기준으로 행렬식을 계산한 값과 같으며 새로운 행렬식 $|A_j|$로 정의한다.

j번째 변수의 해 x_j^*를 구하기 위해서는 행렬식 $|A|$의 j번째 열의 원소들을 상수항 $(b_1\ b_2\ b_3\ \cdots\ b_n)$으로 대체하여 새로운 행렬식 $|A_j|$를 구하고 이 값을 $|A|$로 나누면 구할 수 있다. 이렇게 연립방정식의 해를 구하는 방법을 크래머의 법칙이라 한다.

$$x_j^* = \frac{|A_j|}{|A|} = \frac{1}{|A|}\begin{vmatrix} a_{11} & a_{12} & \cdots & b_1 & \cdots & a_{1n} \\ a_{21} & a_{22} & \cdots & b_2 & \cdots & a_{2n} \\ \cdot & \cdot & & \cdot & & \cdot \\ a_{n1} & a_{n2} & \cdots & b_n & \cdots & a_{nn} \end{vmatrix} \quad (\text{식 } 4\text{-}4)$$

(b 열 위: j번째 열)

예제 4-38

아래의 2원 1차 연립방정식의 해를 구하라.

$$ax + by = m$$
$$cx + dy = n$$

$$\begin{bmatrix} a & b \\ c & d \end{bmatrix}\begin{bmatrix} x \\ y \end{bmatrix} = \begin{bmatrix} m \\ n \end{bmatrix}$$

$$|A| = ad - bc \neq 0$$

$$x^* = \frac{\begin{vmatrix} m & b \\ n & d \end{vmatrix}}{\begin{vmatrix} a & b \\ c & d \end{vmatrix}} = \frac{md - bn}{ad - bc}$$

$$y^* = \frac{\begin{vmatrix} a & m \\ c & n \end{vmatrix}}{\begin{vmatrix} a & b \\ c & d \end{vmatrix}} = \frac{an - cm}{ad - bc}$$

예제 4-39

아래 방정식에 대해 주어진 물음에 답하라.

$x - 2y = 3$

$-4x + 5y = 6$

① 이 연립방정식을 행렬 형태로 나타내라.

$\begin{pmatrix} 1 & -2 \\ -4 & 5 \end{pmatrix}\begin{pmatrix} x \\ y \end{pmatrix} = \begin{pmatrix} 3 \\ 6 \end{pmatrix}$ 으로 나타낸다.

② 계수행렬의 행렬식 값은 얼마인가? 방정식들은 독립인가? 종속인가?

$\Rightarrow\begin{vmatrix}1 & -2\\-4 & 5\end{vmatrix}=5-(8)=-3$이 된다. 계수행렬의 행렬식 값이 0이 아닌 독립이므로 이 방정식의 유일한 해를 구할 수 있다.

③ 크래머 공식을 이용하여 x^*와 y^*를 구하라.

$|A_1| = \begin{vmatrix}3 & -2\\6 & 5\end{vmatrix}$ = 15-(-12) = 27 $\quad x^*=\dfrac{27}{-3}=-9$

$|A_2| = \begin{vmatrix}1 & 3\\-4 & 6\end{vmatrix}$ = 6-(-12) = 18 $\quad y^*=\dfrac{18}{-3}=-6$

따라서 $(x^*, y^*)=(-9, -6)$이다.

예제 4-40

$3x+7y=41$
$8x+9y=61$

$$\begin{bmatrix}3 & 7\\8 & 9\end{bmatrix}\begin{bmatrix}x\\y\end{bmatrix}=\begin{bmatrix}41\\61\end{bmatrix}$$

$|A|=27-56=-29$

$$x^*=\frac{\begin{vmatrix}41 & 7\\61 & 9\end{vmatrix}}{-29}=\frac{-58}{-29}=2 \qquad y^*=\frac{\begin{vmatrix}3 & 41\\8 & 61\end{vmatrix}}{-29}=\frac{-145}{-29}=5$$

2003년 수능 문과 수리문제 24번

수요 $Q_1=a-bP\ (a,b>0)$

공급 $Q_2=-c+dP\ (c,d>0)$

시장균형가격이 결정되기 위한 a, b, c, d 의 관계는?

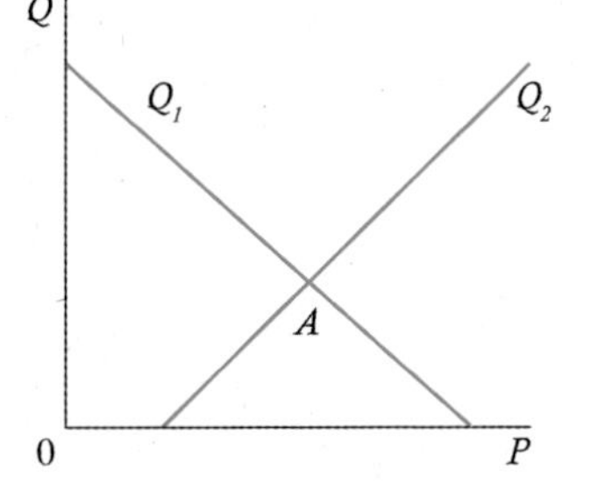

행렬 형태로 나타내면 $\begin{bmatrix}1 & b\\1 & -d\end{bmatrix}\begin{bmatrix}Q\\P\end{bmatrix}=\begin{bmatrix}a\\-c\end{bmatrix}$

크래머 공식 사용

$$Q^E=\frac{\begin{vmatrix}a & b\\-c & -d\end{vmatrix}}{\begin{vmatrix}1 & b\\1 & -d\end{vmatrix}} \qquad P^E=\frac{\begin{vmatrix}1 & a\\1 & -c\end{vmatrix}}{\begin{vmatrix}1 & b\\1 & -d\end{vmatrix}} \qquad P^E=\frac{(a+c)}{(b+d)} \qquad Q^E=\frac{(ad-bc)}{(b+d)}$$

답 : $(ad-bc)>0$

다음에는 IS LM 모형을 이용하여 균형소득과 이자율을 구해 보기로 하자.[22]

실습문제 4-14

IS LM 균형 소득과 이자율을 구하라.

$$IS:\ 0.4Y + 150i = 209$$

$$LM:\ 0.1Y - 250i = 35$$

$$\begin{bmatrix} 0.4 & 150 \\ 0.1 & -250 \end{bmatrix} \begin{bmatrix} Y \\ i \end{bmatrix} = \begin{bmatrix} 209 \\ 35 \end{bmatrix}$$

$$|A| = 0.4 \times (-250) - 0.1(150) = -115$$

$$\overline{Y} = \frac{\begin{vmatrix} 209 & 150 \\ 35 & -250 \end{vmatrix}}{-115} = \frac{-57{,}500}{-115} = 500$$

$$\overline{i} = \frac{\begin{vmatrix} 0.4 & 209 \\ 0.1 & 35 \end{vmatrix}}{-115} = \frac{-6.9}{-115} = 0.06$$

동차방정식 체계(homogeneous equation system)란 열벡터 $b = 0$, 0은 영벡터이다. 즉 $b_1 = b_2 = \cdots b_n = 0$이면 $Ax = 0$

$$a_{11}x_1 + a_{12}x_2 + \cdots + a_{1n}x_n = 0$$

$$a_{21}x_1 + a_{22}x_2 + \cdots + a_{2n}x_n = 0$$

$$\cdots\cdots$$

$$a_{n1}x_1 + a_{n2}x_2 + \cdots + a_{nn}x_n = 0$$

이다. A가 비특이 행렬이면 이 동차방정식 체계는 오직 0인 해를 갖게 된다. $\overline{x}_1 = \overline{x}_2 = \cdots \overline{x}_n = 0$이다. 이는 자명(自明)한 해(trivial solution)라 한다. 크래머 법칙을 생각하면 쉽게 알 수 있다. (식 4-4)에서 보는 바와 같이 $|A_j|$를 구함에 있어 j번째 열벡터가 영벡터이기 때문에 $|A_j| = 0$이 된다는 것을 쉽게 알 수 있다.

---

22 여기에서 얻은 균형 소득과 이자율에 대해 비교정태 분석을 할 수 있다. 이 책 8장 8.2.3 국민소득모형 참고 바람.

동차방정식 체계에서는 0이 아닌 해를 얻기 위해서는 역설적으로 A가 특이행렬, 즉 $|A|=0$인 경우 유일한 해는 구하지는 못하지만 무수한 해를 구할 수 있다. <표 4-1>에 선형방정식 체계에 대한 해의 형태를 정리해 보았다.

〈표 4-1〉 선형방정식 체계($AX=B$)에 대한 해의 형태

<table>
<tr><th colspan="2">정수항 벡터
행렬식</th><th>$B \neq 0$
(비동차 연립방정식)</th><th>$B=0$
(동차 연립방정식)</th></tr>
<tr><td colspan="2">$|A| \neq 0$
비특이행렬</td><td>$\bar{x} \neq 0$인 유일한 해 존재</td><td>$\bar{x}=0$ 인 유일한 해 존재</td></tr>
<tr><td rowspan="2">$|A|=0$
특이행렬</td><td>방정식체계가
종속적임</td><td>무수한 해 존재
($\bar{x}=0$인 해를 포함하지 않음)</td><td rowspan="2">무수한 해 존재</td></tr>
<tr><td>방정식체계가
모순임</td><td>해가 존재하지 않음</td></tr>
</table>

4.6 응용

4.6.1 일반균형분석

지금까지 우리는 주로 '다른 조건이 일정하다면(ceteris paribus)'이라는 조건하에서 부분균형분석(部分均衡分析, partial equilibrium analysis)을 공부하였다. 이 가정을 버리고 모든 시장의 균형을 동시에 분석하는 방법인 일반균형분석(一般均衡分析, general equilibrium analysis)이 있다. 앞에서 공부한 선행대수를 가장 유용하게 사용할 수 있는 분야다. 경제 전체에 n개의 시장이 존재하는 경우, 그중에서 분석자의 관심이 적은 일부 시장을 제외하고 관심 있는 일부 시장만을 분석 대상으로 삼는 분석이 부분균형분석이며, 모든 시장을 분석의 대상으로 삼는 것이 일반균형분석이다.

특히 왈라스 균형의 존재와 안정성에 대한 분석은 이 분석의 핵심을 차지하고 있다. 왈라스 균형이란 여러 각도에서 설명할 수 있다. "어떠한 시장가격하에서도 n개 시장 전체의 총 수요액은 총 공급액과 같다", "n개 시장일 때, 그중 $(n-1)$개 시장에서 균형이 이루어진다면 나머지 하나의 시장에서도 반드시 균형이 이루어진다", "시장의 초과수요

가치의 합은 0이다"라고도 서술되기도 한다.

왈라스 균형의 존재와 안정성에 대한 분석은 이 책의 수준을 넘기 때문에 그 기본적인 원리에 대해서만 공부하기로 하자.

n개의 시장이 있다면, 각 시장마다 수요와 공급이 있으며 균형 조건이 존재할 것이다. 각 시장은 균형조건, 수요함수, 공급함수로 이루어져 있다. 임의의 i 시장의 시장수요함수, 시장공급함수, 그리고 시장균형조건은 아래와 같으며 시장 전체적으로는 $3n$개의 방정식을 다루어야 한다.

■ 시장수요함수

$$Q_i^d = Q_i^d(P_1, P_2, \cdots, P_n)$$

$$Q_i^s = Q_i^s(P_1, P_2, \cdots, P_n) \qquad i = 1,2, \cdots, n$$

$$Q_i^d(P_1, P_2, \cdots, P_n) = Q_i^s(P_1, P_2, \cdots, P_n)$$

이 3개의 관계식은 아래와 같은 하나의 초과수요(超過需要, excess demand, $Z_i(P_1, P_2, \cdots P_n)$)로 압축된다. 따라서 경제 전체의 초과수요함수는 n개로 줄어들게 된다.

$$Z_i(P_1, P_2, \cdots, P_n) = Q_i^d(P_1, P_2, \cdots, P_n) - Q_i^s(P_1, P_2, \cdots, P_n) \quad i = 1,2, \cdots, n$$

왈라스 법칙은 시장전체의 총초과수요의 가치가 0이 됨을 의미하기 때문에 아래의 항등식으로 나타낼 수 있다.

$$P_1Z_1(p) + P_2Z_2(p) + \cdots P_{n-1}Z_{n-1}(p) + P_nZ_n(p) \equiv 0 \quad p = (P_1, P_2, \cdots, P_n)$$

이 경제에서 존재하는 n개의 시장 중 $(n-1)$개의 시장에서 수요량과 공급량이 서로 일치한다면, 즉

$$Z_1(p) = Z_2(p) = \cdots = Z_{n-1}(p) \equiv 0 \text{이라면}$$

$$P_1Z_1(p) + P_2Z_2(p) + \cdots P_{n-1}Z_{n-1}(p) \equiv 0 \text{이 성립하게 된다.}$$

따라서 $P_nZ_n(p) \equiv 0$라는 등식이 성립하게 된다.

균형가격 $P_1^E, P_2^E, \cdots P_{n-1}^E, P_n^E$이 존재한다.

실습문제 4-15

두 종류의 상품 q_1. q_2에 대한 수요함수와 공급함수가 각각 아래와 같을 때

$$Q_1^s = 5P_1 - 5 \qquad Q_1^d = -4P_1 - 3P_2 + 85$$

$$Q_2^s = 3P_2 - 10 \qquad Q_2^d = -4P_1 - 5P_2 + 110$$

(1) 각 시장의 초과수요함수($Z_i(P_1, P_2) = Q_i^d - Q_i^s \quad i = 1,2$)를 구하라.

$$Z_1(P_1, P_2) = 3P_1 + P_2 - 30, \ Z_2(P_1, P_2) = P_1 + 2P_2 - 30$$

(2) 일반 균형가격을 구하라.

$$Z_1(P_1, P_2) = 3P_1 + P_2 - 30, \ Z_2(P_1, P_2) = P_1 + 2P_2 - 30$$

두 방정식을 동시에 만족시키는 $P_1^E = 6$, $P_2^E = 12$가 구해진다.

(3) 이 두 재화는 대체재인가, 보완재인가, 독립재인가?

$\dfrac{dQ_1^d}{dP_2} = -3 < 0 \quad \dfrac{dQ_2^d}{dP_1} = -5 < 0$ 재화 1과 2는 서로 보완재이다.

실습문제 4-16

상호 연관되어 있는 아래의 3개 시장의 균형 가격과 거래량을 구하라.

$$Q_1^s = 6P_1 - 8 \qquad Q_1^d = -5P_1 + P_2 + P_3 + 23$$

$$Q_2^s = 3P_2 - 11 \qquad Q_2^d = P_1 - 3P_2 + 2P_3 + 15$$

$$Q_3^s = 3P_3 - 5 \qquad Q_3^d = P_1 + 2P_2 - 4P_3 + 19$$

풀이

각 시장의 균형 조건은

$Q_1^s = Q_1^d \quad 11P_1 - P_2 - P_3 = 31$

$Q_2^s = Q_2^d \quad -P_1 + 6P_2 - 2P_3 = 26$

$Q_3^s = Q_3^d \quad -P_1 - 2P_2 + 7P_3 = 24$

다시 $\begin{bmatrix} 11 & -1 & -1 \\ -1 & 6 & -2 \\ -1 & -2 & 7 \end{bmatrix} \begin{bmatrix} P_1 \\ P_2 \\ P_3 \end{bmatrix} = \begin{bmatrix} 31 \\ 26 \\ 24 \end{bmatrix}$

$|A| = 462 - 2 - 2 - (6 + 44 + 7) = 458 - 57 = 401$

$$P_1^E = \frac{\begin{vmatrix} 31 & -1 & -1 \\ 26 & 6 & -2 \\ 24 & -2 & 7 \end{vmatrix}}{401} = \frac{1,604}{401} = 4$$

$$P_2^E = \frac{\begin{vmatrix} 11 & 31 & -1 \\ -1 & 26 & -2 \\ -1 & 24 & 7 \end{vmatrix}}{401} = \frac{2807}{401} = 7$$

$$P_3^E = \frac{\begin{vmatrix} 11 & -1 & 31 \\ -1 & 6 & 26 \\ -1 & -2 & 24 \end{vmatrix}}{401} = \frac{2,406}{401} = 6$$

균형거래량(Q_i^E)은 위에서 구한 균형가격을 각 시장의 수요함수나 공급함수에 대입하여 얻을 수 있다.

$Q_1^E = 16,\ Q_2^E = 10,\ Q_3^E = 13$

4.6.2 투입산출분석

산업연관표(혹은 투입산출표(投入産出分析)는 나라 전체의 경제 활동을 파악하기 위하여 어떤 일정 기간(통상 1년)에 각 산업이 생산하는 재화, 서비스가 산업 상호간 또는 산업과 수출이나 소비 등의 최종 수요 사이에 어떻게 분배되느냐 하는 경제 거래의 전체를 하나의 표로 정리한 것이다. 이는 각 부문의 투입과 산출(수입)의 관계를 나타내는 것으로서 투입산출표(input - output analysis)라고도 하고 창안자의 이름을 따서 레온티예프표(表)라고도 한다. 경제구조나 변화를 분석하는 이 방법은 각국에서 경제분석을 비롯하여 경제예측이나 경제계획 등에 이용하고 있다.

바실리 레온티예프(Wassily Leontief, 1906 ~ 1999)

독일에서 태어난 미국의 계량 경제학자로 하버드 대학교 교수를 지냈다. 원적지는 러시아 상트 페테르부르크이다. 미국의 경제를 수십 개의 부문으로 나누고 그 사이에 있는 재(財)의 상호 교류 관계를 일종의 경제표(산업연관표)로 정리하였다.

이 업적으로 1973년 노벨 경제학상을 수상하였다. 그의 제자 중에서 무려 3명(Paul Samuelson 1970, Robert Solow 1987, Vernon L. Smith 2002)의 노벨 경제학상 수상자가 있다. 『미국 경제의 구조』 등의 저서가 있다.

(1) 투입계수표

n개의 산업으로 구성되어 있는 경제에 대해 산업연관표는 <표 4-2>와 같이 배열할 수 있다. 이 행렬에서 j열은 j 산업의 생산물을 생산하기 위해 각 산업$(1, 2, 3 \cdots, n)$에서 투입되는 양을 나타내고 있다. j번째 열을 보면 j번째 상품 X_j를 생산하기 위한 투입량은 첫 번째 상품 x_{1j}, 두 번째 상품 x_{2j}, 세 번째 상품 x_{3j} 등이라는 사실을 나타내고 있다. 예를 들어 세 번째 열을 보면 세 번째 상품 X_3를 생산하기 위한 투입량은 첫 번째 상품 x_{13}, 두 번째 상품 x_{23}, 세 번째 상품 x_{33} 등이라는 사실을 나타내고 있다. 만약 $x_{ij}=0$라면 i 산업 생산물은 j 산업 생산물 생산에 투입물로 쓰지 않았음을 의미한다. $x_{ii}=0$라면 어떤 산업도 자신의 생산물을 투입물로 쓰지 않았음을 의미한다.

n개의 산업으로 구성되어 있는 경제에 대해 투입계수는 <표 4-3>과 같이 행렬 $A=[a_{ij}]$로 배열할 수 있다. 이 행렬에서 j열은 j 산업의 생산물 1단위를 생산하기 위해 각 산업$(1, 2, 3 \cdots, n)$에서 투입되는 양을 나타내고 있다. 예를 들어 세 번째 열을 보면 세 번째 상품 1원어치를 생산하기 위한 투입량은 첫 번째 상품 a_{13}단위, 두 번째 상품 a_{23}단위, 세 번째 상품 a_{33}단위 등이라는 사실을 나타내고 있다. 만약 $a_{ii}=0$이라면 어떤 산업도 자신의 생산물을 투입물로 쓰지 않았음을 의미하며 행렬 A의 주대각원소(主大角元素, principal elements)가 모두 0이 될 것이다.

〈표 4-2〉 투입산출표의 형식(기초자격 기준)

		중간수입						최종수요	총산출액
		1	2	…	j	…	n		
중간수입	1	x_{11}	x_{12}	…	x_{1j}	…	x_{1n}	y_1	x_1
	2	x_{21}	x_{22}	…	x_{2j}	…	x_{2n}	y_2	x_2
	…	…	…		…		…	…	…
	i	x_{i1}	x_{i2}	…	x_{ij}	…	x_{in}	y_i	x_i
	…	…	…		…		…	…	…
	n	x_{n1}	x_{n2}	…	x_{nj}	…	x_{nn}	y_n	x_n
부가가치		v_1	v_2	…	v_j	…	v_n		
총투입액		x_1	x_2	…	x_j	…	x_n		

〈표 4-3〉 투입계수표의 형식

	1	2	…	j	…	n
1	a_{11}	a_{12}	…	a_{1j}	…	a_{1n}
2	a_{21}	a_{22}	…	a_{2j}	…	a_{2n}
…	…	…	…	…	…	…
i	a_{i1}	a_{i2}	…	a_{ij}	…	a_{in}
…	…	…	…	…	…	…
n	a_{n1}	a_{n2}	…	a_{nj}	…	a_{nn}
부가가치	a_1^v	a_2^v	…	a_j^v	…	a_n^v
계	1	1	…	1	…	1

$$\text{투입계수행렬 } A = \begin{bmatrix} a_{11} & a_{12} \cdots & a_{1n} \\ a_{21} & a_{22} \cdots & a_{2n} \\ \cdot & \cdot \ \cdots & \cdot \\ \cdot & \cdot \ \cdots & \cdot \\ \cdot & \cdot \ \cdots & \cdot \\ a_{n1} & a_{n2} \cdots & a_{nn} \end{bmatrix}$$

$a_{ij}\left(= \dfrac{x_{ij}}{X_j}\right)$는 투입계수(input coefficient) 혹은 기술계수(technical coefficient)라고 부른다. j번째 산업의 산출물 1단위를 생산하기 위해 투입되는 i 산업의 생산량(필요한 i 산업의 투입량)을 나타내고 있다. $a_{23} = 0.25$라고 하면 세 번째 산업의 생산물(세 번째 상품) 1원어치를 생산하기 위해 두 번째 산업의 생산물(두 번째 상품) 0.25원어치가 투입되었음을 의미한다. 분석기간 동안에는 a_{ij} 값의 변화가 없다(기술 변화가 없다고 가정)고 가정한다. 또 각 산업의 부가가치 V_j를 X_j로 나눈 값 부가가치 계수 $v_j\left(= \dfrac{V_j}{X_j}\right)$가 된다. 또 A의 각 열의 합은 1보다 작아야 한다. 즉 $\sum_{i=1}^{n} a_{ij} < 1 \ \ (j = 1, 2, 3, \cdots, n)$이다. 여기에 부가가치 계수까지 합하면 투입계수의 합은 1이 된다.

$\sum_{i=1}^{n} x_{ij} + V_j = X_j$: j 산업에서 중간투입량의 합과 부가가치의 합은 j 산업 산출량이다.

$\sum_{i=1}^{n} a_{ij} + v_j = 1$: j 산업에서 중간투입계수 합과 부가가치계수의 합은 1이다.

(2) 생산유발계수의 도출

이번에는 분석의 각도를 바꾸어 소비, 투자 및 수출 등의 최종수요에 의한 직・간접적인 생산변동, 즉 생산유발효과를 계측하는 등의 경제 분석을 해보기로 하자. <표 4-2>에서 각 산업부문의 생산물의 수급관계를 보면 중간수요와 최종수요의 합계는 총산출액과 같기 때문에 아래와 같은 수급방정식을 쓸 수 있다. 수출은 제외하였다.

$$\begin{array}{l} a_{11}X_1 + a_{12}X_2 + \cdot\cdot\cdot + a_{1n}X_n + Y_1 = X_1 \\ a_{21}X_1 + a_{22}X_2 + \cdot\cdot\cdot + a_{2n}X_n + Y_2 = X_2 \\ \cdot\cdot\cdot\cdot\cdot\cdot\cdot\cdot\cdot\cdot\cdot\cdot\cdot\cdot\cdot\cdot\cdot\cdot \\ a_{n1}X_1 + a_{n2}X_2 + \cdot\cdot\cdot + a_{nn}X_n + Y_n = X_n \end{array}$$

$$A = \begin{bmatrix} a_{11} & a_{12} & \cdot\cdot\cdot & a_{1n} \\ a_{21} & a_{22} & \cdot\cdot\cdot & a_{2n} \\ \cdot & \cdot & & \cdot \\ \cdot & \cdot & & \cdot \\ a_{n1} & a_{n2} & \cdot\cdot\cdot & a_{nn} \end{bmatrix} \quad Y = \begin{bmatrix} Y_1 \\ Y_2 \\ \cdot \\ \cdot \\ Y_n \end{bmatrix} \quad X = \begin{bmatrix} X_1 \\ X_2 \\ \cdot \\ \cdot \\ X_n \end{bmatrix}$$

$$X_i = a_{i1}X_1 + a_{i2}X_2 + \cdot\cdot\cdot + a_{in}X_n + Y_i \quad (i = 1,2,3,\cdots,n)$$

$$AX + Y = X$$

여기에서 X_i는 산업 i 생산액이고 Y_i는 산업 i 생산물에 대한 최종수요이고 $a_{ij}X_j$는 j 산업에서 수요된 i 생산액을 나타내고 있다. 이 식은 $(1-a_{i1})X_1 - a_{i2}X_2 + \cdot\cdot\cdot - a_{in}X_n = Y_i \quad (i = 1,2,3,\cdots,n)$로 변형할 수 있다.

$$(I - A)X = Y$$

$$\overline{X}_{n\times 1} = (I - A)^{-1}Y\text{에서 유일한 해를 얻게 된다.}$$

$(I - A)$ 행렬을 기술행렬(技術行列, technology matrix)이라고 부르며 $(I - A)^{-1}$를 생산유발계수(生産誘發係數, production inducement coefficients)라고 부른다. 이 계수는 최종수요가 한 단위 발생하였을 때 이를 충족시키기 위하여 각 산업부문에서 직・간접적으로 유발되는 생산액 수준을 나타내는 것으로 도출 과정에서 역행렬이라고 하는

수학적 방법이 이용되므로 역행렬계수(inverse matrix coefficients) 또는 레온티에프 역행렬(Leontief inverse matrix)이라고도 한다.

(3) 생산유발계수의 의미[23]

투입계수를 이용한 생산파급효과 계산과정과 관련하여 생산유발계수의 의미를 살펴보기로 하자. 어떤 실수 a가 $0 < a < 1$일 경우 $(1-a)$의 역수 $\frac{1}{(1-a)}$은 다음과 같은 무한등비급수의 합으로 표시할 수 있다. 즉 $\frac{1}{(1-a)} = 1 + a + a^2 + \cdots$

이와 같은 논리를 행렬에 적용하면 $(I-A)^{-1}$은 아래와 같이 표현할 수 있다. 즉

$$(I-A)^{-1} = \frac{1}{(I-A)} = I + A + A^2 + \cdots$$

가 된다. 이 식의 우변에서 단위행렬 I는 각 품목부문 생산물에 대한 최종수요가 한 단위씩 발생하였을 때 이를 충족시키기 위한 각 품목부문의 직접생산효과가 되며 A는 각 품목부문 생산물 한 단위 생산에 필요한 중간재 투입액, 즉 1차 생산파급효과가 된다. A^2는 1차 생산파급효과로 나타난 각 품목부문 생산물 생산에 필요한 중간재 투입액, 즉 2차 파급효과가 되며 마찬가지로 $A^3, A^4 \cdots$는 각각 3차, 4차, … 생산파급효과가 된다. 따라서 $(I-A)^{-1}$은 최종수요 한 단위 발생에 따라 유발되는 직·간접 생산파급효과를 합한 생산유발계수를 의미하며 앞서 투입계수를 이용하여 설명하였던 생산파급효과의 계산 결과와 같게 된다.

---

23 한국은행, 『산업연관분석 해설』, 2014, p.65.

2010년 우리나라 투입계수와 생산유발계수

투입계수표(2010년)

	농림수산품	광・공산품	서비스 및 기타	중간수요계
농림수산품	0.0624	0.0211	0.0054	0.0144
광・공산품	0.3021	0.6434	0.1981	0.4285
서비스 및 기타	0.0810	0.1278	0.2760	0.1968
중간투입계	0.4559	0.7935	0.5006	0.6504
부가가치계	0.5441	0.2065	0.4994	0.3496
총투입계	1.0000	1.0000	1.0000	1

생산 유발 계수표: $(I-A)^{-1}$형

	농림수산품	광・공산품	서비스 및 기타	행합계
농림수산품	1.0933	0.0751	0.0286	1.1970
광・공산품	1.1020	3.1844	0.8793	5.1657
서비스 및 기타	0.3167	0.5703	1.5396	2.4266
열합계	2.5120	3.8298	2.4475	8.7893

실습문제 4-17 [24]

$$A = \begin{bmatrix} a_{11} & a_{12} & a_{13} \\ a_{21} & a_{22} & a_{23} \\ a_{31} & a_{32} & a_{33} \end{bmatrix} = \begin{bmatrix} 0.1 & 0.3 & 0.2 \\ 0.2 & 0.4 & 0.3 \\ 0.5 & 0.1 & 0.3 \end{bmatrix}$$

풀이

(1) a_{ij}를 투입계수라고 부른다.

a_{23} : 세 번째 산업의 생산물 1원어치를 생산하기 위해 투입되는 두 번째 산업의 생산품 가치

a_{32} : 두 번째 산업의 생산물 1원어치를 생산하기 위해 투입되는 세 번째 산업의 생산품 가치

(2) 1산업 : 1-(0.1+0.2+0.5)=0.2　2산업 : 1-(0.3+0.4+0.1)=0.2 3산업 : 1-(0.2+0.3+0.3)=0.2

(3) $[I-A]^{-1} = \begin{bmatrix} 1.78 & 1.03 & 0.80 \\ 1.07 & 2.37 & 0.98 \\ 1.43 & 1.07 & 2.14 \end{bmatrix}$

---

24 $[I-A]^{-1}$를 계산하기 위해서는 Excel함수 MINVERSE를 $[I-A]^{-1}Y$를 계산하기 위해서는 Excel함수 MMULT를 사용하면 쉽게 구할 수 있다. 배열 입력이기 때문에 Control+Shift+Enter키를 동시에 눌러야 한다.

(4) $X=[I-A]^{-1}Y$ 에서 $\begin{bmatrix}1.78 & 1.03 & 0.80\\1.07 & 2.37 & 0.98\\1.43 & 1.07 & 2.14\end{bmatrix}\begin{bmatrix}100\\200\\300\end{bmatrix}=\begin{bmatrix}625\\875\\1{,}000\end{bmatrix}$

1산업에서는 625, 2산업에서는 875, 3산업에서는 1,000이 필요하다.

실습문제 4-18

산업연관표(금액기준)가 아래와 같다.

(단위: 억원)

투 입 \ 산 출	중간투입		최종수요	산출합계
	산업 A	산업 B		
산업A	240	a	80	400
산업B	b	40	c	d
임금	20	e		
이윤	20	60		
투입합계	f	200		

(1) 위 표에서 a~f값을 구하시오.

(2) 투입계수 행렬을 구하시오

(3) 이 경제의 국내총생산과 국민소득은 얼마인가?

풀이

(1) 각 산업에 있어 산출합계와 투입합계가 같기 때문에 $f=400$ $d=200$이다.

산업A에서 투입합계 $f(=400)=240+b+20+20$ $b=120$

산업A에서 산출합계 $400=240+a+80$ $a=80$

산업B에서 투입합계 a(=80)$a(=80)+40+e+60=200$ $e=20$

산출합계 $b(=120)+40+c=200$ $c=40$

(2) $A=\begin{bmatrix}\frac{240}{400} & \frac{80}{200}\\ \frac{120}{400} & \frac{40}{200}\end{bmatrix}=\begin{bmatrix}0.6 & 0.4\\0.3 & 0.2\end{bmatrix}$

(3) 국내총생산액 = 산출합계-중간투입

= $(400+d)-(240+a+b+40)$

= $(400+200)-(240+80+120+40)=120$

국민소득은 개개인 소득의 합계(=부가가치 합)이다.

= 임금+이윤 $=(20+e+20+60)=120$ 국내총생산액은 국민소득과 같다.

영화 「7번방의 선물」과 「설국열차」가 국민경제에 미친 영향

2013년 개봉된 영화들 중에서 흥행 1, 2위는 「7번방의 선물」과 「설국열차」로 관객수는 각각 1,281만 명, 934만 명으로 나타났다. 이 두 편의 영화가 전체 국민경제에 미친 효과를 2012년 산업연관표를 이용하여 분석해 보자.

1인당 관람료를 9,000원으로 계산하면 영화 「7번방의 선물」의 흥행수입은 1,153억 원으로 영화산업의 생산유발계수 2.144를 곱하면 국내에서 직·간접적으로 유발된 생산액은 2,472억 원(2.144×1,153억 원)으로 나타난다. 그리고 영화산업의 부가가치유발계수는 0.750, 고용유발계수는 12.589명(10억 원당)이므로 부가가치유발액 및 고용유발인원은 각각 865억 원(0.750×1,153억 원) 및 1,451명[(12.589/10억 원)×1,153억 원]으로 나타난다.

영화 「7번방의 선물」의 경제적 파급효과를 국산승용차 SONATA와 비교해 보자. SONATA 1대(2,500만 원으로 가정)를 생산할 때의 생산유발액이 6,359만 원(승용차 생산유발계수 2.544×2,500만 원)이므로 영화 「7번방의 선물」로 인한 생산유발효과는 SONATA 3,886대(2,472억 원/6,359만 원)를 생산한 경우와 동일하다. 또 SONATA 1대의 부가가치유발액이 1,588만 원(부가가치유발계수 0.635 × 2,500만 원)이므로 이 영화로 인한 부가가치유발효과는 SONATA 5,445대(865억 원/1,588만 원)의 생산에 해당하며, 고용유발효과는 SONATA 1대의 고용유발인원이 0.155명(고용유발계수 6.181/10억 원×2500만 원)이므로 SONATA 9,392대(1,451명/0.155명)를 생산한 것과 동일하다.

한국은행, 『산업연관분석해설』, 2014, p.112.

핵심어

- 행렬대수
- 벡터
- 스칼라
- 행렬
- 행렬의 원소
- 행렬의 차원
- 단위행렬
- 계수행렬
- 영행렬
- 정방행렬
- 선형독립(종속)
- 전치행렬
- 적합성 조건
- 역행렬
- 주소행렬식
- 라플라스 전개
- 소행렬
- 여인수
- 크래머 공식
- 일반균형분석
- 부분균형분석
- 왈라스 법칙
- 산업연관분석
- 생산유발계수
- 투입계수

연습문제

○× 문제

1. 연립방정식을 푸는 데 행렬대수가 중심적으로 활용된다.
2. 역행렬은 언제나 존재한다.
3. 정방행렬이란 행의 수와 열의 수가 같은 행렬을 말한다.
4. $AA^{-1}=I$ 이지만 $A^{-1}A \neq I$이다.
5. 행렬식 값이 음수이면 역행렬을 구할 수 없으며 방정식의 해도 구할 수 없다.
6. 레온티예프가 개발한 투입산출분석은 경제 구조를 파악하는 데 매우 유익하게 쓰이고 있다.

단답형

1. 선형독립이란 무엇인가?
2. 두 행렬의 곱에서 적합성이란 무엇인가?
3. a_{ij}의 여인수(餘因數, cofactor, $|C_{ij}|$)와 소행렬식 $|M_{ij}|$와의 관계를 설명하라.
4. 역행렬을 구하는 과정을 설명하라.
5. 산업연관분석이란? 투입계수란? 생산유발계수란?

풀이형

1. 어느 중국식당에서는 (자장면 짬뽕 탕수육 깐풍기) 메뉴를 가지고 있다. 각각의 가격은 (4000 5000 12000 15000)이고 매출량은 (120 97 25 15)이다. 각각 구입가가 (2500 3000 8500 9200)일 때 총매출액, 총비용, 이윤을 구하라.[25]

2. 제과점의 메뉴는 (식빵 생일케이크 고급빵 빙수)로 구성되어 있다. 각각의 가격은 (10000 15000 20000 5000)이고 매출량은 (65 45 52 36)이다. 각각 구입가가 (7500 8000 11500 2200)일 때 총매출액, 총비용, 이윤을 구하라.

3. K기계주식회사의 주식에 자신의 투자금액의 60%, G전자주식회사의 주식에 나머지 40%를 투자한 투자가가 있다고 하자. K사 주식의 기대 수익률은 최고 낙관적일 때 25%, 보통일 경우 8%, 최악의 경우 −10%가 예상된다고 한다. 최고 낙관이 발생할 확률 0.2, 보통 0.6, 최악 0.2라고 하자. 이 투자가의 예상수익율(R_P)을 구하라.

4. 행렬이 다음과 같이 주어졌을 때 $A+B$를 구하라.

   (1) $A=\begin{bmatrix} 2 & 3 \\ 5 & 2 \end{bmatrix}$ $B=\begin{bmatrix} 3 & 6 \\ 7 & 3 \end{bmatrix}$

   (2) $A=\begin{bmatrix} -2 & 3 \\ -5 & 2 \end{bmatrix}$ $B=\begin{bmatrix} 1 & 3 \\ -2 & 5 \end{bmatrix}$

5. (1) $A=2\begin{bmatrix} a & b \\ c & d \end{bmatrix}$를 구하고 $|A|$를 구하라. (2) $|B|=2\begin{vmatrix} a & b \\ c & d \end{vmatrix}$를 구하라.

6. 행렬이 다음과 같이 주어졌을 때 AB를 구하라.

   (1) $A=\begin{bmatrix} 2 & 1 \\ 5 & 3 \end{bmatrix}$ $B=\begin{bmatrix} 0 & 5 \\ 1 & 5 \end{bmatrix}$

   (2) $A=\begin{bmatrix} a & b \\ c & d \end{bmatrix}$ $B=\begin{bmatrix} x \\ y \end{bmatrix}$

   (3) $A=\begin{bmatrix} 0 & 0 \\ 0 & 0 \\ 0 & 0 \end{bmatrix}$ $B=\begin{bmatrix} 3 & 2 \\ 1 & 5 \end{bmatrix}$

---

25 엑셀함수를 이용하면 매출액은 SUMPRODUCT(4000 5000 12000 15000)(120 97 25 15) = 1,4900,000, 총비용은 SUMPRODUCT(2500 3000 8500 9200)(120 97 25 15) = 941,500, 이윤은 SUMPRODUCT(1500 2000 3500 5800)(120 97 25 15) = 548,500을 구할 수 있다.

7. 행렬이 다음과 같이 주어졌을 때 $AB \neq BA$ 임을 보여라.

$$A = \begin{bmatrix} 3 & 1 \\ 5 & 1 \end{bmatrix} \quad B = \begin{bmatrix} 4 & 1 \\ 2 & 3 \end{bmatrix}$$

8. $X_{m \times k}$, $y_{m \times 1}$ 일 때 $b = (X^T X)^{-1} X^T y$를 새로 만들었다. b의 차원을 구하라.

9. 아래의 시장모형을 Q^d, Q^s, P의 순서대로 행렬로 나타내라.

$$Q^d = Q^s, \quad P = a - bQ^d, \quad P = c + dQ^s$$

10. 아래의 국민소득모형을 Y, C, T 의 순서대로 행렬로 나타내라.

$$Y = C + I + G \ , \ C = a + b(Y - T) \ , \ T = e + tY$$

11. 아래의 설명을 증명하라.

(1) A와 B가 대칭일 때, $[(AB)']^{-1} = A^{-1}B^{-1}$

대칭이기 때문에, $A = A' B = B'$ 이다. $[B'A']^{-1} = [BA]^{-1} = A^{-1}B^{-1}$

(2) $C = X(X'X)^{-1}X'$ 이면, $C = C^2 = C'$

(3) $A^{-1} = A'$ 이고 $B^{-1} = B'$ 이면, $(AB)(AB)' = I$

12. $A = \begin{bmatrix} 5 & -10 \\ -2 & 4 \end{bmatrix} \quad B = \begin{bmatrix} 10 & 6 \\ 5 & 3 \end{bmatrix}$

AB를 구하라. 일반적인 숫자 계산과 다른 점은 무엇인가? A 행렬이나 B 행렬은 어떤 특성을 가지고 있는가?

13. $A = \begin{bmatrix} 5 & -10 \\ -2 & 4 \end{bmatrix} \quad B = \begin{bmatrix} 10 & 6 \\ 8 & 4 \end{bmatrix}$

AB를 구하라. A행렬, B행렬, AB행렬은 특이행렬인가, 비특이행렬인가? 위 12번 문제의 결과와 비교하여 볼 때 특이행렬의 곱과 영행렬과의 관계는 어떠한가?

14. $A = \begin{bmatrix} 4 & 8 \\ 1 & 2 \end{bmatrix} \quad B = \begin{bmatrix} 2 & 1 \\ 2 & 2 \end{bmatrix} \quad C = \begin{bmatrix} -2 & 1 \\ 4 & 2 \end{bmatrix}$

AB와 AC를 구하라. 일반적인 숫자 계산과 다른 점은 무엇인가? 일반적인 숫자 계산과 다르다면 그 이유는 어디에서 찾을 수 있는가?

15. (1) $A = \begin{bmatrix} 3 & 1 \\ 0 & 2 \end{bmatrix}$ $B = \begin{bmatrix} \frac{1}{3} & -\frac{1}{6} \\ 0 & \frac{1}{2} \end{bmatrix}$

(2) $A = \begin{bmatrix} 1 & -3 \\ 2 & 2 \end{bmatrix}$ $B = \begin{bmatrix} \frac{2}{8} & \frac{3}{8} \\ -\frac{2}{8} & \frac{1}{8} \end{bmatrix}$

(3) $A = \begin{bmatrix} 1 & 0 & -1 \\ -1 & 2 & 3 \\ 2 & 1 & 5 \end{bmatrix}$ $B = \begin{bmatrix} \frac{7}{12} & -\frac{1}{12} & \frac{2}{12} \\ \frac{11}{12} & \frac{7}{12} & -\frac{2}{12} \\ -\frac{5}{12} & -\frac{1}{12} & \frac{2}{12} \end{bmatrix}$

$AB = BA = I$ 임을 보여라.

16. 우리나라에 경차가 200만대가 있다. 수도권에 80만대, 비수도권 지역에 120만대가 있다고 하자. 경차가 아닌 차(비 경차)는 수도권에 500만대, 비수도권 지역에 1000만대가 있다고 하자. 경차의 자동차세는 15만 원, 등록세는 10만 원이다. 비경차의 자동차세는 30만 원이고 등록세는 15만 원이다.

(1) 지역별 자동차 등록현황을 행렬(A)로 나타내라.

(2) 자동차 종류별 세금현황을 행렬(B)로 나타내라.

(3) 두 행렬의 곱 AB를 구하고 각 원소의 의미를 설명하라.

(4) 수도권의 등록세, 자동차세의 합, 비수도권의 등록세, 자동차세의 합, 자동차세의 합, 등록세의 합을 계산하라.

17. 아래 행렬의 행렬식을 구하라.

$\underset{2\times 2}{A} = \begin{bmatrix} 5 & 3 \\ 4 & 8 \end{bmatrix}$, $\underset{2\times 2}{B} = \begin{bmatrix} -2 & -3 \\ 4 & -1 \end{bmatrix}$

18. $A = \begin{bmatrix} 1 & 2 \\ 4 & 3 \end{bmatrix}$ $B = \begin{bmatrix} 5 & 6 \\ 8 & 7 \end{bmatrix}$

$|AB| = |A||B| = |B||A| = |BA| = 65$ 임을 보여라.

19. (1) 두 벡터 $a = (3\ \ -1)$, $b = (2\ 3)$는 선형종속인가 선형독립인가?

(2) 두 벡터 $a = (3\ \ -1)$, $c = (-7.5\ 2.5)$는 선형종속인가 선형독립인가?

(3) 위의 a, b, c 벡터를 좌표평면에 그리고 선형독립과 선형종속이 어떻게 다른가를 설명하라.

(4) 두 벡터 $a = (3 \ -1)$, $b = (2 \ 3)$를 $k_1 = 1.5$, $k_2 = 2$일 때 선형 결합한 d를 구하고 좌표평면에 그려라.

(5) $A = \begin{bmatrix} 3 & -1 \\ 2 & 3 \end{bmatrix}$, $C = \begin{bmatrix} 3 & -1 \\ -7.5 & 2.5 \end{bmatrix}$의 행렬식을 구하라.

(6) $D = \begin{bmatrix} 3 & -1 \\ 2 & 3 \\ 8.5 & 4.5 \end{bmatrix}$에서 독립인 행들의 수를 구하라.

20. 다음의 행렬식에서 두 번째 행에 대한 소행렬식과 여인자를 구하라.

(1) $\begin{vmatrix} 1 & 2 & 3 & 4 \\ 0 & 4 & 5 & 6 \\ 0 & 1 & 2 & 3 \end{vmatrix}$

(2) $\begin{vmatrix} 1 & 4 & 3 & 4 \\ 2 & 1 & 0 & 3 \\ 0 & 1 & 2 & 3 \end{vmatrix}$

21. 다음 행렬식의 값을 구하라.

(1) $\begin{vmatrix} 2 & 3 & 1 \\ 1 & 3 & 0 \\ -2 & 1 & 3 \end{vmatrix}$

(2) $\begin{vmatrix} 1 & -3 & 1 \\ 2 & 2 & 0 \\ 2 & 1 & 3 \end{vmatrix}$

(3) $\begin{vmatrix} 2 & 3 & 1 & 4 \\ 1 & 3 & 5 & 4 \\ 3 & 4 & 2 & 3 \end{vmatrix}$

(4) $\begin{vmatrix} 1 & 2 & 1 & 3 \\ 3 & 2 & 0 & 4 \\ 1 & 1 & 2 & 3 \\ 2 & 0 & 1 & 3 \end{vmatrix}$

(5) $\begin{vmatrix} 1 & 2 & 3 & 4 \\ 0 & 4 & 5 & 6 \\ 0 & 1 & 2 & 3 \\ 2 & 1 & 3 & 4 \end{vmatrix}$

(6) $\begin{vmatrix} 1 & 0 & 3 & 1 \\ 2 & 4 & 5 & 6 \\ 3 & 1 & 2 & 3 \\ 4 & 0 & 1 & 3 \end{vmatrix}$

(7) $\begin{vmatrix} a_{11} & a_{12} & \dots & & a_{1n} \\ 0 & a_{22} & \dots & & a_{2n} \\ 0 & 0 & a_{33} & \cdots & a_{3n} \\ 0 & 0 & 0 & \cdot\cdot & a_{n-1n} \\ 0 & 0 & 0 & \cdots\cdots & a_{nn} \end{vmatrix}$

(8) $\begin{vmatrix} 1 & 2 & 3 \\ 0 & 0 & 0 \\ 7 & 8 & 10 \end{vmatrix}$

22. 다음 등식이 성립함을 보여라.

(1) $\begin{vmatrix} 1 & a & a^2 \\ 1 & b & b^2 \\ 1 & c & c^2 \end{vmatrix} = \begin{vmatrix} 0 & a-c & a^2-c^2 \\ 0 & b-c & b^2-c^2 \\ 1 & c & c^2 \end{vmatrix} = \begin{vmatrix} a-c & a^2-c^2 \\ b-c & b^2-c^2 \end{vmatrix}$

$= (a-c)(b-c)\begin{vmatrix} 1 & a+c \\ 1 & b+c \end{vmatrix} = (a-c)(b-c)(b-a)$

(2) $\begin{vmatrix} 1 & a & bc \\ 1 & b & ca \\ 1 & c & ab \end{vmatrix} = \begin{vmatrix} 0 & a-c & bc-ab \\ 0 & b-c & ca-ab \\ 1 & c & c^2 \end{vmatrix} = \begin{vmatrix} a-c & bc-ab \\ b-c & ca-ab \end{vmatrix}$

$= a(a-c)(c-b) - b(c-a)(b-c) = (a-b)(b-c)(c-a)$

(3) $\begin{vmatrix} a & abc & a^2 \\ b & abc & b^2 \\ c & abc & c^2 \end{vmatrix} = abc\begin{vmatrix} 1 & bc & a \\ 1 & ac & b \\ 1 & ab & c \end{vmatrix} = -abc(a-b)(b-c)(c-a)$

* (1)이나 (2)의 결과를 활용하면 더 쉽게 답을 얻을 수 있다.

23. $A = \frac{1}{10}\begin{bmatrix} 0 & -6 & 8 \\ -10 & 0 & 0 \\ 0 & -8 & -6 \end{bmatrix}$ $|A| = 1, A^{-1} = A^T$, 그리고 $AA^T = A^TA = I$ 임을 보여라.

24. $A = \begin{bmatrix} 3 & 2 \\ 1 & 0 \end{bmatrix}$ 의 역행렬이 $A^{-1} = \begin{bmatrix} 0 & 1 \\ \frac{1}{2} & -\frac{3}{2} \end{bmatrix}$ 임을 보여라.

25. 다음 행렬의 역행렬을 구하라.

$A = \begin{bmatrix} 2 & 1 & 3 \\ 1 & 0 & 7 \\ 4 & 2 & 1 \end{bmatrix}$ $B = \begin{bmatrix} 4 & 0 & 3 \\ 2 & 0 & 1 \\ 3 & 2 & 5 \end{bmatrix}$ $C = \begin{bmatrix} -2 & 4 & -1 \\ 1 & 5 & 0 \\ 3 & 1 & 1 \end{bmatrix}$ $D = \begin{bmatrix} \frac{1}{2} & 1 & -3 \\ -1 & 0 & 3 \\ 1 & 2 & 1 \end{bmatrix}$

26. 위에서 구한 역행렬을 가지고 $A^{-1}A = I, B^{-1}B = I, C^{-1}C = I, D^{-1}D = I$가 성립하는지를 계산하라.

27. 다음 연립방정식을 크래머 공식을 이용하여 풀어라.

$$5x + 3y = 12$$
$$7x + 4y = 30$$

(1) 이 연립방정식을 행렬 형태로 나타내라.

(2) 계수행렬의 행렬식 값은 얼마인가? 방정식들은 독립인가 종족인가?

(3) 크래머 공식을 이용하여 x와 y의 해를 구하라.

28. 다음 연립방정식을 크래머 공식을 이용하여 풀어라.

$$15p_1 - 2p_2 = 55$$
$$-6p_1 + 4p_2 = 10$$

(1) 이 연립방정식을 행렬 형태로 나타내라.

(2) 계수행렬의 행렬식 값은 얼마인가? 방정식들은 독립인가 종족인가?

(3) 크래머 공식을 이용하여 p_1와 p_2의 해를 구하라.

29. 다음 연립방정식을 크래머 공식을 이용하여 풀어라.

(1) $5x + 4y = 20$

$3x - 2y = 12$

(2) $\frac{1}{2}x + 4y = 16$

$3x - 10y = 40$

(3) $2x_1 + 5x_2 + 5x_3 = 7$

$-x_1 - x_2 = 0$

$2x_1 + 4x_2 + 3x_3 = 4$

(4) $x_1 + 2x_2 - 2x_3 = 1$

$2x_{2+x_3} = 4$

$x_1 + x_3 = 8$

30. (실습문제 4-16)에서 우리는 일반균형가격($P_1^E = 4, P_2^E = 7, P_3^E = 6$)과 일반균형 거래량($Q_1^E = 16, Q_2^E = 10, Q_3^E = 13$)을 구하였다.

(1) 재화 1시장 수요가 (실습문제 4-16)에서처럼 재화 2와 재화 3에 영향을 받지 않는다면 재화 1시장의 균형가격과 수량은 얼마인가? 즉 $Q_{s1} = 6P_1 - 8$, $Q_{d1} = -5P_1 + P_2 + P_3 + 2$이 아니라 $Q_{s1} = 6P_1 - 8$, $Q_{d1} = -5P_1 + 2$일 때 균형가격과 거래량을 구하라.

(2) (1)에서 얻은 결과(재화 1시장의 독립상황)와 (실습문제 4-16)에서 얻은 결과(재화 1수요에 재화 2와 재화 3의 가격이 영향을 미치는 상황)와 비교하라. 다시 말해 두 상황에서 구한 균형 가격과 균형 거래량을 비교하여 그 원인을 설명하라.

(3) 만약 일반균형 상태에서 P_1만 5로 상승했다고 할 때 각 시장에서 나타나는 현

상을 설명하라. 그 이유를 재화 간의 성질에서 찾아라.

(4) (3)에서 나타나는 불균형은 어떻게 해소되는가?

(5) 만약 일반균형 상태에서 P_1만 3으로 하락하였다고 하자. 각 시장에서 나타나는 현상을 설명하라. 그 이유를 재화 간의 성질에서 찾고, 불균형 해결방법을 설명하라.

31. 투입행렬과 최종 수요벡터가 다음과 같다고 하자.

$$A = \begin{bmatrix} 0.2 & 0.1 & 0.2 \\ 0.4 & 0.2 & 0.1 \\ 0.3 & 0.5 & 0.4 \end{bmatrix} \qquad Y = \begin{bmatrix} 100 \\ 200 \\ 300 \end{bmatrix}$$

(1) 이 모형에 대한 투입산출행렬방정식을 나타내라.

(2) 첫 번째 행(0.2, 0.1, 0.2)의 경제적 의미를 설명하라.

(3) 첫 번째 행(0.2, 0.1, 0.2)의 합의 경제적 의미를 설명하라.

(4) 첫 번째 열(0.2, 0.4, 0.3)의 경제적 의미를 설명하라.

(5) 각 산업의 부가가치 계수를 구하라.

(6) 세 산업에 대한 산출량 수준의 해를 크래머 법칙으로 구하라(소수점 두 자리에서 반올림).

32. 산업 전체를 내구재 산업과 비내구재 산업으로 나누어 보았다.

	내구재	비내구재	최종소비자
내구재	24	90	6
비내구재	12	45	93

(1) 각 산업의 총 산출액은 얼마인가?

(2) 각 산업의 부가가치는 얼마인가? 이 경제의 GDP는 얼마인가?

(3) 투입계수 행렬을 구하라.

(4) 내구재 산업에 대한 최종수요가 1000억 원, 비내구재 산업에 대한 최종수요가 9000억 원이라고 할 때, 각 산업에서 어느 정도 수준의 산출량을 생산해야 하는가?

33. 어느 나라의 경제의 산업연관표(금액표시)가 아래와 같다.

(단위: 억원)

산 출 / 투 입	중간투입		최종수요	산출합계
	산업 1	산업 2		
산업1	80	40	80	200
산업2	40	20	40	100
임금	40	10		
이윤	40	30		
투입합계	200	100		

(1) 국내 총생산은 얼마인가?

(2) 투입계수 행렬을 구하시오

(3) 생산유발계수를 구하시오

(4) 1산업에 대해 최종수요가 추가적으로 1억원 증가한다면 산업1과 산업2의 산출량 합계는 각각 얼마나 증가하는가?

CHAPTER 5

재무분석의 기초

초 · 중 · 고 12년간 수학을 배웠지만 ……, 비록 공식이나 해법은 잊어버렸을망정 ……, 논리적 사고력은 그대로 남아서, 부지불식간에 추리와 판단의 발판이 되어 일생을 좌우하고 있다.

• 홍성대(1937~, 수학의 정석 저자)

만일 당신이 지금 말하고 있는 것을 측정하여 숫자로 표현할 수 있다면, 당신은 그것에 대해 알고 있는 것이고, 만일 당신이 그것을 측정하지 못하고 숫자로 표현할 수 없다면, 당신에게 그 지식이 빈약하고 불충분한 것이다.

• 켈빈 경(Lord Kelvin)

인생은 무거운 짐을 지고 먼 곳을 떠나는 것 같기 때문에 절대로 서둘러서는 안 된다.

• 도쿠가와 이에야스(德川家康, 1543~1616)

학습목표

모든 사람은 결정(선택)을 함에 있어 그 결정(선택)으로 얻는 것(득, 편익, benefit)을 계산함과 동시에 잃는 것(실, 비용, cost 혹은 loss)을 계산한다. 그런 후 득이 더 많은 쪽을 선택한다. 이런 판단을 하는 사람을 합리적(合理的, rational)인 인간이라고 보고 경제학에서는 '경제인(homo economicus)'이라고 부른다. 경제학의 분석대상이 되는 인간형이다.

현실에서는 모든 사람들이 이런 합리성을 완벽하게 갖추고 있는 것이 아니며, 기본적으로는 합리적인 사람도 가끔은 비합리적인 행동을 보일 때도 있다.[1] 이런 사실을 경제학자들도 알고 있지만, 사회 전체적으로 보면 사람들이 합리적으로 행동한다고 가정하여도 무방할 것이다.

사람들은 의식적이든 무의식적이든 이런 과정을 거쳐 선택하고 있다. 당장 눈앞에 보이는 득실에 대해서는 비교적 쉽게 판단할 수 있지만 시간이 개입되는 경우 보다 체계적인 계산이 필요하다. 이 장에서는 시간이 고려되는 경우 편익과 비용을 계산하는 능력을 공부하고자 한다.

먼저 현재가치화를 공부하게 된다. 시간을 달리하며 발생한 편익이나 비용을 현재의 시점에서 판단하여 선택여부를 가리게 된다. 이와 관련된 할인율, 할인인자, e 등 여러 가지 개념을 공부한 후 70법칙, 실효이자율, 비용편익분석(순현재가치, 내부수익률, B/C 등), 채권가치 평가, 영구채권, 채권수익률 계산에 적용할 계획이다.

구성

5.1 두 가지 예

5.2 현재가치계산과 자연지수

5.3 응용

5.4 비용편익분석

5.5 채권분석

1 충동구매와 같이 득실을 제대로 계산하지 못하는 경우도 있지만 최후통첩게임의 결과에서 보듯 득과 실을 정확히 계산하지만 꼭 편익이 많은 행동을 하지 않는 경우도 있다.

5.1 두 가지 예

경제행위뿐만 아니라 인간 생활에 있어 시간 요소가 고려되는 경우 과거의 값을 오늘의 값으로, 미래의 값을 오늘의 값으로 필요에 따라 시점을 변경하여 계산하고 판단할 필요가 있다. 아래에 두 가지 예를 들어 보았다.

[예 1] 1997년 전두환 전 대통령의 추징금 1,675억 원은 오늘(2018년)의 가치로 볼 때 얼마인가?

[예 2] 2030년 1,000억 원을 얻을 수 있는 프로젝트는 오늘(2018년)의 가치로 볼 때 얼마인가?

[예 1]에서 보듯 과거의 값(1,675억 원)을 현재의 값으로 바뀌어야 할 때가 심심치 않게 있다. 이와는 반대로 [예 2]처럼 오늘로부터 일정기간 후의 값(1,000억 원)이 오늘의 값으로 얼마인가를 알아야 할 필요가 있을 때도 많다.

[예 1]를 시간경과에 따라 그려 보면 아래와 같고,

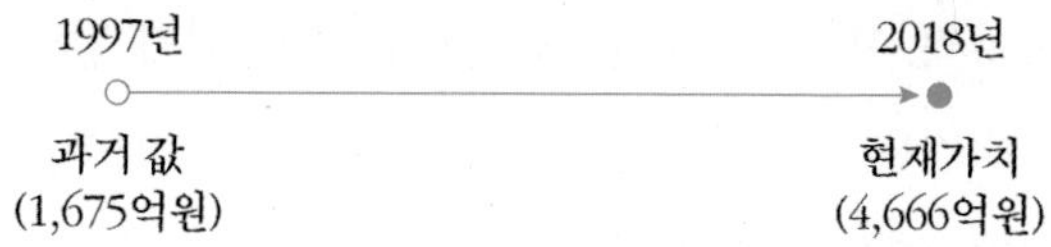

1997년 → 2018년
과거 값 (1,675억원) → 현재가치 (4,666억원)

[예 2]를 시간경과에 따라 그려 보면 아래와 같다.

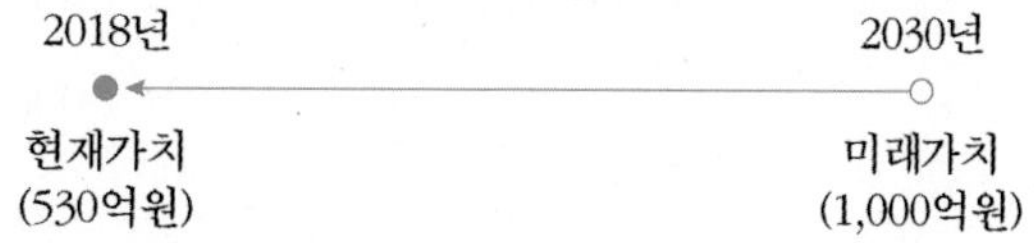

2018년 ← 2030년
현재가치 (530억원) ← 미래가치 (1,000억원)

이자율이 5%이고 복리로 계산된다면 1997년 1,675억 원은 2018년 현재로 볼 때 4,666억 원에 해당하며, 2030년의 1,000억 원은 2018년 현재의 가치로는 약 530억 원이 된다고 계산할 수 있다.

위의 예에서 본 바와 같이 과거의 값을 오늘의 값(현재가치)으로 계산하기도 하고 미래의 값을 오늘의 값(현재가치)으로 계산하기도 하는 일을 현재가치화(現在價値化, presented value)한다고 한다. 현재가치화를 하는 이유는 선택하는 시점이 오늘(현재)이기 때문에 과거의 값이나 미래의 값을 현재 값으로 바꾼다면 가장 확실하고 합리적으로 판단할 수 있기 때문이다.

5.2 현재가치계산과 자연지수

5.2.1 현재가치계산

(1) 단리와 복리

이자율(利子率, interest rate)이란 일정기간 동안 정기적으로 원금이나 잔고에 대하여 적용되어 더해지는 금액을 결정하기 위해 사용되는 비율이며 보통 1년이란 기간에 대한 배분율로 표시하고 있다.[2]

단순이자(단리, 單利, simple interest)는 매 이자 계산 기간 동안 원금에 대해서만 이자가 발생하는 계산법이다. 복합이자(복리, 複利, compound interest)는 매기 말에 이자가 원금에 더해져서 다음 기말에는 전기의 원금과 이자의 합에 다시 이자가 붙는 계산법이다. 복리에서 얻는 원리합계가 단리에서 얻는 값보다 크다.

예를 들어 1,000만 원, 연리 8%, 5년 후 원리합계를 구하면

단리인 경우 $F_{단리} = 1,000(1+0.08\times5) = 1,400$만 원

복리인 경우 $F_{복리} = 1,000(1+0.08)\times5 = 1,470$만 원

---

2 이자를 계산하기 위해서 공통으로 쓰이는 요소로는 아래와 같은 것들이 있다.
- 원금(principal) : 차용이나 투자와 같은 거래에서 계약 당시 발생하는 초기 금액이다.
- 이자율(interest rate) : 일정한 시간당 백분율로 표시된 돈의 가치나 비용이다.
- 이자계산기간 : 이자계산을 위한 일정 단위시간으로서 이자계산의 빈도수를 결정한다.
- 이자계산회수 : 상환계획기한 내에 포함된 총 이자계산기간의 수이다.
- 상환방법(a plan for receipts or disbursements) : 원금을 상환계획기한 내에 상환하는 방법이다.
- 미래액(a future amount of money) : 여러 이자계산기간을 거쳐 이자의 효과가 누적되어 있는 미래 시점의 총 금액이다.

연 8%로 단리인 경우에는 1,000만 원이 5년 후에는 1,400만 원 가치와 같고 복리가 적용되면 1,470만 원과 같음을 알았다. 역으로 생각하면 연 8%로 단리인 경우에는 5년 후의 1,400만 원은 현재 1,000만 원과 같고, 복리가 적용되면 5년 후 1,470만 원은 현재 1,000만 원과 같다. 이렇게 미래나 과거의 값을 현재가치로 바꾸는 일은 매우 중요하고 유용하다.

위의 예에서 복리가 단리보다 더 많은 이득을 가져다준다는 사실을 알 수 있었다. 그 격차는 초기 금액이 클수록, 이자율이 높을수록, 기간이 길수록 더 극명하게 나타난다. 단리는 선형함수이지만, 복리는 지수함수이기 때문에 그렇다. 맨해튼 섬의 거래와 로스차일드(Rothschild) 가문의 재산의 증식에서 확인할 수 있다. 이를 '복리의 위력(威力, the power of compound interest)'이라고 표현하고 있다. 따라서 처음 '작은 차이'가 나중에는 상상을 초월할 정도의 차이를 낳을 수 있다. 복리가 장기간 적용된다면 "너의 시작은 미약하였으나 끝은 창대하리라"라는 성경 말씀이 현실이 될 수 있다.

(2) 현재가치 계산

일반화시켜서 보면, 초기 값 A_0, 이자율 $r(\times 100\ \%)$, 기간 T 라고 하면

$$\text{단리인 경우}\quad F_{\text{단리}} = A_0(1+rT)$$

$$\text{복리인 경우}\quad F_{\text{복리}} = A_0(1+r)^T$$

가 된다.

단리일 때 원리합계는 $F_{\text{단리}}$로 계산되며 복리일 때는 $F_{\text{복리}}$로 계산된다.

여기에서 이자율(r)과 기간(T)이 주어진 경우, 초기 값 A를 구하는 공식은

$$\text{단리인 경우}\quad A = \frac{F_{\text{단리}}}{(1+rT)},\quad \text{복리인 경우}\quad A = \frac{F_{\text{복리}}}{(1+r)^T}$$

가 된다.

초기 값(A)과 기간(T)이 주어진 경우, 이자율 r을 구하는 공식은

$$\text{단리인 경우} \ r=\left(\frac{F_{\text{단리}}}{A}-1\right)\times\frac{1}{T}, \ \text{복리인 경우} \ r=\left(\frac{F_{\text{복리}}}{A}\right)^{\frac{1}{T}}-1$$

가 된다.

〈표 5-1〉 원리합계의 계산(단리와 복리)

(단위 : 만 원)

	시기	기초원금	이자	기말원리금
단리의 경우	1	1,000	80	1,080
	2	1,000	80	1,160
	3	1,000	80	1,240
	4	1,000	80	1,320
	5	1,000	80	1,400
	최종	원금 1,000	이자의 합 400	원리금 1,400

(단위 : 만 원)

	시기	기초원금	이자	기말원리금
복리의 경우	1	1,000	80	1,080
	2	1,080	86.4	1,166
	3	1,166	93.3	1,260
	4	1,260	100	1,360
	5	1,360	110	1,470
	최종	원금 1,000	이자의 합 470	원리금 1,470

초기 값(A)과 이자율(r)이 주어진 경우, 기간 T를 구하는 공식은

$$\text{단리인 경우} \ T=\left(\frac{F_{\text{단리}}}{A}-1\right)\times\frac{1}{r}, \ \text{복리인 경우} \ T=\frac{\ln F_{\text{복리}}-\ln A}{\ln(1+r)}$$

가 된다.

여기에서 ln은 자연로그를 의미한다.

예제 5-1

원금이 1,000만원이고, 이자율이 연 6%이며 5년간 예금을 하는 경우를 생각해 보자.

(1) 이자율이 1년 단위로 단리로 계산되는 경우 5년 후 원리합계

$$A_{SY} = 1{,}000(1 + 0.06 \times 5) = 1{,}300$$

(2) 이자율이 1년 단위로 복리로 계산되는 경우 5년 후 원리합계

$$A_{CY} = 1{,}000(1 + 0.06)^5 = 1{,}338.23$$

(3) 이자율이 반년 단위로 단리로 계산되는 경우 5년 후 원리합계

$$A_{SH} = 1{,}000(1 + 0.03 \times 10) = 1{,}300$$

(4) 이자율이 반년 단위로 복리로 계산되는 경우 5년 후 원리합계

$$A_{CH} = 1{,}000(1 + 0.03)^{2(5)} = 1{,}343.92$$

(5) 이자율이 분기별로 단리로 계산되는 경우 5년 후 원리합계

$$A_{SQ} = 1{,}000(1 + 0.015 \times 20) = 1{,}300$$

(6) 이자율이 분기별로 복리로 계산되는 경우 5년 후 원리합계

$$A_{CQ} = 1{,}000(1 + 0.015)^{4(5)} = 1{,}346.86$$

(7) 이자율이 월년 단위로 단리로 계산되는 경우 5년 후 원리합계

$$A_{SM} = 1{,}000(1 + 0.005 \times 60) = 1{,}300$$

(8) 이자율이 월별로 복리로 계산되는 경우 5년 후 원리합계

$$A_{CM} = 1{,}000(1 + 0.005)^{12(5)} = 1{,}348.85$$

(9) 이자율이 계속해서 계산되는 경우 5년 후 원리합계

$$A_C = 1{,}000e^{(0.06)5} = 1{,}349.86$$

복리계산에서는 같은 이자율에서도 계산되는 횟수에 따라 원리합계가 달라지지만, 단리계산에서는 언제나 같은 값이 계산된다. 같은 조건이라면 원리합계는 복리일 때가 단리일 때보다 높다. 단리는 거래 횟수에 관계없이 일정한 이자율이 적용되지만 복리인 경우에는 거래 횟수가 많을수록 원리합계가 빠르게 커지기 때문이다. 따라서 원금과 이자율이 같은 조건이라면 복리이면서도 거래 횟수가 많을수록 원리합계는 커진다.

실습문제 5-1

용세와 용미는 올해 D회사에 입사하여 각각 연봉 3,000만원을 받았다. 용세의 연봉은 매년 1%씩 증가한 반면 용미의 연봉은 5%씩 상승하였다. 복리로 계산한다. ln2= 0.7, ln3 =1.1, ln1.01=0.01, ln1.05=0.05)

(1) 용세, 용미의 연봉이 각자 2배로 되는 것은 몇 년 후인가?
(2) 두 사람 연봉의 차이가 3배로 되는 것은 몇 년 후인가?

풀이

(1) 이 문제는 $A(1+r)^T = 2A$로 일반화시켜 쓸 수 있다.

양변에 자연로그를 취한 뒤 T에 대해 정리하면 $T=\dfrac{\ln 2}{\ln(1+r)}$로 나타낼 수 있다.

용세의 경우 $T=\dfrac{\ln 2}{\ln(1+r)}=\dfrac{0.7}{\ln 1.01}=\dfrac{0.7}{0.01}=70$년

용미의 경우 $T=\dfrac{\ln 2}{\ln(1+r)}=\dfrac{0.7}{\ln 1.05}=\dfrac{0.7}{0.05}=12.4$년

(2) $3-\dfrac{3,000(1+0.05)^T}{3,000(1+0.01)^T}$ 에서 T를 구하는 문세가 된다.

$\ln 3+T\times\ln(1+0.01)=T\times\ln(1+0.05)$

$\ln 3=T\times[\ln(1.05)-\ln(1.01)]$

$T=28.28$ 약 28년 후이다.

실습문제 5-2

용세와 용미는 올해 D회사에 입사하여 각각 연봉 5,000만원을 받았다. 용세의 연봉은 매년 2%씩 증가한 반면 용미의 연봉은 5%씩 상승하였다. 복리로 계산한다. (ln2= 0.7, ln3 =1.1, ln1.02=0.02, ln1.05=0.05)

(1) 용세, 용미의 연봉이 각자 2배로 되는 것은 몇 년 후인가?
(2) 한 사람 연봉이 다른 사람 연봉의 3배로 되는 것은 몇 년 후인가?

풀이

(1) 이 문제는 $A(1+r)^T=2A$로 일반화시켜 쓸 수 있다.

양변에 자연로그를 취한 뒤 T에 대해 정리하면 $T=\dfrac{\ln 2}{\ln(1+r)}$로 나타낼 수 있다.

용세의 경우 $T=\dfrac{\ln 2}{\ln(1+r)}=\dfrac{0.7}{\ln 1.01}=\dfrac{0.7}{0.02}=35$년

용미의 경우 $T=\dfrac{\ln 2}{\ln(1+r)}=\dfrac{0.7}{\ln 1.05}=\dfrac{0.7}{0.05}=12.4$년

(2) $3 = \frac{5,000(1+0.05)^T}{5,000(1+0.02)^T}$ 에서 T를 구하는 문제가 된다.

$\ln 3 + T \times \ln(1+0.02) = T \times \ln(1+0.05)$

$\ln 3 = T \times [\ln(1.05) - \ln(1.02)]$

$T = 36.67$ 약 37년 후이다.

실습문제 5-3

600만원이 2년 후에 800만원이 되었다. 이자가 분기마다 계산된다면 연 이자율은 얼마인가?[3]

풀이

이 문제에서는 이자가 분기마다 지급되기 때문에 2년간 8번이 지급되게 된다. 그래서 매 분기에 지급되는 이자는 연 이자율의 1/4에 해당하는 이자율을 근거로 하고 있다. 따라서 연 이자율을 구하는 식은 다음과 같다.

$$600 \times (1+\frac{r}{4})^8 = 800$$

$$(1+\frac{r}{4})^8 = \frac{800}{600}$$

$$r = 4 \times (\sqrt[8]{\frac{800}{600}} - 1) = 0.146,$$ 연 이자율 14.6%이다.

이상의 내용을 정리하면 현재가치(PV)의 T년 후 미래가치(PV)는 $(1+r)^T$를 곱하여 얻어지고, 주어진 미래가치(PV)를 현재가치로 바꾸기 위해서는 $1/(1+r)^T$를 곱하거나 $(1+r)^T$을 나누면 된다.

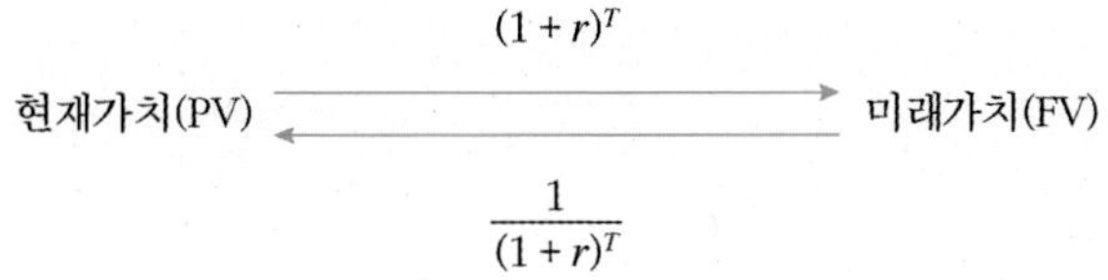

$$\text{현재가치(PV)} \underset{\frac{1}{(1+r)^T}}{\overset{(1+r)^T}{\rightleftarrows}} \text{미래가치(FV)}$$

〈그림 5-1〉 현재가치와 미래가치와의 관계

지금까지는 수익이 한 차례만 발생하는 경우를 공부하였다. 이제 일정기간 동안 계속적으로 수익(현금 흐름)이 발생하는 경우(예를 들어, 연금, 채권 등) 그 재화의 현재가치는 각 기(期)의 수익의 현재가치화 값을 합한 것이 된다.[4]

---

3 엑셀함수를 이용하면 4*(POWER(800/600, 1/8)-1)에서 구할 수 있다.

맨해튼 섬 거래

1626년 백인들은 뉴욕의 맨해튼 섬을 인디언으로부터 24달러에 사들였다고 한다. 만약 그 돈을 연 이자율 5%가 적용되는 장기적금에 가입하였다면 2018년 현재 얼마의 금액이 될 것인가? 단순이자 방식과 복합이자 방식으로 각각 구해 보았다. (원 달러 환율 1,200원)

단리인 경우에는 PV(현재가치) = 24×(1+0.05×393) = 494달러 = 약 59만 원에 불과하지만 복리로 계산하면

$$\text{PV(현재가치)} = 24\times(1+0.05)^{393} = \text{약 48억 달러= 약 5조 7천억 원이 된다.}$$

만약 이자율이 8%이고 복리로 계산하다면, 327조 달러에 약 39경원에 달하게 된다. 이 예에서 복리이자계산식이 상상을 초월할 정도로 증식(增殖) 능력을 가지고 있음을 알 수 있다. 또 시간이 지날수록 그 효과는 더 가공할 만하다.

로스차일드 가문의 재산

1840년대 이 가문의 맹주인 나다니엘(Nathaniel de Rothschild, 1812~1870)의 재산은 당시 약 60억 달러였다고 한다.[5] 이자율 5%로 2018년 현재가치로 계산하면

단리인 경우에는 PV(현재가치) = 60×(1+0.05×177) = 590억 달러 = 약 71조 원에 불과하지만(?),

복리로 계산하면 PV(현재가치) = $60\times(1+0.05)^{177}$ = 33조 달러 = 약 4경 원에 이른다.

만약 이자율이 8%이고 복리로 계산하다면, 4,900조 달러에 약 593경원에 달하게 된다.

이자율이 i (×100) %이고 첫 해에는 FV_1, 2년 후에는 FV_2, 3년 후에는 FV_3, ……T년 후에는 FV_T의 수입을 올리는 프로젝트가 있다고 하자.[6] 이 프로젝트의 현재가치를 구하면[7]

4 이자계산기간(interest period)과 이자계산회수(number of interest periods)를 구별하여야 한다. 이자계산기간은 이자계산을 위한 일정 단위시간으로서 이자계산의 빈도수를 결정한다. 이자계산회수는 상환계획기한 내에 포함된 총 이자계산기간 수이다. 문제에 맞게 회수를 조절할 필요가 있다. 예를 들어 매달 10만 원씩 5년간 입금한다고 할 때는 이자계산기간은 월(달)이 되고 기간은 60개월이 된다. 이자율은 연리가 아니라 연리를 12로 나눈 값으로 계산하여야 한다.

5 중국 CCTV 다큐멘터리 <화폐>제작팀, 『화폐경제』, 가나출판사, 2014, p.120.

6 같은 이자율과 현금흐름이라도 기준시점에 따라 현재가치는 달라진다. 의사결정의 상황에 따라 기준시점이 정해지지만, 대개 계산상의 편의에 따라 결정된다. 주어진 문제의 성격을 잘 파악하여 기준시점을 언제로 잡을지를 정하여야 한다.

7 설명을 위해 시간의 단위를 (일이든, 월이든, 년이든) 임의로 할 수 있으나 여기에서는 년을 시간 단위로 쓰

$$PV = \frac{FV_1}{(1+i)} + \frac{FV_2}{(1+i)^2} + \cdots\cdots + \frac{FV_T}{(1+i)^T} = \sum_{t=1}^{T} \frac{FV_t}{(1+i)^t}$$

만약 FV_t가 모두 같다면 즉 $FV_1 = FV_2 = \cdots = FV_T$

$$PV = \frac{FV_1}{(1+i)} + \frac{FV_1}{(1+i)^2} + \cdots\cdots + \frac{FV_1}{(1+i)^T} = \sum_{t=1}^{T} \frac{FV_1}{(1+i)^t}$$

$$PV = \frac{\frac{FV_1}{(1+i)}}{1-\left(\frac{1}{1+i}\right)}\left[1-\left(\frac{1}{1+i}\right)^T\right] = \frac{FV_1}{i}\left[1-\left(\frac{1}{1+i}\right)^T\right]$$

로 표현되며 PV는 초항이 $\frac{FV_1}{(1+i)}$, 등비가 $\frac{1}{(1+i)}$ 인 등비수열의 합으로 계산된다.

또 만약 기간이 무한대(T → ∞)라면 $PV = \frac{FV_1}{i}$ 가 된다.[8]

실습문제 5-4

연 이자율이 10%일 때 어떤 프로젝트의 현금흐름이 0기 100만원, 1기 120만원, 2기 150만원, 3기 200만원, 4기 200만원, 5기 150만원이라고 하자.

(1) 0기를 기준 시점으로 하여 각 연도의 현금에 대한 현재가치를 구하라.
(2) 이 프로젝트의 현재가치를 구하라.
(3) 위 문제의 기준 시점을 3기로 바꾸어 풀어라.

풀이

(1) 0기 100만원은 현재가치도 100만원이다. 1기 120만원은 109만원, 2기 150만원은 124만원, 3기 200만원은 150만원, 4기 200만원은 137만원, 5기 150만원은 93만원이다.

기로 한다.

8 초항이 A, 등비가 r인 등비수열의 일반항은 Ar^{n-1} 이며 합을 구하는 공식은
- 등비(r)가 0<r<1인 경우
  유한급수: $S = A(1-r^n)/(1-r)$, 무한급수: $S = A/(1-r)$
- 등비(r)가 r>1 인 경우
  유한급수: $S = A(r^{n-1})/(r-1)$, 무한급수: $S = A/(r-1)$

(2) 이 프로젝트의 현재가치는 위에서 구한 현재가치의 합으로 713만원으로 계산된다.
(3) 3기 이전의 현재가치는 미래가치를 구하는 방식을 적용하여야 한다.[9]

$$P_{03} = 100(1+0.1)^3 + 120(1+0.1)^2 + 150(1+0.1)^1 + 200$$
$$= 133 + 145 + 165 + 200 = 644$$

3기 이후의 현재가치는

$$P_{45} = \frac{200}{(1+0.1)} + \frac{150}{(1+0.1)^2} = 182 + 124 = 306$$

3기를 기준으로 할 때 이 프로젝트의 현재가치는 950만원(=644+306)으로 계산된다.

(3) 할인율과 할인인자

현재가치와 매우 밀접한 관계를 갖고 있는 할인율에 대해 공부하기로 하자. 할인율(割引率, discount rate)이란 미래가치를 현재가치로 환산할 때 사용하는 비율이라고 정의할 수 있다. "할인율이 크다"는 말은 "현재에 대한 기회비용이 크다"는 말과 "현재를 미래보다 중시한다"라는 의미를 가지고 있다.

또 시간 할인인자(discount factor, 할인요인, $\varnothing$)는 $\frac{1}{(1+r)}$로 정의하고 있다. 경제주체 인내력 내지는 미래지향적 성향을 나타내고 있다. 할인율보다 더 사용할 수 있는 장점이 있다.

현재가치 PV, 미래가치 FV라고 할 때

$$PV = \frac{1}{(1+r)}FV = \varnothing FV$$

r > 0이고 클수록($\varnothing < 1$) → 현재가치에 대한 기회비용 크다
→ 현재 중시 ⇒ 단기이익추구

r < 0이고 클수록($\varnothing > 1$) → 현재가치에 대한 기회비용 적다
→ 미래 중시 ⇒ 장기이익추구

r = 0 ($\varnothing = 1$) → 현재와 미래를 동일하게 생각

---

9 3기 이전의 입장에서 볼 때 3기까지가 미래이기 때문이다.

극단적으로 $\varnothing$가 0이라면 하루살이처럼 현재만 생각하고 행동하는 것이고 반대로 $\varnothing$가 1이라면 현재와 미래를 같게 생각하는 태도를 나타내고 있다.[10, 11]

투자와 같이 미래 수익을 기대하는 행위는 이자율에 큰 영향을 받는다. 일반적으로 이자율과 투자는 반비례하다. 현재 100억 원을 투자하여 5년 후부터 수입이 발생하는 프로젝트를 생각해 보기로 하자. 만약 이자율이 연 5%라면 어림잡아 5년간 25억 원의 이자를 감당해야 하기 때문에 5년 후부터 125억 원 이상의 수입이 예상된다면 투자에 적극 나설 수 있다. 하지만 10%인 5년 후부터는 150억 원 이상의 수입이 예상되어야 투자에 적극 나설 수 있다. 이자율이 낮을수록 투자에 적극적이고 미래를 중시하게 된다. 할인인수는 낮아진다.

연금복권의 경제학적 가치(연금복권의 현재가치)

2011년 7월에 대한민국 최초의 연금식 복권이 출시되었다. 이 복권의 1등 당첨금은 12억으로 매월 500만 원씩 20년간 연금식으로 지급하여 당첨자의 안정적 생활을 보장한다는 것이다. 만약 당첨되었다면 물론 기쁜 일이지만, 이 복권의 가치가 실제로도 과연 12억(월 500만 원 × 20년)일까?

정답은 아니다. 현재가치의 관점에서 볼 때 그렇지 않다. 당첨금 12억은 현재의 금액으로 환산하면 생각보다 작은 금액이 된다. 예를 들어 향후 20년간 이자율이 10%라고 가정하면, 첫 해에 지급되는 6,000만 원(500만 원 × 12개월)은 분명 6,000만 원의 가치가 있겠지만, 1년 후에 지급되는 6,000만 원의 가치는 6,000만

10 "나중에 꿀 한 식기 먹으려고 당장 엿 한 가락 안 먹을까." "나중에 보자는 사람[양반] 무섭지 않다." "나중에야 삼수갑산을 갈지라도..." 등의 속담은 현재를 중시하는 생각을 나타내고 있다.

11 할인요인을 감안하면 조삼모사(朝三暮四)라는 고사성어(故事成語)도 다르게 해석될 수 있다. 임상일, 『공자와 케인즈 맞장뜨기』, 지필미디어, 2014, pp.190-194. 최병서 pp.209-210, 서성환 p.128. 구정화외, 『통계속의 재미있는 세상이야기』, 통계청, 2003, pp.48-52에서도 볼 수 있다.

원보다 작은 $\frac{60,000,000}{(1+0.1)} = 54,545,454.55$로 약 5,455만 원에 불과하다. 그리고 그 다음해 지급되는 6,000만 원의 가치는 $\frac{60,000,000}{(1+0.1)^2} = 49,586,776.86$로 약 4,959만 원의 현재가치를 갖는다.

(단위: 원)

시 기	현재가치	시 기	현재가치
1년차	60,000,000	11년차$(1+0.1)^{10}$	23,132,597
2년차$(1+0.1)$	54,545,455	12년차$(1+0.1)^{11}$	21,029,634
3년차$(1+0.1)^2$	49,586,777	13년차$(1+0.1)^{12}$	19,117,849
5년차$(1+0.1)^4$	40,980,807	15년차$(1+0.1)^{14}$	15,799,875
10년차$(1+0.1)^9$	25,445,857	20년차$(1+0.1)^{19}$	9,810,479

$$\left(60,000,000+\sum_{t=1}^{19}\frac{60,000,000}{(1+0.1)^t} = 561,895,206\right)$$

이와 같은 과정을 통해 20년 동안 이들 금액을 모두 합하면 약 5억 6,190만 원이 된다. 여전히 흥분되는 금액일지 몰라도 현재가치는 광고된 12억 가치에 비추어 보면 절반에도 미치지 못하는 금액이다. 물론 대한민국 현실에서는 이자율이 10%나 오르는 일이 없을지 몰라도, 이자율이 존재하기 때문에 연금복권의 당첨금 12억의 가치는 현재가치 관점에서 잘못된 것임을 시사한다.

일본 전국(戰國) 시대 영걸(英傑) 3인의 시간 할인인자

일본에서는 오다 노부나가(織田信長, 1534~1582), 도요토미 히데요시(豊臣秀吉, 1537~1598), 도쿠가와 이에야스(徳川家康, 1543~1616), 세 사람을 전국 3영걸이라고 부른다. 이 세 사람의 성격을 잘 표현하는 이야기를 소개하고자 한다.

새장에 있는 새를 울게 할 때 오다 노부나가는 새에게 울라고 명령을 내리고 새가 울지 않으면 바로 그 자리에서 칼로 죽여 버릴 정도로 성격이 급한 인물로 묘사되고 있다. 도요토미 히데요시는 새가 자기의 명령을 따르지 않으면 갖은 방법을 써서라도 새가 반드시 울게 만드는 인물로 묘사되어 있다. 마지막으로 도쿠가와 이에야스는 새에게 명령을 내리고 새가 울지 않아도, "언젠가는 울겠지"하며 느긋하게 기다리는 인물로 묘사되어 있다.

이 이야기에서 세 사람의 시간 할인인자의 크기를 비교해 보면 오다 노부나가의 할인인자가 가장 낮고, 도요토미 히데요시는 중간 정도이며, 도쿠가와 이에야스가 가장 큰 값을 보이고 있다고 해석할 수 있다.

오다는 일본 최초의 통일을 눈에 놓아두고 자살하였고, 도요토미 히데요시는 통일에는 성공하지만 무리한 임진왜란으로 인해 패망의 길로 갔고, 끝까지 자신의 야심을 감추고 버틴 도쿠가와는 자신이 영도하는 시대(에도 시대)를 열었다.

한 개인의 시간 할인요인에 따라 그 사람의 인생은 물론 세상이 바뀌고 심지어 이웃나라의 운명까지도 바뀔 수 있다는 교훈을 얻을 수 있다.

일본을 대표하는 대하소설 대망(大望)은 도쿠가와의 일생을 그린 소설이다. 대망의 원고량은 태백산맥의 2배에 이른다고 한다.

케인즈의 장래에 대한 생각

그는 세계 대공황에 직면하여 여러 경제학자들은 장기적으로 보면 세이의 법칙(공급은 스스로 수요를 창조한다)에 의해 시간이 좀 지나면 어려운 문제가 해결되리라고 주장하였으나, 그는 "장기에는 우리 모두 죽는다"라는 유명한 말을 하면서 적극적인 정부의 개입을 주장하였다.

케인즈가 일생 전체를 통해서는 그렇게 조급하게 살지 않았을 것이라고 생각하지만, 적어도 대공황 때는 시간 할인인자를 작은 값으로 생각하고 해결책을 제시하였다고 말할 수 있을 것이다. 위에서 언급한 도쿠가와 이에야스와는 대비되는 생각이다.

5.2.2 e(자연지수)의 의미

만약 1원을 1년간 100% 이자율로 복리로 예금한다면 1년 후 받게 되는 원리금(FV_1)이 2원이 됨을 쉽게 알 수 있다.

$$FV_1 = 1 + 1 \times (\frac{100}{100}) = 2$$

만약 1년에 두 번 거래(같은 시간 간격을 두고)한다면 원리금(FV_2)[12]

$$\begin{aligned} FV_2 &= 1 + 1 \times \left(\frac{50}{100}\right) + \left[1 + 1 \times \left(\frac{50}{100}\right)\right]\left(\frac{50}{100}\right) \\ &= \left[1 + 1 \times \left(\frac{50}{100}\right)\right]^2 = 2.25 \end{aligned}$$

세 번 반복 거래하는 경우 원리금(FV_3)

$$FV_3 = \left(1 + \frac{1}{3}\right)^3 = 2.353$$

12 여기에서 FV의 아래 첨자는 기(期)를 나타내는 것이 아니라 거래 횟수를 나타내고 있다.

n 번 반복 거래하는 경우 원리금(FV_n)

$$FV_n = \left(1 + \frac{1}{n}\right)^n$$

무한 번 거래하면 원리금(FV_∞)은

$$FV_\infty = \lim_{n \to \infty}\left(1 + \frac{1}{n}\right)^n = \lim_{m \to 0}(1+m)^{\frac{1}{m}} \approx 2.71828... \equiv e$$

$$m = \frac{1}{n}$$

이제 좀 더 일반화시켜 보기로 하자. 초기 금액이 A_0, 연 이자율 r%(×100), 매년 n 번의 이자를 복리로 지급하는 1년 후 원리금(F_n)은

$$F_n = A_0\left(1 + \frac{r}{n}\right)^n$$

연 이자율은 r이지만 1년에 n 번 거래가 이루어지기 때문에 실제 적용되는 이자율은 $\frac{r}{n}$이 된다. 반복거래가 무한 번 계속된다면, 원리금(FV_∞)은

$$F_\infty = \lim_{n \to \infty} A_0\left(1 + \frac{r}{n}\right)^n$$

$m = \frac{r}{n}$ 로 치환하여 쓰면

$$F_\infty = \lim_{n \to \infty} A_0\left(1 + \frac{r}{n}\right)^n = \lim_{m \to 0} A_0(1+m)^{\frac{r}{m}} = \lim_{m \to 0} A_0\left[(1+m)^{\frac{1}{m}}\right]^r = A_0 e^r$$

$$\because \lim_{m \to 0}(1+m)^{\frac{1}{m}} \approx 2.71828... \equiv e$$

만약 t년간 이렇게 복리로 계속된다면 t년 후 원리금(V)은

$$V = \lim_{n \to \infty} A_0\left(1 + \frac{r}{n}\right)^{nt} = \lim_{m \to 0} A_0(1+m)^{\frac{rt}{m}} = \lim_{m \to 0} A_0\left[(1+m)^{\frac{1}{m}}\right]^{rt} = A_0 e^{rt}$$

초기금액 A_0, 이자율 r(×100)%, 복리로 t 기간 거래한 후 가치(V)는[13] $V = A_0 e^{rt}$이다. 역으로 t년 후 V의 현재가치는

$$Ve^{-rt} = A_0 e^{rt} e^{-rt} = A_0$$

〈표 5-2〉 연속적 복리 계산 방식

원금(자산)	명목이자율	복리계산 연수	복리계산이 끝났을 때의 자산 가치
1	100%	1	e
1	100%	t	e^t
A	100%	t	A e^t
A	r×100%	t	A e^{rt}

예제 5-2

현재 1인당 국민소득이 2만 달러인 나라가 있다. 매년 3%씩 경제성장을 이루다면 t년 후 일인당 국민소득은 얼마가 되겠는가? 자연지수를 이용한 식으로 나타내라.

5.3 응용

5.3.1 70법칙[14]

이자율 7%하에서 복리로 예금한 경우 10년 후에는 원금의 두 배가 된다.

---

13 한편, $y = Ae^{rt}$의 특성을 보면 r이 이자율이라고 하였으나 순간성장률(瞬間成長率, instantaneous rate of growth)의 개념이다. 그 이유를 보기 위해 y 대신 $V = Ae^{rt}$로 놓고 V를 시간 t에 관해 미분을 하면 $\frac{dV}{dt} = rAe^{rt} = rV$가 된다. 따라서 V의 성장률 $= \frac{\frac{dV}{dt}}{V} = r$이 되기 때문이다.

14 맨큐, 김종석·김경환 번역, 『맨큐 경제학』, p.676에도 소개되어 있다.

$$Ae^{rt} = 2A, \quad e^{rt} = 2, \quad \ln e^{rt} = \ln 2,$$
$$rt = \ln 2 \simeq 0.693 \simeq 0.7$$

만약 t = 10이라면 r = 0.0693(≒0.7)

r = 0.0693(≒0.7)이라면 t = 10

예제 5-3

이자율 7%하에서 복리로 예금한 경우 원금의 두 배가 되는 해는 몇 년 후인가?[15]

풀이

10년 후

예제 5-4

몇 %하에서 복리로 예금한 경우 10년 후에 원금의 두 배가 되는가?

풀이

7%

예제 5-5

이자율 1%, 복리 하에서 예금한 경우 원금의 두 배가 되는 해는 몇 년 후인가?

풀이

70년 후

---

15 엑셀함수를 활용하여 원금 A. 복리 이자율 r(×100)%하에서 T기간을 예금한 경우

원리합계(B) A*(1+r)^T 혹은 A*POWER(1+r, T)
원리(A) B*1/(1+r)^T 혹은 B*POWER(1+r, 1/T)
r 을 구하는 식 POWER(B/A, 1/T) -1
T 를 구하는 식 LN(B/A)/LN(1+r)

예제 5-6

이자율 10%, 복리 하에서 예금한 경우 원금의 두 배가 되는 해는 몇 년 후인가?

풀이

7년 후

5.3.2 실효이자율

실효이자율(實效利子率, effective interest rate)은 실제로 발생한 이자율을 말한다. 예를 들어 연 12%, 복리로 계산, 원금이 10,000원일 때를 생각해 보기로 하자. 만약 오늘 10,000원을 예금하고 1년 후에 찾는다면 원리합계는

$$11,200 = 10,000 \times \left(1 + \frac{12}{100}\right) \text{이다.}$$

만약 6개월 후에 한 번 찾은 후, 바로 입금을 하여 그로부터 6개월 후(오늘로부터는 1년 후)에는 원리합계가

$$11,236 = 10,000 \times \left(1 + \frac{0.12}{2}\right)^2 \text{ 이다.}$$

이때 명목적으로는 이자율이 12%였지만 실제로 얻은 이자율, 즉 실효이자율은

12.36%{(11,236-10,000)/10,000}이다.

만약 3개월 후에 한 번 찾은 후, 바로 입금을 하여 그로부터 3개월 후 찾고, 바로 입금하는 식으로 1년간 4번의 가래를 한다면, 1년 후 원리합계는

$$11,255 = 10,000 \times \left(1 + \frac{0.12}{4}\right)^4 \text{ 이다.}$$

이때 명목적으로는 이자율이 12%였지만 실제로 얻은 이자율은, 즉 실효이자율은

12.55%{(11,255-10,000)/10,000}이다.

보다 일반화하여 생각해 보기로 하자. 초기 금액(A_0), 연간 명목이자율(r), 거래가 m

번, 복리로 이루어지는 경우 실효이자율(r_f)은 아래와 같이 정의된다.

$$A_0\left(1+\frac{r}{m}\right)^m = A_0(1+r_f) \quad \text{m은 복리계산 횟수,}$$

따라서

$$r_f = \left(1+\frac{r}{m}\right)^m - 1 \text{로 구해진다.}$$

이 식에서 보면 $m=1$, 즉 거래를 한 번만 한다면 실효이자율과 명목이자율은 같아진다. 하지만 $m>1$인 경우에는 실효이자율이 명목이자율보다 크게 나타난다. 또 다른 조건이 동일하다면 거래횟수(m)가 증가할수록 실효이자율도 증가한다.

이제 거래 횟수를 무한히 늘리는 경우 실효이자율을 계산해 보기로 하자. 거래 매순간마다 복리 계산을 하는 셈이다. 이때 매 순간마다 적용되는 순간이자율은 매우 작지만 (즉 $m \to \infty$일 때, 즉 $(r/m) \to 0$, 1년 후 원리금(합계)은 A_0e^{rt}이다.

(연간) 실효이자율(r_f)은[16]

$$A_0(1+r_f)^t = A_0e^{rt}$$

$$(1+r_f)^t = e^{rt}$$

$$r_f = e^r - 1$$

예를 들어 $r=0.05$일 때 $r_f=0.051271$이고, $r=0.06$일 때 $r_f=0.061837$이고(<표 5-3> 제일 마지막 행), $r=0.1$일 때 $r_f=0.105171$이다. 만약 이자율이 100%라면 실효이자율은 $r_f=e^1-1=2.718-1 \simeq 1.718$로 계산되어 약 172%가 된다.

원금 10,000원, 명목이자율 6%인 경우 이자지급 횟수와 1년 후의 가치 및 실효이자율을 <표 5-3>에 계산해 놓았다.[17]

---

16 엑셀함수를 이용하여 계산하는 경우 EXP(r)−1로 답을 얻을 수 있으며, 혹은 엑셀함수 EFFECT(r, m)을 이용하면 쉽고 정확하게 계산할 수 있다.

17 POWER(1+(r/m), m)−1을 계산하면 답을 얻을 수 있다. 예를 들어 하루에 한 번 거래하는 경우 POWER(1+(r/365), 365)−1에서 답을 구할 수 있다.

<표 5-4>에 이자율 r 값에 상응하는 실효이자율 r_f을 보여주고 있다. 이자율이 1%일 때 실효이자율은 1.005%이고, 5%일 때 실효이자율은 5.13%로 큰 차이를 보이고 있지 않다. 10%일 때 실효이자율은 10.52%로 약간의 차이가, 100%일 때는 172%로 상당한 차이를 보이고 있다. 따라서 낮은 이자율에 대해서는 실효이자율과 큰 차이를 보이고 있지 않다는 사실을 확인할 수 있다.

〈표 5-3〉 이자지급 횟수와 1년 후의 가치 및 실효이자율 계산하기
(명목이자율 6%, 원금 10,000원)

	이자지급횟수(연간)	1년 후의 가치(원)	실효이자율(%)
연 복리	1	10,600.00	6.0000
반년 복리	2	10,609.00	6.0900
분기 복리	4	10,613.64	6.1364
월 복리	12	10,616.78	6.1678
주 복리	52	10,618.00	6.1800
일 복리	365	10,618.31	6.1831
연속 복리	무한대	10,618.37	6.1837

〈표 5-4〉 명목이자율과 실효이자율

이자율 r (%)	실효이자율 r_f (%)	이자율 r (%)	실효이자율 r_f(%)
1	1.005	5	5.13
2	2.02	10	10.52
3	3.04	100	172.01

실효이자율과 혼동하는 개념으로 실질이자율이 있다. 명목이자율(名目利子率, nominal interest rate)이란 물가 상승률(인플레이션율)이 감안되지 않은 이자율을 말하며, 일반적으로 금융상품에 공시되는 이자율이다. 실질이자율(實質利子率, real interest rate)은 명목이자율에서 물가 상승률(인플레이션율)을 뺀 값이며 구매력(購買力)을 나타내고 있다.[18]

실질이자율 = 명목이자율 − 물가 상승률(인플레이션율)

18 이 식은 피셔의 방정식이라고 부른다. '실질가치의 중요성'이라는 주요 경제원리 중의 하나이다. 이 책 1장 부록 참고 바람.

실습문제 5-5

액면가 1,000만 원짜리 국채를 1,000만 원에 사 10년 동안 보유하는 경우, 이 국채의 실효이자율이 6%라면 10년 후의 자산 가치는 얼마인가?

풀이

$1,000 \times (1.06)^{10} =$ 1,791만원

실습문제 5-6

연 12%로 연 4회 거래하면 실효이자율은 얼마인가? 동일한 조건에서 1만 원을 5년 동안 투자하면 5년 후에 받는 금액은 얼마인가?[19]

풀이

실효이자율은 $r_f = \left(1 + \frac{0.12}{4}\right)^4 - 1 = 12.55\%$

5년 후 원리합계는 $10,000\left(1 + \frac{0.12}{4}\right)^{4 \times 5} = 18,061$

직접 실효이자율 공식을 이용하면 $10,000(1.1255)^5 = 18,061$

5.3.3 지수함수를 자연지수함수로 바꾸기

초기 금액이 A_0, 기간이자율 i%(×100), 매 기간 m 번의 이자를 복리로 지급하는 t 기간 경과 후 원리금(F_n)은 지수함수로 $F_n = A_0\left(1 + \frac{i}{m}\right)^{mt}$ 로 나타낼 수 있다. 이 지수함수를 자연지수함수로 바꾸는 일은

$$F_n = A_0\left(1 + \frac{i}{m}\right)^{mt} = A_0 e^{rt}$$

$$\left(1 + \frac{i}{m}\right)^{mt} = e^{rt}$$

$$\ln\left(1 + \frac{i}{m}\right)^{mt} = \ln e^{rt} \quad , \; mt \times \ln\left(1 + \frac{i}{m}\right) = rt$$

---

19 엑셀함수(EFFECT)를 이용하여 계산하기 EFFECT(0.12, 4) = 0.125509, 반대로 NOMINAL(0.125509,4) = 0.12가 계산된다. 엑셀함수 NOMINAL은 실효이자율이 주어졌을 때 명목이자율을 구하는 함수이다.

$$m \times \ln\left(1+\frac{i}{m}\right)=r$$

그러므로 $F_n = A_0\left(1+\dfrac{i}{m}\right)^{mt} = A_0 e^{m ln(1+(i/m))t}$

실습문제 5-7

연간 이자율 12%, 6개월 단위로 이자가 계산되고 있다. 초기금액이 1,000만 원일 때 3년 후 원리합계를 지수함수로, 또 자연지수함수로 계산하라.

풀이

$F_n = 1000\left(1+\dfrac{0.12}{2}\right)^{2\times3} = 1000(1+0.06)^6 = 1,418.52$

자연지수함수를 활용한 공식

$m\times\ln\left(1+\dfrac{i}{m}\right)=r$ 에서

$2\times\ln\left(1+\dfrac{0.12}{2}\right)=2\times\ln(1.06)=2\times(0.0583)=0.117=r$

따라서 $F_n = 1000e^{0.117\times3} = 1000e^{0.350} = 1000\times(1.418)=1,418$

5.4 비용편익분석

비용 발생 시점과 그로 인한 편익 발생 시점은 차이가 나는 경우가 많다. 판단을 하려면 시점의 통일이 필요하다. 오늘의 시점에서 모든 지출(비용)과 편익을 계산함으로써 합리적인 판단을 할 수 있다.

예를 들어 어느 도시에서 도시철도 건설에 대한 예비타당성을 검토한다고 하자. 5년 동안 공사를 하고 개통 후 100년간 수익이 지속적으로 발생할 것으로 예상해 보자. 어느 시점(예를 들어 개통하는 시점)을 기준으로 비용을 현재가치화 하여야 하며 동시에 매년 발생하는 수익도 현재가치화 하여야 한다. 만약 후자가 전자보다 크다면 건설에 대한 타당성이 있다고 판단하고 전자가 후자보다 크다면 타당성이 없다고 판단한다(NPV 활용). 또 이 건설이 가져다주는 수익률을 계산하여 일정한 기회비용비율(이자율, 최소요구 수익률)보다 큰지 작은지를 판단하는 것도 하나의 방법이 된다(IRR 활용). 마지막으로 전

자의 값(비용의 현재가치)으로 후자의 값(편익의 현재가치)을 나눈 값이 1보다 크다면 투자의 타당성이 있다고 판단하고 1보다 작다면 투자의 타당성이 없다고 판단한다(B/C 활용). NPV, IRR, B/C가 서로 연계되어 있다. 필요에 따라 더 편리한 것을 쓰면 된다.

5.4.1 순현재가치

어떤 투자 프로젝트가 초기에 C_0가 투입된 후 다음 기에 FV_1을 비롯하여 그 다음 기에 FV_2를 … T기에 FV_T의 수익을 발생한다고 하자. 이 프로젝트의 순현재가치는 아래와 같이 계산된다. 각 기에 얻는 수익의 현재가치의 합에서 초기비용을 뺀 값이다.

$$NPV = \frac{FV_1}{(1+i)} + \frac{FV_2}{(1+i)^2} + \cdots\cdots + \frac{FV_T}{(1+i)^T} - C_0$$

NPV(i)>0 투자 프로젝트 채택

NPV(i)=0 의사결정 무차별

NPV(i)<0 투자 프로젝트 기각

실습문제 5-8

초기 투자비용은 6,500만원이고 1년 후 2,440만원, 2년 후 2,534만원, 3년 후 3,576만원을 얻는 프로젝트가 있다고 하자. 할인율은 10%이다. 순현재가치(NPV)는 얼마인가?[20]

풀이

$$NPV = \frac{2,440}{(1+0.1)} + \frac{2,734}{(1+0.1)^2} + \frac{5,576}{(1+0.1)^3} - 6,500 = 499\text{만원}$$

이 투자는 채택하는 것이 합리적이다.

5.4.2 내부수익률

순현재가치(Net Present Value, NPV)를 0으로 만드는 수익률(할인율)을 내부수익률

20 ---- value1 ----
NPV(0.1, 2440, 2534, 3576) - 6500을 계산하여야 한다.

(Internal Rate of Return, IRR)이라고 한다.[21]

$$0 = \frac{FV_1}{(1+r)} + \frac{FV_2}{(1+r)^2} + \cdots\cdots + \frac{FV_T}{(1+r)^T} - C_0$$

이렇게 구한 내부수익률은 무위험 실질수익, 인플레이션 요소, 위험보상 요소가 고려된 수익률인 최소요구수익률(Minimum Attractive Rate of Return, MARR)과 비교하여 투자여부를 판단하여야 한다.

IRR> MARR 투자 프로젝트 채택

IRR=MARR 의사결정 무차별

IRR<MARR 투자 프로젝트 기각

예를 들어 가장 안정적인 자산인 국공채 수익률은 무위험 실질수익(2%), 인플레이션 요소(4%), 위험보상 요소(0%)를 합쳐 총 기대수익률 6%가 계산된다. 반대로 가장 위험성이 높은 벤처기업 주식의 수익률은 무위험 실질수익(2%), 인플레이션 요소(4%), 위험보상 요소(14%)을 합한 총 기대수익률 20%로 계산된다.

내부수익률이 6% 이하인 국공채는 구입하지 않는 것이, 6% 이상이면 구입하는 것이 합리적인 선택이 된다. 한편 내부수익률이 20% 미만인 벤처기업주식은 투자하지 않는 것이, 내부수익률이 20% 이상인 벤처기업주식은 투자하는 것이 합리적이다.

예제 5-7

위 NPV 실습문제 5-8의 내부수익률을 구하라.[22]

풀이

14.1%가 계산된다. 할인율 10%보다 높은 수익률이기 때문에 투자하여도 된다.

---

21 내부수익률의 정의식은 별로 어렵지 않지만 실제로 정확하게 계산하기가 쉽지 않다. 기간이 T인 경우 T차 방정식의 해를 구하는 문제가 된다. T가 10년인 경우 10차 방정식의 해를 구하는 일이 되기 때문에 매우 복잡해진다. 엑셀함수 IRR을 이용하면 비교적 쉽게 계산할 수 있을 것이다.

22 ------------values----------
IRR(-6500, 2440, 2534, 3576)을 계산하여야 한다.

실습문제 5-9

연 이자율 8%인 상태에서 구입비용 3억 원, 수명이 5년인 기계를 구입하였다. 이 기계는 1년차에 5천만 원, 2년차에 6천만 원, 3년차에 7천5백만 원, 4년차에 9천만 원, 5년차 9천만 원의 수익을 발생시킨다고 기대된다.

(1) 이 기계의 현재가치는 얼마인가?
(2) NPV를 이용하여 이 기계의 구입여부를 결정하라.
(3) IRR을 이용하여 이 기계의 구입여부를 결정하라.

풀이

현금 흐름도

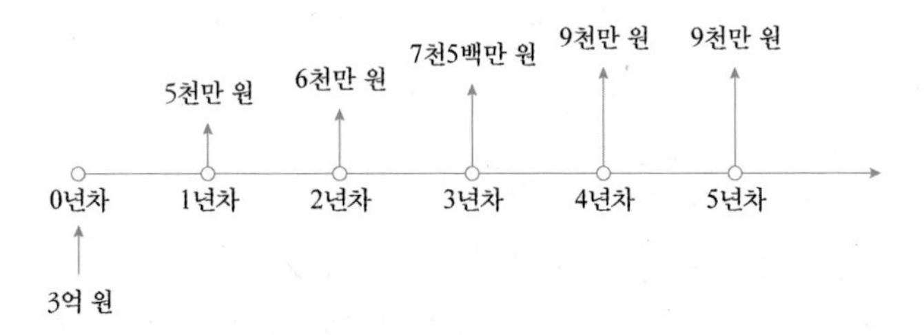

(1) PV: 28,468만원
(2) NPV: -1,532만원, 기계를 구입하지 않는 것이 바람직하다.
(3) IRR: 6.2%, 이자율 8%보다 낮으므로 기계를 구입하지 않는 것이 바람직하다.

실습문제 5-10

연 이자율 6%인 상태에서 용세는 대학졸업 후 법학전문대학원 진학여부에 대해 고민하고 있다. 재학 동안 매년 2,000만 원의 학비와 500만 원의 책과 학용품 비용이 예상된다. 졸업 후 3년간 매년 4,500만 원의 소득이 예상된다고 하자. 졸업 후 31살에 변호사가 되어 65세까지 매년 2,000만 원의 소득증가(변호사 소득 - 직장인으로서의 소득)가 예상된다.

단위: 만원

나이	학비	책과 학용품	소득의 증가	기회비용	소득 혹은 비용(명목)	현재할인가치
28	2,000	500	0	4,500	-7,000	-7,000
29	2,000	500	0	4,500	-7,000	-6,604
30	2,000	500	0	4,500	-7,000	-6,230 소계 : -19,834
31~65	-	-	2,000/매년	0	2,000×35= 70,000	30,736
합계	-	-	-	-	49,000	10,902

(1) 진학 여부를 판단하라.

(2) 이자율이 3%로 된 경우와 12%로 된 경우를 비교하고, 이자율이 진학 여부에 미치는 영향을 분석하라.

(3) 이자율 6% 상태에서 변호사 소득 증가분이 2,000만원에서 3,000만원으로 증가한 경우, 1,000만원으로 하락한 경우의 진학 여부를 판단하라.

풀이

(1) 10,902만원의 순현재가치가 예상되기 때문에 진학이 바람직하다.(30,736−19,834=10,902)

(2) 3%일 때, 각 연도의 현재가치를 합해서(35년간) 구한 값은 44,264만원이다. 24,430만원의 순현재가치가 예상되기 때문에 진학이 바람직하다.(44,264−19,834=24,430)
12%일 때 각 연도의 현재가치를 합해서(35년간) 구한 값은 18,313만원이다.(18,313−19,834=−1,521)
−1,521만원의 순현재가치가 예상되기 때문에 진학이 바람직하지 않다.

(3) 3,000만원일 때 35년간 각 연도의 현재가치를 합해서 구한 값은 46,104만원이다.(46,104−19,834=26,270)
26,270만원의 순현재가치가 예상되기 때문에 진학이 바람직하다.
1,000만원일 때 각 연도의 현재가치를 합해서 구한 값은 15,368만원이다. -4,465만원의 순현재가치가 예상되기 때문에 진학이 바람직하지 않다.(15,368−19,834=−4,465)

5.4.3 비용편익 비[23]

비용 대비 편익의 비를 계산하는 것이다.

$$\text{비용/편익}\left(\frac{B}{C}\right) = \frac{\text{편익}(Benefit)}{\text{비용}(Cost)}$$

$$\frac{B}{C} > 1 : \text{투자 적합}, \quad \frac{B}{C} < 1 : \text{투자 부적합}$$

실습문제 5-11

다음과 같은 편익과 비용이 발생하는 공공 프로젝트에 대해 투자 여부를 판단하라. 할인율은 10%라고 하자.

23 우리나라에서는 예비타당성 검토에서 (매 기 편익의 현재가치의 합/매 기 비용의 현재가치의 값)의 값이 0.9이상이면 투자를 허용하고 있다.

연도	편익	비용	순편익
0	-	10	-10
1	-	10	-10
2	20	8	12
3	30	8	22
4	20	5	15
5	10	5	5

(1) 이 프로젝트 편익의 현재가치는 얼마인가?
(2) 이 프로젝트 비용의 현재가치는 얼마인가?
(3) NPV를 이용하여 이 기계의 구입여부를 결정하라.
(4) IRR을 이용하여 이 기계의 구입여부를 결정하라.
(5) 편익(B)/비용(C) 비율은 얼마인가?

힌트

이 문제에서 비용은 2년에 걸쳐 투입되지만 편익은 2년 후부터 발생하기 때문에 기수(期數)에 유의하여야 한다.

풀이

(1) 수익의 현재가치 : 59억 원
(2) 비용의 현재가치 : 38억 원
(3) NPV : 20억 원 (양수이기 때문에 투자가치 있음)
(4) IRR : 0.46 (0.1보다 크기 때문에 투자가치 있음)
(5) 편익(B)/비용(C) = 59억 원/38억 원 = 1.54
(B/C 비율이 1보다 크기 때문에 투자가치 있음)

5.5 채권분석

채권(債券, bond)이란 발행자가 투자가에게 차입한 금액과 일정 이자를 정해진 일자에 상환하기로 약속한 증서이다. 채권은 원금(principal amount 또는 액면가치 face value 라고도 불림), 만기일(maturity date)과 액면이자율(coupon rate)로 표기되고 있다. 액면이자지급액(coupon payment)은 원금에 액면이자율을 곱한 금액이다.

채권의 소유자들이 만기까지 채권을 가지고 있는 것은 아니다. 전문적인 채권거래자들이 운영하는 조직화된 시장인 채권시장에서 채권은 언제든지 자유롭게 거래된다. 이때 채권시장에서 결정되는 시장가치를 채권의 가격이라고 부른다.

5.5.1 채권가치평가

채권의 현재가치는 채권이 제공하는 미래 현금흐름인 액면이자와 원금의 현재가치이다.

채권가치 = 액면이자의 현재가치 + 원금의 현재가치

$$P_0 = \frac{C}{(1+r)} + \frac{C}{(1+r)^2} + \cdots + \frac{C}{(1+r)^{T-1}} + \frac{C}{(1+r)^T} + \frac{F}{(1+r)^T}$$

$$\equiv \sum_{t=1}^{T} \frac{C}{(1+r)^t} + \frac{F}{(1+r)^T} = \frac{C}{r}\left[1 - \left(\frac{1}{1+r}\right)^T\right] + \frac{F}{(1+r)^T}$$

P_0 : 채권의 현재가치, F : 상환가액(액면금액), r : 할인율

C : 매 기의 이자 지급액[매 기 이자 지급액(C)은 액면이자율(c)에 액면금액(F)을 곱한 값, $C = c \times F$]

이자율(c)과 할인율(r)의 상대적 크기에 따라 채권가치(P_0)와 액면금액(F)의 상대적 크기도 변한다.

- 액면이자율(c) = 할인율(r) => 채권가치(P_0) = 액면금액(F)
  : 액면가 채권(par value bond)
- 액면이자율(c) > 할인율(r) => 채권가치(P_0) > 액면금액(F)
  :프리미엄 채권(premium bond)
- 액면이자율(c) < 할인율(r) => 채권가치(P_0) < 액면금액(F)
  : 할인 채권(discount bond)

2015년 1월 1일 용세는 새로 발행된 원금 1백만 원인 2년 만기 정부채권을 1백만 원에 샀다. 액면이자율은 5%이며 매년 지급된다. 2016년 1월 1일에 5만 원의 액면이자와 2017년 1월 1일 또 한 번의 5만 원과 원금 1백만 원이 예상수입이 된다.

2016년 1월 1일 용세는 첫 번째 해의 액면이자(5만 원)를 받은 후, 이 채권을 팔기로 결심하였다. 이 채권을 사는 사람(용미)은 2017년 1월 1일 이미 확정된 대로 105만 원을 받게 될 것으로 예상된다.

이때 세 가지 경우가 있을 수 있다. 2016년 1월 1일에 채권시장에서 통용되는 이자율이 5%인 경우, 5% 이상인 경우, 5% 이하인 경우에 따라 구매자(용미)가 다르게 행동을 할 것이다.

① 5%인 경우: 1백만 원에 구입할 것이다.
② 5% 이상인 경우(6%인 경우): 이 채권을 구입하지 않을 것이다.
③ 5% 이하인 경우(4%인 경우): 이 채권을 적극 구입하려고 할 것이다.

5% 이상인 경우(6%인 경우) 채권소유자는 채권 가격을 낮추어 공급하여야 한다. 구입자는 6%를 포기하고 5%를 구입하는 꼴이 되기 때문에 낮아진 채권가격이 1%의 이자율 차이에 대한 보상을 받아야 할 것이다. 채권가격 × 1.06 = 1,050,000을 풀면 990,566원이 계산된다. 이 채권을 할인 채권(discount bond)이라고 부른다. 반대로 5% 이하인 경우(4%인 경우) 주도권을 채권소유자(용세)가 갖게 되고, 위와 같은 이치로 채권가격 × 1.04 = 1,050,000을 풀면 1,009,615원이 계산된다. 이 경우 프리미엄 채권(premium bond)이라고 불린다.

새로 발행된 채권에 대한 이자율이 이미 발행된 채권의 이자율보다 높으면 금융투자가들은 이미 발행된 채권에 대해서는 낮은 가격으로 구매하려고 하기 때문에 채권가격은 하락한다. 이 예에서도 채권가격과 이자율은 반비례한다는 사실을 확인할 수 있다.

실습문제 5-12

적정 할인율이 6%이며 이자가 연 4회 지급된다고 하자. 원금이 10,000원, 액면이자율이 연 8%, 만기가 4년인 채권의 가격은 얼마인가?

풀이

두 가지 방법이 가능하다. 여기에서 주의하여야 할 것은 이자가 연 4회 지급되기 때문에 적정 할인율 연 6%와 액면이자율 연 8%를 4로 나눈 값으로 계산하여야 한다는 점이다.

먼저 $P_0 = \frac{C}{r}\left[1-\left(\frac{1}{1+r}\right)^T\right] + \frac{F}{(1+r)^T} = 10,706.56$ 공식을 그대로 이용하여 구한다.

P_0 : 채권의 현재가치, F : 10,000 r : 0.015(=0.06/4), C: 200 = 0.02(=0.08/4) × 10,000

만약 공식이 생각나지 않으면 15기까지 액면이자액{200 = 0.02(=0.08/4) × 10,000}을 현재가치화하여 합한 금액에 16기의 원금과 이자(10200=200+10000)를 현재가치화한 값을 합하면 구할 수 있다.
두 번째 방법으로는 16기 동안 10,200{=10,000×(0.08/4)}이 할인율 0.015(=0.06/4)로 현재가치화된 금액에서 15기 동안 10,000이 같은 할인율로 현재가치화된 금액을 빼는 형식을 취하고 있다. 이렇게 되면 16기에는 10,200원이 현재가치화되며 1기부터 15기까지는 200(=10,200-10,000)이 현재가치화되는 값을 갖게 되어 문제를 우회적으로 풀 수 있다.[24]

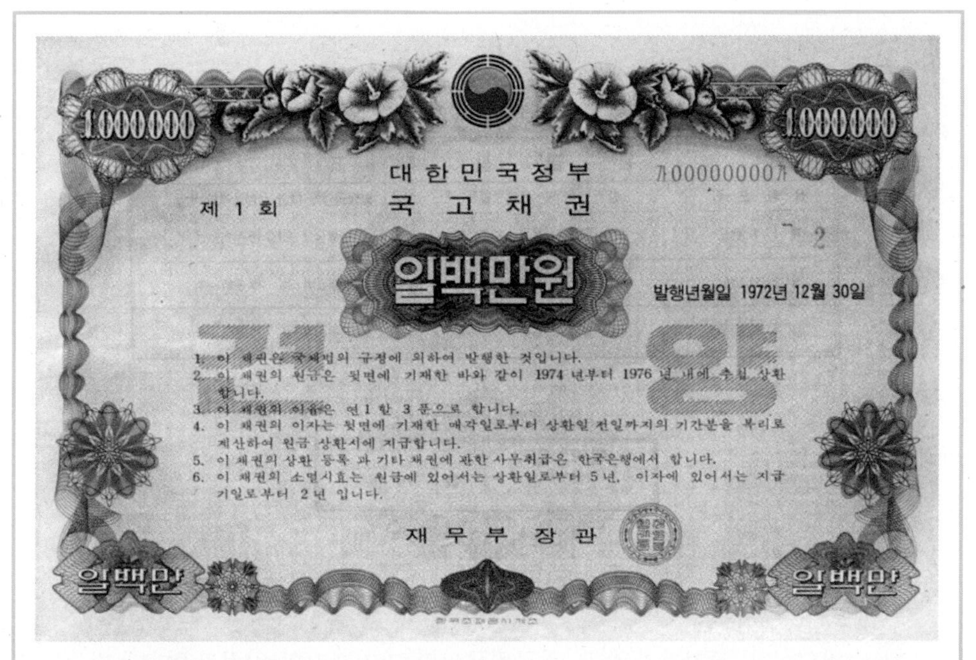
1.000.000 1.000.000
대 한 민 국 정 부
가000000000가
제 1 회
국 고 채 권
일백만원
발행년월일 1972년 12월 30일
1. 이 채권은 국채법의 규정에 의하여 발행한 것입니다.
2. 이 채권의 원금은 뒷면에 기재한 바와 같이 1974 년부터 1976 년 내에 추첨 상환 합니다.
3. 이 채권의 이율은 연 1 할 3 푼으로 합니다.
4. 이 채권의 이자는 뒷면에 기재한 매각일로부터 상환일 전일까지의 기간분을 복리로 계산하여 원금 상환시에 지급합니다.
5. 이 채권의 상환 등록 과 기타 채권에 관한 사무취급은 한국은행에서 합니다.
6. 이 채권의 소멸시효는 원금에 있어서는 상환일로부터 5년, 이자에 있어서는 지급 기일로부터 2년 입니다.
재 무 부 장 관
일백만 일백만

위의 국고 채권[25]을 보면 액면가는 100만 원이고, 발행일은 1972년 12월 30일이며 상환일은 1974년부터 1976년 사이에 이루어진다. 이자율은 연 13%로 정해져 있다.

5.5.2 영구채권

영구채권(永久債券, perpetual bond 또는 consol)이란 미래에 같은 금액이 영원히 계속해서 발생하는 현금흐름이다.

---

24 엑셀함수를 활용하면 $PV(0.015, 16, -10200) - PV(0.015, 15, -10000) = 10,706.56$

25 국고채 통합 정보시스템(www.ktbinfo.or.kr)참고하기 바람

$$P_0 = \frac{C}{(1+r)} + \frac{C}{(1+r)^2} + \cdots + \frac{C}{(1+r)^{T-1}} + \frac{C}{(1+r)^T} + \ \cdots \ = \frac{C}{r}$$

실습문제 5-13

할인율이 5%이고, 매년 말 1,000,000원의 이자가 발생하는 영구채권이 있다. 가치는 얼마로 평가할 수 있는가?

풀이

PV 영구채권 = 1,000,000/0.05 = 20,000,000

콘솔 공채

콘솔공채(원래는 consolidated annuities의 약자였으나 요즈음은 consolidated-stock을 의미하고 있음)란 영국에서 발행되고 있는 영구적으로 일정액의 이자가 지불되고 있는 채권공채이다. 상환되지 않는 대신, 영구히 이자가 지급되는 계약에 기초한 영구채의 대표적인 예의 하나이다. 1751년 최초로 발행되었으며 오랜 동안 2.5%의 이자율을 지급하고 있다.

5.5.3 채권수익률

채권수익률(債券收益率, yield to maturity)은 채권투자에서 만기까지 얻게 되는 현금흐름의 현재가치와 채권의 시장가격을 일치시켜주는 할인율로서 채권의 투자성과를 평가하는 척도이다. 투자자가 얻는 현금흐름이란 만기까지의 일정기간마다 받는 이자수입과 만기시점에 받는 원금을 의미한다.

채권을 B_0에 산 투자가가 만기에 얻을 수익률을 구해 보기로 하자. 이 문제는 아래의 식에서 할인율(r)을 구하는 문제가 된다. 이때 할인율은 내부수익률로서 투자금액(현금유출)과 투자로 인하여 발생하는 금액(현금유입)을 같게 하는 수익률이다.

$$\frac{C}{(1+r)} + \frac{C}{(1+r)^2} + \cdots + \frac{C}{(1+r)^{T-1}} + \frac{C}{(1+r)^T} + \frac{F}{(1+r)^T} - B_0 = 0$$

채권수익률은 채권시장 가격의 변화와 반대 방향으로 움직이는 것을 알 수 있다.

예를 들어 액면금액 1만 원, 표면(쿠폰)금리 연 10.0%, 잔존기간 2년, 이자지급은 1년 단위 후급조건인 채권을 현재의 시장가격 9,500원에 매입할 경우 채권수익률은 약 연 13.0%가 된다.[26]

$$\frac{1,000}{(1+r)}+\frac{11,000}{(1+r)^2}-9,500=0$$

1년 후 이자의 현재가치 + 2년 후 이자와 액면금액의 현재가치 - 구입가 = 0

엑셀함수 IRR(-9500,1000,11000)을 활용하면 쉽게 구할 수 있다. 만일 투자자가 동일한 채권을 9,800원에 매입했다면 이때의 채권수익률은 약 연 11.2%가 된다. 만약 채권을 9,500원이 아닌 9,800원에 샀다면 수익률은 13%에서 11.2%로 하락한다. 채권시장 가격이 상승하면 채권수익률은 하락한다는 사실을 확인할 수 있다.

두 얼굴의 한국 수학: 2014년 세계수학자 서울대회 vs. 수포자(수학 포기자)

세계적 수학 축제인 세계수학자 서울대회를 앞두고 KBS가 고등학교에서 수학 교사와 학생들을 대상으로 한 수학에 대한 선호 정도를 인터뷰한 것이다.

〈녹취〉 고교 2년생 : "나는 수학 포기했다!"

〈녹취〉 고등학교 수학교사 : "수업 시간에 많이들 자죠. 수학을 아예 포기해서 대화 자체가 불가능한 아이들도 있고..."

정부는 올해를 수학의 해로 선포했지만 지난해 수능 수학에서 100점 만점 기준으로 30점도 안 되는 학생이 전체의 40% 가까이나 됐습니다.

이렇게 된 이유로는 입시를 위한 문제풀이 수업 방식, 과도한 학습량, 암기식 교육 때문이라고 말하고 있습니다. 전문가들은 지금보다 교과 과정을 더 줄이고 수학의 개념과 원리를 이해할 수 있도록 수업을 바꿔야 한다고 강조합니다.

출처: KBS 뉴스, 2014년 7월 21일

---

26 이 문제의 답을 찾기 위해서는 2차 방정식을 풀면 된다. 그러나 이 경우라도 계수가 크기 때문에 다루기 쉽지 않다. 만약 숫자도 크고 기간도 길다면 컴퓨터 프로그램을 의지하지 않고는 답을 구하기 불가능하다.

핵심어

- 현재가치화
- 할인율
- 할인인자
- 순현재가치
- 내부수익률
- 비용편익분석(B/C)
- 채권 가격(가치)
- 채권수익률
- 콘솔(영구공채)
- 단순이자
- 복합이자
- 자연지수(e)
- 70법칙
- 실효이자율
- 내부수익률
- 비용편익 비
- 채권
- 채권수익률

연습문제

○× 문제

1. 할인인자는 $\frac{1}{1+r}$(r : 할인율)로 계산된다.
2. 실효이자율 = (명목이자율 − 물가변화율)이다.
3. 시간이 지남에 따라 단리로 계산한 값이 복리로 계산한 값보다 크기는 해도 그 차이는 크게 벌어지지 않는다.
4. 순현재가치를 0으로 만드는 수익률(할인율)을 내부수익률(IRR)이라고 하며 0 이상이면 투자가 합리적이라고 판단한다.
5. 채권의 수익률과 채권가격은 반비례한다.

단답형

1. 콘솔이란 무엇인가?
2. 비용편익 비란 무엇인가?
3. 70법칙이란 무엇인가?
4. 내부수익률이란 무엇인가?
5. 순현재가치란 무엇인가?
6. 복리의 위력을 설명하라.

풀이형

1. 박근혜 대통령이 1979년 전두환으로 받은 6억 원은 오늘(2016년)의 가치로 볼 때 얼마인가? 이자율은 5%라고 하자.[27]

2. 현재 200만원을 연 10% 이자율로 복리로 투자하면

   (1) 10년 후에 그 가치는 얼마가 되겠는가? [28]

   (2) 연 10% 이자율로 복리로 투자하여 10년 후 519만원을 얻으려면 지금 얼마를 예금하여야 하는가?[29]

   (3) 지금 200만원을 예금하여 10년 후 복리로 투자하여 519만원을 얻었다고 한다. 연 이자율은 몇 %인가?[30]

   (4) 지금 200만원을 예금하여 10%로 복리로 투자하여 519만원을 얻었다고 한다. 지불기간 횟수를 계산하라.

3. 명목이자율 12%, 원금 10,000원이고 이자지급 횟수에 따른 1년 후의 가치 및 실효이자율을 계산하라.

	이자지급횟수(연간)	1년 후의 가치(원)	실효이자율(%)
연 복리	1	11,200	
반년 복리	2	11,236	
분기 복리	4	11,255	
월 복리	12	11,268	
주 복리	52	11,273	
일 복리	365	11,275	
연속 복리	무한대	11,275	

---

27 1997년 전두환 전 대통령의 추징금 1,675억 원과 박근혜 대통령이 1979년 전두환으로 받은 6억 원은 오늘(2016년)의 가치로 얼마인가를 묻는 문제에서는 현재가치를 물어 보고 있지만 각각 20년 전, 37년 전의 입장에서 볼 때 2016년은 미래이기 때문에 미래가치를 구하는 공식을 이용하여야 한다. 각각 4,667억 원, 36억 원이 계산된다.

28 엑셀함수 FV를 이용하면 FV(0.1,10, -200)=518.75=519. 엑셀함수를 이용하지 않고 계산식으로 구하면 FV: 200*(1+0.1)^10=518.75=519이다.

29 엑셀함수 PV를 이용하면 PV(0.1,10,,-519)=200, 계산식으로 구하면 519 * [1/(1+0.1)^10]=200이다.

30 엑셀함수 RATE를 이용하면 RATE(10,,-200,519)=0.1, 계산식으로 구하면 POWER(519/200,1/10)-1 =0.1이다.

4. 위에서 본 맨해튼 섬 매매 예에서 2006년 현재 얼마의 금액이 될 것인가? 단순이자 방식과 복합이자 방식으로 각각 구하라. (원 달러 환율 1,200원)
5. e의 경제적 의미를 설명하라.
6. 원금이 2,000만 원이고 이자율이 연 3%이며 10년간 예금을 하는 경우를 생각해 보자. 복리로 계산된다.
   (1) 이자율이 1년 단위로 계산되는 경우 10년 후 원리합계
   (2) 이자율이 반년 단위로 계산되는 경우 10년 후 원리합계
   (3) 이자율이 분기별로 계산되는 경우 10년 후 원리합계
   (4) 이자율이 월별로 계산되는 경우 10년 후 원리합계
   (5) 이자율이 계속해서 계산되는 경우 10년 후 원리합계
7. 30년 동안 매년 100만 원씩 지불하고 (30년) 만기 년에 1,000만 원이 지불되는 채권의 현재가치를 이자율이 5%, 10%, 15%인 경우를 구하라.
8. 2000년 커피 값은 3,000원, 2005년 3,500원, 2010년 3,800원, 2015년 4,500원이다.
   (1) 2000년 커피 값을 100으로 할 때(2000년 기준 가격 수준) 각 연도의 지수를 구하라.
   (2) 2015년 커피 값을 100으로 할 때(2015년 기준 가격수준) 각 연도의 지수를 구하라.
   (3) 2010년 커피 값의 지수는 2000년 기준 가격수준일 때는 127이었고 2015년을 기준으로 할 때는 84이다. 각 연도의 커피 값에 의존하지 말고 이 지수만을 이용하여 2010년 커피 값을 기준으로 할 때 2000년도와 2015년의 가격지수를 구하라.
9. 연간 이자율 8%, 분기별 이자가 계산되고 있다. 초기금액이 1,000만 원일 때 2년 6개월 후 원리합계를 지수함수와 자연지수함수로 계산하라.
10. 연 이자율 5%인 상태에서 용세는 대학졸업 후 경영전문대학원 진학여부에 대해 고민하고 있다. 재학 동안 매년 1,500만원의 학비와 500만원의 책과 학용품 비용이 예상된다. 졸업 후 2년간 매년 4,000만원의 소득이 예상된다고 하자. 졸업 후 31살에 취직하여 60세까지 매년 3,000만원의 소득증가(좋은 직장 소득 - 보통 직장 소

득)가 예상되고 있다.

나이	학비	책과 학용품	소득의 증가	기회비용	소득 혹은 비용(명목)	현재할인가치
29	1,500	500	0	4,000	-6,000	-7,000
30	1,500	500	0	4,000	-6,000	①
						소계 : ②
31~60	-	-	3,000/매년	0	3,000×30 =90,000	③
합계	-	-	-	-	④	⑤

(1) ①, ②, ③, ④, ⑤를 계산하라.

(2) 진학 여부를 판단하라.

(3) 이자율이 2%인 경우와 8%인 경우를 비교하고, 이자율이 진학 여부에 미치는 영향을 분석하라.

(4) 이자율이 5% 상태에서 좋은 직장으로 인한 소득 증가분이 3,000만원에서 5,000만원으로 증가한 경우, 2,000만원으로 하락한 경우 각각의 진학 여부를 판단하라.

11. 15년 후에 액면가 1,000만원으로 상환하는 할인채를 현재 200만원에 매입하였다. 이 채권의 이자가 반년마다 복리로 계산된다면 연 이자율은 얼마인가?[31]

12. 자녀교육비로 3억 원을 20년 후에 받기로 하고 은행에 금전신탁에 가입하였다. 약정 연 이자율은 6%이고 반년마다 복리로 계산된다면 현재 은행에 얼마를 맡겨야 하는가?[32]

13. 할인율이 4%이고, 매년 말 200만원의 이자가 발생하는 영구채권이 있다. 가치는 얼마로 평가할 수 있는가?

14. Ha_{10}, Ha_{05}는 '10년 및 '05년 인구주택 총조사 결과상 a시의 일반 가구수이다.

(1) Ra = a시의 일반가구 연간증가율 추정치를 구하라.

31 엑셀함수를 이용하면 2*(POWER(1000/200, 1/30)-1)에서 구할 수 있다.

32 엑셀함수를 이용하면 PV(0.06/2, 40, -300)=92이다.

(2) '14년도 a시의 일반가구 추계치(Ha_{14})를 구하라.

15. 어느 유명한 베스트셀러 작가는 인세로 1년에 1천만 원의 수입을 올리고 있다. 현재 그는 61세이고 90세까지 수명이 기대된다. 또 저작권은 사후 70년간 보장된다고 한다. 연간 이자율은 4%로 변함이 없다고 가정한다.

(1) 90세까지 30년간의 그의 생전 인세 수입을 현재가치로 계산하라.

(2) 그의 사후 시점을 기준으로 상속세가 10%로 균일하게 부과된다고 한다. 예상되는 상속세금은 얼마인가?

(3) 총 인세(생전 30년+ 사후 70년)의 현재가치를 계산하라.

16. 신약 개발 특허로 인한 기대 수입이 1년에 10억으로 기대되며, 20년간 독점 수입이 보장된다. 연간 이자율은 6%로 변함이 없다고 가정한다.

(1) 이 특허권의 현재가치를 계산하라.

(2) 만약 20년 후 5년간 너 특허권을 연상하려면 상당한 비용이 든다고 한다. 이때의 비용이 얼마 이하여야 특허연장을 신청하겠는가?

CHAPTER 6

미분법과 그 응용 Ⅰ

동적인 우주의 법칙들이 수학적으로 표현되며, 수학을 연구함으로써 법칙들을 새롭게 이해하고 발전시키며 응용할 수 있게 되었다.

• 미적분 탄생의 의미

미적분은 최단거리나 최소시간처럼 어떻게 하면 최적화를 할 수 있는가를 고민하는 이론이다. 어렵더라도 문과든 이과든 교양차원에서 기본 개념 정도는 배워야 한다.

• 박계남(인하대학교 수학교육과 교수), 사교육 걱정없는 세상

내가 다른 사람보다 더 멀리 보았다면 그것은 거인들의 어깨 위에 서 있었기 때문이다.

• 뉴턴(Issac Newton, 1642~1727)

나는 다음과 같은 두 가지 이유로 경제학에 관심을 갖게 되었다. 하나는 경제이론이 수학이나 체스와 거의 같은 수준으로 매력적인 지적도전이 된다. 다른 하나는 대공황을 이해하고 극복하는 데 경제학이 분명히 도움이 될 것이라고 보았기 때문이다.

• 토빈(James Tobin, 1918~2002, 1981년 노벨경제학상 수상자)

학습목표

미적분! 아마 귀가 따갑도록 들었고, 고등학교 수학 시간에 수없이 문제를 풀어 보았을 것이다. 미적분이 차지하는 비중이 워낙 높기 때문에 미적분 문제를 잘 푼다는 말은 수학을 잘한다는 말과 같은 말이었다.

이 장에서는 먼저 미분법에 대한 기초 개념과 독립변수가 하나인 함수에 대한 미분법을 공부할 예정이다. 그런 후 경제학에서 혹은 실생활에서 응용되고 있는 예를 학습할 것이다. 또 역함수, 합성함수, 지수함수와 로그함수의 미분법을 배우고 응용하게 된다.

구성

6.1 수렴과 함수의 극한
6.2 미분계수와 도함수
6.3 함수의 연속성과 미분가능
6.4 미분법칙
6.5 역함수와 합성함수의 미분
6.6 지수함수와 로그함수의 미분
6.7 오목함수와 볼록함수
6.8 2계 도함수와 고계 도함수
6.9 응용
6.10 위험에 대한 태도

맨큐의 10대 경제원리

기본원리 3: 합리적인 판단은 한계적(限界的, marginal)으로 이루어진다.

대전(청주공항)에서 제주까지 가는 비행기를 대상으로 이 원리를 생각해 보기로 하자. 200인승 비행기에 편도 5,000만 원의 비용이 들고 일인당 25만 원으로 가격을 책정하였다. 출발 10분 전에 180명이 탑승하였다. 20만 원을 지불하고 타려는 손님이 있다. 이 손님을 태워야 하는가 말아야 하는가?[1]

현재 4,500만 원 수입(=25만 원×180명)이다. 한 명이 더 타면 추가 수입(△수입 = Marginal Revenue: MR, 한계수입) 20만 원이고 추가 비용(△비용 = Marginal Cost: MC, 한계비용) 0만 원이다. 손님 한 사람을 더 태운다고 해서 추가로 기름이 더 드는 것도 아니고 기내식이 더 필요한 것도 아니기 때문이다. 추가 수입이 추가 비용보다 크기 때문에 손님을 태우는 것이 합리적인 판단이다. 즉 MR>MC이기 때문에 생산량을 늘리는 것이다.

경제학에서는 한계 개념이, 수학에서는 미적분 개념이 바로 이런 경우이다.

1장에 소개한 여러 경제학자들이 제시하고 있는 경제원리에 이 한계적 판단원리는 공통으로 포함되어 있다.

6.1 수렴과 함수의 극한

경제학과 경영학에 유용하게 사용되는 도함수의 개념은 수렴과 극한의 개념에 크게 기초하고 있기 때문에 먼저 이 두 개념을 확실하게 이해하여야 한다.

수렴(收斂)이란 x가 어떤 값 a에 한없이 가까워질 때, "x는 a에 수렴(converge)한다" 또는 "x는 a에 접근한다"라고 말하며 $x \to a$로 쓰고 있다.

함수 $f(x)$가 $x=a$의 근방에서 정의되어 있고(단, a는 제외해도 좋음), 또 x가 a의 좌우로부터 a에 접근할 때, $f(x)$의 값이 어떤 유한한 값(finite number) L에 한없이 접근하는 경우, 이 사실을

$$\lim_{x \to a} f(x) = L$$

이라고 쓰고, $f(x)$을 $x=a$에서의 $f(x)$의 극한(極限, limit)값이라고 부른다.[2]

1 이 문제는 장기적인 관점에서 보면 다른 답도 가능하다. 만약 늦게 온 손님이 싸게 비행기를 탄다는 사실이 널리 알려지게 되면 예약 시스템이 제대로 가동되지 않게 될 것이고 항공사는 낭패를 볼 가능성이 있다. 따라서 여기의 예는 단기에 아주 예외적으로 또 비밀리에 생각할 수 있는 예라고 보면 좋겠다. 실제로 "점보 747 승객 300명에게 300개의 가격이 있다"는 말이 있다.

다음 그림을 이용하여 극한 개념을 정확히 공부해 보도록 하자. ①에 그려진 함수는 극한값을 갖는다. ②에 그려진 함수는 극한값을 갖는다. ③에 그려진 함수는 극한값을 갖지 않는다. ④에 그려진 함수는 극한값을 갖지 않는다.

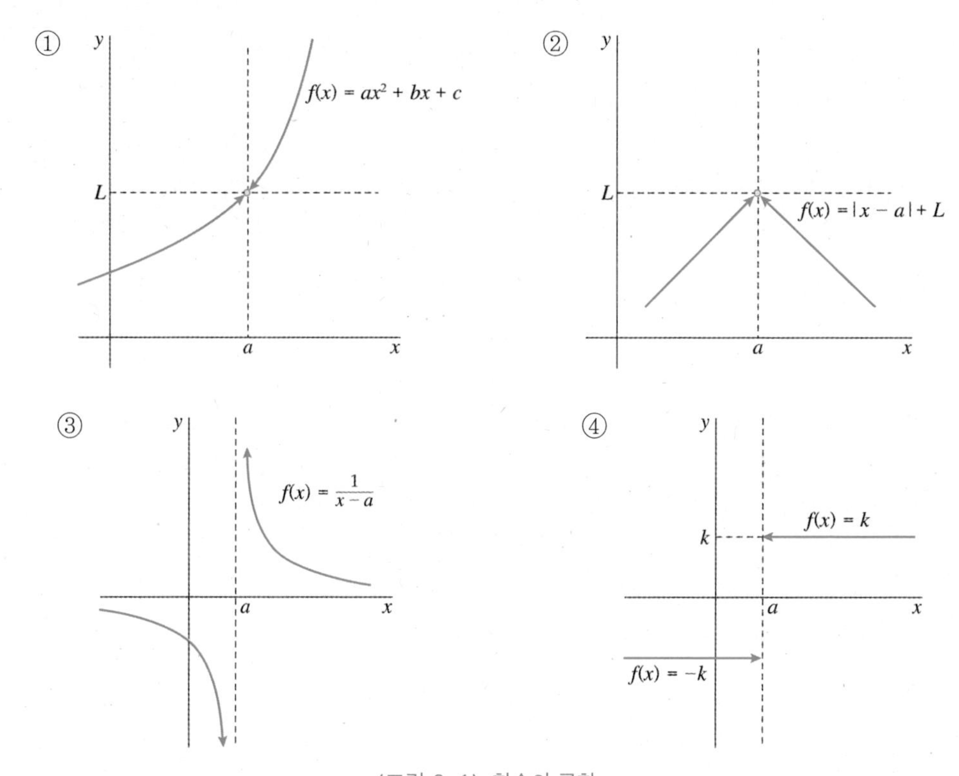

〈그림 6-1〉 함수의 극한

예제 6-1

$$\lim_{x\to 2}(5x+3) = \lim_{x\to 2}5x + \lim_{x\to 2}3 = 10+3 = 13$$

---

2 a 값보다 작은 수에서 접근할 때의 극한값을 왼쪽(좌방) 극한값(left-side limit)이라고 부르며 a 값보다 큰 수에서 접근할 때의 극한값을 오른쪽(우방) 극한값(right-side limit)이라고 부른다. 극한값이 존재한다는 말은 왼쪽 극한값과 오른쪽 극한값이 같음을 의미한다. $\lim_{x\to a^+}f(x) = \lim_{x\to a^-}f(x) = L$ 을 의미한다. 극한을 정의함에 있어 "차이가 나지 않을 정도로 작을 때는 같은 것으로 생각한다"는 전제가 깔려 있다.

예제 6-2

$f(x)=\dfrac{x^2-4}{x-2}\quad(x\neq 2)\ \lim_{x\to 2}\dfrac{x^2-4}{x-2}=\lim_{x\to 2}(x+2)=4$

x	$f(x)$
-2	0
-1	1
0	2
1	3
1.5	3.5
1.75	3.75
1.99	3.99
2.01	4.01
2.25	4.25
2.5	4.5
3	5
4	6

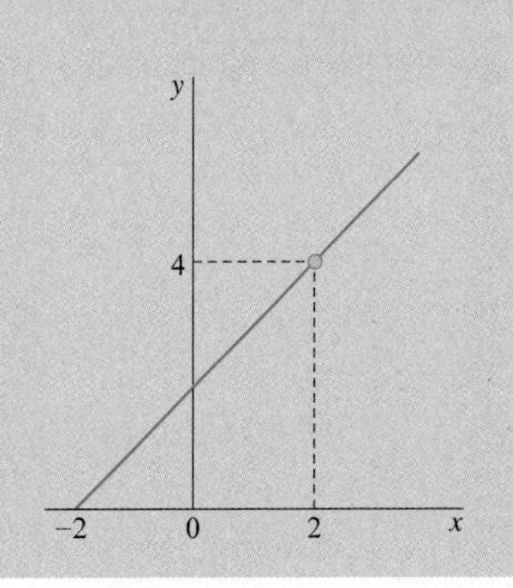

예제 6-3

$\lim_{x\to 5}g(x)$를 구하라. $g(x)=\begin{cases}\dfrac{1}{2}x & x<4\\ \dfrac{1}{2}x+2 & x\geq 4\end{cases}$

$g(x)=\dfrac{1}{2}x$

x	$f(x)$
0	0
2	1
3	1.5
3.9	1.95

$g(x)=\dfrac{1}{2}x+2$

x	$f(x)$
4.1	4.05
5	4.5
8	6
10	7

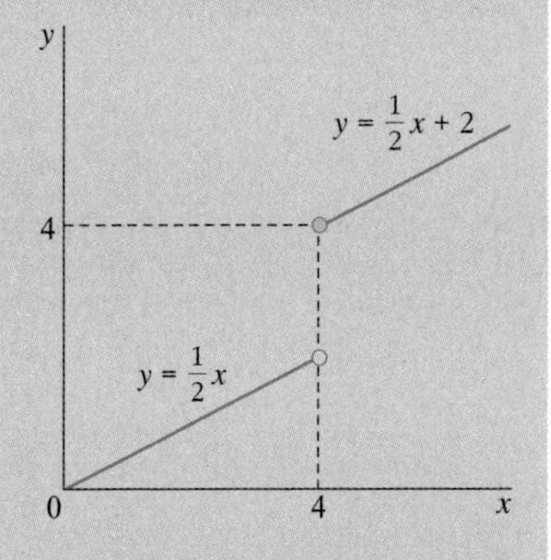

x가 4의 왼쪽에서 4로 접근함에 따라 $g(x)$는 2로 접근한다. 하지만 x가 4의 오른쪽에서 4로 접근함에 따라 $g(x)$는 4로 접근한다. 양쪽에서 4로 접근함에 따라 유한한 하나의 값으로 수렴하지 않기 때문에 극한값은 존재하지 않는다.

실습문제 6-1

보통 등기 소포의 요금 체계는 다음 표와 같다. (2014. 2. 1. 시행)

중량	2kg 이하	5kg 이하	10kg 이하	20kg 이하	30kg 이하
요금	3,500원	4,000원	5,500원	7,000원	8,500원

(1) 소포의 요금 체계를 함수로 나타내고, 그 그래프를 그려라.
(2) (1)에서 구한 함수의 연속 또는 불연속을 조사하라.

풀이

(1) 중량이 xkg일 때의 요금을 $f(x)$원이라고 하면, 함수 $f(x)$의 정의역은 (0, 30)이고 그 함수식과 그래프는 다음과 같다.

$$f(x)=\begin{cases} 3,500 & (0 < x \le 2) \\ 4,000 & (2 < x \le 5) \\ 5,500 & (5 < x \le 10) \\ 7,000 & (10 < x \le 20) \\ 8,500 & (20 < x \le 30) \end{cases}$$

(2) 함수 $f(x)$는 구간(0, 30) 중 x=2, 5, 10, 20에서 불연속이고 나머지 점에서는 연속이다.

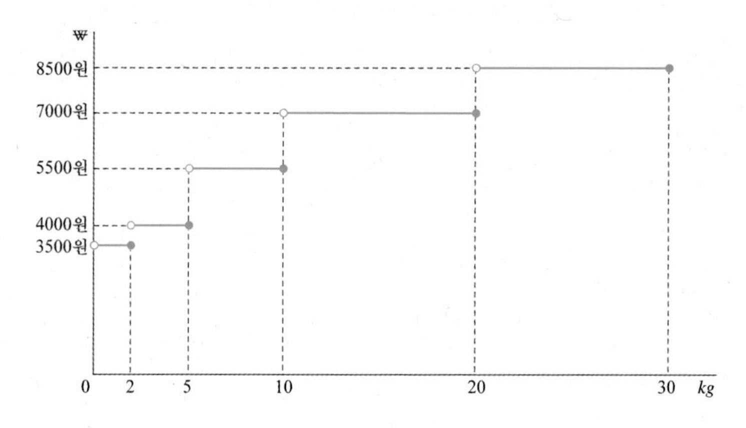

6.2 미분계수와 도함수

6.2.1 정의

일반적인 함수, $y=f(x)$가 있다고 하자. 여기서 x는 독립변수(외생변수)로서 '변화'를 이끄는 변수이고 y는 종속변수(내생변수)로서 x의 변화에 따라 영향을 받는 (변화가 나타나는) 변수이다. 이 장에서는 독립변수가 하나인 경우를 살펴본 후 다음 장에서 독립변수가 여럿인 경우로 확장해 나갈 것이다.

이제 '변화'라는 중요한 관심사를 수학적 기호를 빌려 나타내보자. 변수 x가 a에서 b로 변화할 때, b와 a의 차를 x의 증분(增分, increment)이라 하고 Δx로 표기한다. 즉 $\Delta x = b - a$가 된다. 이때 이 증분은 양일 수도 음일 수도 있다. 이 사실을 좀 다르게 표현하면 x 값이 a에서 $a + \Delta x$까지 변할 때 종속변수는 $f(a)$에서 $f(a + \Delta x)$까지 변한다. 이때 $f(a + \Delta x)$와 $f(a)$의 차이, 즉 $f(a + \Delta x) - f(a)$를 종속변수 y의 증분이라 한다. 즉

$$\Delta y = f(a + \Delta x) - f(a)$$

그리고 Δy를 Δx로 나눈 몫, 이를 차분 몫(差分, difference quotient)이라 부르며 다음과 같이 표기한다.

$$\frac{\Delta y}{\Delta x} = \frac{f(a + \Delta x) - f(a)}{\Delta x}$$

이는 x가 $a + \Delta x$로 변할 때의 y 또는 $f(x)$의 평균변화율(平均變化率)이라 한다. 이 평균변화율도 x의 함수이므로 Δx가 0으로 접근할 때(즉 x의 변화가 아주 적을 때)의 극한(이것을 $\lim_{\Delta x \to 0}$라 표기함), 즉

$$\frac{dy}{dx} = \lim_{\Delta x \to 0} \frac{\Delta y}{\Delta x} = \lim_{\Delta x \to 0} \frac{f(a + \Delta x) - f(a)}{\Delta x}$$

이 존재하면, 이를 함수 $x = a$에서의 함수 $f(x)$의 순간변화율(瞬間變化率)이라 하며 $f'(a)$ 혹은 $\frac{dy}{dx}$로 나타낸다. 즉 $f'(a) = \lim_{\Delta x \to 0} \frac{\Delta y}{\Delta x}$ 이고 $f'(a)$를 $x = a$에서의 변화율 또는 미분계수(微分係數, differential coefficient)라 한다.

예제 6-4

$y = f(x) = 2x^2 + 5$, $a = 2$일 때 미분계수를 구하라.

풀이

$$\frac{\Delta f}{\Delta x}=\frac{\Delta y}{\Delta x}=\frac{f(2+\Delta x)-f(2)}{\Delta x}=\frac{[2(2+\Delta x)^2]+5-(8+5)}{\Delta x}=\frac{8\Delta x+8(\Delta x)^2}{\Delta x}=8+8\Delta x$$

$$\lim_{\Delta x\to 0}\frac{\Delta f}{\Delta x}=\lim_{\Delta x\to 0}\frac{\Delta y}{\Delta x}=\lim_{\Delta x\to 0}(8+8\Delta x)=8$$

6.2.2 미분계수와 기울기

함수 $y=f(x)$의 그래프가 <그림 6-2>에 그려져 있다. 초기 값은 a이고 이에 대응하는 함수 값은 $f(a)$이다. 이제 a에서 b로 증가했다고 가정한다면 그에 대응하는 함수 값은 $f(b)$가 된다. 즉 $\Delta x=b-a$가 되어 기울기는 $\Delta y/\Delta x=(f(b)-f(a))/b-a$가 된다. 이제 b가 a로 점차 접근함에 따라, 즉 $\Delta x\to 0$으로 됨에 따라 기울기는 점점 $(a,\ f(a))$에서의 접선의 기울기인 $f'(a)$에 접근하게 된다.[3] 즉

$$\lim_{\Delta x\to 0}\frac{\Delta y}{\Delta x}=\lim_{\Delta x\to 0}\frac{f(b)-f(a)}{b-a}=f'(a)$$

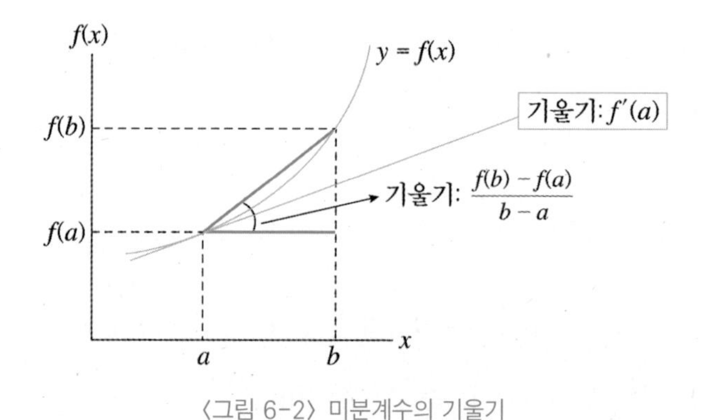

〈그림 6-2〉 미분계수의 기울기

$f'(a)$는 곡선 $y=f(x)$ 위의 점 $(a,\ f(a))$에서의 접선의 기울기를 나타낸다. 이때 $f'(a)$를 함수 $f(x)$의 a에서의 미분계수라 한다. 다시 말해 곡선의 기울기는 특정 점에서 미분계수의 개념을 기하학적으로 나타낸 것이라 할 수 있다.

---

3 어느 곡선의 접선은 그 곡선과 단 한 점에서 만나는 직선을 말한다.

6.2.3 도함수

앞에서 우리는 Δx가 아주 적게 변화할 때 y의 변화율에 관심을 갖는다고 말했다. 이는 Δx가 0에 근접하게 변화할 때 $\Delta y/\Delta x$의 근사값을 구할 수 있다는 것이고, 앞에서 우리는 이것을 극한이라 했다. 만약 $\Delta x \rightarrow 0$일 때 $\Delta y/\Delta x$의 극한이 존재하면, 그 극한을 함수 $f(x)$로부터 유도된 함수라는 의미에서 도함수(導函數, derivative)라고 하고 함수 $f(x)$는 원시함수(原始函數, primitive function)라 한다.[4] 다시 말해 어떤 원시함수 $y=f(x)$의 극한을 구하는 과정을 그 함수의 도함수를 구한다고 한다. 그리고 다음과 같이 표기한다.

$$\frac{dy}{dx}=f'(x)=\lim_{\Delta x\rightarrow 0}\frac{\Delta y}{\Delta x}$$

여기서 d는 그리스 문자 Δ에 해당하는 것으로, $\Delta x \rightarrow 0$일 때 $\Delta y/\Delta x$의 극한이 $\frac{dy}{dx}$라는 것이다. 그리고 함수 $f(x)$의 도함수를 구하는 과정을 $f(x)$를 x로 미분한다(differentiate)고 한다. 즉 우리가 '미분한다'라는 표현은 '함수의 도함수를 구한다'라는 것을 의미한다.

예제 6-5

$y=f(x)=2x^2+5$에서

$$\Delta y=f(x+\Delta x)-f(x)=2(x+\Delta x)^2+5-(2x^2+5)=4x(\Delta x)+2(\Delta x)^2$$

$$\frac{\Delta y}{\Delta x}=4x+2\Delta x$$

따라서 함수 $y=f(x)$의 도함수는 혹은 $y=f(x)$를 x로 미분하면 다음과 같이 구해진다.

$$\frac{dy}{dx}=f'(x)=\lim_{\Delta x\rightarrow 0}\frac{\Delta y}{\Delta x}==4x+2\Delta\quad x=4x$$

---

4 derivative를 '끌릴' 도(導)자를 써 도함수로 번역하고 있다. 일반적으로 끌리는 존재 전에는 반드시 원시의 존재가 있다. 미분에서 원시의 존재는 원시함수이고 거기에서 끌린 함수는 도함수이다.

도함수는 다음의 특징을 갖는다. 첫째, 도함수는 함수이다. 도함수는 앞에서 보았듯이 원래의 함수 $f(x)$에서 유도된 함수인 다른 함수이다. 둘째, 도함수로 측정된 변화율은 순간적 변화율이다. 도함수를 구하는 과정은 Δx가 아주 작은 변화가 이루어질 때 ($\Delta x \to 0$)를 의미하므로 어느 순간에서의 작은 변화라는 특징을 갖는다고 볼 수 있다. 이는 경제학에서 말하는 '한계(marginal)'의 개념과 밀접한 관계를 갖는다. 경제학에서 한계라는 개념은 '단위의 변화'를 말한다.[5] 즉 어떤 경제변수가 연속적인 특성을 띠는 경우 단위변화란 가장 작은 변화를 의미하며 이는 곧 도함수의 개념과 일치한다. 따라서 원시함수가 주어진 경우 도함수를 구한다는 것은 어떤 총 함수의 한계함수를 구한다는 것과 같은 의미라 볼 수 있다.

실습문제 6-2

(1) $y = f(x) = x^2$에서 도함수를 구하라.
(2) $x = 1$에서, $x = 2$에서 미분계수를 구하라.
(3) $x = 1$에서, $x = 2$에서 각 접선의 방정식을 구하라.

풀이

(1) 도함수: $y' = f'(x) = 2x$
(2) 미분계수: $f'(1) = 2$, 점(1,1)의 접선의 기울기가 2다.
$f'(2) = 4$, 점(2,4)의 접선의 기울기가 4다.
(3) 점(1,1)을 지나고 기울기가 2인 함수는 $y = 2x - 1$가 구해진다.
점(2,4)을 지나고 기울기가 4인 함수는 $y = 4x - 4$가 구해진다.

---

5 '단위의 변화'라는 개념을 이해하기 위해서는 먼저 단위가 무엇인가를 정해야(알아야) 한다. 예를 들어 커피를 마시는 경우를 생각해 보자. 어떤 때는 한 잔을, 어떤 때는 한 모금을, 어떤 때는 반 잔을 한 단위로 생각할 수 있다. 커피 한 잔을 단위로 생각하였다면 현재 한 잔을 마신 후 한 잔을 더 추가적으로 마시는 일을 독립변수의 증가로 나타낼 수 있으며, 커피 한 잔을 더 마심에 따라 증가하는 만족(효용)의 정도를 종속변수의 증가라고 말할 수 있다. 단위는 누가 정해주는 것이 아니라 관심을 갖고 있는 사람이 정하기 나름이다. 보통 우리는 커피 한 잔을 단위로 생각하는 경우가 많지만 어떤 때는 "오늘 아침부터 커피를 5잔이나 마셨더니, 한 모금도 못 마시겠다"고 말하는 사람은 5잔까지는 잔을 단위로 생각하고 있으나 최종적으로는 한 모금을 단위로 생각하고 있는 것이다. 따라서 '단위'가 얼마라고 미리 정해진 것은 아니고 분석대상에 따라 달라질 수 있다는 사실을 명심하여야 할 것이다.

6.3 함수의 연속성과 미분가능

우선 함수가 연속성(連續, continuity)을 띤다는 것은 함수 $f(x)$가 어떤 구간 내에서의 모든 x에 대하여 연속일 때를 말한다. 즉 어떤 구간 내에서 펜을 떼지 않고 함수의 그래프를 그릴 수 있어야 한다는 것이다. 예컨대 함수 $g=h(v)$의 그래프를 그리는 과정에서 그래프 상에 틈(gap)이 존재하지 않아서 펜을 떼지 않고 그래프를 그릴 수 있을 때를 말한다(2차 함수 그래프나 3차 함수 그래프를 상상해보라).

함수 $f(x)$가 $x=a$에서 연속이기 위한 조건으로

① $f(x)$가 $x=a$에서 존재하여야 한다.

② $\lim_{x\to a} f(x)$가 존재하여야 하며

③ $\lim_{x\to a} f(x)=f(a)$

이 성립하여야 한다. 함수 $f(x)$가 어떤 구간의 모든 점에서 연속일 때, 함수 $f(x)$는 그 구간에서 연속인 함수라 한다.[6]

앞에서 함수 $y=f(x)$가 $\Delta x=b-a$가 아주 작은 단위로 변화할 때 $\Delta y/\Delta x$의 극한을 구하는 과정과 미분계수를 구하는 것을 살펴보았다. 그리고 극한이 존재할 경우 그 극한을 구하는 과정을 미분한다고 하였다. 따라서 도함수를 구하기 위해서, 즉 미분을 하기 위해서는 Δx가 0으로 접근함에 따라 $x=a$에서 차분계수($\Delta y/\Delta x$)의 극한이 존재해야 하며 이를 미분가능성(微分可能性, differentiable) 조건이라 한다.[7]

---

6 연속의 반대말은 불연속(discontinuous)이다. 연속변수가 취하는 함수가 어떤 특정 변수 값에서 불연속인 경우에 사용된다. 예를 들어 $f(x)=\dfrac{1}{x}$는 $x=0$에서 불연속이다. 변수의 불연속을 discrete가 사용됨에 유의할 필요가 있다. 불연속이라고 할 때 함수의 불연속(discontinuous)인지 변수의 불연속(discrete)인지를 구별하여야 할 것이다.

7 곡선 위의 어떤 점에서 미분할 수 있다는 것은 그 점에서 곡선이 끝나거나 갑자기 방향을 바뀌지 않고 그 점보다 한 걸음 더 나아간 점이 있어야 한다. 원활한(smooth) 한 그래프로 그려진다.

■ 미분가능성 조건

$$f'(a) = \lim_{\Delta x \to 0} \frac{\Delta y}{\Delta x} = \lim_{\Delta x \to 0} \frac{f(a+\Delta x) - f(a)}{\Delta x}$$

함수가 특정한 점에서 미분가능하기 위해서는 그 점에서 접선의 기울기가 유일하여야 하고 유한한 값을 가져야 한다. 이러한 미분가능성은 연속성을 보장하지만 그 역은 성립하지 않는다.[8] 즉 어떤 함수가 미분가능하면 연속이라 할 수 있지만 거꾸로 어떤 함수가 연속이라 해서 모두 미분가능한 것은 아니다(뾰족점이 존재하는 함수의 경우 연속이나 미분가능하지는 않음). 우리가 경제학에서 다루는 대부분의 구체적인 함수는 모든 값에서 미분가능한, 따라서 연속인 함수를 가정하고 있다. 이는 사람들이 경제활동을 함에 있어 일관성이 있다는 점, 독립변수의 움직임에 대해 사람들이 갑작스럽게 전과 다른 반응을 하지 않는다는 것이다. 혹 몇몇 개인이 일관성 없이 (불연속적으로) 행동한다 할지라도 수많은 개인들의 행동을 합계한 시장에서 나타나는 결과는 연속이라고 보아도 무방할 것이다.

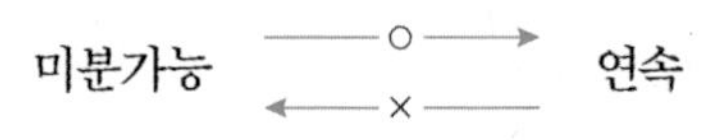

미분가능 —○→ 연속
미분가능 ←×— 연속

〈그림 6-3〉 미분가능과 연속과의 관계

예제 6-6

$y = f(x) = \dfrac{x^2 - 9x + 20}{x - 4}$ 는 $x = 4$ 에서 연속인지를 판단하라.

풀이

① $f(4) = \dfrac{(4)^2 - 9(4) + 20}{(4) - 4}$

분모가 0이기 때문에 $f(x)$가 정의되지 않는다.

② $\lim_{x \to 4} \dfrac{(x-4)(x-5)}{(x-4)} = -1$

8 부록에서 증명하였음

③ $\lim_{x \to 4} f(x) = -1 \neq f(4)$ 그러므로 $f(x)$는 $x=4$에서 불연속이다.

실습문제 6-3

$f(x) = |x|$, $x=0$ 에서 연속이지만 미분가능하지 않음을 증명하라.

풀이

이 함수를 연필로 그려 보면 연필을 떼지 않고 그릴 수 있다. 연속인 함수다. 하지만 $x=0$에서 모서리를 형성하고 있기 때문에 $x=0$에서 미분가능하지 않다는 것을 쉽게 알 수 있다.

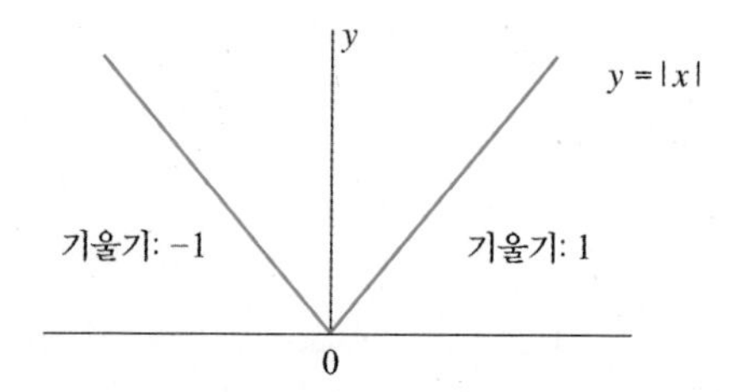

먼저 연속성 확인: $f(0)=0$, $\lim_{x \to 0} |x| = 0$이다. 따라서 $f(x)=|x|$는 $x=0$에서 연속이다. $x=0$에서 0보다 큰 값에서 0으로 접근하면 미분계수는 +1이 되지만 반대로 $x=0$에서 0보다 작은 값에서 0으로 접근하면 미분계수는 -1이 된다. 따라서 $f(x)=|x|$는 $x=0$에서 미분가능하지 않다.

미분법의 발견

뉴턴 라이프니츠

만유인력의 법칙으로 유명한 아이작 뉴턴(Isaac, Newton, 1642~1727)은 영국인으로 1665년 속도에 대한 변화율을 알아냈으며 이것을 바탕으로 1687년 "자연과학에 대한 수학적 원리"에서 미적분 개념에 근거한 만유인력, 관성의 법칙, 행성의 타원궤도 문제를 발표하였다. 한편 라이프니츠(Leibniz, 1646~1716)는 독일 사람으로 1684년《학술기요》에 미분법에 대한 논문을 실었다. 그러나 이미 몇 년 전에 그와 똑같은 생각을 한 수학자(뉴턴)가 있었고, 따라서 그는 표절자로 몰리는 처지가 되고 말았다.

라이프니츠는 당시 세계 최고 권위를 자랑하는 영국 왕립학회에 공정한 판결을 내려 달라고 거듭 청원했으나, "연구는 뉴턴이 먼저, 최초의 논문 발표는 라이프니츠가 먼저다. 그러나 미적분 발견자로서의 공로는 뉴턴과 라이프니츠 모두에게 있다"는 발표를 들어야 했다. 뉴턴은 이 협회의 회장을 25년간이나 하였지만 라이프니츠는 일반 회원이었다.

그는 하노버의 한 작은 교회에 묻혔으며 장례식에는 비서 한명만 참석했을 뿐이었다. 영국의 심장이라고 불리는 웨스트민스터 사원에 묻힌 뉴턴과는 정반대이다.

삶과 죽음은 뉴턴의 승리로 보인다. 그러나 두 사람의 미적분 중에서 끝까지 살아남은 건 '라이프니츠의 미적분'이다. 미적분의 대명사인 dx (디엑스), $\int$ (인테그럴)과 같은 기호는 라이프니츠가 고안한 것을 쓰고 있다.

신기하게도 같은 시기, 다른 장소에서 하나의 생각이 나왔다. 그것도 이전의 세계를 뒤바꿀만한 생각이 말이다. 그렇다면 이 생각은 세상에 나올 기회만 기다리고 있다가 무르익고 무르익어서 같은 시대에 터져 나왔다고 밖에는 설명할 수 없을 것 같다.

경제학에서는 한계 개념이, 수학에서는 미적분 개념이 바로 이런 경우이다...

『A Tour of the Calculus』의 저자 David Berlinski는 뉴턴을 "긴 이마가 두드러진 긴 얼굴과 의심 많은 눈을 가진 사람"으로 묘사한 반면 라이프니치에 대해서는 "한량 같은 지성인, 참신한 생각의 세계를 어슬렁거리는 그러한 사람"으로 묘사하고 있다.

출처: - EBS 〈문명과 수학〉 제작팀 지음, 『문명과 수학』, 민음인, 2014, pp.127-135.
- 이광연, 『수학자들의 전쟁』, 프로네시스, 2007.

뉴턴의 다른 얼굴: 과학자 뉴턴과 조폐국 감독 뉴턴, 그리고 투자 실패자 뉴턴

우리는 뉴턴을 저명한 물리학자로만 생각하고 있지만 화폐와 관련된 일에도 30년간이나 종사하였다.[9] 그는 85년을 살면서 30년은 과학 연구에 또 30년은 화폐 일에 종사하였다. 이 가운데 3년은 영국 왕립 조폐국에서 감독으로 일했고, 나머지 27년은 총 책임자로 일했다. 그는 가짜 화폐를 만든 사람을 사형시키는 일에 주저하지 않았다고 한다.

그는 은화와 금화의 가격을 비교하다가 두 화폐가 유통과정에서 하나의 과학 법칙처럼 서로 영향을 주고받는다는 사실을 발견했다. 또 은화의 해외 유출이 돌이킬 수 없다는 사실을 목격하고는 은화를 폐지하고 금화를 유일한 화폐로 삼는 금본위 제도를 주장하였다. 영국은 1717년에 뉴턴의 건의를 받아 들여 금본위 제도를 채택하게 되었다.

뉴턴의 또 다른 얼굴은 투자 실패자라는 사실이다. 그는 특권회사였던 남해 회사(The South Sea Company) 주식 사건으로 인해서 2만 파운드를 잃었다고 한다. 이 때 그는 "천체의 움직임은 계산할 수 있어도, 사람의 광기(狂氣)는 도저히 측정할 수가 없다("I can calculate the movement of the stars, but not the madness of men")"라고 말하였다는 일화도 있다.

9 중국 CCTV 다큐멘터리 <화폐>제작팀, 『화폐전쟁 1』, 김락준 옮김, 가나출판사, 2012. pp.86-94.

6.4 미분법칙

도함수를 구하는 과정에서 매번 극한의 존재여부를 확인해야 하는 번거로운 과정을 반복해야 한다는 불편함이 존재하나 이 절에서 소개하고 있는 여러 가지의 미분법칙을 통해 우리가 원하는 도함수들을 쉽게 구할 수 있다.

이제 단일 독립변수를 갖는 함수 $y=f(x)$가 주어져 있을 때 도함수 $f'(x)$를 구하는 방법에 대해 살펴보자. 먼저 상수함수 $y=f(x)=c$와 멱함수(power function) 형태인 $y=f(x)=x^n$ 및 $y=f(x)=cx^n$에 적용할 수 있는 법칙을 먼저 살펴보자. 여기서 소개되는 법칙들에 대해서는 자세한 증명은 생략하기로 하고 대신에 응용 및 예를 제시하기로 하자.

[법칙 1] 상수함수 $y=f(x)=c$의 도함수는 0이다. 즉

$$\frac{dy}{dx}=\frac{d}{dx}f(x)=\frac{d}{dx}c=0 \text{ 혹은 } f'(x)=0$$

예 $y=5,\ \frac{dy}{dx}=0$

[법칙 2] 함수 $y=f(x)=x^n$의 도함수는 $f'(x)=nx^{n-1}$ 이다. 즉

$$\frac{dy}{dx}=\frac{d}{dx}f(x)=nx^{n-1} \text{ 혹은 } f'(x)=nx^{n-1}$$

좀 더 일반화된 멱함수의 미분법칙은 다음과 같다. 즉 $y=f(x)=cx^n$ 형태의 도함수를 구해보면

$$\frac{dy}{dx}=f'(x)=cnx^{n-1}$$

예 $y=5x^3,\ \frac{dy}{dx}=15x^2$

이제 보다 일반적인 경우로 확장하여 보자. 즉 독립변수는 동일하나 미분가능한 서로 다른 함수형태를 띠는 경우, 예컨대 1개의 함수는 $f(x)$이고 다른 1개의 함수는 $g(x)$라고

하자. 이 2개의 함수는 합과 차의 함수형태를 구성할 수도 있고 곱과 몫의 형태를 갖는 함수형태를 구성할 수도 있다. 이 경우 도함수를 구하는 방법은 다음과 같다.

[법칙 3] 합과 차의 미분법칙

$$\frac{d}{dx}[f(x) \pm g(x)] = \frac{d}{dx}[f(x)] + \frac{d}{dx}[g(x)] = f'(x) \pm g'(x)$$

예 $y = 5x^3 + 2x^2 - x + 4,\ \frac{dy}{dx} = 15x^2 + 4x^2 - 1$

[법칙 4] 곱의 미분법칙

$$\frac{d}{dx}[f(x)g(x)] = g(x)\frac{d}{dx}f(x) + f(x)\frac{d}{dx}g(x) = g(x)f'(x) + f(x)g'(x)$$

곱의 형태를 갖는 도함수의 미분은 첫 번째 함수의 도함수에 두 번째 함수를 곱하고, 두 번째 함수의 도함수에 첫 번째 함수의 도함수를 곱한 후 2개를 더해주는 형태가 된다.

예 $y = (x^2+3)^4(2x^3-5)^3$

$$\begin{aligned}\frac{dy}{dx} &= 4(x^2+3)^3 \times 2x \times (2x^3-5)^3 + 3(2x^3-5)^2 \times 6x^2 \times (x^2+3)^4 \\ &= 8x(x^2+3)^3(2x^3-5)^3 + 18x^2(2x^3-5)^2(x^2+3)^4 \\ &= x(x^2+3)^3(2x^3-5)^2[8(2x^3-5) + 18x(x^2+3)] \\ &= x(x^2+3)^3(2x^3-5)^2(34x^3+54x-40)\end{aligned}$$

[법칙 5] 몫의 미분법칙

$$\frac{d}{dx}\left[\frac{f(x)}{g(x)}\right] = \frac{g(x)\frac{d}{dx}f(x) - f(x)\frac{d}{dx}g(x)}{[g(x)]^2} = \frac{f'(x)g(x) - g'(x)f(x)}{[g(x)]^2}$$

몫의 형태를 갖는 함수의 미분은 분자 함수의 도함수에 분모 함수를 곱하고, 분자 함수의 도함수에 분모 함수의 도함수를 곱한 후 곱의 미분법칙과는 다르게 이 2개의 차이를 구한 수를 분모의 함수를 제곱해서 나누어 준다.

예제 6-7

$$y = \frac{(x-3)}{(2x+1)}$$

$$\frac{d}{dx}\left[\frac{(x-3)}{(2x+1)}\right] = \frac{(2x+1)-2(x-3)}{(2x+1)^2} = \frac{7}{(2x+1)^2}$$

6.5 역함수와 합성함수의 미분

6.5.1 역함수의 미분법칙

어떤 함수 $y = f(x)$에서 $f: A \rightarrow B$가 일대일 대응관계에 놓여있을 때, 즉 B의 각 원소 y에 대하여 A의 원소인 x가 유일하게 존재할 때 역함수(逆函數, inverse function)가 존재한다.[10] 이때 역함수, 즉 $f^{-1}: B \rightarrow A$는 다음과 같은 대응규칙에 의하여 정의된다.

$$x = f^{-1}(y) \Leftrightarrow y = f(x)$$

이때 역함수에 대한 미분법칙은 다음과 같다.

■ 역함수의 미분법칙

미분가능한 함수 $y = f(x)$가 존재하고 이 함수의 역함수를 $x = f^{-1}(y)$라 하면

$$\frac{dx}{dy} = \frac{1}{\frac{dy}{dx}} = \frac{1}{f'(x)} \quad 단, \ \frac{dy}{dx} \neq 0$$

증명

$y = f(x)$ 역함수인 $x = g(y)$에 $y = f(x)$를 대입하면 $x = g(f(x))$이 된다. 이를 x에 대해 미분하면

10 역함수의 정의에 대해서는 이 책 3장 3.2.5 역함수를 참고 바람.

$$1 = g'(f(x)) \cdot f'(x) = g'(y) \cdot f'(x)$$

만약 $f'(x) \neq 0$일 때

$$g'(y) = 1/f'(x) \text{ (단, } y = f(x)\text{)}$$

실습문제 6-4

$y = x^3 + x$이 주어졌을 때 도함수 dx/dy를 구하라.

풀이

먼저 $y = x^3 + x$가 역함수가 성립하는가를 확인하여야 한다. $\frac{dy}{dx} = 3x^2 + 1 > 0$, 즉 (강) 증가함수이므로, 역함수의 미분법칙을 이용할 수 있으며 다음과 같이 쉽게 구할 수 있다.

$$\frac{dx}{dy} = \frac{1}{dy/dx} = \frac{1}{3x^2+1}$$

실습문제 6-5

$y = f(x) = 2x - 4$로 주어졌을 때 ① 도함수 dx/dy를 구하라. ② 역함수($f^{-1}(x)$)를 구하고 $f(x)$와 $f^{-1}(x)$를 같은 좌표평면에 그려라.[11]

풀이

① $\frac{dy}{dx} = 2 > 0$, 강 증가함수이므로, 역함수의 미분법칙을 이용하여

$$\frac{dx}{dy} = \frac{1}{dy/dx} = \frac{1}{2}$$

② $x = f^{-1}(y) = \frac{1}{2}y + 2$, $f(x)$와 $f^{-1}(x)$를 아래 그림과 같이 같은 좌표평면에 그려보았다. 두 직선은 원점을 지나는 45° 선에 대해서 서로 대칭으로 그려진다. 두 직선의 교점은 (4,4)이다.

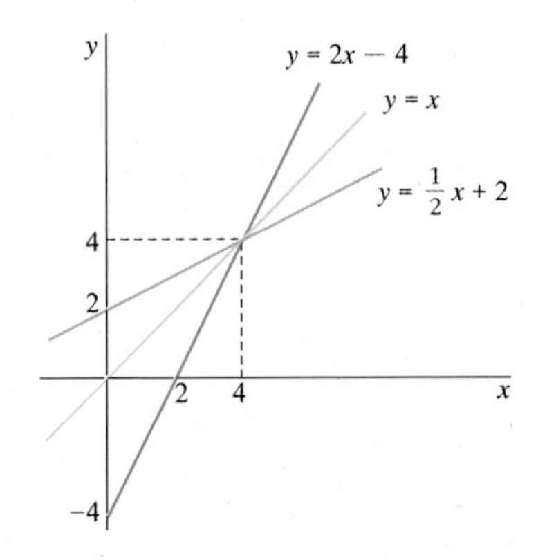

11 곡선 $y = f(x)$ 위의 점 $(a, f(a))$에서의 접선의 방정식은 $y - f(a) = f'(a)(x - a)$이다.

6.5.2 합성함수의 미분과 응용

앞에서 우리는 두 함수(혹은 둘 이상으로 확대 가능)가 동일한 독립변수를 갖는 함수들에 대해서 그 함수들이 덧셈, 뺄셈, 곱셈 그리고 나눗셈의 형태로 이루어져 있을 때 이들의 도함수를 어떻게 구하는가 하는 것을 살펴보았다. 이제 이것을 좀 더 확장하여 둘 또는 그 이상의 함수들이 서로 다른 독립변수들을 갖는 경우 그리고 이 함수들이 미분가능한 경우 이들의 미분법칙을 살펴보자.

미분가능한 함수 $z=f(y)$가 주어지고 y가 다시 $y=g(x)$의 함수 형태로 주어진 경우 우리는 이것을 $z=f[g(x)]$의 형태로 나타낼 수 있다. 이렇게 함수기호가 서로 인접하여 나타나기 때문에 함수의 함수라 하여 합성함수(composite function)라고 부른다. 이때 z의 x에 대한 도함수를 구하는 방법은 다음과 같다.

■ 연쇄법칙

$$\frac{dz}{dx}=\frac{dz}{dy}\swarrow\frac{dy}{dx}=f'(y)g'(x)$$

$$\begin{array}{ccccc} & g\text{를 통하여} & & f\text{를 통하여} & \\ \Delta x & \rightarrow & \Delta y & \rightarrow & \Delta z \end{array}$$

$$\frac{dz}{dx}=\frac{dz}{dy}\cdot\frac{dy}{dx}=f'(y)\cdot g'(x)$$

위의 법칙을 보면 x의 변화(Δx)가 함수 g를 통해 y에 영향을 미치고 다시 y의 변화(Δy)가 함수 f를 통해 z의 변화(Δz)를 결정하는 형태로 마치 사슬(chain)의 형태처럼 연속적으로 이어져 있다하여 연쇄법칙(chain rule)이라 부른다. 위의 법칙을 함수가 3개인 경우로 확장해도 동일한 방법을 사용할 수 있다. 즉 함수 $z=f(y)$, $y=g(x)$ 그리고 $x=h(v)$라고 하면 다음과 같이 연쇄법칙에 의해 다음과 같이 v의 변화가 z에 미치는 결과를 나타낼 수 있다.

$$\frac{dz}{dv}=\frac{dz}{dy}\frac{dy}{dx}\frac{dx}{dv}=f'(y)g'(x)h'(v)$$

예제 6-8

$z=(x^2+2x-3)^{15}$

$y=x^2+2x-3$ 이라고 하면 $z=y^{15}$, $y=x^2+2x-3$

$$\frac{dz}{dx}=\frac{dz}{dy}\cdot\frac{dy}{dx}=15\cdot y^{14}\cdot(2x+2)$$
$$=15(x^2+2x-3)^{14}(2x+2)$$

이로부터 다음과 같은 일반적인 법칙을 얻을 수 있다. 함수가 $y=[f(x)]^n$ 형태로 주어질 때의 미분법칙은

$$\frac{dy}{dx}[f(x)]^n=n[f(x)]^{n-1}f'(x)$$

합성함수의 미분 응용으로 기업의 총 수입함수를 고려하여 보자.

$$TR=f(Q),\ \ Q=g(L)$$

즉 총수입(TR)은 생산량의 함수이고, 생산량은 노동투입(L)에 의해 결정되는 생산함수에 의해 결정된다. 따라서 투입되는 노동력의 증가는 생산함수를 통해 생산량을 결정하게 되고 이 생산량은 기업의 총수입을 결정하게 된다($L\rightarrow Q\rightarrow TR$). 이때 노동력의 한 단위 증가가 총수입을 얼마만큼 증가시킨 것인가를 보기 위해서는

$$\frac{dTR}{dL}=\frac{dTR}{dQ}\cdot\frac{dQ}{dL}=f'(Q)\cdot g'(L)$$

$$MRP_L=MR\times MPP_L$$

여기서 MRP_L : Marginal Revenue Product of Labor 노동의 한계수입

MR = Marginal Revenue 생산물 한 단위 판매 증가에 따른 한계수입

MPP_L = Marginal Physical Product of Labor 노동의 한계생산물

예제 6-9

자본의 한계수입(MRP_k : Marginal Revenue Product of Kapital)을 구하라.

실습문제 6-6

어느 자동차 회사 딜러의 월급은 한 달간의 판매량에 의존하고, 한 달간의 판매량은 제품가격에 의존하기 때문에 이 딜러의 월급은 자동차 한대당 판매가격의 함수이다. 자동차는 대수, 월급은 만원 단위이다.

풀이

월급(w)은 판매량(s)의 함수이고, 판매량(s)은 가격(p)의 함수이다.

$w = f(s)\ \ f' > 0,\ s = g(p)\ \ g' < 0,$

$w = f(g(p))$로 나타낼 수 있다.

예제 6-10

실습문제 6-6에서 $w = 2s + 30,\ s = 100 - p,\ p = 50$ 일 때 딜러의 월급을 구하라.

정답

130만원이다.

6.6 지수함수와 로그함수의 미분

지수함수와 로그함수에 대해 수학에서 발전시켜 놓은 원리를 경제현상에 적용하면 과학적으로 분석할 수 있는 능력을 갖추게 될 수 있다. 이제 지수함수 $y = e^x$와 로그함수 $y = \ln x$의 미분법칙을 살펴보자. 우선 두 함수에 있어 가장 특징적이면서 일반화를 위한 두 가지 법칙을 먼저 살펴보자.

[법칙 1] $\dfrac{d}{dx}e^x = e^x$

함수 e^t의 도함수는 그 함수 자체라는 것을 나타내준다. 이렇게 밑수가 e인 지수함수를 자연지수함수라고 한다.

[법칙 2] $\dfrac{d}{dx}lnx = \dfrac{1}{x}$

[법칙 3] $\frac{d}{dx}e^{f(x)} = f^{'}(x)e^{f(x)}$ 혹은 $\frac{d}{dx}e^{u} = e^{u}\frac{du}{dx}$

[법칙 1]에 의해서 자연지수함수 $e^{f(x)}$의 도함수는 그 자체가 되고, $f(x)$는 x의 함수이므로 x에 대한 도함수를 한 번 더 구해준 후 곱해준 것이 된다.

예제 6-11

$\frac{d}{dx}e^{-x} = e^{-x} \times \frac{d}{dx}(-x) = -e^{-x}$

예제 6-12

$y = e^{1/x}$의 도함수를 구하라.

$\frac{d}{dx}e^{1/x} = (-x^{-2})(e^{1/x})$

[법칙 4] $\frac{d}{dx}lnf(x) = \frac{f'(x)}{f(x)}$ 혹은 $\frac{d}{dx}lnv = \frac{1}{v}\frac{dv}{dx}$

이것은 [법칙 2]를 이용하여 도출되는 것임은 쉽게 알 수 있을 것이다. 여기서도 역시 $f(x)$가 [법칙 2]와는 달리 x의 함수이므로 한 번 더 x에 대해서 미분해준 것을 곱해준 형태가 된다.

예제 6-13

$y = \ln(cx)$에서 dy/dx를 구하라.

$\frac{dy}{dx}ln(cx) = \frac{c}{cx} = \frac{1}{x}$

예제 6-14

$y = c\ln x = \ln x^{c}$에서 dy/dx를 구하라.

$\frac{dy}{dx}c\ln x = \frac{c}{x}$

예제 6-15

$y = f(x) = ab^{f(x)}$ 에서 dy/dx를 구하라.
양변에 자연로그를 취한다. $\ln y = \ln a + f(x)\ln b$
미분을 하면 $\frac{dy}{y} = [0 + f'(x)\ln b]dx$
$\frac{dy}{dx} = y \times [0 + f'(x)\ln b] = ab^{f(x)}f'(x)\ln b$

6.7 오목함수와 볼록함수

미분가능한 함수 $y = f(x)$에 대하여, 곡선 위의 한 점 x를 임의의 두 점 $x_1, x_2\,(x_2 > x_1)$의 중간점으로 정의할 때, 즉 $x = \theta x_1 + (1-\theta)x_2$, $(0 \le \theta \le 1)$일 때 다음의 정리를 얻을 수 있다.

$f(x) \ge \theta f(x_1) + (1-\theta)f(x_2)$이 성립하면 함수 $f(x)$를 오목(concave)함수라 하고, $f(x) \le \theta f(x_1) + (1-\theta)f(x_2)$이 성립하면 함수 $f(x)$를 볼록(convex)함수라 한다.

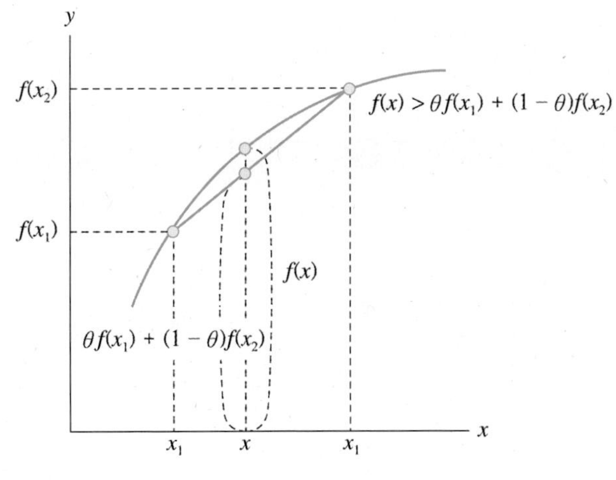

〈그림 6-4〉 함수의 오목과 볼록

그리고 $0 < \theta < 1$에 대해

$f(x) > \theta f(x_1) + (1-\theta) f(x_2)$이면 $f(x)$를 강오목함수라고 부르고

$f(x) < \theta f(x_1) + (1-\theta) f(x_2)$이면 $f(x)$를 강볼록함수라고 부른다.

아래 그림에서 보는 바와 같이 오목함수이면 x_1과 x_2 사이의 임의의 점 x에 대하여 곡선 위의 점 $[x, f(x)]$는 이에 대응하는 선분 위의 점보다 위에 있다. 즉 $y \geq f(x)$이 성립한다. 마찬가지로 볼록함수이면 $y \leq f(x)$가 성립한다.

6.8 2계 도함수와 고계 도함수

지금까지 우리가 살펴본 것은 함수 $y = f(x)$로부터 1차적으로 유도되는 함수인 1계도함수 $f^{'}(x)$만을 살펴보았다. 앞에서 보았듯이 1계 도함수도 하나의 함수이므로 역시 도함수를 구할 수 있으며, 이를 2계 도함수라 한다. 동일한 방법으로 2계 도함수 이상의 도함수를 구할 수 있고 이것을 고계 도함수(高階導函數, higher-order derivatives)라 한다. 여기서 우리는 1계 도함수와 2계 도함수에 국한시켜 이들 도함수들이 갖는 함수적 특성, 기하학적 특성 그리고 경제적 의미를 살펴보기로 하자.

6.8.1 2계 도함수와 고계 도함수 구하기

원시함수를 $y = f(x)$라 한다면

$$\frac{dy}{dx} = f'(x)$$ 1계 도함수

$$\frac{d}{dx}\left(\frac{dy}{dx}\right) = \frac{d^2y}{dx^2} = f^{''}(x)$$ 2계 도함수 이와 마찬가지로

$$\frac{d}{dx}\left(\frac{d^2y}{dx^2}\right) = f^{'''}(x)$$ 3계 도함수

일반적으로

$$f'''(x),\ f^{(4)}(x),\ \ldots\ldots f^{(n)} \quad \text{혹은} \quad \frac{d^3x}{dy^3},\ \frac{d^4x}{dy^4},\ \ldots\ldots\ \frac{d^nx}{dy^n}$$

즉 $n=3$이면 함수 $y=f(x)$의 3계 도함수를 구하라는 뜻이 된다. 우리가 이 책에서 다루게 되는 거의 모든 특정 함수들은 원하는 단계까지 연속으로 미분가능하게 되는 것으로 가정하고 있다. 물론 각각의 도함수들이 미분가능성의 조건만 충족하면 계속적으로 도함수를 구할 수 있고 이를 고계 도함수라 한다.

함수 $y=f(x)$ 의 1차 도함수 $f'(x)$가 미분가능하면 그 1차 도함수를 구할 수 있는데, 함수 $y=f(x)$의 2차 도함수

$$\frac{d^2y}{dx^2}=\frac{d^2}{d}f(x)=f''(x)=y''$$

일반적으로 n계 도함수는

$$\frac{d^ny}{dx^n}=\frac{d^n}{d}f(x)=f^{(n)}(x)=y^{(n)}$$

예제 6-16

2계 도함수를 구하라.

(1) $f(x)=10x^2+9x+8$

(2) $f(x)=(3x-1)(2x^2+5)$

(3) $f(x)=\dfrac{2x}{3x+1}$

6.8.2 2계 도함수의 해석

앞에서 우리는 도함수의 개념을 변화율의 개념과 결부시켜 살펴보았다. 즉 1계 도함수 $f'(x)$는 함수 $f(x)$의 변화율의 크기를 의미한다고 하였다. 그리고 기하학적으로는 함수의 그래프에서 어떤 특정 점에서의 접선의 기울기를 의미한다고 하였다. 즉 이것을

정리해보면 다음과 같다.

$f'(x) > 0$	은 함수의 값이	증가(기울기가 +)	하고 있음을 의미
$f'(x) < 0$		감소(기울기가 -)	

이와 동일한 논리를 적용하면 2계 도함수는 1계 도함수의 변화율을 의미한다고 볼 수 있다. 다시 말해 $f''(x)$함수 $f'(x)$의 변화율이며 함수 $f(x)$의 변화율의 변화율이다. 기하학적으로는 기울기의 변화율이 되므로 기울기가 증가(감소)하는가를 나타낸다고 볼 수 있다.

$f''(x) > 0$은 곡선의 기울기가 증가하고 있음을 의미

$f''(x) < 0$은 곡선의 기울기가 감소하고 있음을 의미

<그림 6-5>는 함수 $f(x)$에서 특정 값 x 값과 1계 도함수 그리고 x 값이 증가에 따른 2계 도함수의 그래프의 형태를 보여주고 있다.

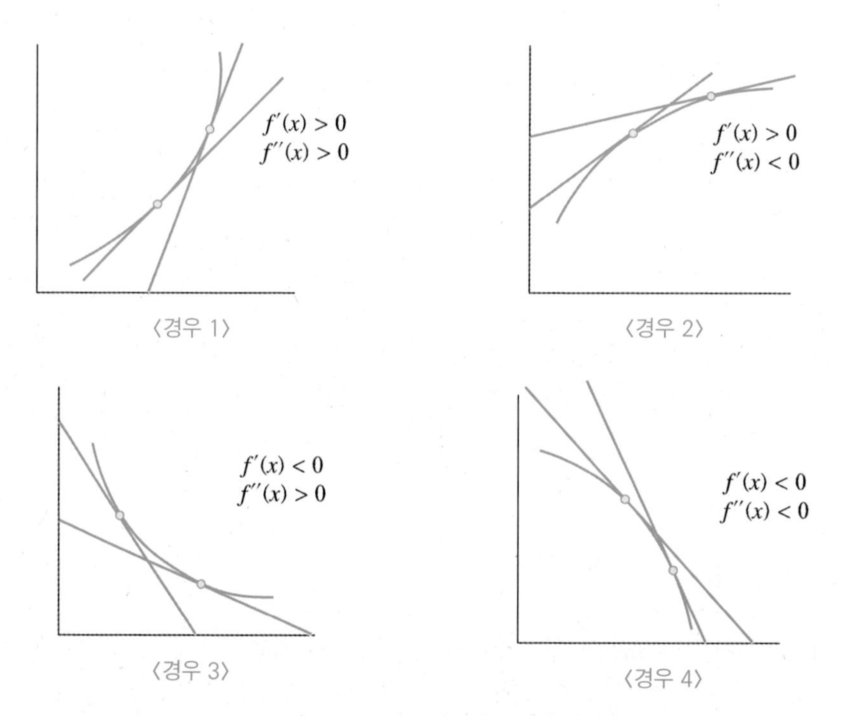

〈그림 6-5〉 2계 도함수와 곡선의 형태

- <경우 1> 1계 도함수가 양이면서 2계 도함수가 양이라는 것($f'(x) > 0, f''(x) > 0$)은 그 점에서 곡선의 기울기는 양이고 그 기울기가 점점 증가하고 있다는 것을 의미한다. 즉 함수의 값이 점점 빠른 증가율로 증가한다는 것을 의미하므로 기울기는 점점 더 급해진다.

  볼록한 곡선 예: 비용함수 [승승장구형, 자유성장]

- <경우 2> 1계 도함수가 양이면서 2계 도함수가 음이라는 것($f'(x) > 0, f''(x) < 0$)은 그 점에서 곡선의 기울기는 양이지만 그 기울기가 점점 감소하고 있다는 것을 의미한다. 즉 함수의 값이 점점 줄어드는 비율로 증가한다는 것을 의미하므로 함수 값은 한계에 다다르게 되고 기울기는 점점 더 수평선에 가까운 모양을 띠게 된다.

  오목한 곡선 예: 효용함수, 생산함수 [한계 성장형]

- <경우 3> 1계 도함수가 음이면서 2계 도함수가 양이라는 것($f'(x) < 0, f''(x) > 0$)은 그 점에서 곡선의 기울기는 음이고 그 기울기가 점점 증가하고 있다는 것을 의미한다. 즉 함수의 값이 점점 높아지는 비율로 감소한다는 것을 의미하므로 함수 값은 한계에 다다르게 되고 기울기는 점점 더 수평선에 가까운 모양을 띠게 된다.

  볼록한 곡선 예: 무차별곡선, 등량곡선 [한계 하락형]

- <경우 4> 1계 도함수가 음이면서 2계 도함수가 음이라는 것($f'(x) < 0, f''(x) < 0$)은 곡선의 기울기는 음이면서 그 기울기는 빠르게 하락하고 있으므로 빠르게 몰락하는 형태를 갖는다(기울기가 음이라는 것에 주의).

  오목한 곡선 예: 생산가능곡선 [몰락형]

... 로 증가하였다 와 ...가 증가하였다

처음 값(X_0)에서 나중 값(X_1)으로 증가하였을 때 X_0이 X_1로 증가하였다라고 말한다. 증가된 값($X_1 = X_0 + \triangle X$)을 나타낸다. 반면 후자는 증가분($\triangle X$)을 나타내고 있다. 예로 키가 160cm에서 170cm로 컸다. 키가 160cm에서 10cm가 컸다.

물가의 하락과 물가상승률의 감소(하락)

2013년 1,000원이던 사과 값이 2014년에는 1,100원으로 2015년에는 1,177원으로 2016년에는 1,236원으로 올랐다고 하자.

사과 값은 계속 상승하고 있으나 상승률은 10%에서 9%, 7%, 5%로 점차 감소하고 있다. 시간을 독립변수로 하고 사과 값을 종속변수로 할 때 1차 미분값(기울기)은 +이지만 2차 미분값(기울기의 기울기)은 −를 의미한다. 1000원하던 사과가 900원으로 하락한 경우 사과 값의 하락이라고 쓸 수 있다.

한계효용학파

영국의 제본스(William Stanley Jevons, 1835~1882), 프랑스의 발(왈)라스(Leon Walras, 1834~1910), 오스트리아의 멩거(Carl Menger, 1840~1920)가 이 학파의 시조로 평가받고 있다.
교통·통신이 그다지 발달하기 않았던 당시에 다른 나라의 사람이 거의 비슷한 시기에 비슷한 이론을 독자적으로 제창한 것은 매우 이례적인 일이라고 평가받고 있다.

제본스

왈라스

멩거

한계는 마지막 한 단위를 의미하기 때문에 자연히 미적분과는 떼려야 뗄 수 없는 관계를 맺고 있다. 한계 개념의 도입과 폭넓은 응용은 수학이 경제학에 활용되게 하는 근거가 되었다.

6.9 응용

6.9.1 평균수입함수로부터 한계수입함수 구하기[12]

평균수입(Average Revenue, AR)은 총수입(Total Revenue, TR)을 생산량으로 나누어 얻어진 값이다.

---

12 독점기업의 경우 시장 수요곡선이 독점기업의 수요곡선이 된다. 따라서 평균수입함수로부터 한계수입함수 구하기는 독점기업에 그대로 적용된다.

$$AR = \frac{TR(Q)}{Q}$$

한계수입(Marginal Revenue, MR)은 생산량이 한 단위 변화함에 따라 변하는 총수입의 변화정도라고 정의한다. $MR = \frac{dTR(Q)}{dQ} = R'$로 나타내고 있다.

이 $AR = a - bQ$(Q:생산량)로 주어졌을 때 총수입과 한계수입을 구하고 그래프로 그려보자.[13]

$$TR = P(= AR) \times Q = aQ - bQ^2$$

$$MR = \frac{dTR}{dQ} = a - 2bQ = a - bQ - bQ = AR - bQ$$

$AR > MR$, 즉 MR 곡선은 AR 곡선 아래에 위치하게 된다. 또 AR 함수가 1차식으로 주어진 경우 AR의 세로 절편도, MR의 세로 절편도 a로 같지만, AR 함수의 가로축 절편은 $\frac{a}{b}$ 이고 MR의 가로축 절편은 $\frac{a}{2b}$로 절반에 해당한다. 즉 역수요함수가 우하향하는 일차함수형태로 주어졌을 경우 한계수입곡선은 정확하게 수요곡선 기울기의 두 배가 되어 한계수입은 항상 가격(평균수입)보다 적다는 것을 알 수 있다.

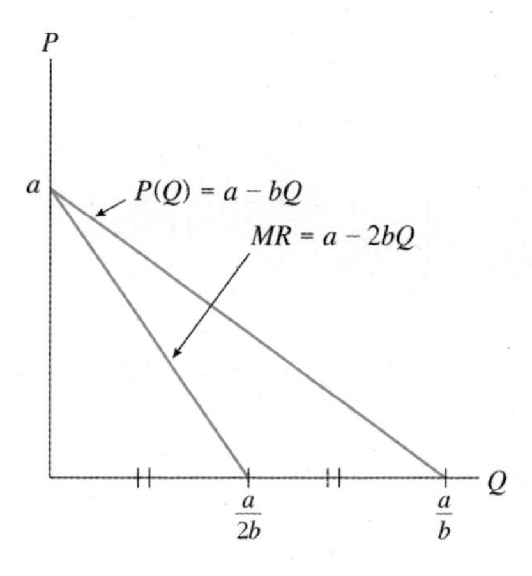

〈그림 6-6〉 평균수입과 한계수입 곡선

13 수요함수는 독립변수가 가격이고 종속변수가 수요량인 함수이다. 마샬 이래 많은 경제학자들은 가로축에 수량을, 세로축에 가격을 나타내고 수요곡선을 이용하였다. 선형수요함수는 역함수가 성립하기 때문에 역수요함수를 이용하면 보다 이해하기 쉽다.

일반적으로 한계변량, 평균변량, 총변량 간의 관계는 아래와 같다. 총변량을 생산량으로 나누면 평균변량이 된다, 역으로 평균변량에 생산량을 곱하면 총변량이 된다. 이번에는 총변량을 생산량에 대해 미분을 하면 한계변량이 된다. 역으로 한계변량에 생산량에 대해 적분을 하면 총변량이 된다.[14]

한계변량 (*MC*, *MR* 등)	← 미분 / 적분 →	총변량 (*TC*, *TR* 등)	÷Q → / ← ×Q	평균변량 (*AC*, *AR* 등)

〈그림 6-7〉 총변량, 평균변량 그리고 한계변량 간의 관계

6.9.2 평균비용곡선과 한계비용곡선 간의 관계

다음과 같은 총비용함수를 고려하여 보자. 이때 산출량 Q가 $Q>0$이면 평균비용(AC) 함수는 총비용을 산출량으로 나눈 것이 되므로

$$\text{총비용함수 } TC(Q),\ \text{평균비용함수 } AC = \frac{TC(Q)}{Q}$$

$$\text{한계비용함수 } MC = \frac{dTC(Q)}{dQ} = C'$$

이제 산출량이 변화할 때 평균비용이 어떻게 변화하는가를 살펴보기 위해 평균비용을 산출량으로 미분함($\frac{d}{dQ}\left[\frac{C(Q)}{Q}\right]$)으로써 알아볼 수 있다. 즉

$$\frac{d}{dQ}\left[\frac{C(Q)}{Q}\right] = \frac{\left[Q\frac{d}{dQ}C(Q) - AC(Q)\right]}{Q^2} = \frac{1}{Q}\left[\frac{C'(Q)}{Q} - \frac{C(Q)}{Q}\right]$$

$$= \frac{1}{Q}\left[C'(Q) - \frac{C(Q)}{Q}\right] = \frac{1}{Q}[MC - AC]$$

위 식으로부터 다음의 관계가 성립한다.

$$\frac{d}{dQ}\left[\frac{C(Q)}{Q}\right] \le \ge 0 \quad \Leftrightarrow \quad \left[C'(Q) - \frac{C(Q)}{Q}\right] = [MC - AC] \ \le \ge 0$$

---

14 총변량으로는 총비용, 총수입, 총효용, 총생산량 등을, 한계변량으로는 한계비용, 한계수입, 한계비용 한계생산량 등을, 평균변량으로는 평균비용, 평균수입, 평균효용, 평균생산 등을 들 수 있다.

$$AC\text{의 기울기} \gtreqless 0 \Leftrightarrow MC \gtreqless AC$$

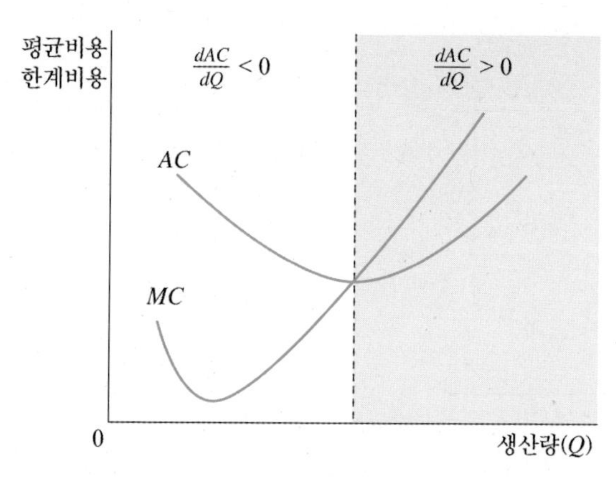

〈그림 6-8〉 평균비용과 한계비용간의 관계

즉 AC 곡선의 기울기가 (+), (-) 혹은 0 값을 갖기 위해서는 MC가 AC보다 크거나, 작거나 혹은 같아야 한다는 것을, 즉 한계비용이 평균비용보다 위, 아래 혹은 같아야 한다는 것을 의미한다. <그림 6-8>에서 보듯 평균비용곡선의 기울기가 음의 값을 가질 때 평균비용이 한계비용보다 크며 양의 값을 가질 때 한계비용이 평균비용보다 크다.

2003년 수능 이과 24번 문제

24. 어떤 제품의 생산량이 x일 때 생산비를 $f(x)$라고 하자. 이때, $\frac{f(x)}{x}$를 평균생산비라 하고, AC로 나타낸다. 또, $f(x)$가 미분가능하면 $f'(x)$를 생산량이 x일 때의 한계생산비라 하고 MC로 나타낸다.
평균생산비 AC$=\frac{f(x)}{x}$의 그래프가 그림과 같고 $x=q$에서 극소값을 가질 때, $x=q$ 근방에서 한계생산비 MC$=f'(x)$의 그래프의 개형은? [3점]

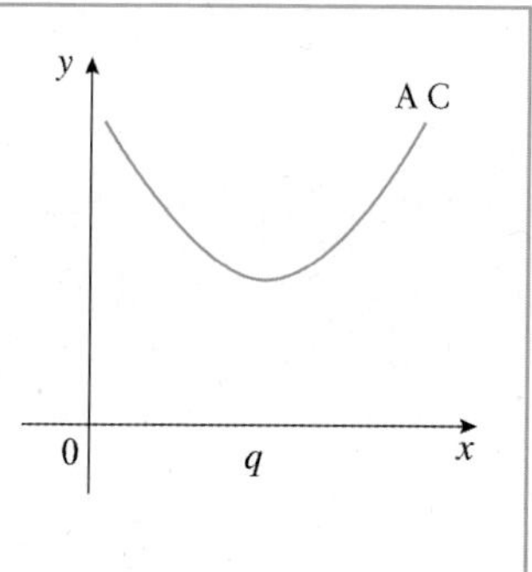

①
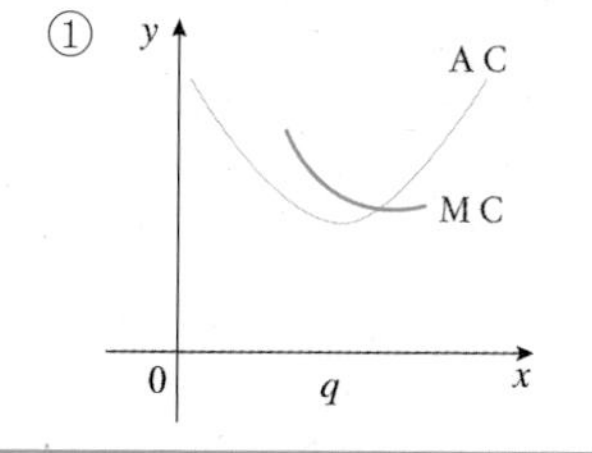

②
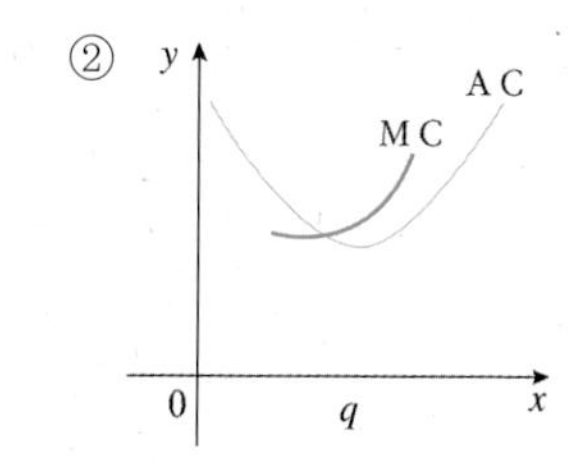

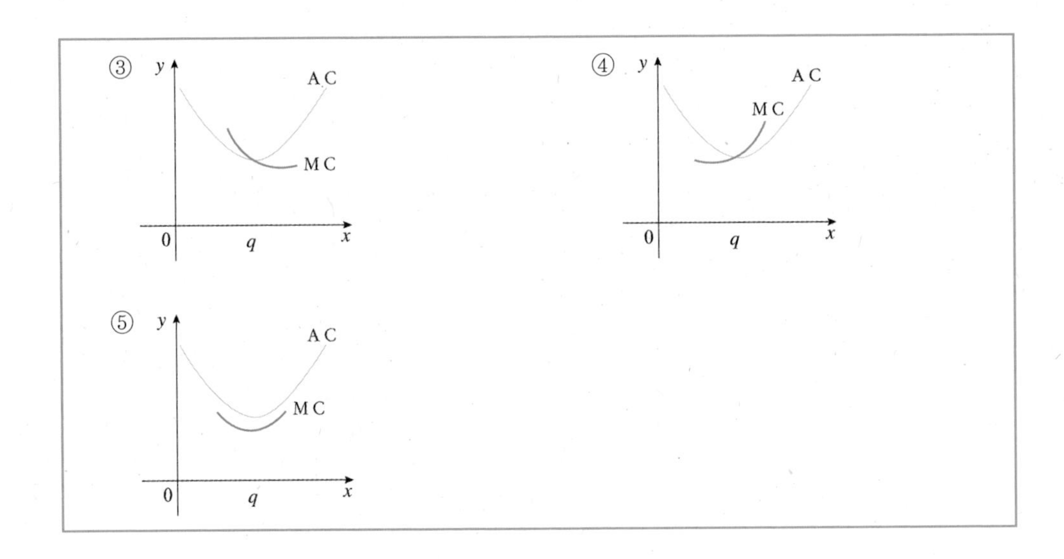

장기비용함수의 여러 가지 예로 다음 세 가지 경우를 생각해보기로 하자.

① $TC = cq$ 이면 $AC = c$, $MC = c$

② $TC = aq^2 + bq$ 이면 $AC = aq + b$, $MC = 2aq + b$

③ $TC = aq^3 + bq^2 + cq$ 이면 $AC = aq^2 + bq + c$, $MC = 3aq^2 + 2bq + c$

여기에 고정비용(FC)이 추가되는 단기비용함수들은 아래 ④,⑤,⑥와 같이 표현된다. 단기 총비용함수는 가변비용(可變費用, Variable Cost, q의 함수로 표시됨, VC)과 고정비용(固定費用, Fixed Cost, q와 무관함, FC)으로 나누어진다.

평균비용은 평균고정비용(Average Fixed Cost, AFC, $\frac{FC}{q}$)과 평균가변비용(Average Variable Cost, AVC, $\frac{FC}{q}$ 이외 부분)으로 나눌 수 있다. 또 한계비용은 변화가 없으며 가변비용만으로 나타나고 있음을 알 수 있다. 고정비용이 추가되면 가장 큰 변화가 나타나는 곡선은 평균비용곡선이며 쌍곡선부분($\frac{FC}{q}$, 평균고정비용)이 추가됨으로써 그리기에도, 분석하기에도 약간의 어려움이 더해진다.

④ $TC = cq + FC$이면 $AC = c + \dfrac{FC}{q}$, $MC = c$

⑤ $TC = aq^2 + bq + FC$이면 $AC = aq + b + \dfrac{FC}{q}$, $MC = 2aq + b$

⑥ $TC = aq^3 + bq^2 + cq + FC$이면 $AC = aq^2 + bq + c + \dfrac{FC}{q}$, $MC = 3aq^2 + 2bq + c$

이다.

예제 6-17

$TC = 10q$ 이면 $AC = MC = 10$이고 TC 곡선은 기울기가 10인 원점을 지나는 직선이 되며, AC 도 MC는 절편이 10인 수평선으로 그려질 것이다.

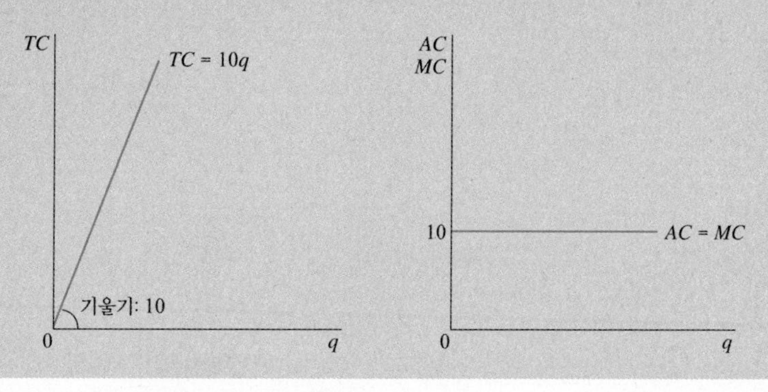

예제 6-18

$TC = 10q + 5$이면 $AC = 10 + \dfrac{5}{q}$, $MC = 10$이 된다. TC 곡선은 절편이 5이고 기울기가 10인 원점을 지나는 직선이 되며, MC는 절편이 10인 수평선으로 그려질 것이다. 그러나 AC 는 10과 $\dfrac{5}{q}$이 합쳐진 형태가 될 것이다.

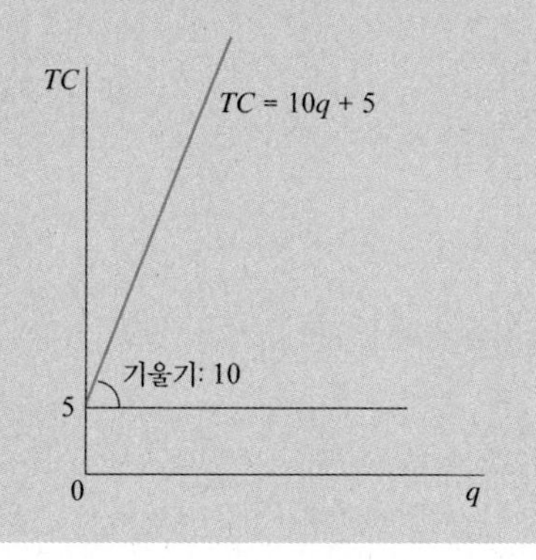

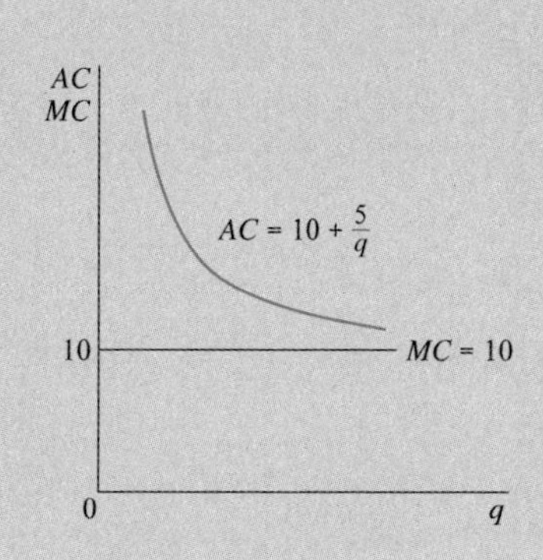

예제 6-19

$TC = q^2 + 5q$이면 $AC = q + 5$, $MC = 2q + 5$ 이다.

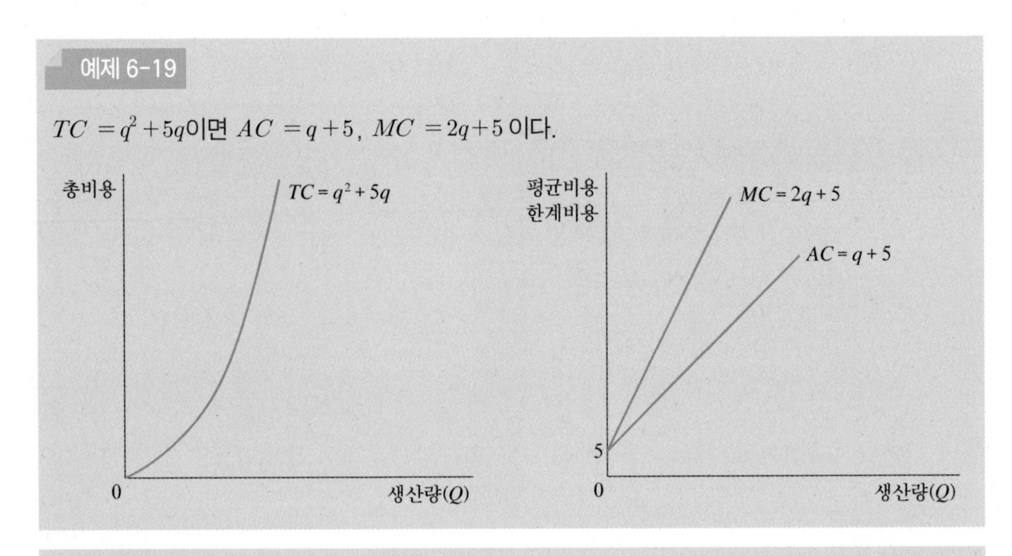

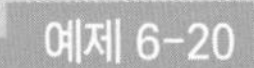

예제 6-20

$TC = q^2 + 5q + 5$, $AFC = \frac{FC}{q} = \frac{5}{q}$, $AC = q + 5 + \frac{5}{q}$, $MC = 2q + 5$

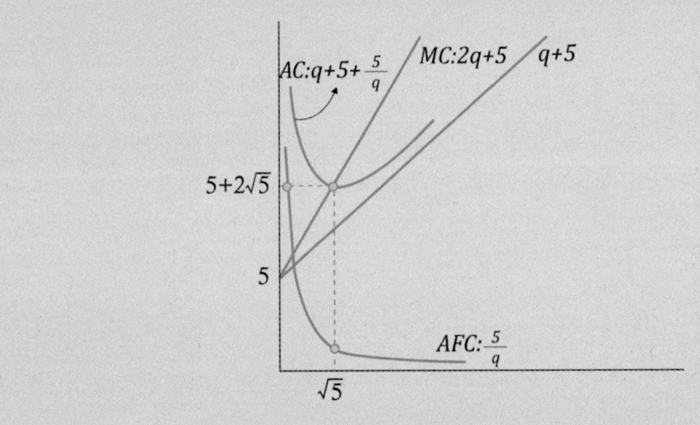

예제 6-21

3차 함수 $f(q) = aq^3 + bq^2 + cq + d \quad (a \neq 0)$가 극값을 가지기 위한 조건을 구하라.

풀이

3차 함수가 극값을 가지기 위해서는 $f'(q) = 3aq^2 + 2bq + c = 0$이 서로 다른 실근을 가져야만 한다. 따라서 $D = (2b)^2 - 4 \cdot 3a \cdot c > 0$이어야 한다. 이 조건을 정리해 보면 $(b^2 - 3ac) > 0$이 구해진다.

실습문제 6-7

3차 함수 $f(q)=aq^3+bq^2+cq+d \quad (a \neq 0)$가 경제적 의미에 부합하는 총비용함수가 되기 위한 조건을 구하라. 〈예제 6-20〉의 결과와 비교하여 설명하라.

풀이

먼저 총비용함수는 생산량이 증가함에 따라 총비용도 증가하여야 한다. 이는 우상향하는 곡선이어야 함을 의미한다. 이 3차 함수에서 3차식의 계수 $a>0$임을 의미한다.
둘째, $q=0$일 때 $f(0)=d>0$이어야 한다. d는 고정비용을 나타낸다. $aq^3+bq^2+cq \quad (a \neq 0)$가 가변비용이 된다.
셋째, 한계비용함수의 최저점을 이루는 생산량과 그때의 한계비용이 모두 양수여야 한다. 왜냐하면 2차 함수 형식으로 나타나는 평균비용함수와 한계비용함수의 값이 언제나 양수이기 때문이다. 또 한계비용함수가 더 적은 생산량에서 극값을 가져야하기 때문에 한계비용함수의 값이 더 제약적이어야 한다. 한계비용함수가 이 조건을 만족하면 평균비용함수는 자연적으로 언제나 양수의 값을 취하게 된다.

$$\frac{dTC}{dq}=MC=3aq^2+2bq+c \quad (a \neq 0)$$

$$\frac{dMC}{dq}=6aq+2b=0$$

$$q=-\frac{2b}{6a}=-\frac{b}{3a}>0$$

여기에서 $b<0$을 얻을 수 있다.

넷째, 이 생산량에서 MC값은 반드시 양수여야 한다.

$$MC_{최저점}=3a(-\frac{b}{3a})^2+2b(-\frac{b}{3a})+c = \frac{3ac-b^2}{3a}>0$$

$a>0$이기 때문에 $3ac-b^2>0$ 즉 $3ac>b^2>0$ 따라서 $c>0$도 얻어진다.

이상의 결과를 정리하면 3차 함수 $f(q)=aq^3+bq^2+cq+d \quad (a \neq 0)$가 경제적 의미에 부합하는 총비용함수가 되기 위해서는 $a, c, d>0 \quad b<0 \quad b^2<3ac$ 조건이 부합되어야 한다.
경제적 의미에 부합하는 총비용함수가 되기 위한 위의 조건과 〈예제 6-20〉 3차 함수가 극값을 갖기 위한 조건($(b^2-3ac)>0$)을 비교해 보면, 경제적 의미에 부합하는 총비용함수는 극값을 가져서는 안 된다는 조건을 포함하고 있음을 알 수 있다.

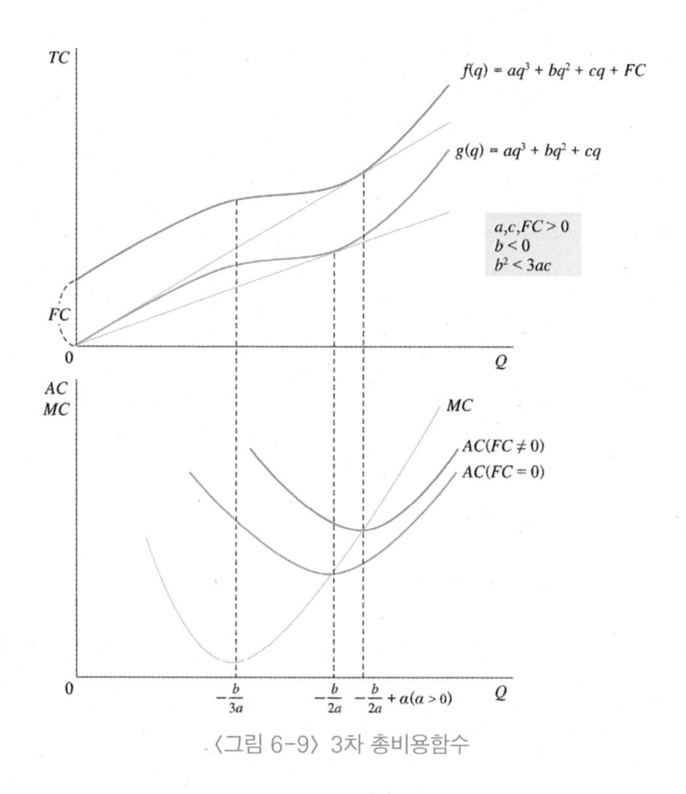

〈그림 6-9〉 3차 총비용함수

〈그림 6-9〉에 3차 비용함수를 그려 보았다. 총비용함수의 경우 장기함수와 단기함수의 차이가 고정비용, 즉 세로절편에만 나타난다. 또 한계비용함수는 장기와 단기의 차이 없이 똑같게 그려진다. 하지만 평균비용곡선의 경우 단기에는 평균고정곡선이 추가됨으로써 약간 어렵게 그려진다. 한계비용의 최저점 좌표는 장단기를 막론하고 $(-\frac{b}{3a}, \frac{3ac-b^2}{3a})$이다. 장기 평균비용의 최저점 좌표는 $(-\frac{b}{2a}, \frac{4ac-b^2}{4a})$이다. 유추컨대 단기 평균비용의 최저점 좌표는 $(-\frac{b}{2a}+\alpha, \frac{4ac-b^2}{4a}+\beta)$가 될 것이다$(\alpha, \beta > 0)$. 이 점은 장기 평균비용의 최저점 좌표보다 더 많은 생산량에서 더 큰 평균비용과 총비용을 나타내고 있다.

6.9.3 탄력도

종종 백화점 세일에 관한 광고를 보면 대부분이 '% 할인'으로 표시되어 있다. 이에 대한 소비자의 반응을 역시 %로 표시한다면 가격의 % 변화에 대한 소비자 수요의 % 변화를 타낼 수 있고 이를 가격탄력성이라 한다.

수요의 가격탄력성 = 수요량의 변화율(%)/ 가격의 변화율(%)

즉 수요(공급)의 가격탄력성이란 가격이 1% 변했을 때 수요량(공급량)이 몇 퍼센트나 변하는지를 나타낸다. 탄력성은 단위가 없는 무명수(無名數)임을 유의할 필요가 있다.[15] 수요함수를 $Q = f(P)$로 나타내면

$$\text{수요의 가격탄력도}(\epsilon) = -\frac{(\Delta Q^d / Q^d)}{(\Delta P / P)}$$

로 정의된다. 이때 앞에서 살펴본 미분의 개념을 적용하여 ΔQ와 ΔP를 각각 dQ와 dP로 바꾸면

$$\text{수요의 가격탄력도}(\epsilon) = -\frac{dQ^d}{dP}\frac{P}{Q} = -\frac{dlnQ^d}{dlnP}$$

즉 가격탄력도는 수요함수가 주어졌을 때 분자는 한계함수, 분모는 평균함수로 볼 수 있다(탄력도: $\frac{\text{한계함수}}{\text{평균함수}}$). 그리고 가장 끝항의 표현처럼 탄력성을 자연로그 형태로 나타내기도 하는데 이는 계량경제학 추정식에서 자주 사용되는 방식이다.

탄력성의 값에 따라 수요함수는 다음과 같이 나타낼 수 있다. 어떤 한 점에서

$|\epsilon| > 1$이면 수요는 탄력적

$|\epsilon| = 1$이면 수요는 단위 탄력적

$|\epsilon| < 1$이면 수요는 비탄력적

한편 수요곡선이 $P = a - bQ^d$처럼 우하향하는 일차함수 형태로 나타나는 경우 수요곡선상의 점(D, E, F)에서의 수요의 가격 탄력도를 구해 보기로 하자. 수요의 가격탄력도(ϵ)는 $(-\frac{dQ^d}{dP})(\frac{P}{Q^d})$로서 $(-\frac{dQ^d}{dP})$는 수요곡선의 기울기의 역수$(\frac{1}{b})$이며 $(\frac{P}{Q^d})$는 원점에서 수요곡선상의 점(D, E, F)과의 기울기이다. 따라서 수요의 가격탄력도(ϵ)는 수요곡선의기울기의 역수$(\frac{1}{b})$와 원점에서 수요곡선상의 점(D, E, F)과의 기울기 $(\frac{P}{Q^d})$의 곱으로 계산된다.[16]

15 10원, 10 m, 10명, 10마리, 10개비, 10그루 등과 같이 단위명이 붙어있으면 명수(名數, denominative number)라 하고 단위명이 붙지 않은 단순한 수를 무명수라고 한다.

$$수요의\ 가격탄력도(\epsilon)=(-\frac{dQ^d}{dP})(\frac{P}{Q^d})=(\frac{1}{b})(\frac{P}{Q^d})$$

위의 식으로부터 기울기는 수요곡선상의 위치에 관계없이 일정하지만 $(\frac{P}{Q^d})$가 다르기 때문에 수요의 가격탄력성이 다르다.

각 점에서의 탄력성을 구해보면 $D(E,F)$점에서의 탄력도 = $\frac{1}{b}\times\theta_1(\theta_2,\theta_3)$이며 $\theta_1 > \theta_2 > \theta_3$이기 때문에 D점에서의 가격탄력도 > E점에서의 탄력도 > F점에서의 탄력도로 계산된다. E점에서의 탄력도가 1이라면(단위 탄력적), D점에서의 가격탄력도는 1이상(탄력적), F점에서의 가격탄력도는 1이하(비탄력적)가 된다.

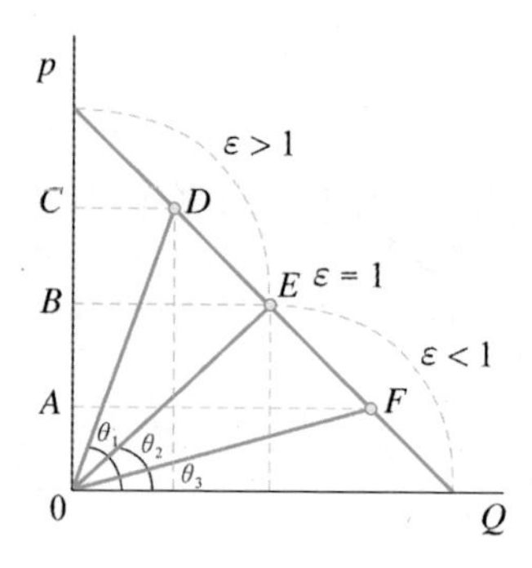

〈그림 6-10〉 수요곡선과 탄력도

실습문제 6-8

수요함수가 $Q^d=45-0.5P$일 때 $P=20$일 때 수요의 가격탄력성을 구하라. 또 어떤 가격에서 이 재화에 대한 총 지출(수입)이 최대가 되겠는가?

풀이

$$가격탄력도(\epsilon)=(-\frac{dQ^d}{dP})(\frac{P}{Q^d})=\beta(\frac{P}{Q^d})=(\beta)\frac{P}{(\alpha-\beta P)}=(0.5)\frac{20}{(45-(0.5\times 20))}=\frac{2}{7}$$

이 재화의 총 지출(수입)이 최대가 되는 가격은

$(\beta)\frac{P}{(\alpha-\beta P)}=1$을 만족하여야 하기 때문에 $(0.5)\frac{P}{(45-0.5P)}=1$ 에서

16 수요함수로 $Q^D=\alpha-\beta P$로 나타내어진 경우 수요의 가격탄력도는$=(-\frac{dQ^D}{dP})(\frac{P}{Q^D})=\beta(\frac{P}{Q^d})$로 계산된다.

$P=45$, $Q^d=22.5$를 구할 수 있다.

예제 6-22

수요함수가 $Q^d=5-2\sqrt{P}$일 때 수요의 가격탄력성을 구하라.

6.9.4 한계수입과 가격탄력도

우리는 또 위의 수요함수를 통해 한계수입과 탄력도와의 관계를 살펴볼 수 있다.[17] 우하향하는 형태의 수요곡선에서 총수입(TR)은 $TR=P(Q)\cdot Q$이므로

$$MR=P'(Q)\times Q+P(Q)=P(Q)\left[\frac{dP(Q)}{dQ}\times\frac{Q}{P(Q)}+1\right]=P(Q)\left[1-\frac{1}{\epsilon}\right]$$

따라서 다음과 같은 관계가 성립함을 알 수 있다.

$\epsilon=1$이면 $MR=0$(총수입 불변)

$\epsilon>1$이면 $MR>0$(총수입 증가)

$\epsilon<1$이면 $MR<0$(총수입 감소)

〈표 6-1〉 수요의 가격탄력도와 가격변화 그리고 수입(혹은 지출)변화와의 관계

ϵ〉1	가격상승	수요량 많이 하락	수입 감소
	가격하락	수요량 많이 상승	수입 증가(박리다매)
ϵ=1	가격상승	수요량 하락	수입 변화 무(無)
	가격하락	수요량 상승	수입 변화 무(無)
ϵ〈1	가격상승	수요량 조금 하락	수입 증가(보통의 경우)
	가격하락	수요량 조금 상승	수입 감소

크게 탄력도 1인 경우(단위 탄력적, 쌍곡선), 1보다 큰 경우(탄력적), 1보다 작은 경우(비탄력적)로 나눌 수 있다. 가격이 아무리 변해도 수요량(공급량)이 전혀 변하지 않을

17 생산자 혹은 판매자 입장에서 보면 수입이지만 수요자 입장에서는 지출이기 때문에 수입이 아닌 지출로 쓰고 있는 책도 있다.

때, 수요(공급)의 가격탄력성이 0이 되고, 반대로 가격이 아주 조금만 변해도 수요량(공급량)이 무한대로 변하는 경우, 수요(공급)의 가격탄력성은 무한대가 된다.

실습문제 6-9

시장지배력을 나타내는 지수인 러너지수(Lerner's index)를 유도하라.

풀이

이윤극대화 조건은 $MR = MC$이므로

$$MR = P(Q)\left[\frac{dP(Q)}{dQ} \times \frac{Q}{P(Q)} + 1\right] = MC = P(Q)\left[1 - \frac{1}{\epsilon}\right] = MC$$

$$\left[1 - \frac{1}{\epsilon}\right] = \frac{MC}{P(Q)}$$

$$1 - \frac{MC}{P(Q)} = \frac{1}{\epsilon}$$

러너지수(Lerner's index): $\dfrac{P(Q) - MC}{P(Q)} = \dfrac{1}{\epsilon}$

만약 완전경쟁시장이라면 수요의 가격 탄력도가 무한대(∞)가 되어

$\dfrac{P(Q) - MC}{P(Q)} = 0$이 되고 그러므로 $P = MC$가 된다.

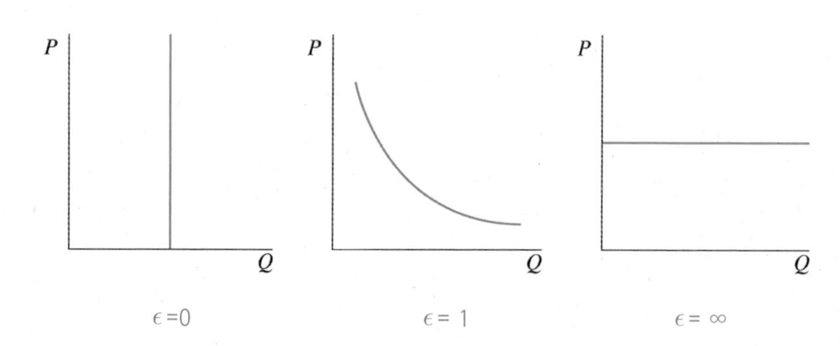

〈그림 6-11〉 탄력성에 따른 수요곡선의 형태

6.9.5 공급의 가격 탄력도

공급함수가 $Q^s = g(P)$로 주어질 경우 공급의 가격탄력도(e)는 다음과 같이 나타낼 수 있다.

공급의 가격탄력도 (e) = 공급량의 변화율(%)/ 가격의 변화율(%)

$$= \frac{(\triangle Q^d / Q^d)}{(\triangle P/P)} = \frac{dQ^s}{dP}\frac{P}{Q^s} = \frac{d\ln Q^s}{dlnP}$$

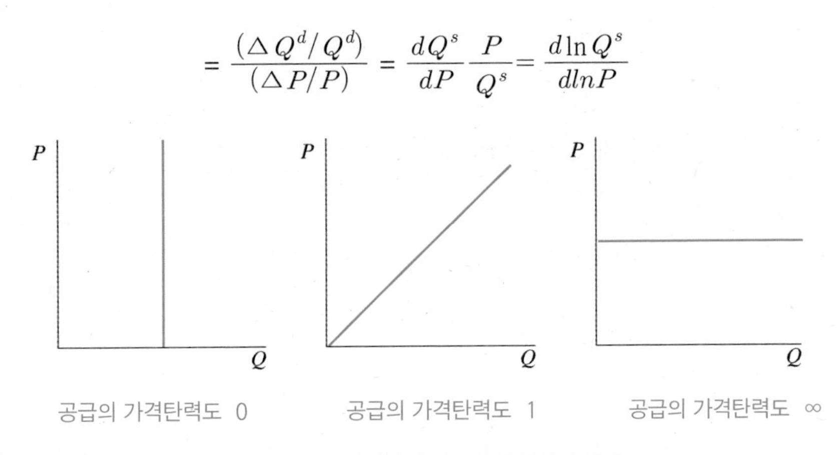

〈그림 6-12〉 탄력성에 따른 공급곡선의 형태

그리고 탄력도에 따라 크게 탄력도 1인 경우(단위 탄력적), 1보다 큰 경우(탄력적), 1보다 작은 경우(비탄력적)로 나눌 수 있다. 가격이 아무리 변해도 공급량이 전혀 변하지 않을 때 공급의 가격탄력성이 0이 되고, 반대로 가격이 아주 조금만 변해도 공급량이 무한대로 변하는 경우, 공급의 가격탄력성은 무한대가 된다.

공급곡선이 $P = c + dQ^s$처럼 우상향하는 일차함수 형태로 나타나는 경우 공급곡선의 위치와 공급 탄력도와의 관계를 <그림 6-13>에 나타내보았다.

각 공급곡선에 대한 탄력도는 $(\frac{1}{d}) \times (\frac{P}{Q^s})$이다.[18] 공급탄력도는 공급곡선의 기울기의 역수 $(\frac{1}{d})$와 $(\frac{P}{Q^s})$의 곱이다. 여기서 $(\frac{P}{Q^s})$는 원점에서 a, b, c점과의 기울기이다($\theta_1, \theta_2, \theta_3$로 표기되어 있다). 기울기의 역수가 고정되어 있기 때문에 공급탄력도는 $(\frac{P}{Q^s})$가 클수록(작을수록) 큰(작은) 값을 나타낸다. 공급곡선이 S_1일 때 a점에서의 공급탄력도는 1보다 크다. 이 곡선 어디에서 재든 1보다 큰 값을 갖으며 a점보다 오른쪽에 있을수록 탄력성의 값이 1에 가까워진다. 공급곡선이 S_2일 때 b에서의 가격 탄력도는 1이 된다.

이 곡선 어디에서 재든 1이 된다. 마지막으로 공급곡선이 S_3일 때 c점에서의 가격 탄력도는 1보다 작다. 이 곡선 어디에서 재든 1보다 작은 값을 갖는다. 또 c점보다 오른쪽에

18 공급함수로 $Q^S = -\gamma + \delta P$로 나타내어진 경우 공급의 가격탄력도는$=(\frac{dQ^S}{dP})(\frac{P}{Q^S}) = \delta(\frac{P}{Q^S})$로 계산된다.

있는 점일수록 탄력성의 값이 1에 가까워진다. 다시 말해 공급탄력도는 원점에서 a, b, c 점과의 기울기$(\theta_1, \theta_2, \theta_3)$에 비례하며 $\theta_1 > \theta_2 > \theta_3$이기 때문에 S_1의 공급탄력도 > S_2의 공급탄력도 > S_3의 공급탄력도 순으로 나타난다.

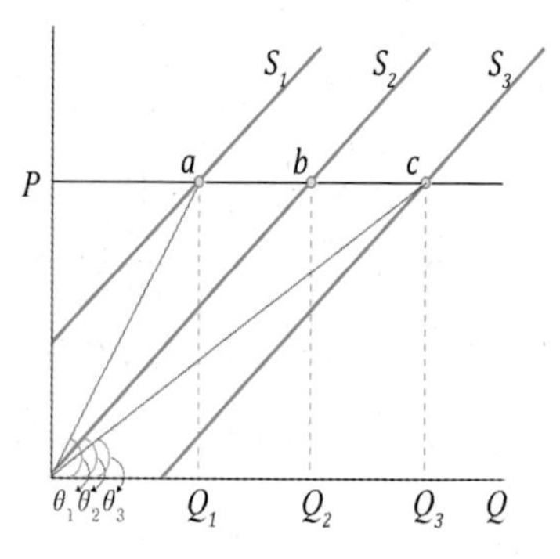

절편이 가격 축에 있으면 e 〉1
원점을 지나면 e = 1
절편이 공급량 축에 있으면 e 〈1
〈그림 6-13〉 공급곡선의 위치와 공급 탄력도

6.9.6 한계효용체감의 법칙 – 소비자이론에 적용

어떤 재화 X의 소비에 따른 소비자의 효용함수가 $U = U(X)$로 주어지는 경우 X재 한 단위 소비에 따른 총효용의 증가를 한계효용(限界效用, Marginal Utility, MU)이라 한다. 그리고 이 재화가 재화인 경우 한계효용은 양(+)의 크기로 나타난다.

$$dU/dX = \text{MU(Marginal Utility)} > 0 : \text{재화(goods)임을 의미}$$

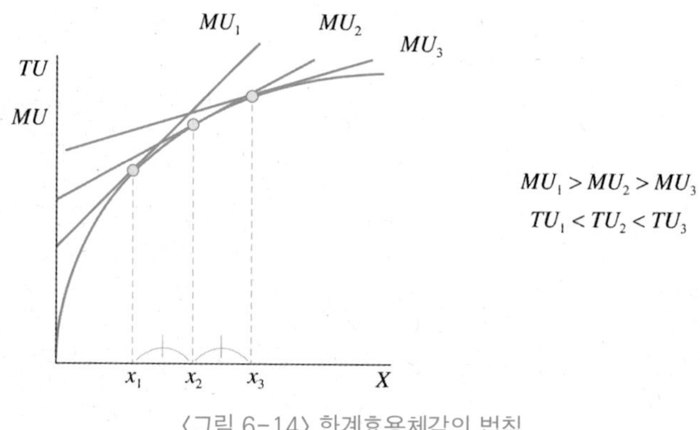

〈그림 6-14〉 한계효용체감의 법칙

그러나 재화의 소비가 증가함에 따라 소비자의 효용은 계속적으로 증가할 수 없다. (갈증날 때 500ml 생수 한 병은 만족의 증가를 주지만 두 병, 세 병 마시면 그 만족도는 감소하는 현상) 이를 한계효용체감의 법칙이라 하며 2계 도함수 기호를 이용하여 나타내보면 다음과 같다.

$$d^2U/dX^2 < 0 \text{ 한계효용체감의 법칙}$$

실습문제 6-10

효용함수의 예를 들어보자. $U = U(x) = \sqrt{X}$라 하자. 그러면 재화 X의 소비에 따른 한계효용은 다음과 같다.

$$dU/dX = 1/2\ X^{-1/2} > 0$$

그리고 한계효용체감의 법칙이 성립하는가를 확인해보기 위해 위의 1계 도함수, 즉 한계효용함수를 한 번 더 X재에 대해서 미분해보면 다음과 같이 (−)기호를 갖게 되어 한계효용체감의 법칙이 성립함을 알 수 있다.

$$\frac{d^2U}{dX^2} = -\frac{1}{4}X^{-\frac{3}{2}} < 0$$

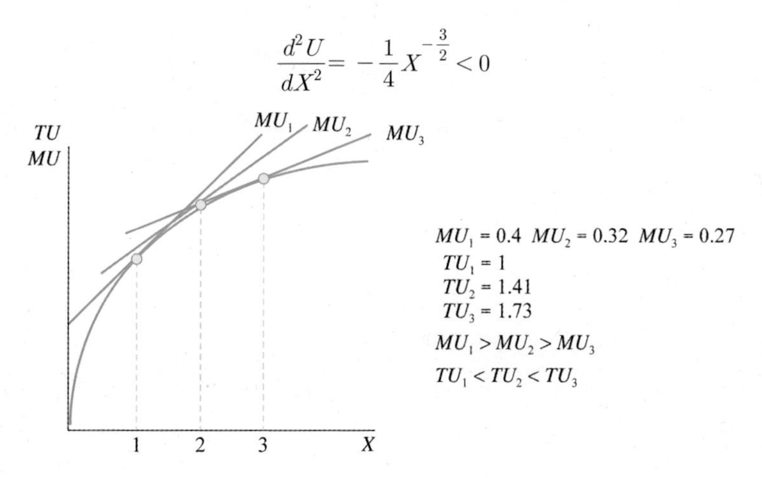

6.9.7 한계생산물체감의 법칙(수확체감의 법칙) – 생산자이론에 적용

다음과 같이 생산(Q)을 위해 생산요소가 노동(labor) 하나만 투입되는 생산함수를 고려하여 보자. 이는 단기(短期, shot run)의 생산함수로 자본은 일정하게 주어졌다고 보는 것과 같다.

$$Q = f(L)$$

이 경우 주어진 자본에 노동투입을 한 명씩 증가시키면 생산량은 증가할 것이다. 이것이 노동의 한계생산물(MPP_L: Marginal Physical Product of Labor)이 (+)값을 갖는 이유다.

$$dQ/dL = MPP_L > 0 : \text{유용한 생산요소임을 의미}$$

그러나 노동투입량이 증가함에 따라 한계생산물은 감소하게 된다(예컨대 기계는 1대인데 사용하는 노동자들이 증가하며 대기시간의 증가함). 이를 한계생산물체감의 법칙이라 한다. 그리고 이 값은 (-)값을 갖게 된다.

$$\frac{d^2Q}{dL^2} < 0 : \text{한계생산물체감의 법칙(수확체감의 법칙)}$$

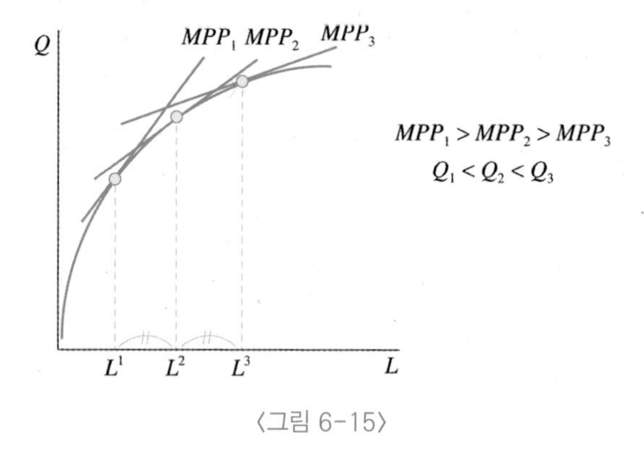

〈그림 6-15〉

실습문제 6-11

생산함수가 $Q = f(L) = -L^2 + 8L$ 로 주어졌을 때

(1) 그림으로 나타내라.

(2) 한계생산물체감의 법칙이 적용됨을 보여라.

6.9.8 평균 생산(APP_L)과 한계생산(MPP_L)

평균비용과 한계비용 간의 관계와 같은 원리는 단기 생산함수에서도 발생한다. 자본이

고정된 상태에서의 생산함수를 단기 생산함수라고 하는데 단기 생산함수에서는 생산은 노동만의 증가함수이다. 생산함수를 $Q = F(L)$로 표시하면 다음과 같은 식을 얻는다.

$$\text{노동의 평균생산물 } AP_L = \frac{Q}{L} = \frac{F(L)}{L}$$

$$\text{노동의 한계생산물 } MP_L = \frac{dQ}{dL} = F'(L)$$

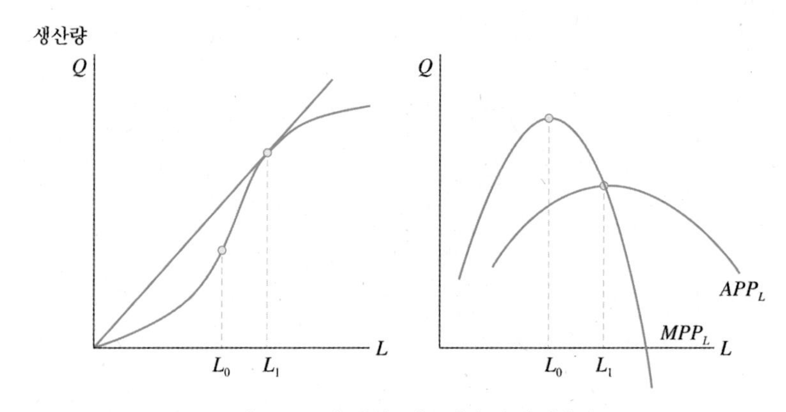

〈그림 6-16〉 총생산, 평균생산 및 한계생산

따라서 노동의 평균생산물을 생산량에 대해 미분하여 도함수를 구하면 다음과 같다.

$$\frac{dAPP_L}{dL} = \frac{d}{dL}\left[\frac{F(L)}{L}\right] = \frac{F'(L)L - F(L)}{L^2}$$

$$= \frac{1}{L}\left[F'(L) - \frac{F(L)}{L}\right]$$

$$= \frac{1}{L}[MPP_L - APP_L] \geq \leq 0$$

$L > 0$이므로 $\frac{dAPP_L}{dL} \gtreqless 0$에 따라 $MPP_L \gtreqless APP_L$의 관계가 성립한다. <그림 6-17>을 보면 APP_L의 기울기가 +이면 MPP_L이 APP_L보다 위에 있으며 APP_L의 기울기가 -이면 MPP_L이 APP_L보다 아래에 있게 된다.

한계생산물과 한계비용의 관계를 분석해 보기로 하자. 기간은 단기이고 자본의 투입량이 고정되어 있다고 하자. 총고정비용을 FC라고 하고 총가변비용을 $VC(Q)$라고 하

자. 그러면 총비용은

$$C(Q) = VC(Q) + FC$$

가 된다. 이때

$$VC(Q) = wL(Q)$$

이다. 그러므로

$$MC(Q) = \frac{dC(Q)}{dQ} = \frac{d[VC(Q) + FC]}{dQ} = \frac{d[wL(Q)]}{dQ} = w\frac{dL(Q)}{dQ}$$

$$= w\frac{1}{\frac{dQ}{dL(Q)}} = w\frac{1}{MPP_L}$$

이 된다. 즉 한계비용과 한계생산물 사이에는 역의 관계가 성립한다. 그런데 이것은 생산함수와 비용함수 쌍대성을 가지고 있다는 사실을 반영한다.

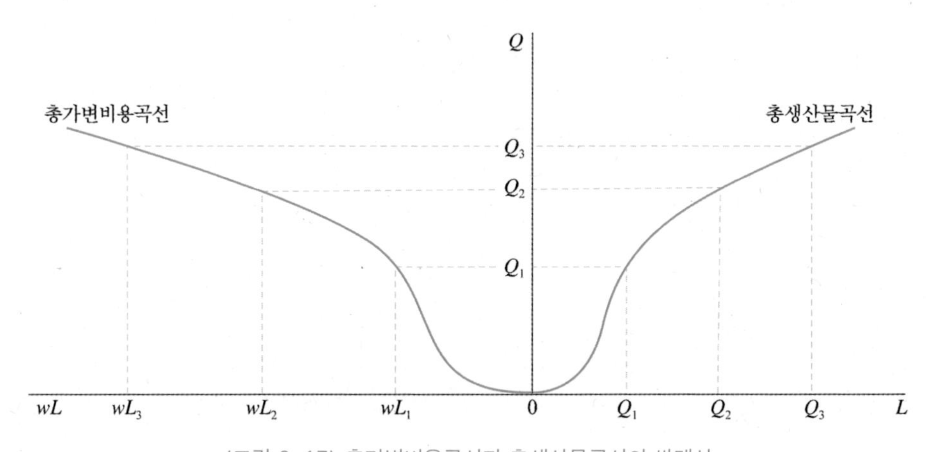

〈그림 6-17〉 총가변비용곡선과 총생산물곡선의 쌍대성

실습문제 6-12

생산함수가 $Q = f(L) = -L^2 + 8L$ 로 주어졌을 때

(1) APP_L 과 MPP_L 을 구하라.

(2) Q, APP_L , MPP_L 를 같은 그림에 그려라.

(3) 노동투입량이 1일 때($L=1$), Q, APP_L, MPP_L 을 구하라.

(4) 노동투입량이 7일 때($L=7$), Q, APP_L, MPP_L 을 구하라.

(5) 위의 (3)과 (4)에서 얻은 답을 APP_L 와 MPP_L의 기하학적 성질을 연계하여 설명하라.
(힌트: APP_L는 원점에서 생산량까지의 기울기, MPP_L는 생산량 곡선에서의 접선의 기울기)

6.9.9 이윤극대화

이윤(Π)이란 총수입($TR(Q)$)에서 총비용($TC(Q)$)을 뺀 값이다. 총수입($TR(Q)$)은 가격($P(Q)$)에 생산량(Q)을 곱한 금액 <$P(Q)\times Q$>이 된다. 총비용함수($TC(Q)$)를 편의상 $C(Q)$로 쓰기로 하자.

$$\text{극대화 } \Pi(Q) = TR(Q) - TC(Q) = P(Q)\times Q - TC(Q)$$

■ 1차조건

$$\frac{d\Pi(Q)}{dQ} = \frac{dTR(Q)}{dQ} - \frac{dTC(Q)}{dQ} = 0$$

$$MR(Q) = MC(Q)$$

즉, 한계수입(MR) = 한계비용(MC)

즉, 한계수입과 한계비용이 같은 생산량에서 이윤이 극대화된다.

이윤 극대화 조건은 시장구조에 관계없이 (경쟁기업이든 독점기업이든) 같지만 시장 가격은 시장구조에 따라 달라진다는 사실에 유의할 필요가 있다.

1차조건 $MR = P'(Q)\times Q + P(Q) = MC$에서 $P(Q) - MC = P'(Q)\times Q \geq 0$이다. 완전경쟁시장(完全競爭市場, perfect competition market)에서는 각 기업이 가격 순응자(價格順應者, price-taker)이기 때문에 $P'(Q)=0$이 되어 $P = MR = MC$가 된다. 하지만 불완전 경쟁시장(완전경쟁시장 아닌 시장)에서는 $-P'(Q)Q > 0$이기 때문에 $P > MR = MC$ 의 관계가 나타난다.

실습문제 6-13

어느 회사에서 한 달 동안 x분을 광고한 후 매출액 변화를 분석해 본 결과 광고방송시간과 매출액 간의 관계는 $R(x) = 2\sqrt{x}$ (억 원)로 나타났다. 광고비가 1분에 2,000만 원(0.2억 원)이라고 할 때,

(1) 몇 분 이상 광고를 하면 손해를 보겠는가?
(2) 이윤이 극대화되는 광고시간과 그 때의 이윤은 얼마인가?
(3) 그림을 그려 설명하라.

풀이

(1) 광고비용함수 C = $0.2x$(억 원)와 수입 $R(x) = 2\sqrt{x}$(억 원)가 같아지는 시간을 구하면 된다. $0.2x = 2\sqrt{x}$ (억 원) $x = 100$, 100분 이상의 광고는 손해를 야기한다.

(2) $R(x) = 2\sqrt{x}$ 에서 $MR(x) = 2\times\frac{1}{2}x^{-\frac{1}{2}} = x^{-\frac{1}{2}}$, $MC = 0.2$

$$x^* = 25,\quad \Pi(25) = 2\sqrt{25} - 0.2\times 5 = 9\text{억원}$$

(3)
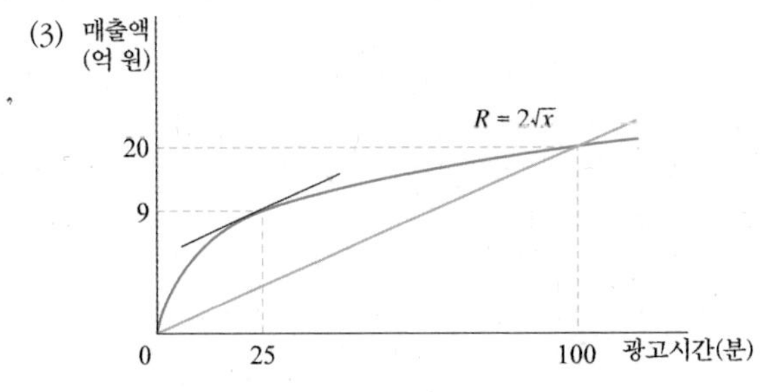

6.9.10 소비함수, 투자함수 및 저축함수

거시경제 변수 가운데 경제주체의 소비행위를 설명하는 함수, 즉 소비함수(消費函數, consumption function)가 자주 사용된다. 가장 간단한 형태로 소비(C)가 (절대)소득(Y)의 증가함수로 나타나고 있다.

$$C = \alpha + \beta Y \quad \text{단: } \alpha > 0,\ 0 < \beta < 1$$

이때 소득의 기울기가 $\beta(= dC/dY)$가 바로 한계소비성향(marginal propensity to consumption)을 나타내며 α는 절대소비수준(소득이 전혀 없더라도 생존을 위해 필요한 최소한의 소비수준)을 말한다. 즉 경제주체들은 소득이 한 단위 증가함에 따라 소비수준을 β만큼 증가시킨다는 사실을 말해주고 있다. 예컨대 가계의 월 소비함수가 $C = 150 + 0.9Y$라 하고 단위를 만 원이라고 하면 생활을 위해 최소한 150만 원이 필요하며 한계소비성

향은 0.9로서 소득이 10만 원 증가하면 9만 원은 소비하고 나머지 만 원은 저축한다는 의미가 된다.

경제학에서 저축은 소득에서 세금을 제한 가처분소득에서 소비하고 남은 부분이라고 정의하고 있다. 일상생활에서 보통사람들은 저축을 은행에 예금하거나 금융기관에 돈을 투자하는 행위로 보고 있는 것과 다른 의미로 쓰이고 있다.

저축은 소비를 연기하기(defer) 위한 결정이며 자산의 일정부분을 연기된 소비를 위해 보관하는(store) 결정이라고 정의한다. 또 한계저축성향(MPS: Marginal Propensity to save)은 소득이 한 단위 증가함에 따라 저축이 몇 단위 증가하는가를 나타내고 있다. 한계저축성향$(1-\beta=s)$과 한계소비저축성향(β)의 합은 1이다.

$$S(Y) = Y - C(Y) = -\alpha + (1-\beta)Y$$

한계저축 성향(MPS) : $\frac{dS}{dY} = (1-\beta) = s \quad 0 < (1-\beta) = s < 1 \quad MPC + MPS = 1$

저축함수는 소득의 함수인 성격도 있지만, 이자율의 함수인 성격도 가지고 있다. 그래서 $S = S(Y), S = S(r), S = S(Y, r)$로도 쓰이고 있다.

투자는 미래의 수익을 기대하면서 돈을 배분하는 행위라고 정의한다. 투자는 자금에 대한 수요로 보고 이자율(利子率, interest rate)의 역함수로 정의하고 있다. 이자율이 오르면 투자는 감소하고 이자율이 내려가면 투자는 증가한다.

$$I = I(i) = I_0 - \psi i \quad I'(i) < 0$$

일차 함수 형태인 소비함수, 투자함수, 및 저축함수를 그림으로 나타내면 <그림 6-18>과 같다.

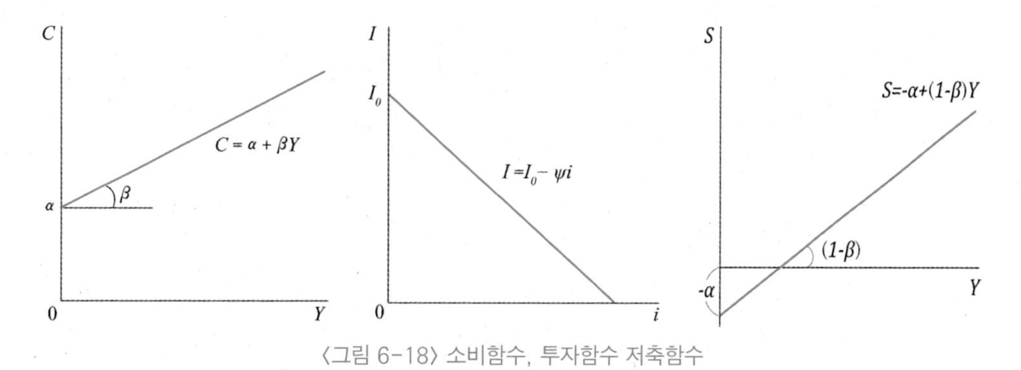

〈그림 6-18〉 소비함수, 투자함수 저축함수

6.10 위험에 대한 태도

6.10.1 불확실성과 위험

먼저 불확실성과 위험에 대한 정확한 정의와 이해가 필요하다.

- **불확실성(不確實性, uncertainty)**: 장래에 관해 워낙 알지 못해 어떤 상태가 나타날지 그리고 그 확률이 얼마인지조차 알 수 없을 때를 지칭하는 용어이다. 북한의 도발 가능성, 고속도로에서 사고 날 확률, 테러 발생 등을 예로 들 수 있다.
- **위험(危險, risk)**: 장래에 나타날 가능성이 있는 여러 상태들을 비교적 잘 식별할 수 있고 또한 그 상태가 나타날 가능성을 확률로 표현할 수 있을 때를 지칭하는 용어이다. 예로 주사위 던지기, 동전던지기, 로또 등을 들 수 있다.

주사위 던지기를 하면 가능한 경우가 1,2,3,4,5,6이 나타나며 확률은 각각 1/6이라는 사실을 부정하는 사람은 아무도 없을 것이다. 로또의 경우 1등은 1/8,145.060, 2등은 1/1,357,510, 3등은 1/35,724, 4등은 1/783, 5등은 1/45로 사전(事前)에 알 수 있으며 누구에게나 같은 확률이 적용된다. 사전 객관적 확률이 존재하는 경우이다. 이 확률은 과거에도 그랬고 앞으로도 같은 확률로 나타날 것이다.

고속도로에서 사고 날 확률, 90세 된 어르신이 올해 사망할 확률, 지하철 사고 가능성 등은 아무도 모른다. 이런 일에 대해서는 사전에 누구나가 동의하는 확률은 존재하지 않는다. 사람마다 다르다. 비슷한 예로 프로 야구 경기 승자를 예측하는 실시간 조사를 보면 어제 A팀의 예측 승리확률과 오늘 확률이 다르게 나타난다. 심지어는 승패가 바뀌어 예측되는 경우도 많다.

그러므로 장래에 대해 예측을 할 때 사건의 성격이 고속도로 사고에 대한 예측인지 로또 당첨 예측인지를 먼저 구별하여야 한다. 전자는 불확실한 상황이고 후자는 위험한 상황이다. 불확실한 사건에 배팅하여 이득을 얻은 경우는 운과 예측력이 작용한 것이지만 로또에 배팅하여 이득을 얻은 경우는 운만이 작용한 것이다.

우리가 사는 세상은 사실 위험보다는 불확실성이 더 지배하고 있다. 한 치 앞을 알 수 없다. 그래도 고속도로에서 사고 날 확률, 90세 된 어르신이 올해 사망할 확률, 지하철 사고 가능성과 같이 과거 자료가 축적되어 있는 경우 이를 근거로 앞으로의 가능성을 예측하고 예상 피해에 대비하고 있는 것이다. 엄밀하게 말하면 불확실성을 다루는 것은 불가능하다. 비록 이 엄밀성은 좀 떨어지지만 객관적이라고 믿는 가능성을 근거로 불확실성을 대비하고, 전체적으로는 위험분석을 하고 있다.

위험적 대상(risky objects)을 포함하여 불확실성 대상을 대수의 법칙(大數의 法則, law of large numbers)으로 확률을 부여하여 수학적으로 다루고 있다. 즉 과거의 경험이나 다른 지식을 동원하여 장래에 있어 날 수 있는 상태를 설정하고 또 그에 해당하는 수학적 확률을 부과한다.

주사위를 던져 홀수가 나오면 아무 것도 못 받지만 짝수가 나오면 20만 원을 받는 게임을 생각해 보기로 하자. 이 게임의 기댓값(Expected Value, EV)은

$$EV = 0.5 \times 0 + 0.5 \times 20 = 10$$

이 게임의 비용이 꼭 10만 원이라면, 예를 들어 이 게임이 10만 원을 내고 참가하는 게임이라면 이 게임을 공정한(公正, fair) 게임 또는 공정한 내기라고 부른다.

6.10.2 기대효용함수

각 상황(X_i)이 발생하는 경우에 얻는 효용($U(X_i)$)에 각 상황이 발생할 확률(P_i)을 곱하여 얻은 가중평균 효용을 기대효용함수(期待效用函數, expected utility function)라고 한다. 불확실한 상황에서의 효용은 기대효용으로 표시된다.

$$EU(X) = P_1 U(X_1) + P_2 U(X_2) \cdots + P_n U(X_n) \quad \sum_{i=1}^{n} P_i = 1$$

6.10.3 세 가지 유형

동전을 던져 앞면이 나오면 20만 원을 받지만, 뒷면이 나오면 아무 것도 못 받는 게임이 있다고 하자. A, B, C, 세 사람에게 이 게임에 참여할 것인지 아니면 그냥 현금 10만 원을 받을 것인지 제안하였을 때 세 부류가 있을 것이다.

유형1) 참여하지 않겠다(손에 쥔 10만 원에 높은 가치를 둠).

유형2) 두 경우 모두 같다고 보고 참여 여부를 확실히 밝히지 않는다.

유형3) 참여하겠다(20만 원 가능성에 높은 가치를 둠).

① **위험 기피자(危險 忌避者, risk averter)**: $U = a\sqrt{X},\ a > 0$
기대보상은 똑같지만 전혀 위험이 없는 소비조합과 위험이 있는 소비조합 중에서 위험이 없는 소비조합을 항상 선호하는 사람 - 오목한 효용함수

② **위험 중립자(危險 中立者, risk neutral)**: $U = aX,\ \ a > 0$
같은 기대소비를 갖는 두 소비조합 중에서 위험이 없는 소비조합과 위험이 있는 소비조합을 같게 생각하는 사람 - 선형효용함수

③ **위험 애호자(危險 愛好者, risk lover)**: $U = aX^2,\ \ a > 0$
기대보상은 똑같지만 전혀 위험이 없는 소비조합과 위험이 있는 소비조합 중에서 위험이 있는 소비조합을 항상 선호하는 사람 - 볼록한 효용함수

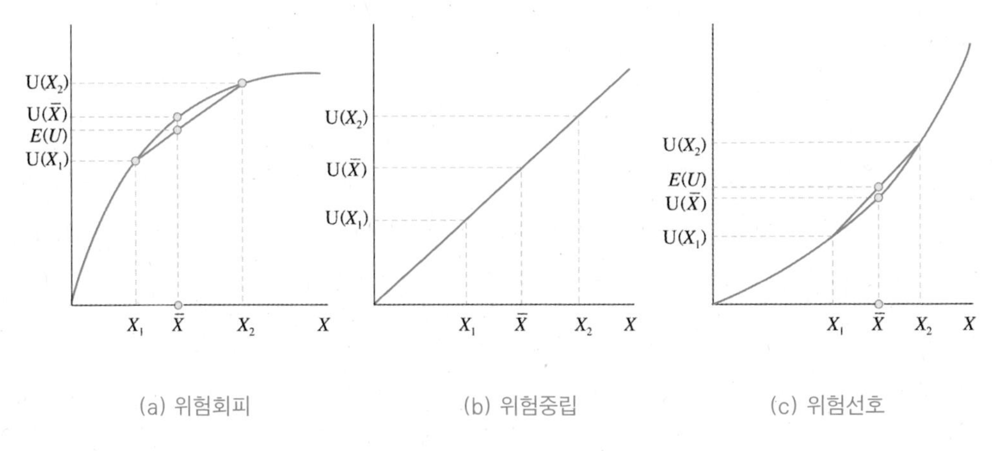

(a) 위험회피 (b) 위험중립 (c) 위험선호

〈그림 6-19〉 위험에 대한 세 가지 유형

<그림 6-19>에서 X_1과 X_2 ($X_2 > X_1$, X_2를 얻을 확률 P_2) 사이의 임의의 점

$$\overline{X} = E(X) = (1 - P_2)X_1 + P_2X_2, \text{ 이 점에서의 효용은}$$

$$U(\overline{X}) = U[(1 - P_2)X_1 + P_2X_2] \text{ 이며 상금 기댓값의 효용이다.}$$

X_1(상금)의 효용과 X_2(상금)의 효용의 기댓값은 $U(X_1)$과 $U(X_2)$의 가중평균으로

$(1-P_2)\times U(X_1) + P_2\times U(X_2)$이며 복권의 기대 효용이다.

전자가 크면 위험 기피자, 같으면 위험 중립자, 작으면 위험 애호자라고 정의한다.

6.10.4 투기적 화폐수요

현금을 그대로 가지고 있으면 필요할 때 즉시 쓸 수 있다는 장점이 있지만 수익이 발생하지 않는다는 약점이 있다. 반대로 수익성 자산(주식, 채권 등)을 보유하고 있으면, 수익은 발생하지만 가격하락에 따른 손해도 감수하여야 한다. 증권을 산 후 팔 때 가격이 올라 얻게 되는 이득을 '자본이득(capital gain)'이라 하고 반대로 가격하락으로 잃게 되는 손실을 '자본손실(capital loss)'이라 부른다. 현금을 안전자산, 증권을 위험자산의 대표라고 할 수 있다.

수익성 자산(주식, 채권 등)에 투자하기 위한 기회를 노리면서 일시적으로 화폐를 보유하는 것을 케인즈는 '투기적(投機的, speculative) 동기에 의한 화폐수요'라고 하였다. 이자율(수익률)뿐만 아니라 위험에 대한 투자가의 태도도 중요한 역할을 한다.

채권 한 단위의 수익률(π)은 이자율(i)과 자본 이득율(g)의 합이다($\pi = i + g,\ i > 0,\ g \lesseqgtr 0$). g가 양수인 때는 자본이득을, 음수일 때는 자본손실을 입은 경우이다. 일정 기간 경과 후 자산의 기댓값은 현금과 채권에서 얻은 기대수익의 합이다. 즉 ($E(W) = M + E(i+g)\cdot B$)이다. 채권의 기대 명목 수익률은 $E(\pi) = E(i) + E(g) = i + \bar{g}$ 이고 현금은 수익을 가져다주지 않기 때문에 이 분석에서 제외하여도 문제가 없다. 따라서 포트폴리오의 기대 수익(R)은

$$R = (i + \bar{g})B$$

이다. 또한 채권 B를 보유함에 따른 포트폴리오의 분산(σ^2)은[19]

$$\sigma^2 = B^2\sigma_g^2$$

19 $\sigma^2 = E[(i+g)B-(i+\bar{g})B]^2 = E[(g-\bar{g})B]^2 = B^2\sigma_g^2$

이다. 이것은 채권액의 제곱(B^2)에 채권의 자본이득율의 분산(σ_g^2)을 곱한 것과 같다.

$$\sigma = B\sigma_g \text{이다. 따라서 } B = \frac{\sigma}{\sigma_g} = \frac{1}{\sigma_g}\sigma \text{ 이다.}$$

여기에서 $R = (i + \overline{g})B$이므로 $R = \frac{(i+\overline{g})}{\sigma_g}B$을 얻을 수 있다. <그림 6-22>에 원점을 지나는 직선으로 그려지는 예산선이다.

한편 수익과 위험(분산 혹은 표준편차로 나타나는)에 대해 위험기피자의 무차별곡선은 <그림 6-20>에서 우상향하는 볼록한 그림으로 나타난다. 위험이 증가하면 상당한 정도의 수익증대를 얻으려 하기 때문이다. 선호방향이 <그림 6-19>에 나타낸 것처럼 좌상향 방향으로 더 큰 값을 보이고 있다.

원점은 자산을 모두 현금으로 보유하는 경우를 말한다. 모두 증권으로 보유한다면, $W = B$이고 $R = (r + \overline{g})W$, $W = \frac{\sigma}{\sigma_g} = \frac{1}{\sigma_g}\sigma$ 이다. 가로축의 최댓값은 $R = (r + \overline{g})W$이고 세로축의 최댓값은 $\sigma_g W = \sigma$이다.

총자산(W) 중에서 자신의 효용함수 $U = U(R, \sigma)$ $\frac{\partial U}{\partial R} > 0, \frac{\partial U}{\partial \sigma} < 0$, ($R$:기대수익, σ: 수익의 표준편차)를 극대화하도록 현금과 증권을 배분하는 것이 목적이다. 위험기피자의 균형점은 무차별곡선과 예산선이 접하는 <그림 6-21>에서 E점이 된다. 증권을 B만큼 보유하고 현금을 $M = (W - B)$만큼 보유하게 된다.

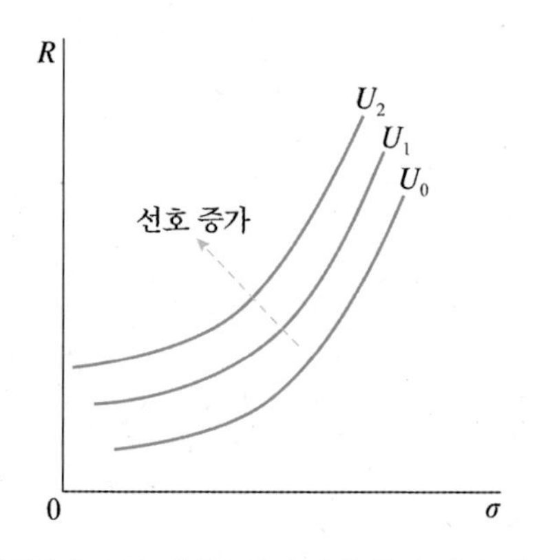

〈그림 6-20〉 예상수익과 위험 간의 기회 궤적

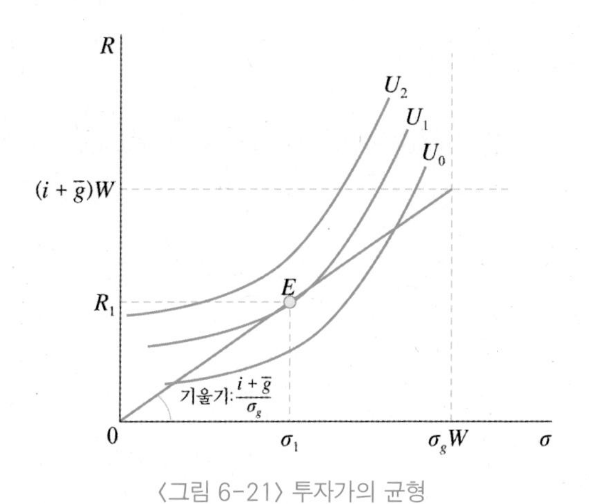

〈그림 6-21〉 투자가의 균형

이자율이 상승하면, 예산선은 위쪽으로 상승하게 되고 균형점은 오른쪽 위쪽으로 이동하게 된다. 증권을 더 보유하게 되게 된다. 시장이자율이 높아지면 채권의 기대 수익이 올라가고 종전보다 높은 위험을 감수하면서 높은 기대 수익을 추구하게 된다. 반대로 이자율이 하락하게 되면 균형점이 왼쪽 아래쪽으로 이동하여 증권을 덜 보유하게 될 것이다. 이자율이 높을수록 화폐수요자들은 투기적 목적으로 화폐를 덜 수요하게 된다.[20] 투기적 수요와 이자율은 반비례한다.

20 좀 더 자세한 내용에 대해서는 안국신, 『현대 거시경제학(제2 전정판)』, 박영사, pp.613-625 참조바람.

부록 연속과 미분가능

함수 $f(x)$가 $x=a$에서 미분가능하면, $f(x)$는 $x=a$에서 연속임을 증명하라.

증명

먼저 등식 $f(a+\Delta x)=\dfrac{f(a+\Delta x)-f(a)}{\Delta x}\cdot\Delta x+f(a)$에서 $\Delta x\to 0$일 때의 극한값을 구하면, 가정에 의하여 $f'(a)$가 존재하므로

$\lim_{\Delta x\to 0} f(a+\Delta x)=f'(a)\cdot 0+f(a)=f(a)$ 이다.

따라서 $\lim_{x\to a}f(x)=f(a)$이므로 $f(x)$는 $x=a$에서 연속이다.

핵심어

- 극한값
- 증분
- 차분 몫
- 순간변화율
- 미분계수
- 도함수
- 미분한다
- 한계
- 연속성
- 미분가능성
- 평균비용
- 한계비용
- 연쇄법칙
- 오목함수
- 볼록함수
- 2계 도함수
- 고계 도함수
- 탄력도
- 소비함수
- 한계소비성향
- 투자함수
- 한계투자성향
- 불확실성
- 위험
- 기댓값
- 공정한게임
- 기대효용함수
- 위험 기피자
- 위험 중립자
- 위험 애호자

연습문제

○× 문제

1. 한계적 결정 경제원리는 수학에서 미분법에 의해 설명된다.
2. 미분법을 발견한 과학자는 가우스다.
3. 미분가능한 함수는 연속이다.
4. 위험 회피자는 볼록한 효용함수를 보이고 있다.
5. 한계비용에 생산량을 곱하면 총비용이 되고 총비용을 생산량에 대해 미분하면 평균비용을 얻는다.

단답형

1. 1계 도함수는 함수의 ( )의 변화를, 2계 도함수는 1계 도함수의 ( )의 변화를 나타내고 있다.
2. $f(x)=|x|$, $x=0$에서 연속이지만 미분가능하지 않음을 증명하라.
3. 미분법을 발견한 과학자는 (   )와 (   )이다.
4. 단조 함수와 역함수와의 관계를 설명하라.

5. 한계비용과 한계생산물 사이에는 ( )의 관계가 성립한다. 그런데 이것은 생산함수와 비용함수 ( )을 가지고 있다는 사실을 반영한다.

6. 일반적으로 $y = f(x)$가 주어져 있을 때, x에 대한 y의 점탄력성을 한계함수와 평균함수와의 관계로 나타내라.

풀이형

1. 보통 등기 소포의 요금 체계는 다음 표와 같다. (1997. 9. 1. 시행)

중량	2kg 이하	5kg 이하	10kg 이하	20kg 이하	30kg 이하
요금	2500원	3000원	4000원	5000원	6000원

(1) 소포의 요금 체계를 함수로 나타내고, 그 그래프를 그려라.

(2) (1)에서 구한 함수의 연속 또는 불연속을 조사하라.

2. 다음을 미분하라.

(1) $y = -10$

(2) $y = 10x + 7$

(3) $y = -5x^3 + 6$

(4) $y = 7x^3 + 15x^{-2}$

(5) $y = 5x^3(3x - 8)$

(6) $y = 2(3x^4 + 8)^2$

(7) $y = \dfrac{1}{7x^3 + 13x + 2}$

(8) $y = (x^2 + 4)/x$

(9) $y = \sqrt{35 - 6x^2}$

(10) $y = \dfrac{3x(2x+1)}{4x - 2}$

(11) $y = (\dfrac{3x+4}{2x+5})^3$

(12) $y = (2 - 3x)(1 + x)(x + 3)$

* 추가로 가능한 문제: 위 1번 문제에서 구한 도함수를 다시 한번 미분(즉 2계 미분)하라.

3. $f(x) = ax + b$ 일 때 다음의 도함수를 구하라.

(1) $f(x)$

(2) $xf(x)$

(3) $\dfrac{1}{f(x)}$

(4) $f(x)/x$

4. 수요곡선이 $P = 10 - 4Q$ 일 때 아래의 질문에 답하라.

(1) 수요곡선을 그려라.

(2) 가격이 4일 때 수요량은 얼마인가? 수입은 얼마인가? 수요의 가격 탄력도는 얼마인가?

(3) 가격이 3일 때 수요량은 얼마인가? 수입은 얼마인가? 수요의 가격 탄력도는 얼마인가?

(4) 가격하락에 따른 수입의 변화는 얼마인가?

(5) 수입의 변화와 가격탄력도를 연계하여 설명하라.

5. 수요곡선이 $PQ = 4$일 때 아래의 질문에 답하라.

(1) 가격이 4일 때 수요량은 얼마인가? 수입은 얼마인가? 수요의 가격 탄력도는 얼마인가?

(2) 가격이 3일 때 수요량은 얼마인가? 수입은 얼마인가? 수요의 가격 탄력도는 얼마인가?

(3) 가격하락에 따른 수입의 변화는 얼마인가?

(4) 수입의 변화와 가격탄력도를 연계하여 설명하라.

6. 수요곡선이 $P = \dfrac{4}{\sqrt{Q}}$일 때 아래의 질문에 답하라.

(1) 가격이 4일 때 수요량은 얼마인가? 수입은 얼마인가? 수요의 가격 탄력도는 얼마인가?

(2) 가격이 3일 때 수요량은 얼마인가? 수입은 얼마인가? 수요의 가격 탄력도는 얼마인가?

(3) 가격하락에 따른 수입의 변화는 얼마인가?

(4) 수입의 변화와 가격탄력도를 연계하여 설명하라.

(5) 5번의 수요곡선과 이 수요곡선을 같은 좌표에 그리고 형태를 비교하라.

7. (1) $C = 2000 + 0.8Y_d \quad Y_d = Y - T,\ T = 200 + 0.1Y$

MPC (Marginal Propensity to Consumption, 한계소비성향)를 구하시오.

(2) $S(Y_d) = Y_d - C(Y_d)$일 때 MPS(Marginal Propensity to Save, 한계저축성향)를 구하라.

8. (1) $AC = 1.5Q + 5 + \left(\frac{50}{Q}\right)$일 때 한계비용함수를 구하라.

   (2) $AC = Q^2 - 4Q + 174$일 때 한계비용함수를 구하라.

9. (1) 평균수입 $AR = 10 - Q$(Q: 생산량)로 주어졌을 때 총수입과 한계수입을 구하고 그래프로 그려라.

   (2) 평균수입 $AR = 10 - 2Q$(Q: 생산량)로 주어졌을 때 총수입과 한계수입을 구하고 그래프로 그려라.

10. 수요함수가 $Q = 36 - 2P$이라고 하자.

   (1) 역수요함수를 구하고 그래프를 그려라.

   (2) 총수입함수를 구하고 그림으로 그려라.

   (3) 한계수입함수를 구하고 그림으로 그려라.

   (4) $Q = 4$일 때 가격, 총수입, 한계수입을 구하라.

11. 다음의 총 함수들의 한계함수 및 평균함수를 구하고 그 결과를 그래프로 나타내라.

   (1) 총비용함수: $C = 3Q^2 + 7Q + 12$

   (2) 총수입함수: $R = 5Q - Q^2$

   (3) 총생산함수: $Q = aL + bL^2 - cL^3\ (a, b, c > 0)$

12. 생산함수가 $Q = \frac{5}{4}L^{\frac{4}{5}}$일 때 한계생산력 체감의 법칙이 성립함을 보여라.

13. 어느 기업의 총비용함수와 수요함수는 아래와 같다.

$$C = 2Q + 5 \qquad Q = 10 - P$$

   (1) 총수입함수 R을 Q의 함수로 나타내라.

   (2) 총이윤함수 π를 Q의 함수로 나타내라.

14. 어느 기업의 총비용함수와 수요함수는 아래와 같다.

$$C = \frac{1}{3}Q^3 - 7Q^2 + 111Q + 50 \qquad Q = 100 - P$$

   (1) 총수입함수 R을 Q의 함수로 나타내라.

(2) 총이윤함수 π를 Q의 함수로 나타내라.

(3) 위의 수요함수를 역수요함수로 바꾸고 $P=20$일 때 수요의 가격탄력성을 구하라. 또 어떤 가격에서 이 재화에 대한 총지출(수입)이 최대가 되겠는가를 계산하라.

15. $f'(x)>0$이고 $f''(x)<0$인 함수를 그림으로 그려라. 오목한가, 볼록한가? 또 경제학에서 볼 수 있는 이와 같은 함수에는 어떤 것들이 있는가?

16. 최대 수용인원이 100명인 어느 소극장의 주인이 연극 '햄릿'을 공연하려고 하고 있다. 그는 티켓을 일인당 5만 원으로 정하였다. 팬서비스 차원에서 50명을 기준으로 추가로 1명이 늘면 모든 관객에게 5백 원씩 할인해 주려고 한다. 한편 한 번 공연(관객 50명까지는)에 1백만 원이 들고 50명 이상부터는 일인당 1천 원씩 비용이 추가된다.

(1) 몇 명의 관객이 들었을 때 이 극장주의 이윤이 최대가 되겠는가?

(2) 이때의 총수입, 총비용, 총이윤은 얼마인가?

(3) 이윤극대화점을 그림으로 그려라.

17. 위험 선호자의 효용함수를 그려라.
(강볼록함수를 그리고 1차 미분과 2차 미분값에 대해 설명하라.)

18. 공장 1의 생산비용은 $C_1=3(Q_1)^2$이고 공장 2의 생산비용은 $C_2=2(Q_2)^2$이다. 100개의 주문이 들어와 두 공장에서 나누어 생산하려고 한다. 각각 몇 개씩을 생산하며 비용은 얼마인가?

CHAPTER 7

미분법과 그 응용 II

수학을 모르는 자는 세계를 이해하지 못하고 자신의 무지함을 인식조차 못한다.

• 프란시스 베이컨(Francis Bacon, 1561~1626)

수학에서는 주어진 문제를 푸는 것보다 문제를 제기하는 예술이 훨씬 중요하다.

• 칸토어(Cantor, 1845~1918)

학습목표

독립변수가 둘 이상인 함수에 대한 미분법을 배운다. 2계 및 고계 편도함수에 대한 미분법도 공부한다. 편미분과 전미분을 이용하여 보다 체계적으로 경제·경영 현상을 분석할 수 있게 된다.

구성

7.1 다변수함수의 미분
7.2 2계 및 고계 편도함수
7.3 전미분
7.4 전도함수
7.5 응용

7.1 다변수함수의 미분

지금까지 우리가 살펴본 것은 독립변수가 하나인 경우에 제한하였다. 그러나 종속변수에 영향을 미치는 변수가 하나라고만 제한하는 것은 무리가 있다. 현실에서는 여러 개의 독립변수가 여러 개의 종속변수와 서로 얽히고설켜 있는 것을 볼 수 있다. 여기에서는 여러 독립변수가 하나의 종속변수에 영향을 미치는, 보다 현실에 가까운 함수관계를 공부해 보기로 하자.

7.1.1 편도함수

다음과 같은 특정 재화의 수요함수를 살펴보자.

$$Q_x^d = Q(P_x, I)$$

위의 함수는 재화 x의 수요의 결정에 그 재화의 가격(P_x)과 소득(I)이 영향을 주고 있다. 그리고 이 두 변수들은 서로 독립이라고 가정한다. 즉 P_x과 I는 서로의 변화가 서로에게 아무런 영향을 미치지 않고 변화함으로써 수요에 영향을 미치고 있다. 이처럼 종속변수에 영향을 미치는 독립변수가 2개인 경우를 이(二)변수함수라 한다. 이제 이것을 좀 더 일반화시켜 독립변수가 다음과 같이 n개인 경우를 살펴볼 수 있는데 이를 다(多)변수함수라 한다.

$$y = f(x_1, x_2, x_3, \cdots x_n) \quad x_i\text{는 독립}$$
$$i = 1, 2, \ldots . n \text{ 다변수함수}$$

물론 위의 다변수함수에서도 각 독립변수들은 이변수함수와 마찬가지로 서로 독립이라고 가정한다. 다변수함수의 예로 위에서 본 시장 수요함수를 다변수함수로 확장해서 나타낼 수 있다.

$$Q_x^d = Q(P_x, P_s, P_c, I, T, N)$$

여기서 P_x는 해당재화(x)의 가격, P_c는 대체재의 가격, P_s는 보완재의 가격, I는 소득, T는 기호(taste), 그리고 N은 구매자 수를 나타낸다. 물론 이외에도 재화의 수요를 결정하는 다른 요인들을 포함시킬 수 있다. 그리고 이들은 서로 독립이라고 가정하기 때문에 다른 요인들이 변화하지 않을 때 어느 한 요인의 변화에 따른 수요의 변화를 살펴볼 수가 있는 것이다.

그리고 이제 다른 변수들의 변화는 없다고 가정하고 x_i의 변화가 y의 변화에 미치는 영향을 살펴보자. 우리는 이것을 앞에서 배운 것처럼 다음과 같이 나타낼 수 있다.

$$\frac{\triangle y}{\triangle x_i} = \frac{f(x_1, x_2, \cdots x_i + \triangle x_i, \cdots, x_n) - f(x_1, x_2, \cdots x_i, \cdots, x_n)}{\triangle x_i}$$

마찬가지로 $\triangle x_i \rightarrow 0$일 때 극한을 구하면 다음과 같이 나타낼 수 있다.

$$\lim_{\triangle x_i \rightarrow 0} = \frac{\triangle y}{\triangle x_i} = \frac{f(x_1, x_2, \cdots x_i + \triangle x_i, \cdots, x_n) - f(x_1, x_2, \cdots x_i, \cdots, x_n)}{\triangle x_i} \quad \text{(식 7-1)}$$

이렇게 구해진 도함수를 x_i에 대한 y의 편도함수(partial derivative)라 한다. 여기서 편(偏, partial)이란 다른 변수들을 변화가 없을 때 특정변수의 변화만을 고려하고 있다는 것을 의미이다. 그리고 이와 같이 편도함수를 구하는 과정을 편미분(partial differentiation) 한다고 말한다.

편도함수는 앞에서 살펴본 도함수와는 구별되는 독특한 기호를 사용하고 있다. 도함수를 구하는 과정에서는 미분기호 d를 사용하였는데, 편도함수에서는 d 대신 ∂(partial) 이라는 기호를 사용한다. 즉 위의 (식 7-1)을 편미분 기호를 이용해서 나타내면 다음과 같이 다양하게 나타낼 수 있다.

$$f_i = f_i(x_1, x_2, \cdots x_n) = \frac{\partial y}{\partial x_i} = \frac{\partial f}{\partial x_i} = \frac{\partial f(x_1, x_2, \cdots x_n)}{\partial x_i} = \lim_{\triangle x_i \rightarrow 0} \frac{\triangle y}{\triangle x} \quad \text{(식 7-2)}$$

만약 x_1에 대해서 편미분하면 f_1, x_2에 대해서 편미분하면 f_2, 이런 식으로 독립변수나 독립변수의 아래첨자에 붙은 기호를 이용해서 나타내면 된다. 예컨대 수요함수를 나타내는 식 (7-1)에서 각 변수의 편도함수들은 $f_x, f_c, f_s, f_I, f_T, f_N$로 표기하면 된다.

두 변수 함수에서 한 점 (a, b)에서의 편도함수의 값을 그 점에서의 편미분계수라고 부르고, 다음과 같이 나타낸다.

$$f_1(a,b) = \frac{\partial y}{\partial x_1}\bigg|_{x_1 = a, x_2 = b} \qquad f_2(a,b) = \frac{\partial y}{\partial x_2}\bigg|_{x_1 = a, x_2 = b}$$

7.1.2 편미분법칙

위의 (식 7-1)에서 본 바와 같이 편미분이란 다른 변수들은 변화하지 않는 상태에서, 즉 고정되어 있는 상태에서 어떤 특정 변수의 변화에 따른 종속변수의 변화를 살펴보는 것이다. 그런데 어떤 변수가 변화하지 않고 고정되어 있다는 것은 마치 상수(constant)와 같이 취급할 수 있다는 것을 의미한다. 따라서 편도함수를 구하는 과정에서 변화하는 독립변수 이외의 다른 독립변수들은 상수처럼 간주된다는 점만 주의하면 1변수함수에 대한 미분법과 전혀 다를 바가 없다.

예제 7-1

$z = f(x,y) = 3x^4 + xy + 2y^3$

$f_x = \dfrac{\partial z}{\partial x} = 12x^3 + y$ $\quad y$를 상수로 취급

$f_y = \dfrac{\partial z}{\partial y} = x + 6y^2$ $\quad x$를 상수로 취급

즉 위의 결과를 보면 f_x의 경우 y는 상수 취급을 하고, f_y를 보면 x를 상수로 취급하고 있다. 그리고 편도함수 역시 원시함수에서 유도된 함수이므로 모두 x와 y의 함수임을 알 수 있다.

또 점 $(x,y) = (2,3)$일 때의 편미분계수는

$f_x(2,3) = 12(2)^3 + 3 = 99 \quad f_y(2,3) = 2 + 6(3)^2 = 56$

여러 가지 연산 법칙은 아래와 같다.

곱 $z = f(x,y) \cdot g(x,y)$

$$\frac{\partial z}{\partial x} = \frac{\partial f(x,y)}{\partial x} \cdot g(x,y) + \frac{\partial g(x,y)}{\partial x} \cdot f(x,y)$$

$$\frac{\partial z}{\partial y} = \frac{\partial f(x,y)}{\partial y} \cdot g(x,y) + \frac{\partial g(x,y)}{\partial y} \cdot f(x,y)$$

예제 7-2

$z=(x+9)\cdot(8x+5y)$

$$\frac{\partial z}{\partial x}=1\cdot(8x+5y)+8\cdot(x+9)=16x+5y+72$$

$$\frac{\partial z}{\partial y}=0\cdot(8x+5y)+5\cdot(x+9)=5x+45$$

분수 $z=\dfrac{g(x,y)}{f(x,y)}$ $f(x,y)\neq 0$

$$\frac{\partial z}{\partial x}=\frac{f(x,y)\cdot\partial g/\partial x-\partial f/\partial x\cdot g(x,y)}{[f(x,y)]^2}$$

$$\frac{\partial z}{\partial y}=\frac{f(x,y)\cdot\partial g/\partial y-\partial f/\partial y\cdot g(x,y)}{[f(x,y)]^2}$$

예를 들어 $z=(ax+by)/(cx+dy)$

$$\frac{\partial z}{\partial x}=\frac{a\cdot(cx+dy)-c\cdot(ax+by)}{(cx+dy)^2}=\frac{(ad-bc)y}{(cx+dy)^2}$$

$$\frac{\partial z}{\partial y}=\frac{b\cdot(cx+dy)-d\cdot(ax+by)}{(cx+dy)^2}=\frac{(bc-ad)x}{(cx+dy)^2}$$

예제 7-3

$z=(x+3y)/(2x+y)$

$$\frac{\partial z}{\partial x}=\frac{1\cdot(2x+y)-2\cdot(x+3y)}{(2x+y)^2}=\frac{-5y}{(2x+y)^2}$$

$$\frac{\partial z}{\partial y}=\frac{3\cdot(2x+y)-1\cdot(x+3y)}{(2x+y)^2}=\frac{5x}{(2x+y)^2}$$

일반적인 멱함수 $z=[f(x,y)]^n$

$$\frac{\partial z}{\partial x}=n[f(x,y)]^{n-1}\cdot\frac{\partial f}{\partial x}\quad \frac{\partial z}{\partial y}=n[f(x,y)]^{n-1}\cdot\frac{\partial f}{\partial y}$$

예제 7-4

$z=(2x^2+5y)^3$

$\frac{\partial z}{\partial x}=3(2x^2+5y)^2 \cdot 4x=12x(2x^2+5y)^2$

$\frac{\partial z}{\partial y}=3(2x^2+5y)^2 \cdot 5=15(2x^2+5y)^2$

자연지수함수 $z=e^{f(x,y)}$

$$\frac{\partial z}{\partial x}=e^{f(x,y)} \cdot \frac{\partial f}{\partial x} \quad \frac{\partial z}{\partial y}=e^{f(x,y)} \cdot \frac{\partial f}{\partial y}$$

예제 7-5

$z=e^{5x^3y^2}$

$\frac{\partial z}{\partial x}=e^{5x^3y^2} \cdot 15x^2y^2 \quad \frac{\partial z}{\partial y}=e^{5x^3y^2} \cdot 10x^3y$

자연로그함수 $z=\ln|f(x,y)|$

$$\frac{\partial z}{\partial x}=\frac{1}{f(x,y)} \cdot \frac{\partial f}{\partial x} \quad \frac{\partial z}{\partial y}=\frac{1}{f(x,y)} \cdot \frac{\partial f}{\partial y}$$

예제 7-6

$z=\ln(2x^2+3y^3)$

$\frac{\partial z}{\partial x}=\frac{4x}{(2x^2+3y^3)} \quad \frac{\partial z}{\partial y}=\frac{9y^2}{(2x^2+3y^3)}$

예제 7-7

친구 사이인(A와 B)의 효용함수는 $U_A=U_A(q_A, q_B)=q_A^{0.6}+0.5q_B$ 이고 $U_B=U_B(q_A, q_B)=q_B^{0.6}+0.8q_A$ 로 나타났다.

(1) $\frac{\partial U_A}{\partial q_A}, \frac{\partial U_A}{\partial q_B}, \frac{\partial U_B}{\partial q_B}, \frac{\partial U_B}{\partial q_A}$ 를 구하라.

(2) 두 사람이 친구라는 사실을 어떻게 확인할 수 있는가? 누가 더 상대에게 더 영향을 받고 있는가?

(3) 만약 두 사람이 전혀 관계없이 소비하는 관계라면 효용함수에 어떤 변화가 있는가? 반대로 불공대천지 원수지간이라면 효용함수에 어떤 변화가 있는가?

풀이

(2) 서로 소비에서의 긍정적 외부효과, B가 A에게 더 많은 영향을 받는다.

실습문제 7-1

이웃하고 있는 양계 농장(A와 B)에서 각 기업의 비용함수는 $C_A = C_A(q_A, q_B) = q_A^2 + 2q_A - q_B^2$이고 $C_B = C_B(q_A, q_B) = 2q_B^2 + 2q_B + q_A^2$로 나타났다.

(1) $\frac{\partial C_A}{\partial q_A}, \frac{\partial C_A}{\partial q_B}, \frac{\partial C_B}{\partial q_B}, \frac{\partial C_B}{\partial q_A}$를 구하라.

(2) $\frac{\partial C_A}{\partial q_B}$와 $\frac{\partial C_B}{\partial q_A}$의 경제적 의미는 무엇인가?

풀이

(2) $\frac{\partial C_B}{\partial q_A} = -2q_B < 0$ 생산에서의 긍정적 외부효과(외부 경제)

$\frac{\partial C_A}{\partial q_B} = 2q_A > 0$ 생산에서의 부정적 외부효과(외부 불경제)

7.2 2계 및 고계 편도함수

이제 $z = f(x, y)$처럼 변수가 2개인 경우 2계 도함수(二階導函數, second order derivative)를 살펴보자. 물론 어느 한 변수가 변할 때 다른 변수는 고정되어 있다고 가정한다. 우선 x와 y의 편도함수는 다음과 같다.

$$\frac{\partial z}{\partial x} = f_x(x, y), \quad \frac{\partial z}{\partial y} = f_y(x, y)$$

즉 각각의 편도함수는 모두 x과 y의 함수로 나타나기 때문에 모두 x과 y에 대한 2계 편 도함수를 구할 수 있다. 즉

$$\frac{\partial z}{\partial x}\left(\frac{\partial z}{\partial x}\right) = \frac{\partial^2 z}{\partial x^2} = f_{xx}(x, y), \quad \frac{\partial z}{\partial y}\left(\frac{\partial z}{\partial x}\right) = \frac{\partial^2 z}{\partial y \partial x} = f_{xy}(x, y)$$

$$\frac{\partial z}{\partial x}\left(\frac{\partial z}{\partial y}\right)=\frac{\partial^2 z}{\partial x \partial y}=f_{yx}(x,y),\quad \frac{\partial z}{\partial y}\left(\frac{\partial z}{\partial y}\right)=\frac{\partial^2 z}{\partial y^2}=f_{yy}(x,y)$$

그리고 f_{xx}이나 f_{yy}처럼 구해진 편도함수를 자기(自己, own)편도함수라 하고 f_{xy}나 f_{yx}처럼 구해진 편도함수를 교차(交叉, cross)편도함수라 한다. 이들 함수 모두 x와 y의 함수로 나타난다. 교차편도함수에서 변수의 순서를 보면 먼저 x에 대해 편미분한 후 y에 대해 편미분하면 $\frac{\partial z}{\partial y}\left(\frac{\partial z}{\partial x}\right)=\frac{\partial^2 z}{\partial y \partial x}=f_{xy}(x,y)$로 쓰여진다. $\frac{\partial z}{\partial y}\left(\frac{\partial z}{\partial x}\right)=\frac{\partial^2 z}{\partial y \partial x}$에서는 제일 먼저 편미분하는 변수가 제일 오른쪽에 쓰이고 다음 변수가 왼쪽에 추가되는 형식을 취한다. 하지만 f_{xy}에서는 제일 먼저 편미분하는 변수가 제일 왼쪽에 쓰이고 다음 변수가 오른 쪽에 추가되는 형식을 취한다. 이를 일반화시켜 보면 다음과 같다.

- **$f_i(x_1, x_2, x_3, \cdots x_n)$을 x_i에 대해 다시 편미분하는 것**: 자기편도함수

$$\frac{\partial z}{\partial x_i}\left(\frac{\partial z}{\partial x_i}\right)=\frac{\partial^2 z}{\partial x_i^2}=f_{ii}(x_1,x_2,\ \cdots\ x_i,\cdots\ ,x_n)$$

- **$f_i(x_1, x_2, x_3, \cdots x_n)$을 x_j에 대해 다시 편미분하는 것**: 교차편도함수

$$\frac{\partial z}{\partial x_j}\left(\frac{\partial z}{\partial x_i}\right)=\frac{\partial^2 z}{\partial x_j \partial x_i}=f_{ij}(x_1,x_2,\ \cdots\ x_j,\cdots\ ,x_n)$$

한편 두 변수의 경우 f_{12}와 f_{21}가 연속이면 $f_{12}=f_{21}$이 항상 성립하여 각각을 구할 필요가 없이 어느 한 가지만 구하면 되는데 이를 영의 정리(Young's theorem)라 한다. 따라서 편미분을 구하는 순서는 문제되지 않는다.

예제 7-8

$z=f(x,y)=3x^4-2xy+8y^3$

$f_x=12x^3-2y \qquad f_y=-2x+24y^2$

$f_{xx}=36x^2,\ f_{xy}=-2 \quad f_{yx}=-2 \quad f_{yy}=48y$

예제 7-9

다음 함수의 1계, 2계, 교차미분 계수를 구하고 $x=1, y=2$ 일 때 값을 계산하라.

$$z=f(x,y)=3x^4y^3$$

풀이

$f_x=12x^3y^3$, $f_y=9x^4y^2$

$f_{xx}=36x^2y^3$, $f_{xy}=36x^3y^2$, $f_{yx}=36x^3y^2$, $f_{yy}=18x^4y$

$f_x(1,2)=12(2)^3=96$ $f_y(1,2)=9(2)^2=36$

$f_{xx}(1,2)=36(2)^3=288$, $f_{xy}(1,2)=f_{yx}(1,2)=36(2)^2=144$

$f_{yy}(1,2)=18(2)=36$

7.3 전미분

지금까지 다변수함수에서 어느 한 변수가 변화하였을 때 다른 변수의 변화는 없는 상태에서 이에 따른 종속변수의 변화를 살펴보았다. 즉 편미분법과 그 응용에 대해서만 공부하였다. 이제는 이 가정을 완화하여 모든 독립변수들이 동시에 종속변수에 영향을 미치는 경우, 종속변수의 전체 변화와 각 독립변수의 변화 간의 관계를 알아보기로 하자. 이런 접근법을 전미분(全微分, total differential)한다고 한다.

$\frac{dy}{dx}$ 는 변화율(the rate of change)을, dy는 변화의 정도를 나타낸다.

7.3.1 전미분의 개념

이제 이러한 미분의 개념을 독립변수가 둘인 경우 $z=f(x,y)$로 확장해보면 다음과 같다.

$$dz=\frac{\partial z}{\partial x}dx+\frac{\partial z}{\partial y}dy=f_xdx+f_ydy$$

$$\frac{\partial z}{\partial x}=f_x(x,y),\ \frac{\partial z}{\partial y}=f_y(x,y)$$ [1]

예를 들어 $z=f(x,y)$에서 z는 효용, x는 사과 소비량, y는 배 소비량이라고 해보자.

네 사람(용세, 용기, 용미, 용수)이 있는데 용세는 사과도 배도 모두 좋아하는 유형이고, 용기는 사과는 매우 좋아하지만 배는 별로 좋아하지 않는 유형이고, 용미는 사과는 별로 좋아하지 않고 배를 무척 좋아하는 유형이고, 용수는 사과도 배도 모두 별로 좋아하지 않는 유형이라고 해보자. 네 사람이 똑같이 사과 1개와 배 1개를 먹고 난 후 각자의 효용변화를 물어 보았다고 하자.

〈표 7-1〉 사과와 배 소비에서 나타날 수 있는 총효용의 크기

	사과(x)의 선호도	배(y)의 선호도	총효용(dz) 크기
용세	매우 좋아함 $\frac{\partial z}{\partial x}$: 큼	매우 좋아함 $\frac{\partial z}{\partial y}$: 큼	매우 큼
용기	매우 좋아함 $\frac{\partial z}{\partial x}$: 큼	별로 좋아하지 않음 $\frac{\partial z}{\partial y}$: 작음	중간 크기
용미	별로 좋아하지 않음 $\frac{\partial z}{\partial x}$: 작음	매우 좋아함 $\frac{\partial z}{\partial y}$: 큼	중간 크기
용수	별로 좋아하지 않음 $\frac{\partial z}{\partial x}$: 작음	별로 좋아하지 않음 $\frac{\partial z}{\partial y}$: 작음	매우 적음

아마 초등학교 고학년 학생만 돼도, 네 사람이 똑같이 사과 1개, 배 1개를 먹었지만 용세가 가장 만족도가 높을 것이고 용수는 가장 낮을 것이고 용기와 용미는 누가 더 만족할지는 모르지만 각자 사과나 배를 더 좋아하는 정도에 따라 순위가 정해질 것이라고 대답할 것이다.[2] 일반적으로 '마니아(mania)'라고 불리는 사람은 해당 재화에 대해 편미

---

1 ($\partial y/\partial X_1$)은 편미분 값이며 partial y partial x1로 읽는다. 일반적으로 ($\partial y/\partial X_i$)를 partial y partial xi로 읽는다.

2 아래 각 경우에서 다시 변화의 크기가 큰 경우 작은 경우로 나눌 수 있기 때문에 전체적으로는 16가지 경우가 가능하다.

	X1 요인		X2 요인		전체
	편미분계수	변화크기	편미분계수	변화크기	
용세: 경우 1	대	대	대	대	매우 큼
…	…	…	…	…	…
용수: 경우 16	소	소	소	소	매우 적음

분 값이 매우 큰 사람이라고 표현할 수 있겠다. 편미분계수$\left(\frac{\partial z}{\partial x}, \frac{\partial z}{\partial y}\right)$는 그 재화나 대상에 대한 민감도나 반응도를, dz는 변화의 크기를 나타내고 있다.

여름 날 모기와 파리에 의한 불쾌감

우리가 일상생활에서 느끼는 파리와 모기에 대한 불쾌감도 전미분 공식을 이용하여 설명할 수 있다. z를 파리와 모기에 의한 비효용(불쾌감)으로 생각하고, x는 파리, y는 모기라고 할 때 불쾌감의 정도를 전미분 공식을 이용하면

$$\begin{aligned}\text{불쾌감 변화량}(dz) &= \text{파리에 민감한 정도}\left(\frac{\partial z}{\partial x}\right) \times \text{파리가 괴롭힌 양}(dx) \\ &+ \text{모기에 민감한 정도}\left(\frac{\partial z}{\partial y}\right) \times \text{모기가 괴롭힌 양}(dy)\end{aligned}$$

파리・모기 모두에 민감한 정도는 $\left(\frac{\partial z}{\partial x}\right)$나 $\left(\frac{\partial z}{\partial y}\right)$로 표기할 수 있으며 파리・모기에게 물리는 정도는 (dx)나 (dy)로 나타낼 수 있으며 각양각색의 조합이 가능하다. 이렇게 여름 해변가에서 같은 방에서 같이 잤는데 사람에 따라 불쾌감이 다르게 나타나는 것을 전미분으로 설명할 수 있다.

전미분을 너무 수학적으로 딱딱하게 생각하지 말고 z를 효용 혹은 비효용, x는 커피, 소주, 주 메뉴, 아버지가 주신 용돈 등으로, y는 녹차, 맥주, 반찬, 어머니가 주신 용돈 등으로 다양하게 생각하여 전미분 공식을 이용하여 여러 사항을 설명할 수 있다.

이제 전미분의 개념을 독립변수가 n개인 경우 $z = f(x_1, x_2, \cdots, x_n)$로 확장해보면 다음과 같다.

$$\begin{aligned} dz &= \frac{\partial z}{\partial x_1}dx_1 + \frac{\partial z}{\partial x_2}dx_2 + \frac{\partial z}{\partial x_3}dx_3 + \cdots + \frac{\partial z}{\partial x_n}dx_n \\ &= f_1 dx_1 + f_2 dx_2 + f_3 dx_3 + \cdots + f_n dx_n = \sum_{i=1}^{n} f_i\, dx_i \end{aligned}$$

7.3.2 전미분의 연산법칙

전미분 dz를 구하기 위해서는 각각의 편미분을 구한 다음 위의 전미분식에 대입하면 되는데 이보다는 다음의 몇 가지 전미분 법칙을 이용하면 보다 수월하게 전미분을 구할 수 있다. 그리고 이 법칙들은 이미 우리가 앞에서 보았던 미분법칙들과 거의 같다는 것을 알 수 있을 것이다.

$f(x_1,x_2)$와 $g(x_1,x_2)$가 미분 가능하여, 각각의 전미분이

$$\frac{\partial f}{\partial x_1}dx_1 + \frac{\partial f}{\partial x_2}dx_2 = f_1dx_1 + f_2dx_2 \quad \frac{\partial g}{\partial x_1}dx_1 + \frac{\partial g}{\partial x_2}dx_2 = g_1dx_1 + g_2dx_2$$

로 주어진다고 하자. 이것을 이용하여 두 함수끼리의 합, 곱 및 몫으로 새롭게 정의되는 함수의 전미분은 다음과 같다. k가 상수이다.

[법칙 1: 상수 곱] $d\ [kf]\ = k\ [df]$

[법칙 2: 멱함수] $d\ [f(x_1, x_2)^n]\ = nf(x_1, x_2)^{n-1}df$

$$= nf(x_1, x_2)^{n-1}(f_1dx_1 + f_2dx_2)$$

[법칙 3: 함수끼리의 덧셈] $d\ [f(x_1, x_2) + g(x_1, x_2)]\ = df(x_1, x_2) + dg(x_1, x_2)$

예제 7-10

$y = 3x_1^2 + 5x_1x_2^3$

방법 1: $dy = 6x_1dx_1 + (5x_2^3)dx_1 + (15x_1x_2^2)dx_2$

$dy = (6x_1 + 5x_2^3)dx_1 + (15x_1x_2^2)dx_2$

방법 2: $\frac{\partial y}{\partial x_1} = (6x_1 + 5x_2^3) \quad \frac{\partial y}{\partial x_2} = (15x_1x_2^2)$

전미분 공식에 대입하면

$dy = (6x_1 + 5x_2^3)dx_1 + (15x_1x_2^2)dx_2$

[법칙 4: 함수끼리 곱]

$$d\ [f(x_1, x_2)g(x_1, x_2)]\ = df(x_1, x_2) \times g(x_1, x_2) + dg(x_1, x_2) \times f(x_1, x_2)$$

예제 7-11

$z = f(x_1, x_2, x_3) = x_1x_2^2x_3^3$

$dz = (x_2^2x_3^3)dx_1 + 2(x_1x_2x_3^3)dx_2 + 3(x_1x_2^2x_3^2)dx_3$

[법칙 5: 함수끼리 몫]

$$d\left[\frac{g(x_1,x_2)}{f(x_1,x_2)}\right]=\frac{f(x_1,x_2)\cdot dg(x_1,x_2)-g(x_1,x_2)\cdot df(x_1,x_2)}{f(x_1,x_2)^2}$$

예제 7-12

$y=\frac{(x_1^2+x_2)}{(x_1+2)}$ $\quad dy=\frac{(x_1+2)(2x_1dx_1+dx_2)-(x_1^2+x_2)dx_1}{(x_1+2)^2}$

$dy=\frac{(x_1^2+4x_1-x_2)}{(x_1+2)^2}dx_1+\frac{1}{(x_1+2)}dx_2$

예제 7-13

다음의 각 함수를 전미분하라.

(1) $z=-5x^2+12xy-6y^5$

(2) $z=5x^3y^2$

(3) $z=3x^3(7x-5y)$

(4) $z=(2x^2+3y)(4x-y^3)$

(5) $z=\frac{5y^3}{(x-y)}$

(6) $z=(x-2y)^4$

7.3.3 로그함수와 지수함수 미분의 응용

예제 7-14

$y=3^{\sqrt{x}}$ $\quad \frac{dy}{dx}$ 를 구하라.

양변에 자연로그를 취한 후 미분을 하면

$\ln y=\sqrt{x}\cdot\ln 3$ $\quad \frac{dy}{y}=(\frac{1}{2}\cdot x^{-\frac{1}{2}}\cdot\ln 3)dx$

$\frac{dy}{dx}=y\cdot\frac{1}{2}\cdot x^{-\frac{1}{2}}\cdot\ln 3=3^{\sqrt{x}}\cdot\frac{1}{2}\cdot x^{-\frac{1}{2}}\cdot\ln 3=3^{\sqrt{x}}\frac{\ln 3}{2\sqrt{x}}$

예제 7-15

$y = x^x$ $\frac{dy}{dx}$ 를 구하라.

양변에 자연로그를 취한 후 미분을 하면

$\ln y = x \cdot \ln x$ $\frac{dy}{y} = (\ln x + \frac{1}{x} \cdot x)dx$

$\frac{dy}{dx} = y \cdot (\ln x + 1) = x^x \cdot (\ln x + 1)$

예제 7-16

$y = \sqrt{1 + \sqrt{x}}$ $\frac{dy}{dx}$ 를 구하라.

$\frac{dy}{dx} = \frac{1}{4\sqrt{1+\sqrt{x}}} \frac{1}{\sqrt{x}}$

예제 7-17

지수함수 $y = Ab^{ct}$는 $y = Ae^{(c\ln b)t}$로 변형시킬 수 있다.

풀이

$y = Ab^{ct} = Ae^{rt}$라고 해보자. $b^{ct} = e^{rt}$, 양변에 자연로그를 취하면

$ct \cdot \ln b = rt$ $r = c \cdot \ln b$

$y = Ab^{ct} = Ae^{rt} = Ae^{(c\ln b)t}$로 나타낼 수 있다.

예제 7-18

$y = 4(9)^{3t}$를 자연지수함수로 변환하라.

풀이

$y = 4(9)^{3t} = 4e^{rt}$라고 해보자.

$y = 4(9)^{3t} = 4e^{rt}$, $(9)^{3t} = e^{rt}$, 양변에 자연로그를 취하면

$3t \cdot \ln 9 = rt$ $r = 3 \cdot \ln 9$ $r = 3 \cdot (2.19) = 6.57$

$y = 4(6)^{3t} = 4e^{6.57t}$로 나타낼 수 있다.

예제 7-19

$y=5(6)^{2t}$ 답: $y=5(6)^{2t}=5e^{3.60t}$

한편, $y=Ae^{rt}$의 특성을 보면 r이 이자율이라고 하였으나 순간성장률(instantaneous rate of growth)의 개념이다. 그 이유를 보기 위해 y 대신 $V=Ae^{rt}$로 놓고 V를 시간 t에 관해 미분을 하면 $\frac{dV}{dt}=rAe^{rt}=rV$가 된다. 따라서 V의 성장률 $=\frac{\frac{dV}{dt}}{V}=r$이 된다.

실습문제 7-2

국립공원에서 녹지 면적이 매년 4.0% 감소하고 있다고 한다. 10년 후에는 현재 녹지의 몇 %가 남아있겠는가?

풀이

$G=G_0e^{-0.04(10)}=G_0e^{-0.4}=G_0\cdot 0.67$

33%가 사라지고 67%가 남아있을 것으로 예상된다.

실습문제 7-3

어느 도의 인구는 매년 3.1% 증가하고 있다고 한다. 7년 후에는 현재 인구보다 몇 % 더 많겠는가?

풀이

$G=G_0e^{0.031(7)}=G_0e^{0.217}=G_0\cdot 1.24$

24%가 증가할 것으로 예상된다.

실습문제 7-4

수요함수가 $PQ=a$일 때 수요의 가격 탄력도를 구하라.

풀이

양변에 자연로그를 취하면 $\ln Q=\ln a-\ln P$

전미분을 하면 $d\ln Q=-d\ln P$

수요의 가격탄력도가 $-\frac{\frac{dQ}{Q}}{\frac{dP}{P}}=-\frac{d\ln Q}{d\ln P}=1$

이 수요함수의 가격탄력도는 1이다.

이 문제를 일반화하여 직각 쌍곡선으로 나타나는 수요곡선의 가격탄력도는 항상 단위 탄력적($\epsilon = 1$)임을 알 수 있다.

7.3.4 자연로그와 변화율

변수 Y가 X_1과 X_2의 곱으로 나타날 때 Y의 변화율은 X_1의 변화율과 X_2의 변화율의 합으로 나타난다. $Y = X_1 \times X_2$일 때 자연로그를 취한 후 미분하면

$$\ln Y = \ln X_1 + \ln X_2$$

$$\frac{dY}{Y} = \frac{dX_1}{X_1} + \frac{dX_2}{X_2}$$

Y의 변화율($\Delta Y/Y$) = X_1의 변화율($\Delta X_1/X_1$) + X_2의 변화율($\Delta X_2/X_2$)이다.

1배럴당 원화표시 원유가(Y: 원/bl)의 변화율을 예를 들어 보았다.

1배럴당 원화표시 원유가(Y: 원/bl) = 환율(X_1:원/$) × 1배럴당 원유가(X_2: $/bl)이므로 원화표시 원유가 변화율($\Delta Y/Y$) = 환율 변화율($\Delta X_1/X_1$) + 1배럴당 원유가 변화율 ($\Delta X_2/X_2$)로 표시된다.

원화표시 원유가 변화율은 <표 7-2 >와 같이 여섯 가지 경우가 가능하다. <경우 1>은 환율도 1배럴당 원유가도 모두 상승하여 원화표시 원유가가 오른 경우이다. 우리 입장에서는 최악의 상태이다. <경우 2>는 1배럴당 원유가는 내렸지만 환율이 크게 올라 원화표시 원유가가 오른 경우이다. <경우 3>은 환율이 올랐지만 1배럴당 원유가가 크게 내려 원화표시 원유가가 내린 경우이다.

<경우 4>는 1배럴당 원유가는 올랐지만 환율이 크게 내려 원화표시 원유가가 내린 경우이다. <경우 5>는 환율이 내렸지만 1배럴당 원유가가 크게 올라 원화표시 원유가가 내린 경우이다. <경우 6>은 환율도 1배럴당 원유가도 모두 하락하여 원화표시 원유가가 내린 경우이다. 우리 입장에서는 최상의 상태이다.

일반화시켜 종속변수가 n개의 독립변수의 곱으로 표현되는 경우, 즉 $Y = X_1 \times X_2 \times X_3 \times \cdots\cdots \times X_n$일 때 자연로그를 취한 후 미분하여 정리하면 종속변수의 변화율은 각 변수의 변화율의 합임을 알 수 있다.

$$\ln Y = \ln X_1 + \ln X_2 + \cdots\cdots + \ln X_n$$

$$\frac{dY}{Y} = \frac{dX_1}{X_1} + \frac{dX_2}{X_2} + \cdots\cdots + \frac{dX_n}{X_n} = \sum_{i=1}^{n} \frac{dX_i}{X_i}$$

〈표 7-2〉 원화표시 원유가 변화율

환율 변화율 ($\Delta X_1 / X_1$)	1배럴당 원유가 변화율 ($\Delta X_2 / X_2$)	원화표시 원유가 변화율 ($\Delta Y / Y$)
+	+	+
〈 경우 1〉 원유 값도 오르고 환율도 올라 국내 유가 상승		
+	-	+
〈 경우 2〉 원유 값은 내렸지만 환율이 (상대적으로) 크게 올라 국내 유가 상승		
+	-	-
〈 경우 3〉 환율이 상승률이 원유 하락률보다 (상대적으로) 적어 국내 유가 하락		
-	+	-
〈 경우 4〉 환율이 하락률이 원유 상승률보다 (상대적으로) 적어 국내 유가 하락		
-	+	+
〈 경우 5〉 환율은 내렸지만 원유가 (상대적으로) 크게 올라 국내 유가 상승		
-	-	-
〈 경우 6〉 원유 값도 내리고 환율도 내려 국내 유가 하락		

여기에서 몇 개의 독립변수가 곱이 아니라 나누기로 표시된다면, 예를 들어 $Y = \frac{X_1 \times X_2 \times X_3}{X_4 \times X_5}$라고 하면 $\ln Y = \ln X_1 + \ln X_2 + \ln X_3 - \ln X_4 - \ln X_5$로 변형되고 전미분을 하면 $\frac{dY}{Y} = \frac{dX_1}{X_1} + \frac{dX_2}{X_2} + \frac{dX_3}{X_3} - \frac{dX_4}{X_4} - \frac{dX_5}{X_5} = \sum_{i=1}^{3} \frac{dX_i}{X_i} - \sum_{i=4}^{5} \frac{dX_i}{X_i}$가 된다.

종속변수가 n개의 독립변수의 나눗셈으로 표현되는 경우,

$$\text{즉 } Y = \frac{1}{X_1 \times X_2 \times X_3 \times \cdots\cdots \times X_n} \text{ 일 때}$$

자연로그를 취한 후 미분하면 정리하면 종속변수의 변화율은 각 변수의 변화율의 합에 음수를 취한 값임을 알 수 있다.

$$\ln Y = -(\ln X_1 + \ln X_2 + \cdots\cdots + \ln X_n)$$

$$\frac{dY}{Y} = -(\frac{dX_1}{X_1} + \frac{dX_2}{X_2} + \cdots\cdots + \frac{dX_n}{X_n}) = -\sum_{i=1}^{n} \frac{dX_i}{X_i}$$

실습문제 7-5

실질 구매력으로 측정된 임금인 실질임금(實質賃金, real wage)은 명목임금(名目賃金, nominal wage)을 그 기간의 소비자 물가지수(CPI, Consumer Price Index)로 나누어 계산한다. 즉 실질임금 = 명목임금/물가수준이다. 실질임금의 변화율, 명목임금의 변화율, 소비자 물가지수의 변화율의 관계를 구하라.

풀이

실질임금(w)은 명목임금(W)을 물가지수(p)로 나눈 값이다. 따라서 실질임금 변화율은 명목임금 변화율에서 물가지수 변화율을 빼면 구할 수 있다.[3]

실질임금 변화률($\dot{w}$) = 명목임금 변화율($\dot{W}$) - 물가 변화율($\dot{p}$)

실습문제 7-6

1인당 저축($s = \frac{S}{P}$, S: 저축액 P: 인구수) 증가율을 구하라.

풀이

일인당 저축 변화률($\dot{s}$) = 저축의 변화률($\dot{S}$) - 인구 변화의 증가율($\dot{P}$)

실습문제 7-7

화폐수량방정식 $MV = PY$을 근거로 물가수준은 통화공급에 비례함을 보여라. [M: 통화량, V: 유통속도, P: 물가수준, Y: 총생산량, PY: 명목 GDP]

풀이

화폐수량방정식을 자연로그를 취한 후 전미분하면

통화량 변화율($\dot{M}$) + 유통속도 변화율($\dot{V}$) = 물가 변화률($\dot{P}$) + 생산량 변화율($\dot{Y}$)가 된다. 화폐의 유통속도 V는 일정하다고 가정한다(유통속도 변화율($\dot{V} = 0$)). 또 생산량 변화는 생산요소의 증가와 생산기술의 진보에 의존하기 때문에 단기에서 주어졌다고 가정하여도 무방하다($\dot{Y} = 0$). 따라서 통화량 변화율($\dot{M}$) =

3 $\dot{w} = \frac{(\frac{dw}{dt})}{w}$ 를 나타낸다. $\dot{W}, \dot{p}, \dot{s}, \dot{S}, \dot{P}$ 모두 시간경과에 따른 변화율을 나타내고 있다.

물가 변화률($\dot{P}$)이 구해진다.

실습문제 7-8

1인당 실질 GDP$\left(\frac{GDP}{POP}\right)$, 평균 노동생산성 또는 취업자의 일인당 총생산 $\left(\frac{GDP}{N}\right)$과 인구 중 취업자 비율$\left(\frac{N}{POP}\right)$, 3변수 간의 관계를 구하라. 또 1인당 실질 GDP 변화율은 어떻게 계산되는가? 이 관계식을 근거로 고령화문제를 설명하라. [GDP: 국내총생산, N: 고용된 근로자수, POP: 인구]

풀이

(1) $\frac{GDP}{POP} = \frac{GDP}{N} \times \frac{N}{POP}$ 이다.

일인당 실질 GDP는 평균 노동생산성 또는 취업자의 일인당 총생산 $\left(\frac{GDP}{N}\right)$과 인구 중 취업자 비율 $\left(\frac{N}{POP}\right)$의 곱으로 표현된다.

(2) 일인당 GDP 변화율 = 평균 노동생산성의 변화율 + 인구 중 취업자 비율의 변화율

(3) 고령화로 인해 인구 중 취업자 비율의 감소와 평균 노동생산성의 감소를 가져와 일인당 GDP가 감소할 가능성 있다.

7.3.5 2계 전미분

함수 $y = f(x_1, x_2)$에서 전미분 dy는 다음과 같았다.

$$dy = f_1 dx_1 + f_2 dx_2 = \frac{\partial f}{\partial x_1} dx_1 + \frac{\partial f}{\partial x_2} dx_2$$

그리고 앞에서 보았듯이 f_1과 f_2는 다시 x_1과 x_2의 함수가 되므로 이들을 다시 x_1과 x_2에 대해서 전미분할 수 있게 되어 f_1과 f_2의 전미분 $d(f_1)$과 $d(f_2)$를 구한 후 dy의 전미분

$$d(dy) = d(f_1 dx_1 + f_2 dx_2) \quad = d(f_1)dx_1 + d(f_2)dx_2$$

에 대입하면 다음을 얻을 수 있다. 즉,

$$d^2y = f_{11}dx_1^2 + 2f_{12}dx_1 dx_2 + f_{22}dx_2 \quad (\text{단 } f_{12} = f_{21})$$

이때 d^2y 를 함수 $y=f(x_1,\ x_2)$의 2계 전미분이라 한다.

7.4 전도함수

이제 지금까지 학습한 전미분의 개념을 이용하여 앞에서 제기했던 문제, 즉 독립변수가 서로 독립이 아니라 서로 영향을 주는 관계로 존재할 때 도함수를 구하는 방법을 살펴보기로 하자. 이를 위해 다음과 같은 일반적 함수형태를 생각해보자.

$$z=f(x,v),\ \text{단}\ x=g(v)$$

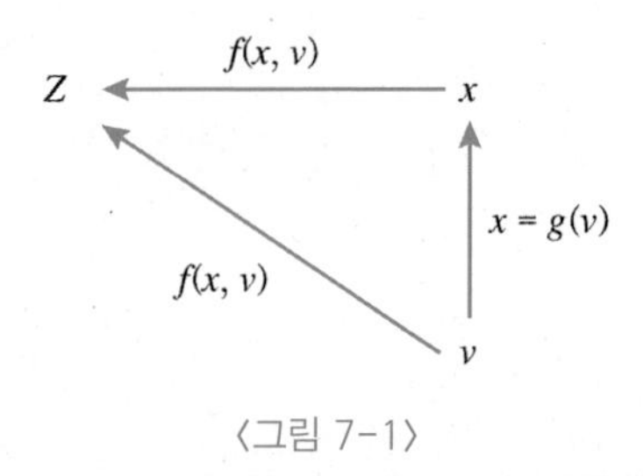

〈그림 7-1〉

즉 함수 f와 g는 $z=f[g(v),v]$ 합성함수 형태를 띠고 있다. 즉 변수 v의 변화는 직접적으로 함수 f를 통해 z의 변화에 영향을 미치는 동시에 간접적으로는(한 다리 건너) 함수 g를 통해 x에 변화를 영향을 미치고 다시 x의 변화가 z에 영향을 미치는 형태다. 이것을 한 눈에 알아보기 쉽도록 <그림 7-1>에 그려 보았다.

이제 이 두 효과를 합하면 v의 변화가 어떻게 z의 변화에 영향을 미치는지를 나타낼 수 있다. 우선 식 $z=f(x,v)$를 각 변수에 대해 전미분을 해보면 $dz=f_x dx+f_v dv$가 구해지고 이 식의 양변을 dv로 나누어 주면 다음 식을 얻을 수 있다.

$$\begin{aligned}\frac{dz}{dv}&=f_x\frac{dx}{dv}+f_v\\&=\frac{\partial z}{\partial x}\frac{dx}{dv}+\frac{\partial z}{\partial v}\end{aligned}$$

이 식을 살펴보면 식의 좌변은 v의 변화가 z에 미치는 효과를 나타내고 있고, 식의 우변 첫째항 $\left(\frac{\partial z}{\partial x}\frac{dx}{dv}\right)$을 보면 v가 x에 영향을 미치고$(g(v))$ 그 다음 그 변화가 z에 미치는 간접적인 영향$(f(x))$을 나타내고 있다.[4] <그림 7-1>에서 2개의 직선으로 그려져 있다. 반면 $\left(\frac{\partial z}{\partial v}\right)$는 v가 z에 직접 미치는 영향$(f(x))$을 나타내고 있다. <그림 7-1>에서는 화살표로 그려져 있다.

예제 7-20

$z=f(x,y)=5x^2+4y$ 단, $y=g(x)=2x^2+x+3$일 때, $\frac{dz}{dx}$를 구하라.

풀이

$dz=10xdx+4dy$이고 $dy=(4x+1)dx$ $\frac{dz}{dx}=(26x+4)$

예제 7-21

$z=f(x,y)=5x^2+4y$ 단, $x=5t$, $y=3t$일 때, $\frac{dz}{dt}$를 구하라.

풀이

$dz=10xdx+4dy$이고 $dx=5dt$, $dy=3dt$ $\frac{dz}{dt}=(50x+12)$

좀 더 확대하여 v가 하나의 독립변수로서 작용할 때를 생각해보기로 하자.

$z=f(x,y,v)$, 단 $x=g(v)$, $y=h(v)$ 일 때

$$\frac{dz}{dv}=f_x\frac{dx}{dv}+f_y\frac{dy}{dv}+f_v\frac{dv}{dv}$$
$$=\frac{\partial z}{\partial x}\frac{dx}{dv}+\frac{\partial z}{\partial y}\frac{dy}{dv}+f_v \qquad \frac{dv}{dv}=1$$

4 $(\frac{\partial z}{\partial x}\frac{dx}{dv})$는 1변수함수에서 연쇄법칙과 비슷하다. 여기에서는 다변수함수이므로 편도함수로 나타나지만 연쇄법칙에서는 $(\frac{dz}{dx}\frac{dx}{dv})$의 형태로 표기된다.

위의 식에서 앞의 두 항은 간접적인 영향이고 마지막 항은 직접적인 영향이다. 일견 직접효과가 간접효과보다 언제나 클 것 같지만, 꼭 그런 것만은 아니다. 예를 들어 v가 영국경제, x가 미국경제, y가 유럽경제, z가 한국경제라고 해보자. 영국의 EU 탈퇴(BREXIT) 효과는 영국과 우리나라와의 연관성이 낮기 때문에 직접적으로 영향 받는 바(f_v)가 그렇게 크지 않다. 하지만 BREXIT로 인해 미국도 유럽도 직격탄을 맞게 된다($\frac{dx}{dv}, \frac{dy}{dv}$). 또 그 여파로 미국과 유럽을 통해 우리나라에 미치는 영향이 크기 때문에($\frac{\partial z}{\partial x}\frac{dx}{dv}, \frac{\partial z}{\partial y}\frac{dy}{dv}$), BREXIT가 우리나라에 미치는 영향은 직접효과보다는 간접효과가 더 크게 나타난다.

치맥의 비밀(?)

효용함수가 $U = U(X, Y)$이라고 하자. X는 맥주이고 Y는 맥주 이외의 재화, 담배(Y_1), 치킨(Y_2), 소주(Y_3)라고 해보자. 담배는 독립재, 치킨은 보완재, 소주는 대체재의 대명사이다.

① 담배: $Y_1 \neq k(X)$ $dU = U_X dX + U_{Y_1} dY$

② 치킨: $Y_2 = g(X)$, $g'(X) > 0$ $\frac{dU}{dX} = U_X + U_{Y_2} \cdot g'(X) > U_X$

③ 소주: $Y_3 = h(X)$, $h'(X) < 0$ $\frac{dU}{dX} = U_X + U_{Y_3} \cdot h'(X) < U_X$

치맥을 먹을 때 한계효용이 가장 높게 나타나고 있다.

실습문제 7-9

생산함수가 $Q = f(L(t), K(t), t)$이라고 하자. t는 시간을 나타내는 변수로 노동과 자본이 시간이 경과함에 따라 변할 수 있기 때문에 시간의 함수로 표현하였다. 또 시간이 지남에 따라 기술진보나 제도개선으로 생산량이 변할 수 있기 때문에 시간을 하나의 변수로도 취급할 수 있다. 정태적인 생산함수가 아닌 동태적인 생산함수이다.

(1) 시간변화에 대한 생산량의 변화를 구하라.

(2) 위의 관계를 그림으로 그려라.

풀이

(1) $\frac{dQ}{dt} = f_L \frac{dL}{dt} + f_K \frac{dK}{dt} + f_t \frac{dt}{dt}$

$= \frac{\partial Q}{\partial L}\frac{dL}{dt} + \frac{\partial Q}{\partial K}\frac{dK}{dt} + f_t \qquad \frac{dt}{dt} = 1$

(2)

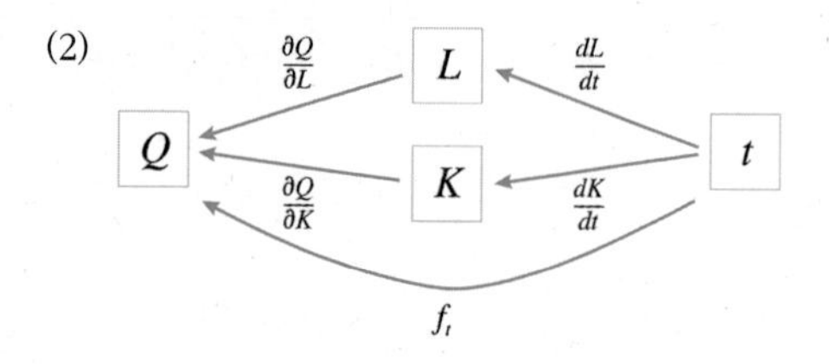

7.5 응용

7.5.1 콥 더글라스 생산함수[5]

경제학에서 기업의 생산함수를 설정할 경우 가장 일반적으로 사용되는 것이 다음과 같은 형태의 콥 더글라스(Cobb-Douglas) 생산함수인데 이 함수를 처음 고안한 학자들의 이름을 따 이름 지어진 것이다.

$$Q = A L^{\alpha} K^{\beta}$$

여기서 A는 효율 파라미터로 기술 상태를 나타낸다. 이 함수는 $\alpha + \beta$차 동차함수이다. 특별히 $\alpha + \beta = 1$이면 1차 동차함수라 하여 $Q = A L^{\alpha} K^{1-\alpha}$로 나타낸다. 이 $\alpha + \beta = 1$인 형태의 생산함수는 다음과 같은 특성을 갖는 관계로 경제학에서 다양한 형태로 응용되어 사용되고 있다.

첫째, $\alpha + \beta = 1$이면 1차 동차함수이다. 규모에 대한 보수 불변이다.

5 효용함수도 콥 더글라스 생산함수 형태로 쓸 수 있기 때문에 콥 더글라스 효용함수도 존재한다. 노동과 자본이 아닌 재화(예를 들어 커피와 아이스크림 등)를 독립변수로 하고 있다. $U = AX^{\alpha} Y^{\beta}$(X는 커피, Y는 아이스크림)

둘째, $\alpha + \beta = 1$일 때, 노동과 자본의 한계생산력과 평균생산력은 일인당 자본집약도의 함수이다. 즉 0차 동차함수이다.

$$Q = AL^{\alpha}K^{1-\alpha} = A(\frac{K}{L})^{1-\alpha}L = A(k)^{1-\alpha}L \qquad K/L = k\text{: 일인당 자본 집약도}$$

또 노동(L)과 자본(K)의 평균생산물은

$$APP_L = \frac{Q}{L} = Ak^{1-\alpha} \qquad APP_K = \frac{Q}{K} = Ak^{-\alpha}$$

APP_L : Average Physical Product of Labor : 노동의 평균생산성

APP_K: Average Physical Product of Kapital : 자본의 평균생산성

모두 요소집약도 $k = \left(\frac{K}{L}\right)$만의 함수이다. 0차 동차함수이다. 또한 L과 K의 한계생산물은

$$MPP_L = \frac{\partial Q}{\partial L} = A\alpha k^{1-\alpha} \qquad MPP_K = \frac{\partial Q}{\partial K} = A(1-\alpha)k^{-\alpha}$$

MPP_L : Marginal Physical Product of Labor : 노동의 한계생산성

MPP_K: Marginal Physical Product of Kapital : 자본의 한계생산성

모두 요소집약도($k = (\frac{K}{L})$)만의 함수이다. 0차 동차함수이다.

셋째, $\alpha + \beta = 1$일 때 오일러(Euler's theorem)의 정리가 성립한다.

$$Q = MPP_L \times L + MPP_K \times K$$

이것이 의미하는 것은 규모의 수익불변 조건하에서 만약 각 요소에 그 요소의 한계생산만큼 지불되면 총생산물은 모든 요소의 몫으로 정확하게 완전 분배(소진)된다는 것이다. 만약 생산요소, 노동과 자본의 한계생산만큼 보수로서 지불한다면, 총 생산 중 노동에 지불되는 상대적 분배분은 α이고 자본에 지불되는 상대적 분배분은 $(1-\alpha)$가 된다.

$$\frac{(MPP_L \times L)}{Q} = \alpha \qquad \frac{(MPP_K \times K)}{Q} = (1-\alpha)$$

넷째, 노동과 자본의 지수(멱수)는 각각 노동의 산출력 탄력도(α)와 자본의 산출력 탄력도($(1-\alpha)$)를 나타내고 있다. 이를 알아보기 위해 생산함수 양변에 자연로그를 취하면

$$\ln Q = \ln A + \alpha \ln L + (1-\alpha)\ln K$$

노동(L)과 자본(K)에 대해 각각 편미분을 하면

$$\frac{\partial Q}{Q} = \alpha \cdot \frac{\partial L}{L}, \quad \frac{\partial Q}{Q} = (1-\alpha) \cdot \frac{\partial K}{K}$$ 를 얻을 수 있으며

따라서 $\alpha = \frac{\left(\frac{\partial Q}{Q}\right)}{\left(\frac{\partial L}{L}\right)}$: 노동의 산출력 탄력도, $(1-\alpha) = \frac{\left(\frac{\partial Q}{Q}\right)}{\left(\frac{\partial K}{K}\right)}$: 자본의 산출력 탄력도

다섯째, 등량곡선상의 한계기술대체율($MRTS_{LK}$: Marginal Rare of Technical Substitution)은

$$MRTS_{LK} = \frac{\alpha}{(1-\alpha)} \frac{K}{L}$$ 로 나타난다.

$MRTS_{LK}$는 전반적인 기술 수준을 나타내고 있는 A가 포함되어 있지 않고 α, $(1-\alpha)$에 의해 영향을 받고 있다. 또 α가 커지면 노동생산성이 높아져 $MRTS_{LK}$는 커지지만 $(1-\alpha)$가 커지면 자본생산성이 높아져 $MRTS_{LK}$는 작아진다. 따라서 콥 더글라스 생산함수의 등량곡선은 한계기술대체율이 체감하는 성질을 나타내게 된다. 등량곡선은 전체적으로 음의 기울기를 갖게 되며 강 볼록임을 의미한다.

$$\frac{d^2K}{dL^2} = \frac{d}{dL}\left(\frac{(1-\alpha)K}{\alpha L}\right) = \frac{(1-\alpha)}{\alpha}\frac{d}{dL}\left(\frac{K}{L}\right) = \frac{(1-\alpha)}{\alpha}\frac{1}{L^2}\left(L\frac{dL}{dK} - K\right) < 0$$

콥 더글라스 생산함수(Cobb - Douglas production function)

Charles Wiggins Cobb(1875~1949)은 미국의 수학자이며 경제학자이다. Paul Howard Douglas (1892~1976)는 미국의 정치가(일리노이주 연방 상원의원)이며 경제학자이다. 1928년 두 사람은 1899년에서 1922년간 미국 경제 성장을 모형화하는 과정에서 콥 더글라스 생산함수를 제안하였다. 이 함수는 발표 후 20여년이 지난 후 사무앨슨과 솔로우에 의해 적극 쓰이게 되었다. 또 생산함수로만이 아니라 효용함수로도 널리 쓰이고 있다.

$$Q = AL^{\alpha}K^{\beta}$$

α : 노동의 생산물 탄력도, β: 자본의 생산물 탄력도

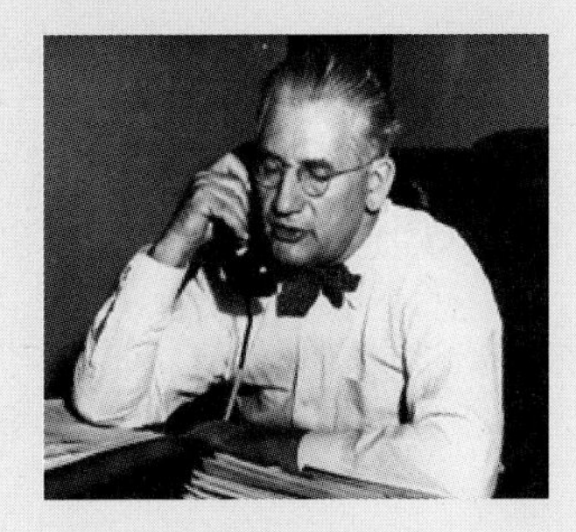

더글라스
출처: 위키피디아

7.5.2 무차별 곡선

무차별곡선(無差別曲線, indifferent curve)이란 n개의 재화가 있는 경우 소비자에게 동일한 효용(만족)을 주는 재화묶음을 연결한 곡선으로 이를 함수형태로 나타낸 것을 효용함수(效用函數, utility function)라 한다.

$$U = U(x_1, x_2, \ldots\ldots, x_n)$$

이제 n개의 재화를 2개의 재화로 한정하는 경우, 그리고 두 재화를 모두 소비하는 경우 소비자의 효용변화를 전 미분을 통해 나타내면 다음과 같다. 무차별곡선 정의에서 알 수 있듯 그 곡선 상에서 효용의 변화가 없는 곡선이므로 $dU = 0$을 의미한다.

X, Y 두 재화만을 대상으로 무차별곡선과 관련된 개념들을 공부해 보기로 하자.

$$U = U(X, Y)$$

$$dU = (\partial U/\partial X)dX + (\partial U/\partial Y)dY = 0$$

$$-\frac{dY}{dX} = \frac{(\partial U/\partial X)}{(\partial U/\partial Y)} = \frac{MU_X}{MU_Y} \equiv MRS_{XY}$$

위의 식에서 $\partial U/\partial X$는 X재의 한계효용을, $\partial U/\partial Y$는 Y재의 한계효용을 의미한다. 그리고 이 두 한계효용의 비율을 한계대체율(MRS_{XY}, Marginal Rate of Substitution)이

라 한다. 한편 $-\dfrac{dY}{dX}$는 <그림 7-2>에서 보듯이 무차별곡선의 특정 점에서 접선의 기울기를 나타냄을 볼 수 있다.

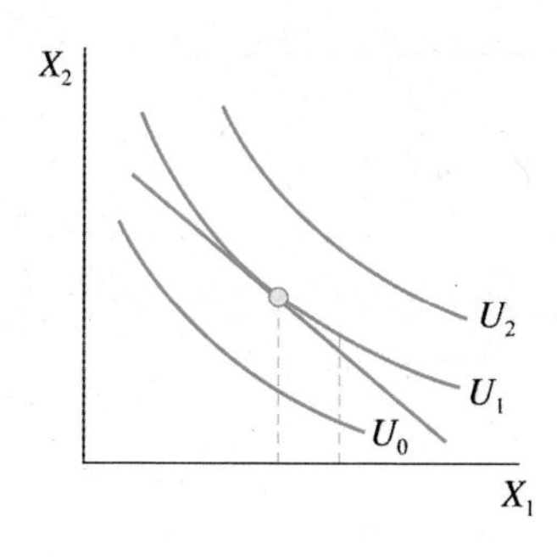

〈그림 7-2〉 무차별곡선

실습문제 7-10

효용함수가 $U(X, Y) = X^{0.5}Y^{0.5}$로 주어졌을 때

(1) X재의 한계효용과 Y재의 한계효용을 구하라.
(2) 한계대체율을 구하라.
(3) X가 100, Y가 225일 때 총효용은 얼마인가? 이 점에서의 한계대체율을 구하고 그 의미를 설명하라.

풀이

(1) $MU_X = 0.5X^{-0.5}Y^{0.5} = 0.5(\frac{Y}{X})^{0.5}$　$MU_Y = 0.5XY^{-0.5} = 0.5(\frac{X}{Y})^{0.5}$

(2) $MRS_{XY} = \dfrac{MU_X}{MU_Y} = \dfrac{0.5(Y/X)^{0.5}}{0.5(X/Y)^{0.5}} = \dfrac{Y}{X}$

(3) $U(X, Y) = X^{0.5}Y^{0.5} = (100)^{0.5}(225)^{0.5} = 150$

$MRS_{XY} = \dfrac{225}{100} = 2.25$. 동일한 효용(150)을 나타내는 무차별 곡선상에서 X를 한 단위 더 소비하기 위해서는 Y를 2.25단위 줄여야 함을 의미한다.

7.5.3 등량곡선

등량곡선(等量曲線, iso quant curve)은 동일한 생산량을 가능하게 해주는 생산요소들의 기술적 결합을 나타낸 곡선으로 정의된다. 이 곡선은 생산함수에서 구할 수 있다.

$$Q = f(L, K)$$

이제 생산요소를 노동 L과 자본 K로 한정하는 경우 그리고 두 생산요소를 모두 사용하는 경우의 생산량 변화를 전미분을 통해 나타내면 다음과 같다. 즉 등량곡선의 특성은 $dQ = 0$이며 한계기술대체율을 구해 보면,

$$dQ = (\partial f/\partial L)dL + (\partial f/\partial K)dK = 0$$

$$-\frac{dK}{dL} = \frac{(\partial f/\partial L)}{(\partial f/\partial K)} = \frac{MPP_L}{MPP_K} \equiv MRTS_{LK}$$

위의 식에서 $(\partial f/\partial L)$는 노동의 한계생산성을, $(\partial f/\partial K)$는 자본의 한계생산성을 나타낸다. 그리고 이 두 생산요소의 한계생산성의 비율을 한계기술대체율(Marginal Rate of Technical Substitution, $MRTS_{LK}$)이라 한다. 이는 <그림 7-3>에서 보듯이 등량곡선의 특정 점에서 접선의 기울기와 같음을 알 수 있다.

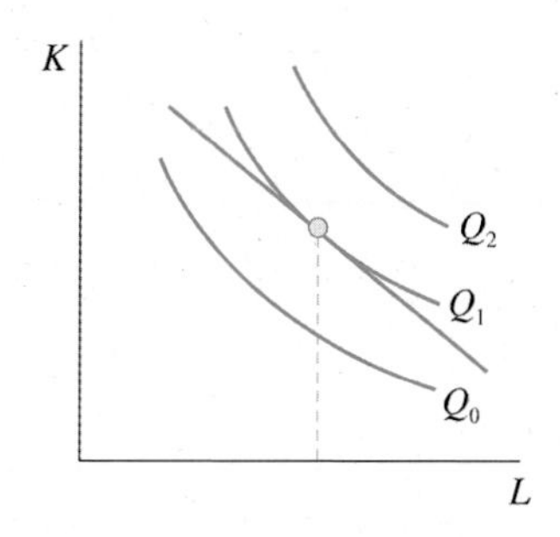

〈그림 7-3〉 등량곡선

실습문제 7-11

생산함수가 $Q = f(L, K) = L^{0.4}K^{0.6}$로 주어졌을 때

(1) 노동의 한계생산성과 자본의 한계생산성을 구하라.
(2) 한계기술대체율을 구하라.
(3) $L = 32$, $K = 243$에서 총 생산량은 얼마인가? 이 점에서의 한계대체율($MRTS_{LK}$)을 구하고 그 의미를 설명하라.

풀이

(1) $MPP_L = 0.4L^{-0.6}K^{0.6} = 0.4(\frac{K}{L})^{0.6}$ $\quad MPP_K = 0.6L^{0.4}K^{-0.4} = 0.6(\frac{L}{K})^{0.4}$

(2) $MRTS_{LK} = \frac{MPP_L}{MPP_K} = \frac{0.4(K/L)^{0.6}}{0.6(L/K)^{0.4}} = \frac{0.4K}{0.6L}$

(3) $Q = f(L, K) = L^{0.4}K^{0.6} = (32)^{0.4}(243)^{0.6} = 108$

$MRTS_{LK} = \frac{0.4 \times 243}{0.6 \times 32} = 5.001$

등량곡선상에서 노동을 한 단위 증가시키면 자본을 약 5단위 감소하여야 한다.

7.5.4 총 생산함수[6]

지금까지는 주로 미시적인 생산함수, 주로 기업의 생산함수를 다루었다. 생산함수를 경제 전체를 나타내는 거시 생산함수로도 확장해 사용할 수 있다. 생산요소(L, K, M, A)와 총생산과의 관계는 일반적으로 다음과 같이 표현된다.

$$Y = f(L, K, M, A)$$

Y = 총생산 또는 실질 GDP의 양 $\quad$ L = 인적자본의 수준으로 조정된 노동의 양

K = 물적 자본의 양 $\quad$ M = 이용 가능한 토지 및 천연자원의 양

A = 기술수준, 경영의 유효성, 사회적・법적 환경과 같은 기타 요인들

$f(\ )$는 지정되지 않은 함수형태

위의 생산함수를 전미분하면

$$dY = \frac{\partial f}{\partial L}dL + \frac{\partial f}{\partial K}dK + \frac{\partial f}{\partial M}dM + \frac{\partial f}{\partial A}dA$$

로 나타난다. 각 생산요소들이 다른 요소에 직간접적으로 영향을 미치기 때문에 위의 식보다는 더 복잡하게 표현되어야 한다. 특히 기술수준, 기업가 정신, 경영의 유효성, 사회적・법적 환경과 같은 기타 요인들이 각 생산요소에 상당한 영향을 미치기 때문에

---

6 맨큐의 기본원리 8: 한 나라의 생활수준은 그 나라의 생산능력에 달려 있다. 버냉키의 제6원리: 효율성 원리와 깊은 관련을 가진다. 버냉키와 크랭크, 『경제학원론』, p.520.

전도함수 형태로 쓰는 것이 더 현실에 적합하다고 보지만, 논의의 편이를 위해 각 요소들이 독립적으로 작용한다고 가정하였다.

크게 두 가지 요인으로 구별된다. 편미분 값으로 나타나는 각 생산요소의 한계생산성과 생산요소의 변화량이다. 또 4개의 부문으로 나눌 수 있다.

- 연구개발 투자 : 각 생산요소의 한계생산성 증가
- 문맹률 저하, 교육 훈련 활성화 : 노동의 한계생산성$\left(\frac{\partial f}{\partial L}\right)$ 증가
- 기업가 정신, 경영의 효율화, 재산권 확립, 법치주의의 확립 : $\left(\frac{\partial f}{\partial A}dA\right)$의 증가
- 농촌인구의 도시이동, 인구증가, 실업률 감소는 dL의 증가
- 사회간접자본 확충, 저축 증가와 외자 도입은 dK의 증가
- 간척사업은 dM의 증가

실습문제 7-12

$Y = f(L, K, \overline{M}, \overline{A}) = L^{0.4}K^{0.6}$이라고 하자. 노동은 연간 2%, 자본은 연간 3%의 성장률을 보이고 있다. $L = L_0e^{0.02t}$ $K = K_0e^{0.03t}$

(1) 연간 국민소득(Y) 증가율을 구하라.
(2) 인구 증가율이 1%일 때 일인당 국민소득 증가율은 얼마인가?

풀이

(1) $Y_0 = f(L_0, K_0, \overline{M}, \overline{A}) = (L_0e^{0.02t})^{0.4}(K_0e^{0.03t})^{0.6} = L_0^{\ 0.4}e^{0.008t}K_0^{0.6}e^{0.018t}$

$= L_0^{\ 0.4}K_0^{0.6}e^{0.008t}e^{0.018t} = L_0^{\ 0.4}K_0^{0.6}e^{0.026t} = Y_0e^{0.026t}$ 성장률은 2.6%이다.

(2) 인구 성장률이 1%이므로 국민소득 증가율은

$L_0^{\ 0.4}K_0^{0.6}e^{0.004t}e^{0.018t} = L_0^{\ 0.4}K_0^{0.6}e^{0.022t} = Y_0e^{0.022t}$ 성장률은 2.2%이다.

7.5.6 생산가능곡선

생산가능곡선(production possibility curve): 생산변환곡선(production transformation curve)은 주어진 생산요소로 생산해 낼 수 있는 산출량의 조합, 혹은 생산요소가 효율적으로 배분되었을 때 사회가 생산할 수 있는 산출량의 조합을 나타낸다. 보통 생산물

을 2개로 하고 2차원 공간에 그림을 그린다. 그리고 한계변환율(Marginal Rate of Transformation, MRT_{xy})은 생산변환곡선의 기울기의 절댓값으로 나타난다.[7]

$$MRT_{XY} = -\frac{\Delta Y}{\Delta X} = -\frac{dY}{dX}$$

일반적으로 생산가능곡선은 <그림 7-4>과 같이 원점에 대해 오목한 모양으로 그려진다. $aX^2 + bY^2 = c$ 형태로 나타낼 수 있다. 한계생산변환율 체증의 법칙이 작용하고 있기 때문이다. 이는 X재를 더 생산하면 할수록 Y를 더 많이 포기해야 함을 의미한다. 다시 말해 X재를 더 생산하는 데 드는 기회비용이 점점 커지고 있음을 의미하고 있다.[8]

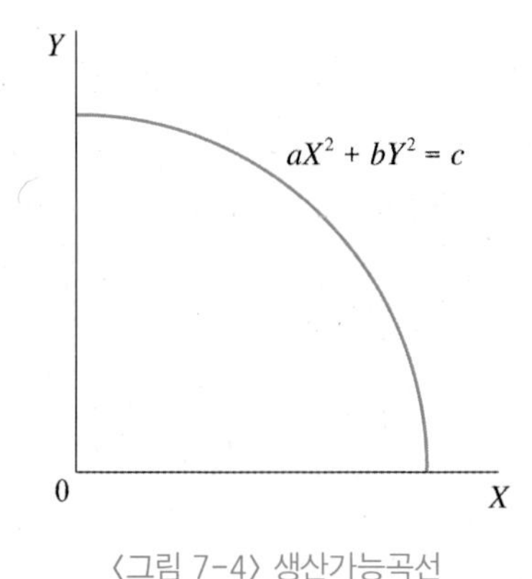

〈그림 7-4〉 생산가능곡선

예를 들어 생산가능곡선이 $X^2 + Y^2 = 100$이라면

$$MRT_{XY} = -\frac{\Delta Y}{\Delta X} = \frac{X}{Y} \text{ 이다.}$$

$X = 5$일 때 $Y = 5\sqrt{3}$이 되며 이때

$$MRT_{XY} = -\frac{\Delta Y}{\Delta X} = \frac{5}{5\sqrt{3}} \simeq 0.59 \text{ 이 된다.}$$

---

7 MC_X, MC_Y는 X와 Y의 한계비용을 의미한다.

8 이것은 버냉키와 프랭크가 경제학의 핵심원리로 주장하고 있는 기회비용체증의 원리를 의미한다.

만약 $X = 5\sqrt{3}$ 일 때 $Y = 5$ 이 되며

$$MRT_{XY} = -\frac{\Delta Y}{\Delta X} = \frac{5\sqrt{3}}{5} \simeq 1.7$$

$X = 8$일 때 $Y = 4$이 되며

$$MRT_{XY} = -\frac{\Delta Y}{\Delta X} = \frac{8}{4} = 2$$

한계생산변환율 체증의 법칙이 성립하고 있음을 확인할 수 있다.

실습문제 7-13

생산가능함수 $X^2 + Y^2 = 100$을 그려라. X부문에서 생산력 향상이 2배로 증가하였을 때, Y부문에서 생산력 향상이 2배로 증가하였을 때, X와 Y부문에서 동시에 생산력 향상이 2배로 증가하였을 때, 생산가능곡선을 그려라.

풀이

먼저 $X^2 + Y^2 = 100$는 X절편이 10, Y절편이 10인 원형으로 그려진다. 만약 X부문에서 생산력 향상이 2배로 증가하였다면 생산가능함수는 $\frac{1}{2}X^2 + Y^2 = 100$으로 변하게 되고 이것은 $X^2 + 2Y^2 = 200$로 같다. Y절편은 변화가 없지만, X절편은 $10\sqrt{2}$로 증가하게 된다.

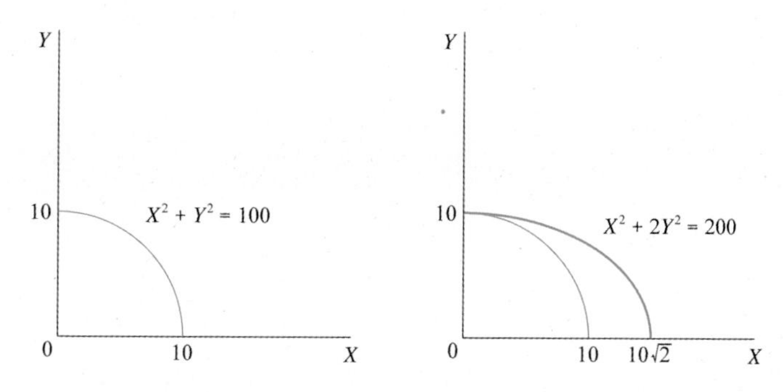

만약 Y부문에서 생산력 향상이 2배로 증가하였다면, 생산가능함수는 $X^2 + \frac{1}{2}Y^2 = 100$로 변하게 되고 이것은 $2X^2 + Y^2 = 200$로 같다. X절편은 변화가 없지만, Y절편은 $10\sqrt{2}$로 증가하게 된다. 마지막으로 X와 Y부문에서 동시에 생산력 향상이 2배로 증가하였다면, $\frac{1}{2}X^2 + \frac{1}{2}Y^2 = 100$, 즉 $X^2 + Y^2 = 200$이 되어 X절편도 Y절편은 $10\sqrt{2}$로 증가하게 된다.

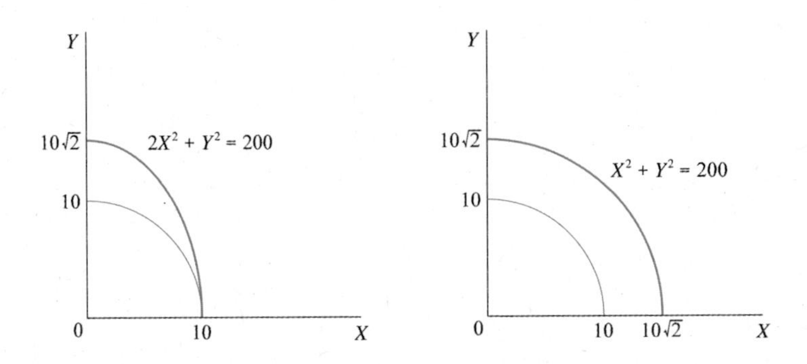

일반적으로 $aX^2+bY^2=c$과 같은 생산함수에서 $a>b$, 즉 $\frac{b}{a}<1$이면 X의 생산력이 Y에 비해 상대적으로 작게 나타난다. 기술진보가 발생하는 재화의 계수가 다른 재화의 계수보다 상대적으로 작게 되고 그 재화가 그려진 쪽으로 곡선이 팽창(膨脹, expansion)하게 된다. 또한 c가 증가하면 생산가능곡선이 바깥쪽으로 이동한다. 이 역시 경제성장을 의미한다.

실습문제 7-14

$X^2+Y^2=400$을 그리고 X가 10일 때, X가 15일 때, X가 17.5 일 때, Y의 생산량을 구하고 한계 생산변환율 체증의 법칙이 성립하는가를 증명하라.

실습문제 7-15

$X^2+Y^2=100$, $X+Y=10$을 각각 그리고 한계생산변환율 체증의 법칙이 성립하는가를 확인하라.

핵심어

- 이변수함수
- 다변수함수
- 편미분
- 영의 정리
- 전미분
- 콥 더글라스 생산함수
- 무차별곡선
- 효용함수
- 한계대체율
- 등량곡선
- 한계기술대체율
- 생산가능(변환)곡선
- 한계변환율

연습문제

○× 문제

1. 편미분을 할 때는 해당 변수만을 변수로 취급하고 나머지 변수들은 상수로 취급하여 계산한다.
2. 콥 더글라스가 제안한 콥 더글라스형 함수는 생산함수에 국한되어 사용되고 있다.
3. 오일러 정리는 $dz = \frac{\partial z}{\partial x}dx + \frac{\partial z}{\partial y}dy = f_x dx + f_y dy$이다.
4. 종속변수가 n개의 독립변수의 곱으로 표현되는 경우, 즉 $Y = X_1 \times X_2 \times X_3 \times \cdots\cdots \times X_n$일 때 종속변수의 변화율은 각 변수의 변화율의 합으로 나타난다.
5. 실질임금 변화률($\dot{w}$)은 명목임금 변화율($\dot{W}$)과 물가 변화율($\dot{p}$)의 합이다.

단답형

1. 영의 정리란 무엇인가?
2. $z = f(x, y)$에 대한 전미분식을 나타내라.
3. $z = f(x, v)$, 단 $x = g(v)$로 주어졌을 때, 전 도함수를 구하고, 독립변수 변화에 따른 종속변수의 변화를 직접적인 경로와 간접적인 경로를 구별해 설명하라.
4. 영의 정리가 성립하는 경우 $z = f(x, y)$에 대해 2계 전미분을 하라.
5. 서로 영향을 주고받는 두 경제주체의 효용함수를 나타내라.

풀이형

1. $\dfrac{\partial z}{\partial x_1}$, $\dfrac{\partial z}{\partial x_2}$ 을 구하라.

(1) $z = 7x_1 + 6x_1x_2^2 - 9x_2^3$

(2) $z = \dfrac{(5x_1 + 3)}{(x_2 - 2)}$

(3) $z = x_1 - 5x_1^3x_2 + 2x_2$

(4) $z = 3x_1^4 + 5x_1x_2 + 6x_2^2$

2. 1의 문제를 전미분하라.

3. 친구 사이인 (A와 B)의 효용함수는 $U_A = U_A(q_A, q_B) = q_A^{0.5} + 0.5q_B$ 이고 $U_B = U_B(q_A, q_B) = q_B^{0.6} - 0.8q_A$ 로 나타났다.

(1) $\dfrac{\partial U_A}{\partial q_A}, \dfrac{\partial U_A}{\partial q_B}, \dfrac{\partial U_B}{\partial q_A}, \dfrac{\partial U_B}{\partial q_B}$ 를 구하라.

(2) 두 사람 사이의 관계를 어떻게 말할 수 있는가?

4. 다음의 각 함수를 전미분하라.

(1) $z = -3x^2 + 5xy - 4y^3$

(2) $z = 5x^3y^2$

(3) $z = 2x^2(3x - 4y)$

(4) $z = (4x^2 + 7y)(2x - 4y^3)$

(5) $z = \dfrac{9y^2}{(x - y)}$

(6) $z = (x - 4y)^2$

(7) $z = \dfrac{2x}{x + y}$

(8) $z = \dfrac{xy}{x - 2y}$

(9) $z = Ax^{\alpha}y^{\beta}$

(10) $z = Ax^{\alpha}y^{1-\alpha}$

5. 4번 문제 각 함수에 대해 2차 편미분을 하라.

6. $z = f(x, y) = 6x^2 + 5y \quad y = g(x) = 4x^2 + 2x + 7$ 일 때, $\dfrac{dz}{dx}$ 를 구하라.

7. $z = f(x, y) = 8x^2 + 3y^2 \quad x = 5t \quad y = 4t$ 일 때, $\dfrac{dz}{dt}$ 를 구하라.

8. $z = f(x, y) = 8x - 10y \quad y = g(x) = (x + 1)/x^2$ 일 때, $\dfrac{dz}{dx}$ 를 구하라.

9. $y = 2(5)^{4t}$ 를 자연지수함수로 변환하라. ($\ln 5 = 1.6$)

10. 다음 식을 미분하라(자연로그 미분법을 이용하여).

(1) $y = 10e^{0.5t}$　　　　(2) $y = 10^{t}$

(3) $y = \dfrac{3x}{(x+2)(x+4)}$　　　　(4) $y = \sqrt{30-5x^2}$

(5) $y = \dfrac{2x(3x+1)}{(x-2)}$

11. 수요함수가 $Q = aP^{-\beta}$일 때 수요의 가격 탄력도를 구하라.

12. 총생산함수가 $Y = f(L, K, \overline{M}, \overline{A}) = L^{0.6}K^{0.4}$이라고 하자. (M = 이용 가능한 토지 및 천연자원의 양, A = 기술수준, 경영의 유효성, 사회적・법적 환경) 연간 노동은 1%, 자본은 4%의 성장률을 보이고 있다. ($L = L_0e^{0.01t}$, $K = K_0e^{0.04t}$)

(1) 연간 총생산(Y) 증가율을 구하라.

(2) 인구 증가율이 2%일 때 연간 총생산(Y) 증가율을 구하라.

13. 효용함수 $U = U(X, Y) = 10X^{0.9}Y^{0.1}$일 때

(1) MU_X, MU_Y를 구하라. 경제학적 의미는 무엇인가?

(2) 이 소비자는 X재 마니아인가, Y재 마니아인가?

(3) 한계대체율(MRS_{XY})을 구하라. 경제학적 의미는 무엇인가?

14. 자연로그의 미분법을 이용하여 아래 문제에 답하라.

(1) 투자(I)의 증가율은 i이고 인구(P)의 증가율은 p라고 할 때 일인당 투자증가율(I/P)은 얼마인가?

(2) 저축(S)의 증가율 s이고 인구(P)의 증가율을 p라고 할 때 일인당 저축증가율(S/P)은 얼마인가?

(3) 행복지수(H)를 소비(C)/욕망(D)이라고 정의한다. 소비의 증가율이 3%이고 욕망의 증가율이 2%라면 행복지수의 변화율은 얼마인가?

CHAPTER 8

비교정태분석

간단한 수식으로 표현할 수 있는 경제학 개념을 글로 복잡하게 설명하는 것은 마음이 황폐한 사람이나 할 일이다.

• 폴 사뮤엘슨(Paul Samuelson, 1915~2009, 1970년 노벨경제학상수상자)

과학의 교육은 모두 수학으로부터 시작되지 않으면 당연히 그 근저에 결함이 나타난다.

• 콩트(Comte, 1789~1857, 프랑스의 철학자, 사회학자)

학습목표

외부 변화에 따른 내생변수의 변화를 분석하고자 한다. 경제학 분석에 있어 가장 유용하고 중심적인 역할을 하고 있는 비교정태 분석과 그 예를 학습한다. 균형의 변화에서 볼 수 있는 내생변수의 변화를 파악하기 때문에 미분법이 결정적인 역할을 하게 된다.

막연하게 생각했던 균형변화에 따른 효과를 정확하게 계산할 수 있으며 그림으로도 나타낼 수 있는 능력을 갖추게 된다. 그런 후 이 분석 방법을 수요공급모형, 국민소득모형, IS LM 모형에 적용하고자 한다. 마지막으로는 이 분석이 갖고 있는 한계에 대해 언급하고자 한다.

구성

8.1 비교정태분석과 도함수

8.2 비교정태분석의 예

8.3 비교정태분석의 한계

사뮤엘슨(Paul A. Samuelson, 1915~2009)

'정태와 동태 경제이론을 발전시키고 경제학의 분석 수준을 한 단계 끌어올린 학문적 업적'을 인정받아 1970년 노벨상을 수상하였다.
1915년 인디아나 주에서 태어났다. 1932년은 경제학자로 태어나기에 참으로 훌륭한 시대였다라고 술회하고 있다.[1] 시카고 대학 경제학과에서 학부를 마치고 하버드 대학에서 박사학위를 받았다. 1940년 26살의 어린 나이에 MIT 경제학과 조교수로 임명되었다. MIT가 공학에서는 물론 경제학에서도 세계적인 명성을 얻게 하는 데 최고의 공헌을 하였다. 1947년 클라크(John Bates Clark)메달[2]을 최초로 수여하였다. 1947년에 쓴 『경제 분석의 기초, Foundations of Economic Analysis』와 1948년에 쓴 『경제학』은 기념비적인 저서라는 평가를 받고 있다. 케네디 대통령과 존슨 대통령의 경제고문을 역임했던 그는 연방 준비 은행과 재무성 등 여러 기관의 경제고문으로도 활동하였다. 그는 말년에 중도선언(A Centrist Proclamation)을 통해 "우리 사회가 나아갈 지향점을 다시 중도로 되돌려야 한다. 그래야만 세계경제발전의 결실이 보다 좀 더 골고루 분배되는 완전고용으로 되돌아갈 수 있다"라고 주장하였다.
그는 시카고학파의 대표주자인 밀턴 프리드만과 같은 시기에 「Newsweek」지에 매주 컬럼을 연재하였는데, 서로 반대 입장을 나타낼 때가 종종 있었다. 사뮤엘슨은 케인지안 견해를 가지고 있는 반면 프리드만은 통화론자이기 때문이다. 그는 2009년 94세의 나이로 시망하였다.

8.1 비교정태분석과 도함수

경제는 오랜 시간에 걸친 변화의 결과 어떤 균형에 도달해서 그 상태에 머물러 있다고 가정한다. 그러나 이 균형은 오래 지속될 수가 없다. 왜냐하면 경제에는 항상 정책의 변

---

1 대공황은 당시 젊은이에게 경제학에 대한 관심을 자극하였다. 새뮤엘슨은 물론 토빈(James Tobin, 1916~2002, 1981년 노벨상 수상자), 로버트 솔로(Robert M. Solow, 1924~, 1987년 노벨상 수상자)도 같은 말을 하고 있다.

2 1947년 이후 미국경제학회가 수여하는 경제학상이다. 상의 이름은 미국 근대경제학의 창시자인 클라크(1847~1938)에서 기인한다. 대상은 40세 이하의 미국 경제학자이며 격년제이고 생애 한 번밖에 받지 못하기 때문에 미국 경제학자들 사이에는 노벨경제학상보다 받기 어렵다는 말이 있을 정도이다. 2010년부터는 격년제가 아닌 매년 수상자를 내고 있으며 4월에 발표하고 있다. 2011년 현재까지 33명의 수상자 중 나중에 노벨상을 받은 사람은 12명에 이른다. 노벨경제상상을 받기 위한 등용문(登龍門)이라는 비유가 무리가 아닌 듯 싶다. 제1회 수상자는 사뮤엘슨이고 최연소 수상자도 사뮤엘슨(당시 32세)이다.
http://www.aeaweb.org/ honors_awards/clark_medal.php

화나 내외부적인 충격(shock)이 계속적으로 발생하고 있고 이로 인해 최초의 균형 상태에서 이탈하게 된다. 따라서 경제학자에게는 초기 균형 상태와 변화 후 시간이 흐른 다음 새로운 균형 상태를 비교하는 것이 중요한 과제가 된다.

예컨대 기업의 법인세 변화, 금리 변화 그리고 각종 규제의 변화 등의 정책들은 주요 경제변수들에 영향을 미치고 이들의 변화를 비교분석하는 것이 정책의 효과를 파악하는 데 있어 중요한 도구가 된다. 경제학에서는 어느 경제의 외생적 파라미터를 변화시켜, 변화 전과 변화 후의 다른 결과를 비교하는 분석 방법을 비교정태분석(比較靜態分析, comparative statics)이라 한다. 정학(靜學)에서는 균형으로 향하는 '움직임'이나 변화 그것의 과정은 고려되고 있지 않다.

이러한 비교정태분석은 정성적(定性的, qualitative) 분석일 수도 있고 정량적(定量的, quantitative) 분석일 수도 있다. 정성적 분석이란 변화의 방향에만 관심을 두는 방법이지만 정량적 분석이란 변화의 크기에 관심을 두는 방법이다. 그러나 정량적 분석을 통해서는 부호로부터 변화의 방향을 얻을 수 있으므로 궁극적으로는 정성적 분석을 포함하는 것이라 볼 수 있다.

비교정태분석은 성형외과 수술 전과 수술 후를 비교하는 것과 유사하다고 봐도 무리가 아니다. 성형외과 광고를 보면 환자의 수술 전 얼굴과 수술 후 얼굴을 쉽게 비교할 수 있게 보여주고 있다. "수술 전 보다 코가 더 오뚝해졌다." "수술 후 눈에 쌍꺼풀이 생겼다."라고 말할 때 비교(정태) 분석의 아이디어를 사용하고 있는 셈이다.

결국 비교정태분석의 본질은 변화율을 찾는 문제로 귀결되며 수학의 한 분야인 미분학에서 가장 기본적 개념인 도함수의 개념이 매우 유용하게 이용된다. 그 이유는 앞 장에서 배웠다시피 도함수가 바로 변화율의 개념과 직접적으로 연관되기 때문이다.

1870년대부터 경제학자들이 그래프를 이용하면서 이 분석방법이 쓰이기 시작하였으며 힉스(Hicks, 1904~1989)와 사뮤엘슨(1947년)에 의해 체계화되었다.[3] 외생변수 변화에 따른 내생변수의 변화를 분석함에 있어 추론하는 방법이나 그래프가 가지는 애매함을 수학을 이용하면 극복할 수 있다.

---

3 Hicks, "The Foundations of Welfare Economics", Economic Journal.1939. Samuelson, 『Foundations of Economic Analysis』, 1947.

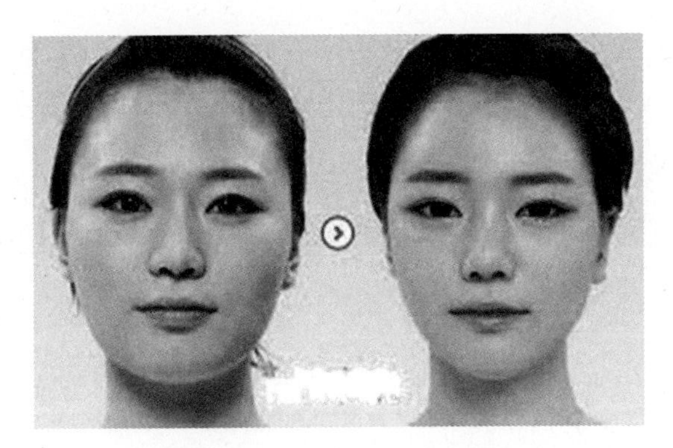

〈사진 8-1〉 성형 수술 전과 후의 비교

8.2 비교정태분석의 예

8.2.1 수요공급 모형

다음과 같은 시장 수요공급 모형을 이용해서 파라미티 값들의 변화에 따른 비교정태분석을 해보자.

$$\text{수요곡선 } P = a - bQ \quad (a, b > 0)$$
$$\text{공급곡선 } P = c + dQ \quad (c, d > 0)$$

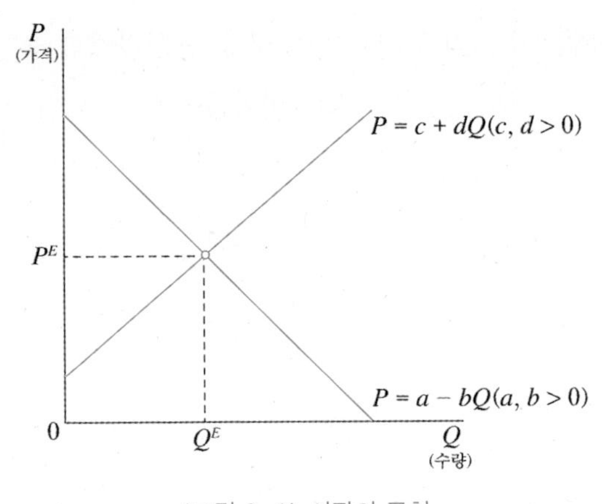

〈그림 8-1〉 시장의 균형

위의 식은 내생변수 P, Q 이고 4개의 파라미터 a, b, c, d 들로 구성되어 있다. 균형조건으로부터 균형가격과 균형거래량을 다음과 같이 구할 수 있다.

$$Q^E = \frac{a-c}{b+d},\ P^E = \frac{ad+bc}{b+d}$$

맨큐의 경제학 기본 원리 6: 일반적으로 시장이 경제활동을 조직하는 좋은 수단이다.

시장경제(市場經濟, market economy)에서 기업은 누구를 고용하고 무엇을 생산할지를 스스로 결정한다. 가계는 어떤 기업에서 일할지, 어떤 재화를 구입할지 자유롭게 결정한다. 기업과 가계는 시장을 통해 상호작용하며, 시장에서는 가격과 사적이윤이 그들의 의사결정을 좌우한다.

1장 부록에서 소개한 바 있는 여러 경제원리에서 균형의 원리, 시장과 균형원리 등으로 모든 저자에 의해 제시되고 있다.

위의 균형 값들은 4개의 파라미터들로 구성된 축약형 형태(reduced form)로 나타나 있다. 이제 이들 파라미터들이 미소하게 변화할 때 균형가격과 균형거래량이 어떻게 변화할 것인가를 모두 여덟 가지로 분석이 가능하다. 즉

$$\frac{\partial P^E}{\partial a}, \frac{\partial P^E}{\partial b}, \frac{\partial P^E}{\partial c}, \frac{\partial P^E}{\partial d}$$: 파라미터들의 (미소)변화에 따른 균형가격 변화

$$\frac{\partial Q^E}{\partial a}, \frac{\partial Q^E}{\partial b}, \frac{\partial Q^E}{\partial c}, \frac{\partial Q^E}{\partial d}$$: 파라미터들의 (미소)변화에 따른 균형거래량 변화

예컨대 a의 증가는 수요의 증가로 나타낸다. 균형가격과 균형거래량을 a에 대해 편미분을 구하면 균형가격과 균형거래량의 변화를 구할 수 있다.

$$\frac{\partial P^E}{\partial a} = \frac{d}{b+d} > 0$$

$$\frac{\partial Q^E}{\partial a} = \frac{1}{b+d} > 0$$

위의 결과가 보여주는 것은 수요가 증가하면[p_s(대체재의 가격)의 상승, p_c(보완재의 가격)의 하락, M(소득)의 증가, T(선호)의 증가] 균형가격과 균형거래량은 상승한다는 것을 나타낸다. 이 사실을 <그림 8-2>로 확인할 수 있다.

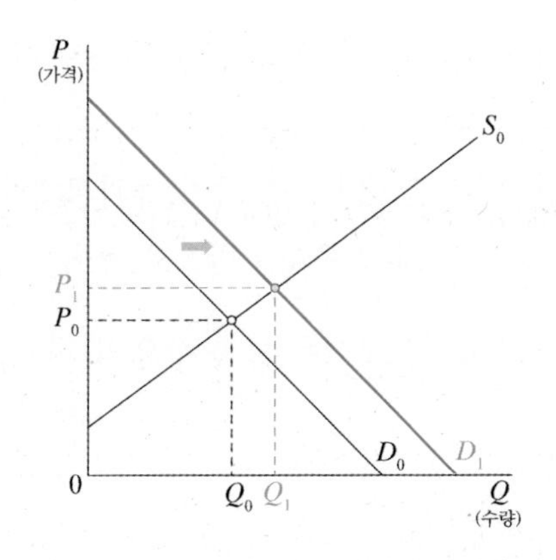

〈그림 8-2〉 수요증가에 따른 가격과 거래량 변화

이번에는 공급의 변화를 나타내는 c 값의 변화가 발생했을 때 균형가격과 균형거래량의 변화를 살펴보자. 균형가격과 균형거래량을 c에 대해 편미분하면 다음의 결과를 얻는다.

$$\frac{\partial P^E}{\partial c} = \frac{b}{b+d} > 0$$

$$\frac{\partial Q^E}{\partial c} = \frac{-1}{b+d} < 0$$

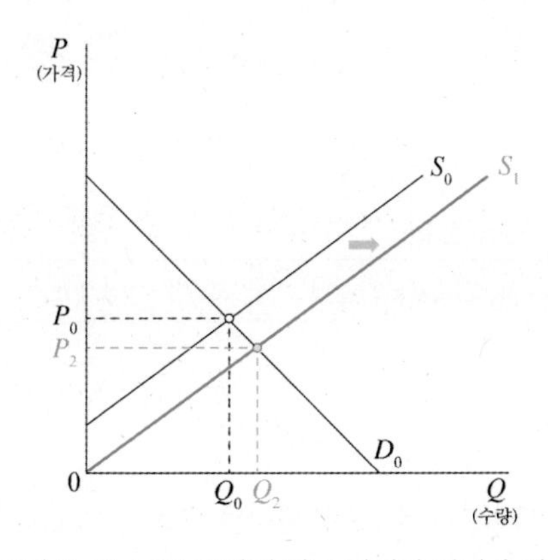

〈그림 8-3〉 공급 증가에 따른 가격과 거래량 변화

<그림 8-3>에서 공급곡선이 S_0에서 S_1으로 아래쪽으로 이동하면 [공급의 증가, P_R(재료값)의 하락, w(노동자의 임금)의 인하, 기술진보, 공급자수 증가 등에 의한 c의 하락] 균형가격은 하락하고 균형거래량은 증가한다는 것을 알 수 있다.

이 모형을 변호사, 의사, 한의사, 치과의사 등 전문직 시장에 적용해 보면 소비자의 소득 증가와 같은 수요 증가(a의 증가)는 이들의 수입을 증진시키는 방향으로 작용한다. 법학전문대학원 증원, 의대·한의대 정원 증가 등과 같은 공급의 증가(c의 감소)에 대해 변협, 의협, 한의사협회에서 매우 민감한 반응을 보이는 이유를 쉽게 설명할 수 있다.

시장균형 모델에서의 비교정태분석은 보통 수요 및 공급곡선의 이동(해당 상품의 가격 이외의 변수가 변화, a 혹은 c의 변화)으로 인해 나타나는 균형가격과 균형량의 변화를 분석하고 있다. 어떤 때는 수요측 요인만, 어떤 때는 공급측 요인만, 어떤 때는 두 가지 요인이 변화함에 따라 균형가격과 균형량의 변화를 파악하는 것이다.

〈표 8-1〉 수요와 공급 변화의 효과

변화의 원인	가격 변화	거래량 변화	수입(지출) 변화
수요의 증가(a 증가)	상승	상승	증가
수요의 감소(a 감소)	하락	하락	감소
공급의 증가(c 감소)	하락	상승	모호
공급의 감소(c 증가)	상승	하락	모호

〈표 8-2〉 수요와 공급의 동시 변화의 효과

변화의 원인	가격 변화	거래량 변화
수요의 증가(a 증가)+공급 증가(c 감소)	모호함	증가
수요의 감소(a 감소)+공급 감소(c 증가)	모호함	감소
수요의 증가(a 증가)+공급 감소(c 증가)	증가	모호함
수요의 감소(a 감소)+공급 증가(c 감소)	감소	모호함

실습문제 8-1

수요함수와 공급함수를 대상으로 비교정태분석을 해보시오. 수요곡선과 공급곡선을 이용하여 얻은 결과와 차이를 설명하시오

$$\text{수요함수 } Q^D = f(P) = \alpha - \beta P \quad (\alpha, \beta > 0)$$
$$\text{공급함수 } Q^S = g(P) = -\gamma + \delta P \quad (\gamma, \delta > 0)$$

(1) 균형가격과 균형거래량은 구하시오

(2) 수요의 증가에 대한 균형가격과 균형거래량의 변화를 구하고 그림으로 보이시오.

(3) 공급의 변화에 대한 균형가격과 균형거래량의 변화를 구하고 그림으로 보이시오.

풀이

(1) 균형가격 $P^E = \frac{\alpha+\gamma}{\beta+\delta}$ 균형거래량 $Q^E = \frac{\alpha\delta-\beta\gamma}{\beta+\delta}$

(2) 수요의 증가에 대한 균형가격과 균형거래량의 변화

$$\frac{\partial P^E}{\partial \alpha} = \frac{1}{\beta+\delta} > 0,\ \frac{\partial Q^E}{\partial \alpha} = \frac{\delta}{\beta+\delta} > 0$$

(3) 공급의 변화에 대한 균형가격과 균형거래량의 변화

$$\frac{\partial P^E}{\partial \gamma} = \frac{1}{\beta+\delta} > 0,\ \frac{\partial Q^E}{\partial \gamma} = \frac{-\beta}{\beta+\delta} < 0$$

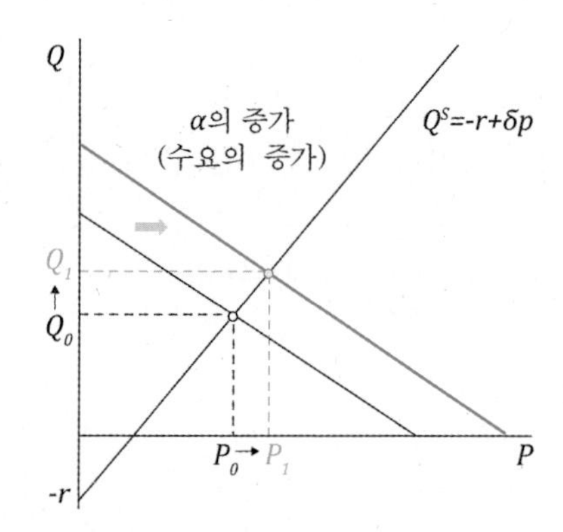

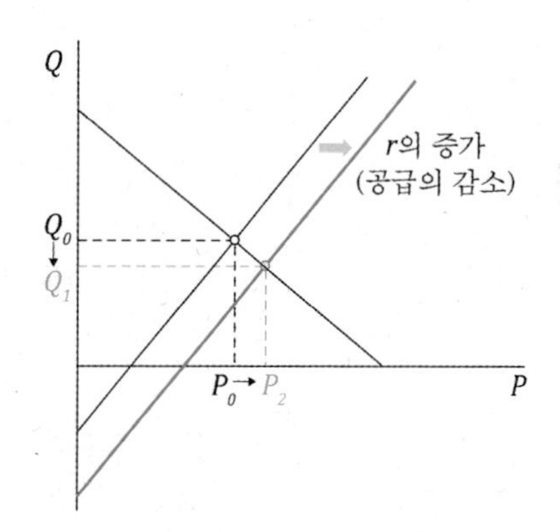

이상의 값들은 통상적인 수요곡선과 공급곡선으로 구했을 때와 같다. 하지만 공급곡선의 절편의 부호가 반대로 되어 있기 때문에 해석에 주의를 요한다. 공급함수의 절편 $(-\gamma)$의 증가, 즉 γ의 감소는 공급곡선을 위쪽으로 이동시키는 공급의 증가를 나타내지만 공급곡선의 절편 (c)의 증가는 공급곡선을 위쪽으로 이동시키는 공급의 감소를 나타낸다. 다시 말해 공급의 증가는 공급함수에서는 γ의 증가에 의해 나타나는 반면, 공급곡선에서는 c의 감소에 의해 나타난다.

$$\text{수요함수} \quad Q^D = 51 - 3P \quad (\alpha, \beta > 0)$$

$$\text{공급함수} \quad Q^S = -3 + 6P \quad (\gamma, \delta > 0)$$

만약 α가 51에서 55로 증가하였다면(α의 변화 =4)

$$P_1^E = \frac{\alpha+\gamma}{\beta+\delta} = \frac{55+3}{6+3} = 6\frac{4}{9},\ Q_1^E = \frac{\alpha\delta-\beta\gamma}{\beta+\delta} = \frac{(55\times 6)-(3\times 3)}{9} = 35\frac{2}{3}$$

따라서 가격은 상승하여 가격의 차이는 $\frac{4}{9}$만큼, 거래량도 상승하여 거래량의 차이는 $\frac{8}{3}$만큼 발생하고 있음을 알 수 있다. $\frac{\partial P^E}{\partial \alpha} = \frac{1}{9}$와 $\frac{\partial Q^E}{\partial \alpha} = \frac{6}{9}$에 변화량 4를 곱하면 $\frac{4}{9}$와 $\frac{8}{3}$을 구할 수 있다.

이제 만약 γ가 3에서 0로 감소하였다면

$$P_1^E = \frac{\alpha+\gamma}{\beta+\delta} = \frac{51+0}{6+3} = 5\frac{2}{3},\ Q_1^E = \frac{\alpha\delta-\beta\gamma}{\beta+\delta} = \frac{(51\times6)-(3\times0)}{9} = 34$$

따라서 가격은 $-\frac{1}{3}$ 하락하고 거래량은 1만큼 증가하고 있음을 알 수 있다. $\frac{\partial P^E}{\partial \gamma} = \frac{1}{9}$와 $\frac{\partial Q^E}{\partial \gamma} = \frac{-3}{9}$에 변화량 -3를 곱하면 $-\frac{1}{3}$와 $+1$을 구할 수 있다.

8.2.2 수요함수와 요소수요함수[4]

수요함수에 대해 비교정태분석을 해보기로 하자. 논의를 쉽게 하기 위해 콥 더글러스형 효용함수를 대상으로 수요곡선을 유도한 후 비교정태분석을 하기로 하자.

■ 목적함수

$$U = U(X,\ Y) = AX^{\alpha}Y^{\beta}$$

■ 제약조건

$$B = P_X X + P_Y Y$$

$$\max Z = U(X,\ Y) + \lambda(B - P_X X - P_Y Y)$$

X 에 대한 수요함수 $X^d = \frac{\alpha B}{(\alpha+\beta)P_X}$ 가 얻어지며

Y 에 대한 수요함수 $Y^d = \frac{\beta B}{(\alpha+\beta)P_Y}$ 가 얻어진다.

4 9장 최적화에 대한 이해가 있은 후 공부하기 바람.

비교정태분석을 해보면

$$\frac{\partial X^d}{\partial P_X} = -\frac{\alpha B}{(\alpha+\beta)P_X^2} < 0 \qquad \frac{\partial Y^d}{\partial P_Y} = -\frac{\alpha B}{(\alpha+\beta)P_Y^2} < 0$$

두 재화에 대한 수요법칙을 확인할 수 있다.

$$\frac{\partial X^d}{\partial B} = \frac{\alpha}{(\alpha+\beta)P_X} > 0 \qquad \frac{\partial Y^d}{\partial B} = \frac{\alpha}{(\alpha+\beta)P_Y} > 0$$

예산이 증가하면 수요량은 증가한다.

똑같은 과정을 콥 더글러스 생산함수에 적용하면

■ 목적함수

$$Q = f(L, K) = AL^{\alpha}K^{\beta}$$

■ 제약조건

$$C = \omega L + \gamma K$$

$$\max Z = AL^{\alpha}K^{\beta} + \lambda(C - \omega L - \gamma K)$$

L에 대한 수요함수 $L^d = \dfrac{\alpha C}{(\alpha+\beta)\omega}$가 얻어지며

K에 대한 수요함수 $K^d = \dfrac{\beta C}{(\alpha+\beta)\gamma}$가 얻어진다.

비교정태분석을 해보면

$$\frac{\partial L^d}{\partial \omega} = -\frac{\alpha C}{2(\alpha+\beta)\omega^2} < 0 \qquad \frac{\partial K^d}{\partial \gamma} = -\frac{\alpha C}{2(\alpha+\beta)\gamma^2} < 0$$

두 생산요소에 대한 수요법칙을 확인할 수 있다.

$$\frac{\partial L^d}{\partial C} = \frac{\alpha}{2(\alpha+\beta)\omega} > 0 \qquad \frac{\partial K^d}{\partial C} = \frac{\alpha}{2(\alpha+\beta)\gamma} > 0$$

예산이 증가하면 수요량은 증가한다.

실습문제 8-2

효용함수가 $U=U(X, Y)=X^{0.5}Y^{0.5}$이고 예산조건 $B=P_X X+P_Y Y$, $100=10X+10Y$ 조건하에서 수요곡선은 $X^d=\frac{1}{2}\frac{B}{P_X}=5$, $Y^d=\frac{1}{2}\frac{B}{P_Y}=5$ 로 구해진다.

만약 P_X 가 15로 증가하면 $X^d=\frac{1}{2}\frac{B}{P_X}=3.33$ X의 수요량 감소

만약 P_Y 가 5로 하락하면 $Y^d=\frac{1}{2}\frac{100}{5}=10$ Y의 수요량 증가

일반적으로 접근하여, 각 수요함수에 대해 편미분을 하면

$$\frac{\partial X^d}{\partial P_X}=-\frac{1}{2}\frac{B}{P_X^2}<0, \quad \frac{\partial X^d}{\partial B}=\frac{1}{2P_X}>0,$$

$$\frac{\partial Y^d}{\partial P_Y}=-\frac{1}{2}\frac{B}{P_Y^2}<0, \quad \frac{\partial Y^d}{\partial B}=\frac{1}{2P_Y}>0,$$

여기에서 가격과 수요량이 서로 반대 방향으로 움직인다는 수요의 법칙(law of demand)을 확인할 수 있다. 수요곡선상의 이동을 나타내고 있다. 또 예산이 증가함에 따라 수요가 증가하고 있다. 이는 수요의 이동을 의미하고 있다. 생산요소 수요함수도 똑같은 방법으로 구할 수 있다. 독자들의 몫으로 맡기고자 한다.

8.2.3 국민소득모형

다음은 거시경제학의 가장 기본이 되는 국민소득모형을 나타내고 있다,

$$Y=C+I_0+G_0$$

$$C=a+bY \quad a>0, 0<b<1$$

이 모형은 2개의 내생변수(국민소득(Y), 소비(C)와 2개의 외생변수(투자(I_0), 정부지출(G_0))그리고 2개의 파라미터(a, b)들로 구성되어 있다. $Y=a+bY+I_0+G_0$를 이용하면 균형국민소득과 균형소비는 아래와 같이 구해진다.

$$Y^E=\frac{(a+I_0+G_0)}{1-b} \quad C^E=\frac{a+b(I_0+G_0)}{1-b}$$

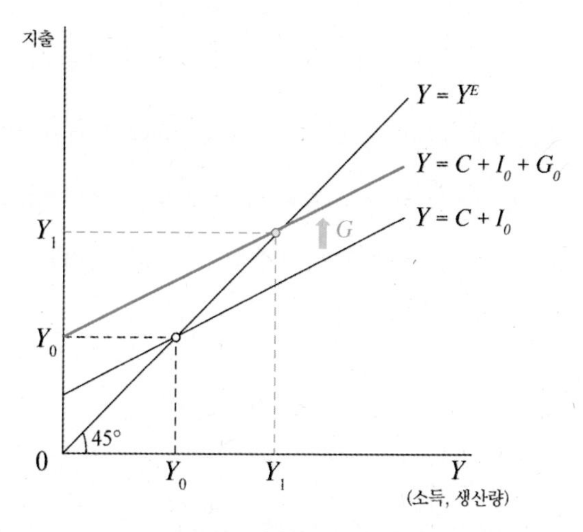

〈그림 8-4〉 균형국민소득의 결정

그리고 각 균형 값에 대해 각각 4개(a, b, I_0, G_0), 전체적으로는 8개의 비교정태분석이 가능하다, 특히 정부지출이 한 단위 증가할 때 국민소득이 얼마만큼 증가할 것인가를 나타내는 정부지출 승수(政府支出乘數, Government expenditure multiplier)는 균형소득을 정부지출에 대해 편미분하여 얻을 수 있다.

$$\frac{\partial Y^E}{\partial G} = \frac{1}{1-b} : \text{재정지출 승수}$$

이제 파라미터와 외생변수에 일정한 숫자를 부여하여 균형값과 정부지출 승수를 구해 보고 수식으로 구한 값과 비교해 보기로 하자.

만약 $I_0 = 20,\ G_0 = 10,\quad C = 10 + 0.5Y$일 때

$$\text{균형소득}(Y^E) = \frac{(10+20+10)}{1-0.5} = 80$$

$$\text{균형소비}(C^E) = \frac{10+0.5(20+10)}{1-0.5} = 50$$

만약 G가 20으로 증가한 경우($\triangle G = 10$) Y^E와 C^E는 얼마인가?

직접계산을 해 보면

$$Y_1^E = \frac{(10+20+20)}{1-0.5} = 100 \quad C_1^E = \frac{10+0.5(20+20)}{1-0.5} = 60$$

재정승수가 $\frac{1}{1-b}=\frac{1}{1-0.5}=2$이고 $\triangle G$가 10이기 때문에 $\triangle Y=20$ 균형소득은 80에서 100으로 상승한다. 직접 계산을 써서 얻은 값과 공식을 이용한 값이 같다.

이상에서 본 바와 같이 미분법을 이용한 비교정태분석은 매우 쉽게 일반화된 결과를 보여주고 있어 미분, 편미분, 내생변수, 외생변수 등 좀 어려운 개념과 분석방법을 배우지만 학습한 다음에는 쉽고 정확하게 계산할 수 있는 능력을 보여주고 있다.

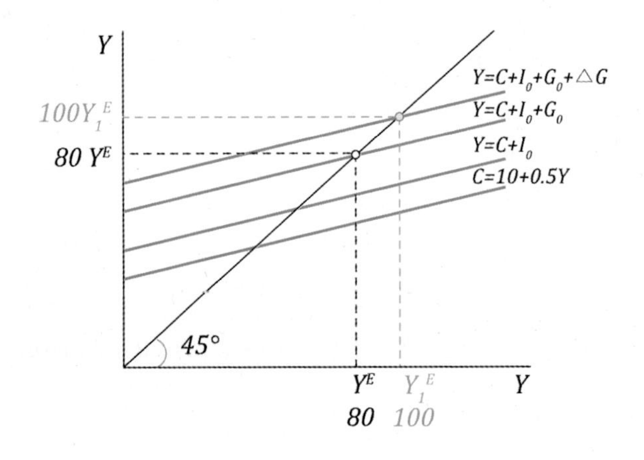

8.2.4 IS LM 모형[5]

일반화시켜 분석해 보기로 하자.

$$IS : aY + bi = g$$

$$LM : cY - di = m$$

이 관계식을 행렬로 표시하면

$$\begin{bmatrix} a & b \\ c & -d \end{bmatrix} \begin{bmatrix} Y \\ i \end{bmatrix} = \begin{bmatrix} g \\ m \end{bmatrix}$$

5 IS는 재화시장의 균형을 나타내는 소득과 이자율과의 관계식이며, LM은 화폐시장의 균형을 나타내는 소득과 이자율과의 관계식이다.

$$Y^E = \frac{gd + bm}{ad + bc}$$

$$i^E = \frac{gc - am}{ad + bc}$$

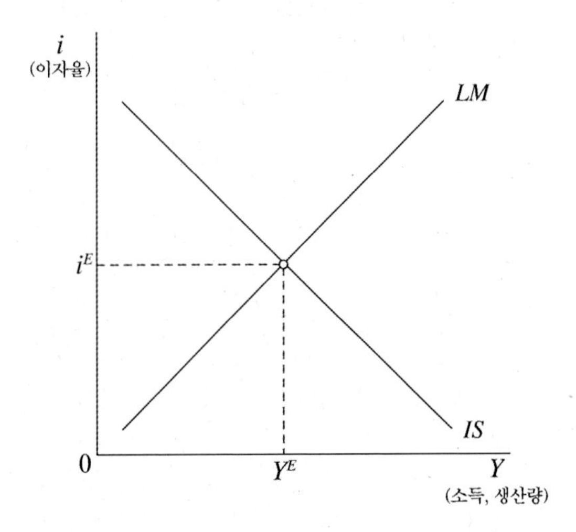

〈그림 8-5〉 재화시장과 통화시장의 균형

비교정태분석을 해보기로 하자. 이 모형에서는 내생변수가 2개(Y, i), 외생변수가 6개(a, b, c, d, g, m)이므로 12개의 비교정태분석이 가능하다.

- $\frac{\partial Y^E}{\partial a}, \frac{\partial Y^E}{\partial b}, \frac{\partial Y^E}{\partial c}, \frac{\partial Y^E}{\partial d}, \frac{\partial Y^E}{\partial g}, \frac{\partial Y^E}{\partial m}$

  : 파라미터와 외생변수의 변화가 소득에 미치는 영향

- $\frac{\partial i^E}{\partial a}, \frac{\partial i^E}{\partial b}, \frac{\partial i^E}{\partial c}, \frac{\partial i^E}{\partial d}, \frac{\partial i^E}{\partial g}, \frac{\partial i^E}{\partial m}$

  : 파라미터와 외생변수의 변화가 이자율에 미치는 영향

정부지출(g) 변화가 균형소득과 균형이자율에 미친 영향을 계산해 보면

$$\frac{\partial Y^E}{\partial g} = \frac{d}{ad + bc} > 0$$

$$\frac{\partial i^E}{\partial g} = \frac{c}{ad + bc} > 0$$

정부지출(g)이 증가하면 균형소득도 균형이자율도 모두 상승한다. <그림 8-6>에서도 확인할 수 있다.

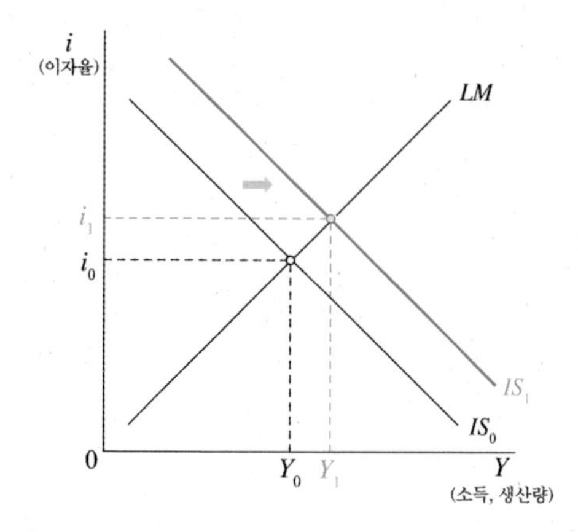

〈그림 8-6〉 정부지출 증가가 소득과 이자율에 미치는 영향

통화량(m) 변화가 균형소득과 균형이자율에 미친 영향을 계산해 보면

$$\frac{\partial Y^E}{\partial m} = \frac{b}{ad+bc} > 0$$

$$\frac{\partial i^E}{\partial m} = \frac{-a}{ad+bc} < 0$$

통화량(m)이 증가하면 균형소득은 증가하지만 균형이자율은 하락한다. <그림 8-7>에서도 확인할 수 있다.

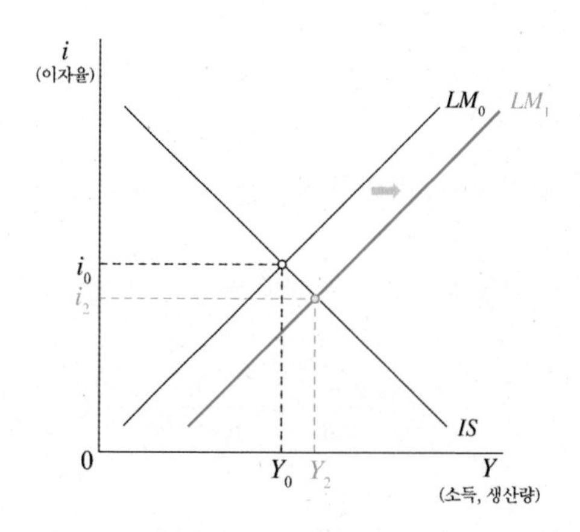

〈그림 8-7〉 통화량 증가에 의한 균형국민소득과 균형이자율의 변화

8.3 비교정태분석의 한계[6]

지금까지 살펴본 경제학의 균형에 관한 문제는 경제모형에서의 내생변수들의 변화에 관한 문제였다. 즉 초기균형값에서 어떤 정책이나 외부적 충격으로 인해 새로운 균형에 도달하였을 경우 이 새로운 균형과 초기균형과의 비교문제였다. 여기서 우리는 이 균형이 단지 어디에서 이루어질 것인가를 다루고 있을 뿐 균형에 도달하는 데 얼마나 많은 시간이 소요될 것인지 그리고 어떤 과정을 거쳐 도달할 것인지에 대해서는 관심을 두고 있지 않다. 즉 균형의 결과만을 다루고 있을 뿐 과정은 다루고 있지 않다. 그러므로 정태분석은 중요한 두 가지 문제를 고려하고 있지 못하다.

첫째, 균형상태의 이동에 관한 문제다. 비교정태분석에서는 모형의 외생변수가 변화하게 되면 그 결과 내생변수가 새로운 균형을 찾아가는 동안 외생변수에는 변화가 발생하지 않는다는 것을 전제로 하고 있다. 그러나 현실에서는 경제 환경의 변화로 인해 외생변수에 변화가 발생하면 최초의 충격을 기반으로 도출된 새로운 균형은 그 타당성을 상실하게 되어 균형을 해석함에 있어 문제가 발생하게 된다.

둘째, 불안정균형을 고려하지 않고 있다는 것이다. 비교정학분석은 내생변수가 초기의 균형에서 이탈하여 새로운 균형에 항상 도달하는 것으로 하고 있다. 그러나 이 내생변수들이 새로운 균형을 찾아가는 조정과정에서 오히려 균형으로부터 점점 더 이탈하여 멀어지는 경우가 있다. 이것을 불안정균형(unstable equilibrium)이라 한다.

이처럼 비교정태분석에서 다루고 있지 않는 위의 두 가지 문제들, 즉 균형의 도달가능성 문제와 균형의 안정성에 관한 문제를 다루는 것은 동학분석(動態分析, dynamic analysis) 영역에 속한다.

저자는 비교정태 분석을 성형수술에 비유한 바 있다. 사실 제대로 된 성형외과 의사라면 단순히 수술을 시행하는 능력을 갖추어야 할 뿐 아니라 수술의 부작용, 완치까지의 과정에 대한 이해, 또 수술과정에서 발생할 수 있는 불의의 사고 등 A에서 Z까지 전 과정에 대한 이해와 대처 능력이 필요하다. 이런 모든 과정을 연구하는 것이 동학분석을 포함하는 것이다. 비교정학분석은 그런 과정이나 실패의 가능성을 배제한 채 처음 상태와 마지막 상태만을 비교한다는 한계를 가지고 있는 셈이다.

6 이 절의 내용은 주로 정기준·이성순 역, 『경제·경영수학 길잡이』의 6장을 참고하였음.

존 메이나드 케인즈(John Maynard Keynes, 1883~1946)

그의 경제학 논리적 출발점은 유효수요(effective demand theory)의 원리이다. 당시 사람들은 "공급은 스스로 수요를 창출한다"는 세이의 법칙을 근거로 물가와 임금이 시간을 두고 신축적으로 조정되어 경기가 회복될 것이라고 믿었다. 그러나 케인즈는 그들을 신랄하게 비판하면서 물가와 임금이 경직적이라면 총수요 부족 상태가 지속될 수 있으며 만성적인 경기침체가 발생할 수 있음을 지적하였다. 그리고 이를 타개하기 위해서는 정부지출을 늘리거나 세금을 감면해주는 등 정부개입에 의한 인위적인 수요진작정책이 필요하다는 것을 역설하였다. 위에서 배운 정부지출 승수를 염두에 둔 주장이라고 해석할 수 있다. 가히 경제관 발상의 혁명적인 전환이라고 평가받고 있다. 그는 거시경제학의 아버지로 불리고 있으며 그의 업적을 케인즈 혁명(Keynesian revolution)이라고 부르고 그의 사상을 따르는 학자들은 케인지안(Keynesian), 그의 학설은 케인지안 경제학 혹은 케인즈 경제학(Keynesian economics)이라고 부르고 있다.

부록 음함수 정리

■ 음함수란?

양함수(陽函數, explicit function)란 종속변수 없이 독립변수들의 식만으로 표현되는 함수를 말한다. 독립변수가 하나일 경우, 양함수는 다음과 같은 형태가 된다. $y = f(x)$.
음함수(陰函數, implicit function)는 종속변수가 독립변수와 분리되지 않은 하나의 관계식으로 주어진 함수를 말한다. 독립변수가 하나일 경우, 음함수는 다음과 같은 형태가 된다. $F(x,y) = 0$

음함수를 종속변수에 대해 식을 정리하여 양함수로 만들 수 있는 경우도 있지만, 그렇지 못한 경우도 있다. 이 경우 다가함수(multivalued function)가 된다. 이것은 실질적으로 함수의 정의에서 벗어나므로 함수가 아니지만 함수처럼 취급하면 편리한 경우가 많으므로 통상 '함수'라는 용어를 쓰고 있다.

■ 음함수 정리와 비교정태분석

음함수 정리(the implicit function theorem)는 특정 조건을 만족하는 음함수는 국지적으로 양함수로 바꿀 수 있다는 정리로서, 음함수와 양함수 간의 관계를 설명해준다.

내생변수와 외생변수가 혼재하고 있는 구조형(構造形, structural form)에서 음함수 정리를 활용하면 해를 구체적으로 구하지 않고도 비교정학분석이 가능하다. 여러 개의 음함수로 이루어진 식에 음함수 정리를 적용하려면, 모든 변수에 대해 편미분이 가능해야 하고, 음함수를 내생변수로 편미분하여 만들어진 야코비안 행렬식의 값(Jacobian determinant)이 0이 아니어야 한다.[7]

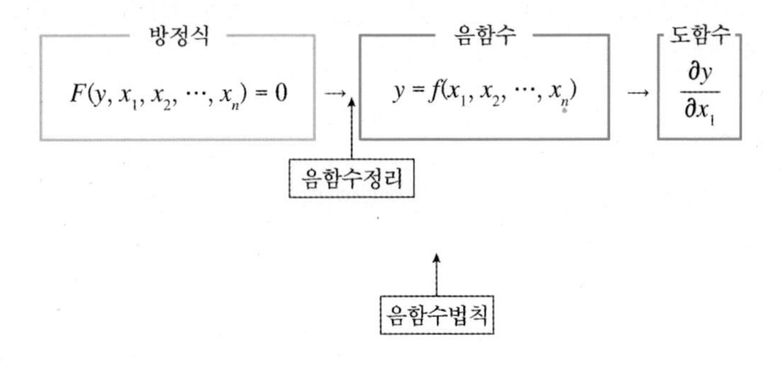

7 야코비안(1804~1851)은 프러시안 왕국(현재 독일) 출신의 유대인 수학자다. 타원함수, 동태 미분방정식, 정수론에 큰 업적을 남겼다.

핵심어

- 비교정태분석의 정의와 한계
- 내생변수
- 외생변수
- IS곡선
- LM곡선

연습문제

○× 문제

1. 비교정학분석을 이론 경제학의 중심적인 분석 방법으로 부각시킨 사람은 사뮤엘슨이다.
2. 비교정학분석이란 균형 상태에서 내생변수의 변화에 따른 외생변수의 변화를 구하는 분석 방법이다.
3. 양함수란 종속변수 없이 독립변수들의 식만으로 표현되는 함수를 말한다.
4. 비교정학분석을 통해 정성적, 정량적 분석을 동시에 할 수 있는 장점이 있다.

단답형

1. 비교정학분석을 함에 있어 (   )과 (   )을 적극 활용한다.
2. 비교정학분석은 균형의 (   )과 (   )에 대해 무시하고 있다는 한계가 있다.
3. ( )정리를 활용하면 해를 구체적으로 구하지 않아도 비교정학분석이 가능하다.
4. 비교정태분석이란? 정의와 경제분석 기여, 그리고 그 한계에 대해 설명하라.

풀이형

1. 다음은 돼지고기 수요 공급 균형모델이다.

$$P^d = a - bQ \quad (\text{수요곡선}) \quad a,b > 0$$

$$P^s = c + dQ \quad (\text{공급곡선}) \quad c,d > 0$$

(1) 최근 날씨가 좋아지면서 야외 바비큐 수요가 증가함에 따라 돼지고기 수요가 증가하고 있다. 이에 따른 가격과 거래량의 변화를 비교정태분석으로 설명하고, 그래프로 그려서 확인하라.

(2) 최근 전염병으로 인해 돼지 공급이 감소하였다. 이에 따른 가격과 거래량의 변화를 비교정태분석으로 설명하고, 그래프로 그려서 확인하라.

(3) 위의 두 문제 (1)과 (2)가 동시에 발생할 때 가능한 균형가격과 거래량은 어떤 값을 갖겠는가?

2. 생산함수가 $Q=f(L,K)=L^{0.6}K^{0.4}$이고 비용조건 $C=\omega L+\gamma K$하에서 두 생산요소의 수요함수를 구하고, 각 요소에 대해 수요의 법칙이 성립함을 보여라.

3.

$$\text{수요함수 } Q^d = a - bP \quad (a, b > 0)$$
$$\text{공급함수 } Q^s = -c + dP^* \quad (c, d > 0)$$
$$\text{물품세 } P^* = P - t$$

(1) 정부가 재화 한 단위에 t원씩의 물품세(物品稅, excise tax)를 부과하였다. 새로운 변수 P^*가 추가되었으며 기업이 한 단위를 판매할 때 실제로 얻게 되는 수입을 나타내는 내생변수이다. 균형가격과 거래량을 구하라.

(2) 물품세 변화에 따른 균형 가격과 거래량의 변화를 비교정태분석으로 설명하고, 그래프로 그려서 확인하라.

4. 다음 국민소득 모형에서

$$Y = C + I_0 + G_0$$
$$C = a + b(Y - T) \ (a > 0, 0 < b < 1)$$
$$T = \alpha + \beta Y \ (\alpha > 0,\ 0 < \beta < 1)$$
$$I_0 = 20,\ G_0 = 30,\ a = 100,\ b = 0.5,\ \alpha = 10,\ \beta = 0.1 \text{ 일 때}$$

(1) 균형소득과, 균형소비수준, 그리고 균형조세수준을 구하시오.

(2) 내생변수와 외생변수를 구별하시오.

(3) $\Delta G = 10$일 때 정부지출승수를 구하시오.

(4) (4)를 그림으로 나타내시오

5. 재화시장 $Y = C + I$: $C = 48 + 0.8Y$ $I = 98 - 75r$

화폐시장 $M^S = 250$ $M^d = M_t$(거래적 수요)$+ M_{sp}$(투기적 수요)

$$M_t = 0.3Y \qquad M_{sp} = 52 - 150r$$

(1) IS, LM 곡선을 구하고 그려라.

(2) 균형 Y, r를 구하라.

(3) 이때 C, I, M_t, M_{sp}를 구하라.

(4) 통화정책의 효과를 구하고, 통화량이 증가한 경우 균형 Y, r을 구하라. 이를 그림으로 나타내라.

6. 국민소득모형이 아래와 같이 주어졌을 때

$$Y = C + I_0 + G_0$$
$$C = a + b(Y - T) \quad (a > 0, 0 < b < 1)$$
$$T = tY \qquad (0 < t < 1)$$

(1) 균형소득, 균형소비, 및 균형조세수준은 얼마인가?

(2) 내생변수와 외생변수를 구별하라.[8]

(3) 정부지출승수를 구하고, 그림으로도 나타내라.

(4) 세율의 증가에 따라 소득, 소비, 조세의 변화는 어떻게 나타나는가?

(5) (4)를 그림으로 나타내라.

7. 재화시장은

$$Y = C + I_0 + G_0$$
$$C = a + b(Y - T) \quad (0 < b < 1)$$
$$T = tY \qquad (0 < t < 1)$$

---

8 연립방정식(聯立方程式) 체계를 풀 때 일차적으로 내생변수와 외생변수를 정확히 구별하여야 한다. 내생변수(內生變數, endogeneous variable)는 모형 내에서 설명하고자 하는 변수를 말하며 외생변수(外生變數, exogeneous variable)는 내생변수를 결정하는 데 관여하지만 이 모형 내에서 설명되지 않고 모형 외적으로 결정되는 변수를 말한다.

화폐시장은

$$M^d = m + nY - fr \quad (m, n, f > 0)$$

$$M^s = M_0 \qquad \text{고정된 통화량}$$

$$M^d = M^s \qquad \text{화폐시장의 균형조건}$$

(1) IS와 LM 식을 구하라.

(2) 두 시장을 동시에 만족시키는 균형소득과 이자율을 구하라.

(3) 정부지출 증가에 따른 국민소득과 이자율의 변화를 구하고, 그림으로 나타내라.

(4) 6번에서 구한 정부지출승수와 (3)에서 구한 정부지출승수의 차이를 설명하라.

(5) 통화량 증가에 따른 국민소득과 이자율의 변화를 구하고, 그림으로 나타내라.

CHAPTER 9

최적화

인간의 어떠한 탐구도 수학적인 증명을 거친 것이 아니면 참된 과학이라 부를 수 없다.

• 레오나르도 다 빈치(Leonardo da Vinci)

경제학은 사람과 사회가 여러 대안을 가지고 있는 희소한 자원(여러 사람과 사회 그룹 간에, 현재나 미래에)을 다양한 상품을 생산하기 위해 어떻게 쓰고 생산물을 어떻게 나누느냐에 대한 학문이다.

• 사뮤엘슨(Paul A. Samuelson, 1915~2009)

학습목표

경제학이나 경영학에서 다루는 많은 의사결정 문제들은 극대화 및 극소화 문제와 밀접하게 관련되어 있다. 예컨대 소비자들은 소비를 통한 효용(만족)을 극대화하려고 하거나 지출을 극소화하려고 하며, 기업들은 이윤을 극대화하거나 비용을 극소화하고자 하는 문제에 직면하게 된다. 또한 정부는 정부의 정책을 통해 국민들의 후생수준을 극대화하거나 성장률을 극대화하려는 문제에 직면한다. 이러한 문제들을 경제학에서는 최적화문제라 하며, 이 장에서는 이러한 경제주체들의 최적화문제를 다루게 된다.

먼저 제약조건이 없는 단일변수함수의 극대, 극소에 대해 공부한 후 제약조건이 없는 다 변수 함수의 극대, 극소, 그리고 제약조건이 있는 다변수함수의 극대, 극소로 점점 현실적인 분석 능력을 제고시켜 나갈 것이다.

구성

9.1 최적화의 의의

9.2 제약조건이 없는 단일변수함수의 극대, 극소

9.3 제약조건이 없는 다변수함수의 극대, 극소

9.4 제약조건이 있는 다변수함수의 극대, 극소

9.1 최적화의 의의

최적화문제는 어떠한 문제에 직면하는가에 따라 구조가 달라지겠지만, 대부분의 경우 이 문제를 정식화하는 데 있어서 가장 먼저 이해해야 할 것은 목적함수(目的函數, objective function)와 제약조건(制約條件, constraint)이다.

먼저 제약조건이 없는 단일변수함수에 대해 극값을 찾는 것은 <그림 9-1>에서 볼 수 있듯이 중고교에서는 물론 이 책 미분법을 공부하면서 많이 다루었다. 앞으로 우리가 집중적으로 공부할 부문은 등식제약조건부 다변수함수에 대한 극값을 찾는 것이다. 부등식제약조건부 최적화는 이 책의 범위를 넘는 부문이다.

등식제약조건부 다변수함수에 대한 극값을 찾는 문제는 아래와 같이 쓸 수 있다.

$$\max \text{ or } \min\ y = f(x_1, x_2, \cdots, x_n) \text{subject to constraint}$$[1]

위 함수에서 극대화(極大化, maximization) 또는 극소화(極小化, minimization)의 대상이 되는 함수 f를 목적함수라고 하며 목적함수가 바람직한 극댓값 또는 극솟값을 갖도록 하는 독립변수 x를 선택변수(choice variables)라고 한다[의사결정변수(decision variables) 또는 정책변수(policy variables)라고도 한다]. 제약조건은 $c = g(x_1, x_2, \cdots, x_n)$으로 표현된다.

최적화문제에서 목적함수가 극댓값 또는 극솟값을 갖게 하는 정의역 내(제약조건이 감안된)의 점 x가 존재한다면 그 점을 최적해(optimal solution)라 하며 그 점에서의 목적함수의 값 $f(x)$를 극값(extremum)이라고 부른다. 결국 최적화 과정의 핵심은 우리가 원하는 목적함수의 극값을 가져다주는 선택변수들의 값을 찾는 것이다.

함수의 극대와 극소 문제는 제약 없는(무제약) 경우와 제약 있는(제약조건부) 경우로 나눌 수 있다. 후자는 최적화라고 부른다. <표 9-1>에 여러 가지 극대, 극소 문제를 정리해 보았다. 다음 절에서는 제약조건이 없는 단일변수함수의 극대, 극소 문제를 다룰 것이고 이어서 9.4절에서 제약조건이 있는 다변수함수의 최적화문제를 다룰 것이다.

---

1 제약조건: subject to를 s,t로 표기한다.

〈표 9-1〉 여러 가지 극대, 극소 문제

<table>
<tr><td>제약 없는(무 제약) 극대와 극소 문제</td><td colspan="2">일 변수함수, 다변수함수</td></tr>
<tr><td rowspan="2">제약 있는(제약조건부) 극대와
극소문제《최적화》</td><td>등식제약조건부 최적화</td><td>일 변수함수, 다변수함수</td></tr>
<tr><td>부등식제약조건부 최적화</td><td>일 변수함수, 다변수함수</td></tr>
</table>

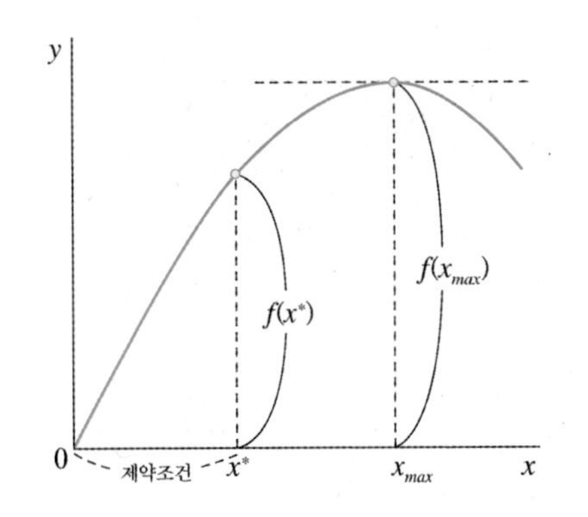

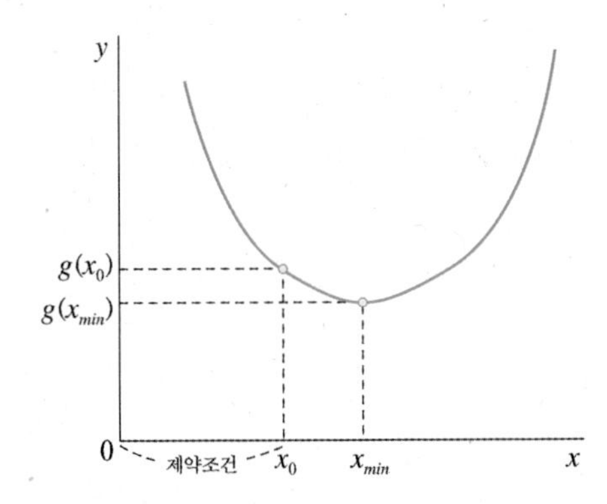

〈그림 9-1〉 제약조건과 극대, 극소(단일변수함수)

9.2 제약조건이 없는 단일변수함수의 극대, 극소

9.2.1 상대적 극값과 절대적 극값

우선 $y=f(x)$ 같은 일반함수가 양의 실수영역에서 정의되어 있다고 가정하자. 이 함수의 구체적 형태는 알 수 없으나 최적화문제의 목적인 극대와 극소문제를 이해하기 위해 <그림 9-2>에 세 종류의 그래프를 대상으로 공부해 보기로 하자.

이제 점 x^*가 $y=f(x)$에서 정의된 어떤한 점이라 하자. 그리고 충분히 작은 양수 $c>0$에 대하여

$$x^* - c < x < x^* + c \Rightarrow f(x) < f(x^*)$$

가 성립하면 이 함수는 $x=x^*$에서 상대적 극댓값 $f(x^*)$를 갖는다고 말하고, 점 $(x^*, f(x^*))$를 상대적 극대점이라 한다(<그림 9-2>(a)). 또 충분히 작은 양수 $c>0$에

대하여

$$x^* - c < x < x^* + c \Rightarrow f(x^*) < f(x)$$

가 성립하면 이 함수는 $x = x^*$에서 상대적 극솟값 $f(x^*)$를 갖는다고 말하고, 점 $(x^*, f(x^*))$를 상대적 극소점이라 한다(<그림 9-2>(b)). 상대적 극대점(극소점)이라 함은 오직 그 점의 근방(近傍, neighborhood)에서 극대(극소)값이 된다는 의미이다. 그리고 이 상대적 극댓값과 극솟값을 통틀어 극값이라 한다. <그림 9-2>(c)의 경우 x의 구간 내에서 $f(x_1^*)$는 상대적 극댓값을, $f(x_2^*)$는 상대적 극솟값을 나타내고 있다.

지금까지 함수 $f(x)$의 정의역을 양의 실수영역으로 제한하여 극값의 문제를 살펴보았지만 정의역을 음의 실수영역까지 확장하는 경우 정의역 구간에서 가장 작은 값(절대적 극솟값)과 가장 큰 값(절대적 극댓값)이 존재함을 쉽게 이해할 수 있다.[2] <그림 9-2>(a)의 경우 $f(x^*)$가 음의 실수 영역까지 확장하는 경우 절대적 극댓값이 될 수도 있고 또 그렇지 않을 수도 있다는 것을 생각해보면 쉽게 이해가 될 것이다. 같은 이치로 <그림 9-2>(b)의 경우 $f(x^*)$가 절대적 극솟값이 될 수 있다.

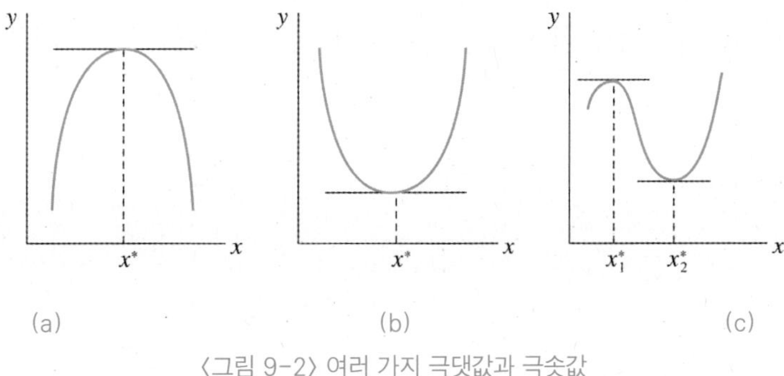

(a) (b) (c)

〈그림 9-2〉 여러 가지 극댓값과 극솟값

<그림 9-2>(a)에서는 극댓값이 최댓값이 되며 <그림 9-2>(b)에서는 극댓값이 최솟값이 되고 있다. <그림 9-2>(c)에서는 최댓값과 최솟값은 존재하지 않으나 극댓값과 극솟값

2 상대적 극대(극소)값을 국지적(局地的, local) 극대(극소)값이라고 부르며, 절대적 극대(극소)값을 전역적(全域的, global) 극대(극소)값이라고 부르기도 한다. 상대적 극댓값(상대적 극솟값)을 단순히 극댓값(극솟값)이라고 하고 절대적 극댓값(절대적 극솟값)을 단순히 최댓값(최솟값)이라고 부른다.

이 존재하는 함수이다.

<그림 9-2>(c)에서 그려진 함수처럼 여러 개의 상대적 극값을 가질 수 있다. 이 극값 중에는 몇 개는 극댓값도 될 수 있으며 다른 몇 개는 극솟값이 될 수 있다.

경제학 · 경영학에서 다루는 대부분의 변수들이 갖는 값들은 양의 값을 갖는 것으로 제한되어 있으며 함수의 형태도 <그림 9-2>(a), (b)와 같이 하나의 굴곡을 갖는 함수를 주로 대상으로 하기 때문에 우리는 최댓값(절대 극댓값)이나 최솟값(절대 극솟값)보다는 상대적 극댓값이나 상대적 극솟값 문제를 주로 다루게 될 것이다 .

9.2.2 1계 도함수에 의한 극값 판정법

우리가 이 책에서 다루는 함수는 미분가능한 함수이므로 함수 $f(x)$는 구간 $[0, \infty]$에서 미분가능하고, 또 $f'(x), f''(x), f''(x), \ldots$도 모두 이 구간에서 연속인 함수라 가정하기로 한다. 따라서 이 책에서 다루는 함수의 그래프는 <그림 9-3>처럼 매끄러운 곡선을 갖는다.

이런 경우 상대적 극값은 1계 도함수의 값이 0인 경우에서만 발생할 수 있다.[3] 이는 곧 곡선의 기울기가 0인 경우로 <그림 9-3>에서 점 x_1^*와 x_2^*를 나타내며 이 점들에서 $f(x_1^*) = 0$, $f(x_2^*) = 0$이 된다.

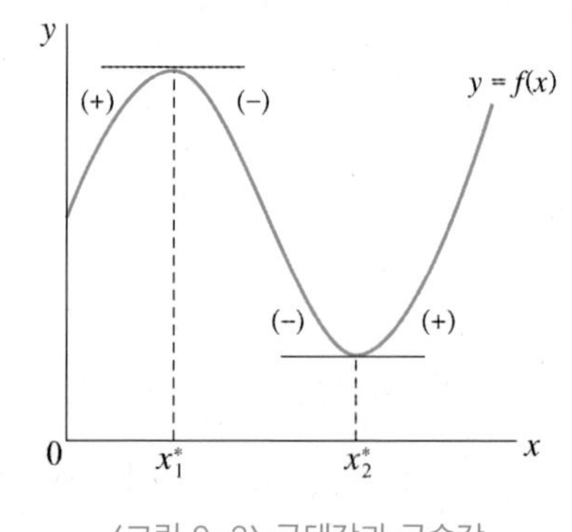

〈그림 9-3〉 극댓값과 극솟값

3 곡선의 기울기가 0이라는 것은 상대적 극값의 필요조건이지 충분조건은 아니다.

① $f'(x)$의 부호가 x_1^* 주위에서 양에서 음으로 변하면 하나의 상대적 극댓값이다.

- 정상(peak)

② $f'(x)$의 부호가 x_2^* 주위에서 음에서 양으로 변하면 하나의 상대적 극솟값이다.

- 골짜기밑바닥(trough)

$f(x^*)=0$일 때 x^*의 값을 임계값(critical value)이라고 하며 $f(x^*)$를 y 또는 함수의 정지값(stationary value)이라고 한다. 그리고 x^*와 $f(x^*)$좌표를 갖는 점을 정지점(stationary point)이라고 부른다$(x^*, f(x^*))$.

예제 9-1

함수 $f(x) = ax^2+bx+c \quad (a \neq 0)$에서

$$f'(x)=2ax+b \qquad f''(x)=2a$$

임계값을 $f'(x)=0$로 놓으며 $x=-\dfrac{b}{2a}$이다.

$f''(x)=2a$로서 a의 부호에 따라 부호가 좌우된다.

$$f''(x)=2a>0,\ a>0 \qquad f''(x)=2a<0,\ a<0$$

그러므로

$a>0$이면, $f(-\dfrac{b}{2a}) = -\dfrac{b^2-4ac}{4a}$는 극솟값이고

$a<0$이면, $f(-\dfrac{b}{2a}) = -\dfrac{b^2-4ac}{4a}$는 극댓값이다.

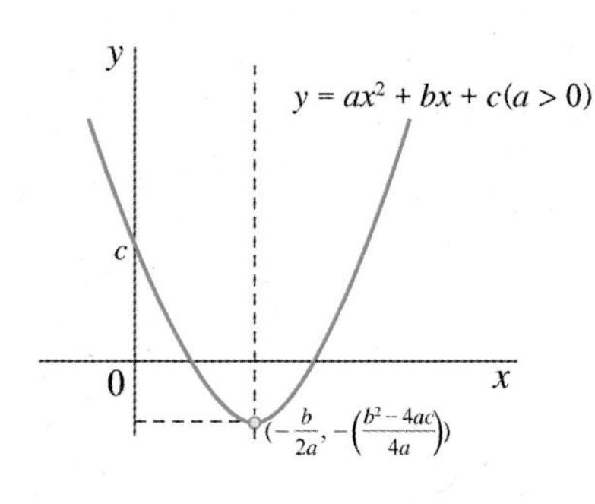

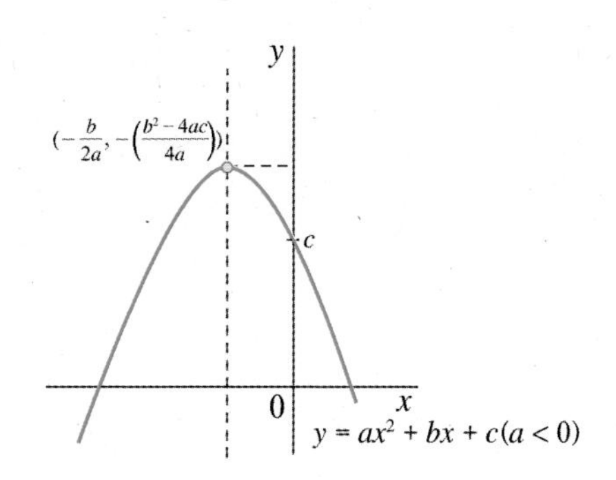

〈그림 9-4〉 2차함수의 극대, 극소

<그림 9-5>를 보면 네 개의 함수 모두는 $x = x^*$ 에서 곡선의 기울기가 0이 된다. 그러나 x^*의 좌우에서 보면 도함수의 부호는 변하지 않고 모두 같다. <경우 1>과 <경우 4>에서 보면 x^*의 좌우에서 모두 양의 기울기를 갖으며 <경우 2>와 < 경우 3>을 보면 x^*의 좌우에서 모두 음의 기울기를 갖는다. 이는 위에서 살펴본 1계 도함수 검증법에 어긋난다. 따라서 극대도 극소도 아니다. 이와 같은 점을 변곡점(變曲點, inflection point)이라 한다. 변곡점의 특징은 원시함수가 아닌 도함수가 그 점에서 극값에 도달한다는 것이다. 함수가 접선과 교차하며 오목이던 함수 모양이 볼록하게 변하거나 볼록이던 함수 모양이 오목으로 변하는 점이다. 변곡점은 기울기가 바뀌는 경계점이 아니라 곡률(曲率, curvature)이 바뀌는 점이다. 2계 미분 계수값이 0이거나 정의되지 않는 경우이다. 1계 미분계수의 부호는 중요하지 않다.

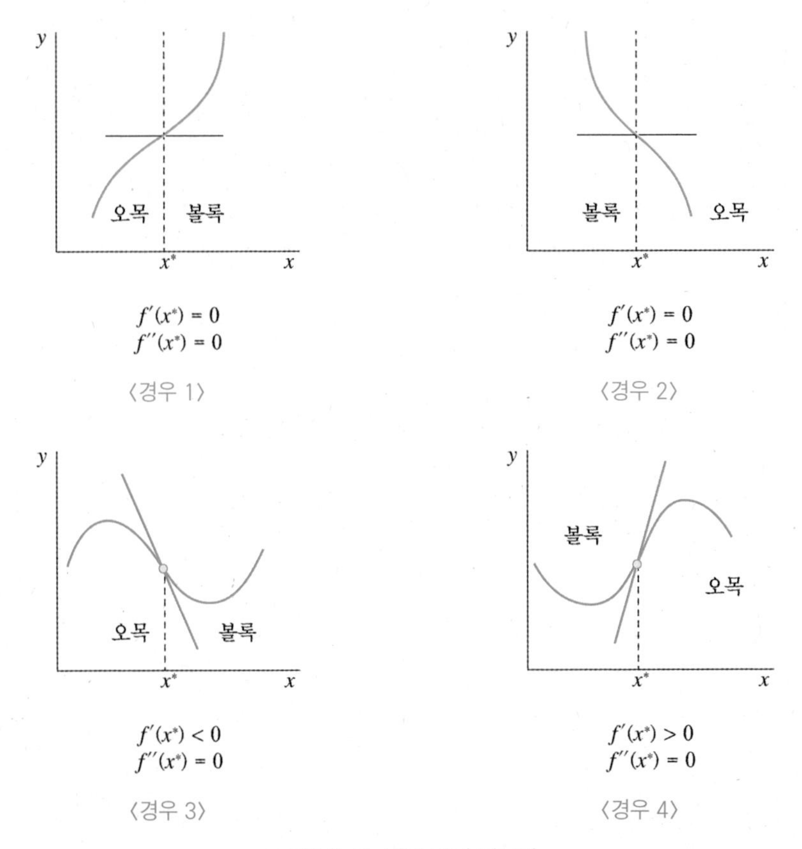

〈그림 9-5〉 여러 가지 변곡점

변곡점은 <그림 9-5>에서 보는 바와 같이 아래와 같은 특징을 갖는다.[4]

① $f''(x^*)=0$ 혹은 정의되지 않음

② $x=x^*$ 에서 곡선의 굴곡형태가 변한다.(오목에서 볼록 혹은 볼록에서 오목)

③ $x=x^*$ 에서 그래프와 접선이 교차한다.

예제 9-2

$y=100-4x+\frac{1}{3}x^3$ 이 함수의 극대, 극솟값을 구하라.

풀이

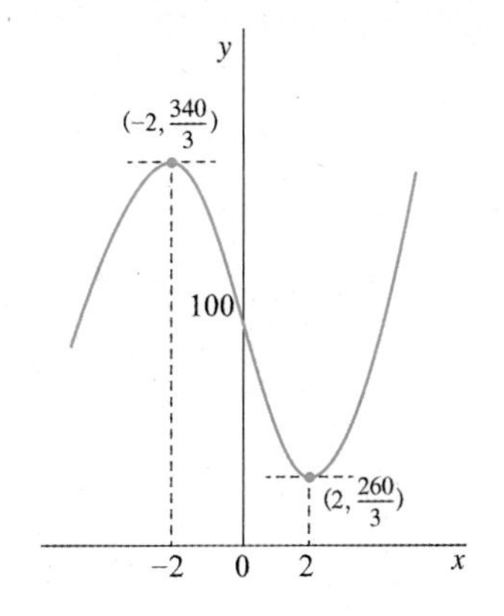

1계 미분하면

$$y' = -4+x^2 = 0$$
$$x_1 = -2 \text{ 혹은 } x_2 = 2$$

2계 미분하면

$$y'' = 2x = -4<0, \quad x_1 = -2 \quad \Rightarrow \text{극댓값}$$
$$y'' = 2x = 4>0, \quad x_2 = 2 \quad \Rightarrow \text{극솟값}$$
$$f(-2) = \frac{340}{3} \text{ : 극댓값} \quad f(2) = \frac{260}{3} \text{ : 극솟값}$$

일상생활에서 볼 수 있는 극값

"박수칠 때 떠나라" - 상대적 극댓값에 이르렀을 때 결단을 내려라.
"그 때가 내 인생의 전성기였다" - 절대적 극댓값(최곳값)
"그 때를 생각하면 치가 떨린다" - 절대적 극솟값(최솟값)
"부림 사건은 노무현 대통령 일생에 큰 전환점이 되었다." - 변곡점
"그 선수는 제2의 전성기를 맞이하고 있다" - 상대적 극댓값이 2개

4 두 곡선의 결합에 의한 곡선의 굴곡과 극대, 극소에 대해서는 부록을 참고하기 바람.

실습문제 9-1

이웃하고 있는 양계 농장(A와 B)에서 각 기업의 비용함수는 $C_A = C_A(q_A, q_B) = q_A^2 + 2q_A - q_B^2$이고 $C_B = C_B(q_A, q_B) = 2q_B^2 + 2q_B + q_A^2$로 나타났다. q_A의 가격(p_A)은 12이고 q_B의 가격(p_B)은 18이다.

(1) 서로에게 미치는 영향을 수학적으로 보이고 외부효과에 대해 설명하라.
(2) 이 사장이 경쟁시장에 있다고 할 때 각 기업의 이윤극대화 생산량과 이윤을 구하라. 그리고 이윤의 합은 얼마인가?
(3) 두 기업이 합병을 하여 하나의 기업이 된 경우, 이 기업의 이윤극대화 생산량과 이윤을 구하라. 2)에서 구한 두 기업의 이윤의 합과 합병 기업 이윤을 비교하라.
(4) 합병 전후의 생산량과 이윤의 변화를 구하고, 경제학적으로 설명하라.

풀이

(1) $C_A = C_A(q_A, q_B) = q_A^2 + 2q_A - q_B^2$ 에서 $\dfrac{\partial C_A}{\partial q_B} = -2q_B < 0$

$C_B = C_B(q_A, q_B) = 2q_B^2 + 2q_B + q_A^2$ 에서 $\dfrac{\partial C_B}{\partial q_A} = +2q_A > 0$

B의 생산 증가는 A의 생산비용을 감소시키고 있다. 생산에서의 긍정적 외부효과라고 부른다. A의 생산 증가는 B의 생산비용을 증가시키고 있다. 생산에서의 부정적 외부효과라고 부른다.

(2) 기업 A의 이윤극대화 조건은

$$\underset{q_A}{Max}\ \pi_A = p_A q_A - c_A = 12q_A - (q_A^2 + 2q_A - q_B^2)$$

이다. 이로부터 이윤극대화의 1차 필요조건은

$$\frac{\partial \pi_A}{\partial q_A} = 12 - 2q_A - 2 = 0,\ 12 = 2q_A + 2$$

이 된다. 이로부터 $\bar{q}_A = 5$이 얻어진다.

이번에는 기업 B의 이윤극대화 문제는

$$\underset{q_B}{Max}\ \pi_B = p_B q_B - c_B = 18q_B - (2q_B^2 + 2q_B + q_A^2)$$

가 된다. 이로부터 이윤극대화의 1차 필요조건은

$$\frac{\partial \pi_B}{\partial q_B} = 18 - 4q_B - 2 = 0,\ \ 18 = 4q_B + 2$$

이다. 이로부터 $\bar{q}_B = 4$를 얻는다. $\bar{q}_A = 5$와 $\bar{q}_B = 4$를 각 기업의 목적함수에 대입하면 $\bar{\pi}_A(\bar{q}_A, \bar{q}_B) = 41$, $\bar{\pi}_B(\bar{q}_A, \bar{q}_B) = 7$를 얻으며, 각 기업의 이윤의 합은 $\bar{\pi} = \bar{\pi}_A + \bar{\pi}_B = 48$이 된다.

(3) 이제 두 기업이 합병을 하게 되면, 각 기업이 독립적으로 행동하지 않고 사전에 A부문(기업)과 B부문(기업)을 합한 이윤을 극대화하기 위해 q_A와 q_B 생산량을 모두 결정한다. 따라서 합병기업의 이윤극대화 문제는

$$\underset{q_A, q_B}{Max}\ \pi = p_A q_A + p_B q_B - c_A - c_B$$
$$= 12q_A + 18q_B - (q_A^2 + 2q_A - q_B^2) - (2q_B^2 + 2q_B + q_A^2)$$

이 된다.

$$\frac{\partial \pi}{\partial q_A} = 12 - (2q_A + 2) - 2q_A = 0,\ \text{즉}\ 12 = (2q_A + 2) + 2q_A$$

$$\frac{\partial \pi}{\partial q_B} = 18 - (-2q_B) - (4q_B + 2) = 0,\ \text{즉}\ 18 = -2q_B + (4q_B + 2)$$

를 얻는다. $q_A^* = 2.5$, $q_B^* = 8$을 얻는다. 이 값들을 합병기업의 목적함수에 대입하면 $\pi^*(q_A^*, q_B^*) = 82.75$을 얻는다.

(4) 합병 전 $\bar{q}_A = 5$, $\bar{q}_B = 4$, $\bar{\pi}_A(\bar{q}_A, \bar{q}_B) = 41$, $\bar{\pi}_B(\bar{q}_A, \bar{q}_B) = 7$, $\bar{\pi} = \bar{\pi}_A + \bar{\pi}_B = 48$이었다.

합병 후 $q_A^* = 2.5$, $q_B^* = 8$, $\pi^*(q_A^*, q_B^*) = 82.75$을 얻는다.

합병 후 부정적 외부효과를 야기하는 A의 생산량은 감소($\bar{q}_A = 5$ 에서 $q_A^* = 2.5$)하였고 긍정적 외부효과를 야기하는 B의 생산량은 증가($\bar{q}_B = 4$ 에서 $q_B^* = 8$)하였고, 이윤도 증가($\bar{\pi} = \bar{\pi}_A + \bar{\pi}_B = 48$에서 $\pi^*(q_A^*, q_B^*) = 82.75$)하였다.

합병 전에는 각 기업이 다른 기업에 미치는 영향을 고려하지 않고 행동하였기에 부정적 외부효과를 야기하는 기업(부문)은 과도하게, 긍정적 외부효과를 낳는 기업(부문)은 과소하게 생산되었다. 하지만 합병을 하여 하나의 의사결정체가 됨으로써(내부화함으로써), 과도하게 생산하는 부문과 과소하게 생산하는 부문을 줄일 수 있게 되어 효율적인 생산이 가능하게 되었다. 따라서 외부효과가 존재하는 경우 합병은 문제 해결의 한 방법이 될 수 있다.

9.2.3 2계 도함수를 이용한 극값 판정법

위에서는 1계 도함수를 이용한 극값의 판정을 살펴보았는데 이 절에서는 2계 도함수 혹은 그보다 높은 고계 도함수의 개념을 이용하여 함수의 극값을 판정해보자. 5장 2계 도함수를 공부하며 1계 도함수와 2계 도함수의 의미를 다음과 같이 해석한 것을 기억할 것이다.

- $f'(x) > 0$: 함수의 값이 증가(기울기가 +)하고 있음을 의미한다. 함수의 변화율(the rate of change of the function f)을 나타낸다.

- $f'(x) < 0$: 함수의 값이 감소(기울기가 −)하고 있음을 의미한다.

- $f''(x) > 0$: 곡선의 기울기가 증가하고 있음을 의미한다. 함수 f의 변화의 변화율(the rate of change of the rate of the original function f)을 나타낸다.

- $f''(x) < 0$: 곡선의 기울기가 감소하고 있음을 의미한다.

<그림 9-3>에서 함수가 극값을 갖는 경우를 보았다.

$f'(x) = 0$이고 $f''(x) < 0$일 때 극댓값을
$f'(x) = 0$이고 $f''(x) > 0$일 때 극댓값을 가짐을 확인할 수 있었다.

그러나 <그림 9-5>에서 <경우 1>과 <경우 2>에서는 $f'(x) = 0$이었지만 $f''(x) = 0$이기 때문에 곡선이 변곡하였고 극값이 존재하지 않았다. 따라서 $f'(x) = 0$ 조건만으로는 극값을 확정지을 수 없다. $f'(x) = 0$ 조건이 필요조건이 된다. 조건의 추가가 요구된다.

<그림 9-5>의 <경우 3>과 <경우 4>에서는 $f'(x) \neq 0$로서 극값과는 거리가 멀다. 따라서 극대, 극솟값을 찾기 위해 변곡점이 있는 경우에는 정확히 판정할 수 없었다. 변곡점이 되기 위해서는 두 번 미분의 부호가 바뀌어야 한다. 따라서 변곡점은 $f''(x_0) = 0$이 되는 x_0만을 대상으로 찾을 수 있다.

미분가능함수 $y = f(x)$가 상대적으로 극대 및 극소를 달성할 조건은 아래와 같다.

- 극대: 1계 필요조건 $f'(x) = 0$, 2계 필요조건 $f''(x) < 0$
- 극소: 1계 필요조건 $f'(x) = 0$, 2계 필요조건 $f''(x) > 0$
- 1계 필요조건 $f'(x) = 0$, $f''(x) = 0$ 극값을 가질 수도 있고 그렇지 않을 수도 있다.

예제 9-3

$y = x^4$ 의 변곡점을 구하라.

풀이

$f(x) = x^4$ 이라 놓으면, $f''(x) = 12x^2 = 0$이 되는 x는 $x = 0$뿐이다. 그런데 $f''(x)$는 모든 정의역에서 언제나 양이므로 $x = 0$에서는 변곡점을 가질 수 없다. 즉 $f'(x) = 0$이지만 점 $(0, 0)$는 곡선 $y = x^4$의 변곡점이 아니고 이 함수의 극소점이다.

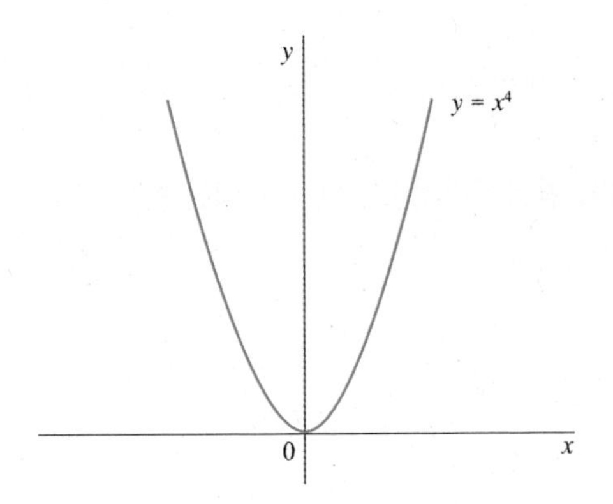

9.2.4 응용

(1) 생산함수

생산함수가 $Q=f(L,\overline{K})=60L^2-L^3$라고 하자.[5] 노동의 평균생산성함수는 $\frac{Q}{L}=APP_L=60L-L^2$, 한계생산성함수는 $\frac{dQ}{dL}=MPP_L=120L-3L^2$로 구해지며 <그림 9-6>처럼 그려진다.

1계 조건을 구해보면 $f'(L,\overline{K})=120L-3L^2=0$

$$3L(40-L)=0 \qquad L_1=0 \quad L_2=40$$

2계 조건을 구해보면 $f''(L,\overline{K})=120-6L$

$f''(L=0)=120>0$ 볼록, 상대적 극솟값

$f''(L=40)=-120<0$ 오목, 상대적 극댓값

변곡점을 체크해 보기로 하자. $f''(L,\overline{K})=120-6L=0,\ L=20$

$$L<20 \quad f''(L,\overline{K})>0 \text{ 볼록} \quad L>20 \quad f''(L,\overline{K})<0 \text{ 오목}$$

$L=20$에서 $f''(L,\overline{K})=0$이고 볼록에서 오목으로 변곡하는 점이 된다.

5 $\overline{K}$는 자본량의 변화가 없음을 의미한다.

평균생산성함수를 1차 미분하면 $\dfrac{dAPP_L}{dL} = 60 - 2L = 0$ 극점은 $L^* = 30$이며 평균생산력은 900이다. 평균생산성함수를 2차 미분하면 $\dfrac{d}{dL}(\dfrac{dAPP_L}{dL}) = -2 < 0$로 국지적 극댓값(오목)을 나타내고 있다.

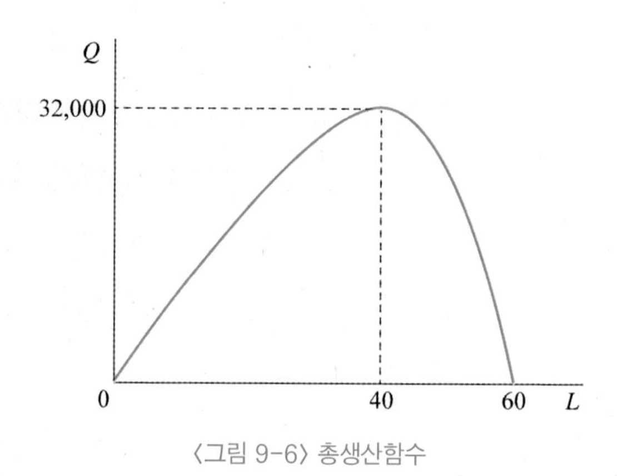

〈그림 9-6〉 총생산함수

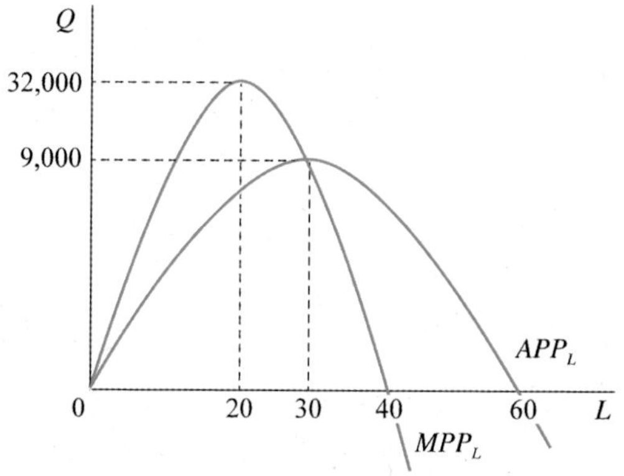

〈그림 9-7〉 평균생산성함수와 한계생산성함수

한계생산성함수를 1차 미분하면 $\dfrac{dMPP_L}{dL} = 120 - 6L = 0$ 극점은 $L^{**} = 20$이며 한계생산력은 1,200이다. 한계생산성함수를 2차 미분하면 $\dfrac{d}{dL}\left(\dfrac{dMPP_L}{dL}\right) = -6 < 0$로 국지적 극댓값(오목)을 나타내고 있다.

한계생산성곡선이 평균생산성곡선에 비해 먼저 극대점에 도달함을 알 수 있으며, 평균생산력이 최고점이 되는 $L^* = 30$일 때 $APP_L = MPP_L = 900$으로 같다. APP_L의 최고점에서 APP_L과 MPP_L 곡선이 만난다는 사실을 확인할 수 있다. <그림 9-7> 평균생산성함수와 한계생산성함수에서 확인할 수 있다.

위의 그림에서 다음 네 가지 사실을 확인할 수 있다. (a) 총생산물곡선이 볼록하고 증가하고 있으며 또 증가세가 증가할 때(체증) 한계생산물은 증가한다. 변곡점에서 최대가 된다. 그리고 총생산물곡선은 오목하고 감소세로 증가할 때(체감) 한계생산물은 감소한다. $L^{**} = 20$에서 한계생산력이 극대가 된다. (b) 한계생산력이 양의 값을 가질 때 $(MPP_L > 0)$ 총생산력은 증가하지만 그 값이 0일 때$(MPP_L = 0)$ 총생산성은 극대가 되고 이후$(MPP_L < 0)$ 감소한다. $L_2 = 40$에서 총생산성이 극대가 된다. (c) 평균생산성은 원점에서 총생산곡선과의 기울기를 나타내며 이것은 총생산곡선의 접선의 기울기와 같을 때 최댓값을 갖는다.[6] $L^* = 30$이고 $APP_L = MPP_L = 900$. (d) $APP_L < MPP_L$일 때 APP_L이 상승하고 $APP_L = MPP_L$일 때 APP_L 최댓값을 가지며 $APP_L > MPP_L$ 일 때 APP_L이 하락한다.

(2) 비용함수

총비용함수가 <그림 9-8>에 그려진 바와 같이 $C = Q^3 - 10Q^2 + 50Q$라고 하자.[7] 평균비용함수는 $AC = Q^2 - 10Q + 50$, 한계비용함수는 $MC = 3Q^2 - 20Q + 50$로 구해지며 <그림 9-9>처럼 그려진다.

평균비용함수를 1차 미분하면 $AC'(Q) = \dfrac{dAC}{dQ} = 2Q - 10 = 0$ 극점은 $Q^* = 5$이며 평균비용은 25이다. 평균비용함수를 2차 미분하면 $AC''(Q) = \dfrac{dAC}{dQ} = 2 > 0$로 극솟값을 나타내고 있다. 5보다 큰 생산량에서는 $AC''(Q) = \dfrac{dAC}{dQ} = 2Q - 10 > 0$이고 5

6 평균값$[\frac{f(x)}{x}]$은 원점과 함수 값을 이은 선의 기울기를 나타내며 한계값 $[f'(x)]$은 곡선의 접선의 기울기로 나타난다.

7 생산량이 0일 때 총비용은 0이다. 고정비용이 0이므로 장기비용곡선을 나타낸다.

보다 작은 생산량에서는 $AC''(Q) = \dfrac{dAC}{dQ} = 2Q - 10 < 0$이다.

한계비용함수는 $MC'(Q) = \dfrac{dMC}{dQ} = 6Q - 20 = 0 \quad Q^{**} = \dfrac{10}{3}$에서 극소이며 한계비용은 $\dfrac{50}{3}$이다. 한계비용곡선이 평균비용곡선에 비해 먼저 극소점에 도달함을 알 수 있으며, 평균비용이 최저점이 되는 $Q^* = 5$일 때 $MC = AC = 25$로 같다. AC의 최저점에서 AC와 MC가 만난다는 사실을 확인할 수 있다.

실습문제 9-2

위의 한계비용함수 $MC = 3Q^2 - 20Q + 50$가 $Q^{**} = \dfrac{10}{3}$에서 극소임을 2차미분과 이 점에서의 기울기 변화로 증명하라.

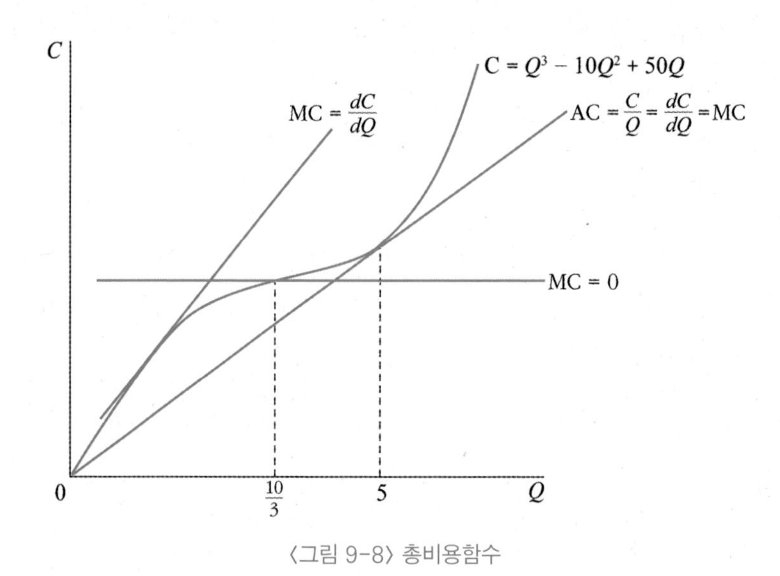

〈그림 9-8〉 총비용함수

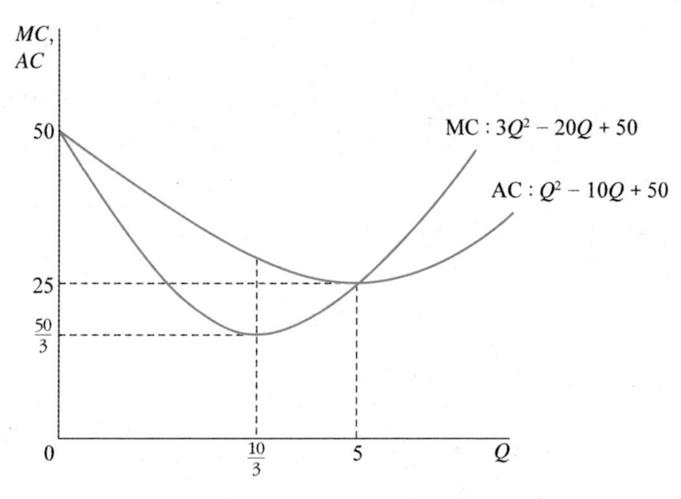

〈그림 9-9〉 평균비용함수와 한계비용함수

생산성과 비용 사이에 쌍대성이 있다는 사실에서 생산성에서 학습한 총생산성, 평균생산성, 한계생산성과의 관계를 비용함수에서는 뒤집어 생각할 수 있다. 위의 그림에서 다음 세 가지 사실을 확인할 수 있다. (a) 생산량이 증가함에 따라 총비용곡선이 오목하게 증가하고 있으며 또 증가세가 감소할 때(체감) 한계비용은 감소한다. 변곡점에서 최소가 된다. 이후 총비용곡선은 볼록하게 증가할 때(체증) 한계비용은 증가한다. $Q^{**}=\dfrac{10}{3}$에서 한계비용이 극소가 된다. (b) 평균비용은 원점에서 총비용곡선과의 기울기를 나타내며 이것은 총비용곡선의 접선의 기울기와 같을 때 최솟값을 갖는다. $Q^*=5$이고 $AC=MC=25$. (c) $AC>MC$일 때 AC가 하락하고 $AC=MC$일 때 AC가 최솟값을 가지며 $AC<MC$일 때 AC이 상승한다.

(3) 이윤극대화 문제

1계와 2계 도함수를 이용하여 이윤극대화 조건을 살펴보자. 이윤은 총수입과 총비용의 차이로 정의되므로 다음과 같이 나타낼 수 있다.

$$\text{극대화 } \Pi(Q) = TR(Q) - TC(Q) = P(Q)\times Q - TC(Q)$$

■ 1차조건

$$\frac{d\Pi(Q)}{dQ} = \frac{dTR(Q)}{dQ} - \frac{dTC(Q)}{dQ} = 0$$

$$MR(Q) = MC(Q)$$

즉, 한계수입(MR) = 한계비용(MC)

■ 2차조건

$$\frac{d^2\Pi(Q)}{dQ^2} = \frac{dMR(Q)}{dQ} - \frac{dMC(Q)}{dQ} < 0$$

MC의 기울기가 MR의 기울기보다 크다.

일반적으로 <그림 9-10> 이윤극대화 조건에서 보는 바와 같이 총비용함수는 3차 방정식 형태를, 수입함수는 2차 계수가 음인 2차함수와 유사한 형태를 취한다.

위에서는 일반적인 수입과 비용을 나타내는 기업의 이윤극대화 조건을 살펴보았다. 완전경쟁시장에 있는 기업의 이윤극대화 조건을 구해 보기로 하자.

기업의 수입은 가격(평균수입) × 생산량으로 완전경쟁시장에 있는 기업이 아닌 기업의 수입함수는 2차 계수가 음인 2차함수와 유사한 형태를 취하지만 완전경쟁시장에 있는 기업의 수입은 원점을 지나는 직선으로 그려진다. 가격수용자(price taker)로 가격이 고정되어 있어 수입 = (고정된)가격 × 수량으로 나타나기 때문이다. 원점을 지나는 1차 직선으로 그려진다.

실습문제 9-3

평균 수입은 $AR=50-2.5Q$, 한계수입은 $MR=50-5Q$라고 하자. 총비용함수가 $C=Q^3-10Q^2+50Q$일 때 이윤극대화 생산량, 가격, 이윤을 구해보기로 하자.

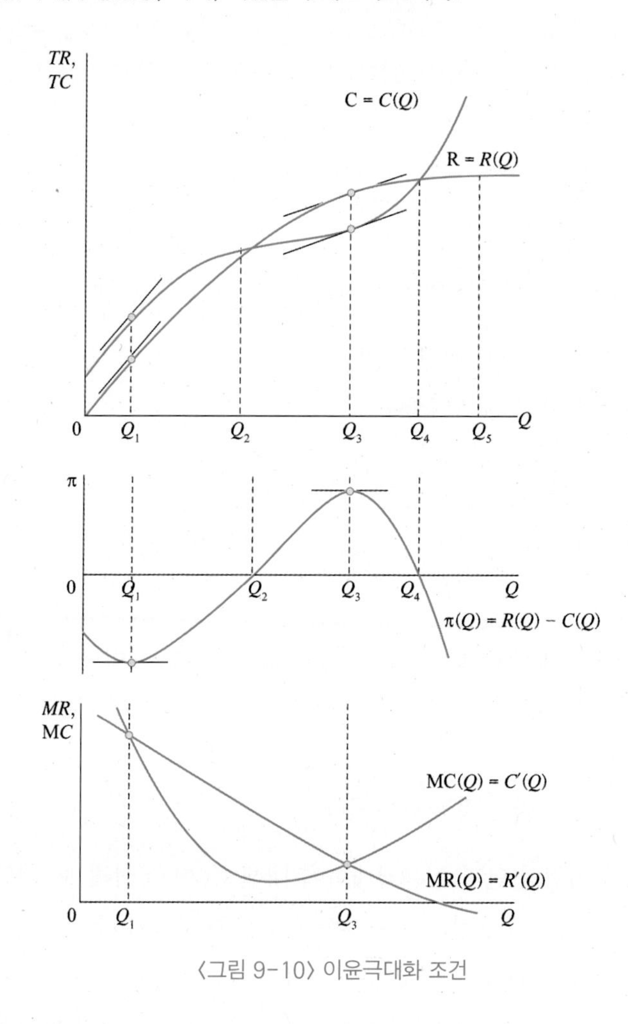

〈그림 9-10〉 이윤극대화 조건

- 1차조건 한계수입(MR) = 한계비용(MC)이다.

  완전경쟁시장에서는 $MR=P$이므로 $MR=P=MC$가 된다.

- 2차조건 $\dfrac{d^2\Pi(Q)}{dQ^2}=0-\dfrac{dMC(Q)}{dQ}<0$

  MC의 기울기가 양이어야 한다.

실습문제 9-4

완전경쟁시장 기업의 이윤극대화 한계수입은 시장가격으로 주어지며 38이라고 하자($MR = P = 38$). $C = Q^3 - 10Q^2 + 50Q$라고 하자. 평균비용함수는 $AC = Q^2 - 10Q + 50$, 한계비용함수는 $MC = 3Q^2 - 20Q + 50$로 구해진다. 이윤극대화 생산량, 총수입, 총비용, 이윤을 구하라. 또 그림을 이용하여 총수입곡선과 한계수입선이 완전 경쟁시장이 아닐 때와 어떻게 차이나는가를 설명하라.

풀이

1계 조건: $MC = 3Q^2 - 20Q + 50 = 38 = P$, $3Q^2 - 20Q + 12 = 0$

$$Q_1 = \frac{2}{3},\ Q_2 = 6$$

2계 조건: $\frac{d}{dQ}(MC(\frac{2}{3})) = 6(\frac{2}{3}) - 20 = -16 < 0$

$$\frac{d}{dQ}(MC(6)) = 6(6) - 20 = 16 > 0$$

$Q_2 = 6$가 2계 조건을 만족한다.

총수입: 가격 × 생산량 = 38×6= 228

총비용: $C(6) = Q^3 - 10Q^2 + 50Q = 216 - 360 + 300 = 156$

이윤 : Π = 228 −156 =72

<그림 9-11>에서 총수입선이 원점을 지나는 직선으로 그려진다. 이것은 <그림 9-10>에서 총수입함수가 곡선으로 그려진 것과 대비된다. 또 한계 수입이 시장가격과 같기 때문에 <그림 9-11>에서 $P = 38$ 수평선으로 그려진다. 이 역시 <그림 9-10>에서 총수입함수가 곡선으로 그려진 것과 대비된다.

완전경쟁시장 기업의 단기 이윤극대화에 대해 좀 더 분석해 보기로 하자. 단기에서 고정비용은 일단 지출된 후에는 어떤 방법으로든 다시 회수할 수 없는 비용, 즉 매몰비용(埋沒費用, sunk cost)이다. 엎질러진 물과 같아 미련을 갖고 다시 담으려고 하는 행동은 어리석은 행동이다. 단기 고정비용을 무시하는 의사결정이 합리적인 결정이다. 따라서 총수입이 단기에는 고정비용을 무시하고 수입이 총가변비용보다 크면 비록 손해를 본다고 할지라도 계속 생산하는(조업하는) 쪽이 더 합리적인 결정이다.

$$P(Q)Q = TR > VC(Q)$$

$$P(Q) > \frac{VC(Q)}{Q} = AVC$$

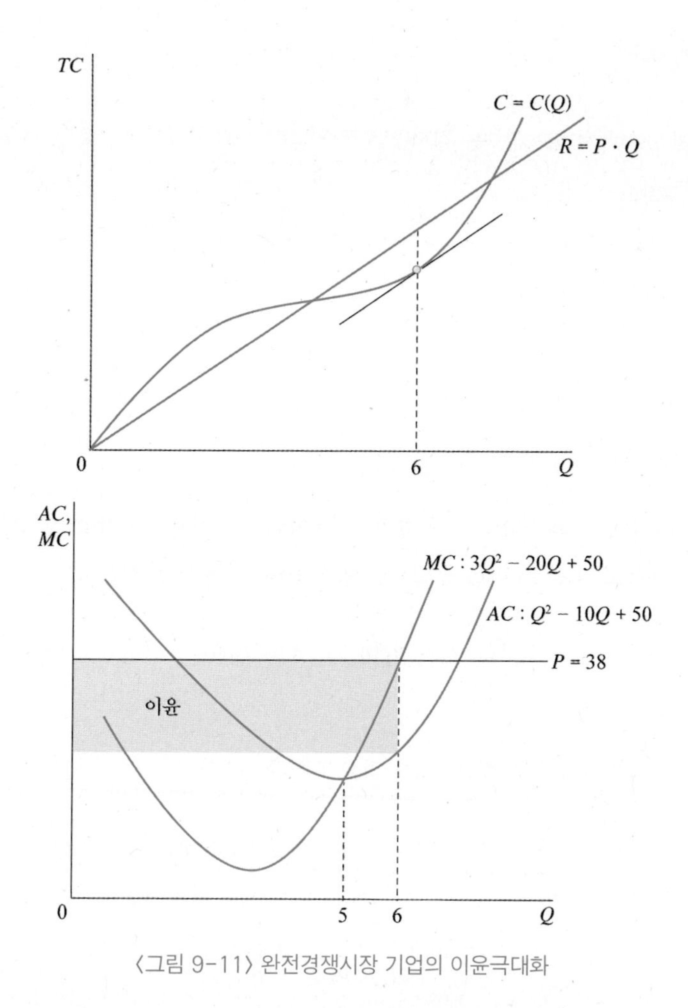

〈그림 9-11〉 완전경쟁시장 기업의 이윤극대화

가격이 평균 가변 비용 이상이면 단기에 손해가 발생하더라도 생산하는 것이 합리적인 결정이다. 그러므로 완전경쟁시장 기업의 단기 공급곡선은 평균가변비용(AVC) 최저점 이상의 한계비용곡선(MC)이고 장기 공급곡선은 평균비용 최저점 이상의 한계비용곡선이다.

예제 9-4

실습문제 9-4에서 비용함수는 같지만 시장 가격이 $(MR=P=25)$혹은 $(MR=P=\frac{50}{3})$일 때 이윤을 구하라.

(4) 가격차별화[8]

$C=10+50Q=10+50(q_1+q_2)$, $p_1=60-5q_1$, $p_2=100-q_2$일 경우 독점기업의 이윤을 극대화하라.

하나의 기업이 서로 다른 두 시장에 공급하는 경우이며 비용은 총 생산량에 따라 정해진다. 그러므로 비용은 $c(q_1+q_2)$가 된다. 이윤극대화 문제는

$$\underset{q_1, q_2}{Max}\ \pi = p_1(q_1)q_1 + p_2(q_2)q_2 - c(q_1+q_2)$$

로 쓸 수 있다. 이윤극대화의 일차 필요조건은

$$\frac{\partial \pi}{\partial q_1} = \frac{dp_1(q_1)}{dq_1}q_1 + p_1 - \frac{dc(Q)}{dQ}\frac{\partial Q}{\partial q_1} = 0,\ (\frac{\partial Q}{\partial q_1} = 1).$$

$$\frac{\partial \pi}{\partial q_2} = \frac{dp_2(q_2)}{dq_2}q_2 + p_2 - \frac{dc(Q)}{dQ}\frac{\partial Q}{\partial q_2} = 0,\ (\frac{\partial Q}{\partial q_2} = 1).$$

이다. 이로부터 $MR_1 = MC$, $MR_2 = MC$를 얻는다.

실제 계산에서는 다음과 같이 간편하게 할 수도 있다.

$$\begin{aligned}\underset{q_1, q_2}{Max}\ \pi &= p_1(q_1)q_1 + p_2(q_2)q_2 - c(q_1+q_2) \\ &= (60-5q_1)q_1 + (100-q_2)q_2 - [10+50(q_1+q_2)] \\ &= (60q_1 - 5q_1^2) + (100q_2 - q_2^2) - [10+50(q1+q2)]\end{aligned}$$

8 가격 차별화는 1차, 2차, 3차 차별화로 나누어진다. 이 경우는 3차 차별화의 경우이다. 3차 차별화가 성립되기 위해서 필요한 조건에 대해서는 미시경제학 책을 참고하기 바란다.

이다. 이로부터 $\frac{\partial \pi}{\partial q_1} = (60 - 10q_1) - 50 = 0$을 얻는다.

여기서 $60 - 10q_1 = 50$, 즉 $MR_1 = MC$ 이다. 또한

$$\frac{\partial \pi}{\partial q_2} = (100 - 2q_2) - 50 = 0$$

을 얻는다. 여기서 $100 - 2q_2 = 50$, 즉 $MR_2 = MC$이다. 이로부터 $q_1^* = 1$, $q_2^* = 25$, $Q = q_1^* + q_2^* = 1 + 25 = 26$, $p_1^*(q_1^*) = 55$, $p_2^*(q_2^*) = 75$, $\pi(q_1^*, q_2^*) = 620$을 얻는다.

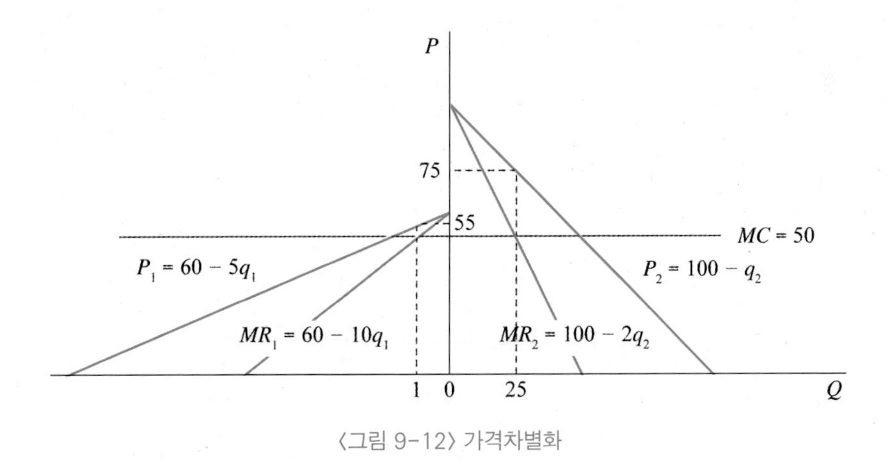

〈그림 9-12〉 가격차별화

9.3 제약조건이 없는 다변수함수의 극대, 극소

지금까지는 목적함수가 오직 하나의 선택변수만을 갖는 경우를 대상으로 하였다. 이 절에서는 제약조건이 없는(unconstrained) 상태에서 목적함수가 둘 또는 그 이상의 선택변수를 가질 때, 함수의 극값을 구하는 방법을 살펴보고자 한다. 소비자의 경우 1개의 상품만을 소비하는 것이 아니고, 생산의 경우 1개의 생산요소만을 사용하는 것이 아니며, 기업의 경우 1개의 상품만을 생산하는 것이 아니기 때문에 여러 상품을 소비하고, 생산할 때 최적의 조합을 선택해야 한다.

9.3.1 2변수 함수의 극값

함수가 $y = f(x_1, x_2)$와 같이 선택변수가 2개인 경우 극값은 <그림 9-13>과 같이 3차원 형태의 그래프 상에서 꼭대기 점이거나 골짜기가 된다.

2변수 함수 $y = f(x_1, x_2)$를 x_1과 x_2에 대하여 전미분하면 다음과 같다.

$$dy = \frac{\partial}{\partial x_1} f(x_1, x_2) dx_1 + \frac{\partial}{\partial x_2} f(x_1, x_2) dx_2 = 0$$

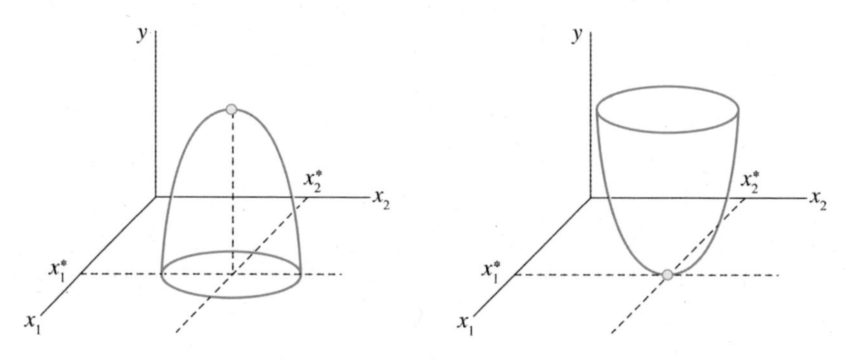

〈그림 9-13〉 2변수 함수의 극값

1계 필요조건은 앞에서 본 것처럼 $dy = 0$이 되어야 한다. 따라서 위의 식에서 $dy = 0$이 성립하기 위해서는 2개의 편도함수 f_1과 f_2가 모두 0이어야 한다. 즉 $f_1 = f_2 = 0$이어야 한다. 그리고 2계 충분조건이 극댓값이기 위해서는 $d^2y < 0$이어야 한다. 이는 앞에서 $f''(x) = d^2y < 0$인 것과 동일하다. 또한 극솟값이기 위해서는 $d^2y > 0$이어야 한다. 한편 $y = f(x_1, x_2)$의 2계 도함수를 구해보면 다음과 같다.

$$\begin{aligned}
d^2y = d(dy) &= \frac{\partial(dz)}{\partial x_1} dx_1 + \frac{\partial(dz)}{\partial x_2} dx_2 \\
&= \frac{\partial}{\partial x_1} dx_1 (f_1 dx_1 + f_2 dx_2) dx_1 + \frac{\partial}{\partial x_2} dx_1 (f_1 dx_1 + f_2 dx_2) dx_2 \\
&= (f_{11} dx_1 + f_{12} dx_2) dx_1 + (f_{21} dx_1 + f_{22} dx_2) dx_2 \\
&= f_{11} dx_1^2 + f_{12} dx_2 dx_1 + f_{21} dx_1 dx_2 + f_{22} dx_2^2 \\
&= f_{11} d^2 x_1 + 2 f_{12} dx_1 dx_2 + f_{22} dx^2 \quad (f_{12} = f_{21})
\end{aligned}$$

이 식을 완전 제곱형태로 바꾸어 정리하면

$$dy^2 = f_{11}\left(dx_1^2 + 2\frac{f_{12}}{f_{11}}dx_1dx_2 + \frac{f_{12}^2}{f_{11}^2}dx_2^2 - \frac{f_{12}^2}{f_{11}^2}dx_2^2\right) + f_{22}dx_2^2$$
$$= f_{11}\left(dx_1 + \frac{f_{12}}{f_{11}}dx_2\right)^2 + \frac{(f_{11}f_{22} - f_{12}^2)}{f_{11}}dx_2^2$$

극댓값이기 위해서는 $d^2y < 0$ <=> $f_{11} < 0,\ f_{22} < 0$ 및 $(f_{11}f_{22} - f_{12}^2) > 0$

극솟값이기 위해서는 $d^2y > 0$ <=> $f_{11} > 0,\ f_{22} > 0$ 및 $(f_{11}f_{22} - f_{12}^2) > 0$[9]

이상의 결과를 <표 9-2>에 정리해 보았다.

〈표 9-2〉 제약조건이 없는 2변수 함수의 극값

조건	극대	극소
1계 필요조건	$dy = 0,\ f_1 = f_2 = 0$	$dy = 0,\ f_1 = f_2 = 0$
2계 충분조건	$d^2y < 0 \Leftrightarrow f_{11} < 0,\ f_{22} < 0$ 및 $f_{11}f_{22} > f_{12}^2$	$d^2y > 0 \Leftrightarrow f_{11} > 0,\ f_{22} > 0$ 및 $f_{11}f_{22} > f_{12}^2$
	만약 $f_{11}f_{22} = f_{12}^2$이면 결정불가(inconclusive) 만약 $f_{11}f_{22} < f_{12}^2$에서 · f_{11}와 f_{22}가 같은 부호이면 변곡점 · f_{11}와 f_{22}가 다른 부호이면 안장점	

<그림 9-14>에서 점 C는 기울기는 0이나 위에서 보면 극소점이 되고 밑에서 보면 극대점이 된다. 이처럼 보는 위치에 따라서 가장 낮은 점이 될 수도 있고 가장 높은 점이 될 수도 있는 경우를 안장점(鞍裝点, saddle point)이라 한다.

9 이렇게 f_{11}을 중심으로 완전제곱식을 전개한 것과 같이 f_{22}을 중심으로도 같은 식이 유도되기 때문에 $f_{22} < 0$도 추가되어 있다.

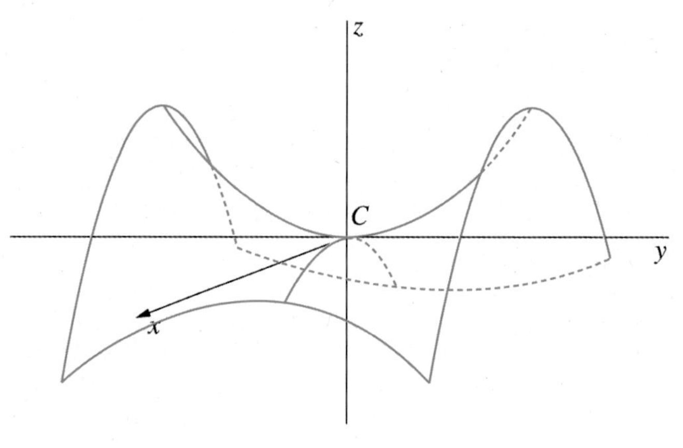

〈그림 9-14〉 안장점

예제 9-5

$z = x^2 - y^2$을 그림으로 나타내라.

예제 9-6

$z = f(x,y) = 3x^2 - 2xy + y^2 - 8y$

(1) 임계점을 구하라.

(2) 임계점에서 상대적 극대, 상대적 극소, 안장점, 변곡점 여부를 판단하라.

풀이

(1) 1계 편미분 도함수를 0으로 놓으면

$f_x = 6x - 2y = 0 \quad f_y = -2x + 2y - 8 = 0$

이 두 방정식을 풀면 $x = 2$를 구할 수 있다. 이 점에 상응하는 y 값으로 $y = 6$

$(x, y) = (2, 6)$ 이 임계점

(2) 2계 도함수 값을 구해보기로 하자.

$f_{xx} = 6 > 0 \quad f_{yy} = 2 > 0$

또 $f_{xy} = -2 = f_{yx} < 0$

$f_{xx}f_{yy} = 6 \times 2 > f_{xy}^2 = (-2)^2$

임계점 (2,6)에서 $f_{xx} > 0, f_{yy} > 0$ 이고, $f_{xx}f_{yy} = 12 > f_{xy}^2 = 4 \rightarrow$ 상대적 극소점

극솟값은 −24이다.

예제 9-7

$z = f(x,y) = 4x^3 - 60xy + 5y^2 + 297$

(1) 임계점을 구하라.

(2) 임계점에서 상대적 극대, 상대적 극소, 안장점, 변곡점 여부를 판단하라.

풀이

(1) 1계 편미분 도함수를 0으로 놓으면

$f_x = 12x^2 - 60y = 0 \quad f_y = -60x + 10y = 0$

이 두 방정식을 풀면 $x_1 = 0$과 $x_2 = 30$을 구할 수 있다.

이 두 점에 상응하는 y 값으로 $y_1 = 0$과 $y_2 = 180$

$(x, y) = (0,0)$과 $(30,180)$이 임계점

(2) 2계 도함수 값을 구해보기로 하자.

$f_{xx} = 24x \quad f_{yy} = 10$

$f_{xx}(0,0) = 0 \qquad f_{yy}(0,0) = 10 > 0$

$f_{xx}(30,180) = 720 > 0 \quad f_{yy}(30,180) = 10 > 0$

또 $f_{xy} = -60 = f_{yx} < 0$

(0,0) 에서 $\quad f_{xx}f_{yy} = 0 \times 10 < f_{xy}^2 = (-60)^2$

또 (30,180) 에서 $\quad f_{xx}f_{yy} = 720 \times 10 > f_{xy}^2 = (-60)^2$

(0,0)에서 f_{xx} 와 f_{yy} 가 같은 부호이고, $f_{xx}f_{yy} = 0 \times 10 < f_{xy}^2 = (-60)^2$ → 변곡점

(30,180)에서 $f_{xx} > 0$, $f_{yy} > 0$ 이고, $f_{xx}f_{yy} = 720 \times 10 > f_{xy}^2 = (-60)^2$ → 상대적 극소점

예제 9-8

$z = f(x,y) = 2x^3 - 15x^2 + 60x - 384y + 90$

(1) 임계점을 구하라.

(2) 임계점에서 상대적 극대, 상대적 극소, 안장점, 변곡점 여부를 판단하라.

풀이

(1) 1계 편미분 도함수를 0으로 놓으면

$f_x = -30x + 60 = 0 \quad f_y = 6y^2 - 384 = 0$

이 두 방정식을 풀면 $x = 2$와 $y = \pm 8$을 구할 수 있다.

$(x, y) = (2, -8)$과 $(2, 8)$이 임계점

(2) 2계 도함수 값을 구해보기로 하자.

$f_{xx} = -30 \quad f_{yy} = 12y$

$f_{xx}(2, -8) = -30 < 0 \quad f_{yy}(2, -8) = -96 < 0$

$f_{xx}(2, 8) = -30 < 0 \quad f_{yy}(2, 8) = 96 > 0$

또 $f_{xy} = 0 = f_{yx}$

$(2, -8)$에서 $f_{xx}f_{yy} = (-30) \times (-96) = 2880 > f_{xy}^2 = 0$

또 $(2, 8)$에서 $f_{xx}f_{yy} = (-30) \times 96 = -2880 < f_{xy}^2 = 0$

$(2, -8)$에서 $f_{xx} < 0$, $f_{yy} < 0$ 이고, $f_{xx}f_{yy} = 2880 > f_{xy}^2 = 0 \rightarrow$ 상대적 극대점

$(2, 8)$에서 f_{xx}와 f_{yy}가 다른 부호이고, $f_{xx}f_{yy} = -2880 < f_{xy}^2 = 0 \rightarrow$ 안장점

9.3.2 n변수 함수의 극치 판정법

이 절에서는 다변수함수의 극댓값 또는 극솟값을 구하는 문제를 살펴보기로 한다. 이를 위해서는 먼저 2차형식(二次型式, quadratic form) 및 헤시안 행렬식(Hessian determinant)에 대한 이해가 필요하다.

세 변수 x_1, x_2, x_3에 관한 2차형식

$$q(x_1, x_2, x_3) = a_{11}x_1^2 + a_{22}x_2^2 + a_{33}x_3^2 + 2a_{12}x_1x_2 + 2a_{13}x_1x_3 + 2a_{23}x_2x_3$$ 이다.

이제 $a_{21} = a_{12}$, $a_{31} = a_{13}$, $a_{32} = a_{23}$라 놓으면,

$$A_{3\times3} = \begin{bmatrix} a_{11} & a_{12} & a_{13} \\ a_{21} & a_{22} & a_{23} \\ a_{31} & a_{32} & a_{33} \end{bmatrix} \quad (a_{ij} = a_{ji})$$

는 대칭행렬(對稱行列, symmetric matrix)이고, 또 행렬의 곱셈 정의에 의해 다음과 같이 쓸 수 있다.

$$\begin{aligned} x^TAx = [x_1, x_2, x_3]A\begin{bmatrix} x_1 \\ x_2 \\ x_3 \end{bmatrix} &= a_{11}x_1^2 + a_{12}x_1x_2 + a_{13}x_1x_3 + a_{21}x_2x_1 + a_{22}x_2^2 \\ &\quad + a_{23}x_2x_3 + a_{31}x_3x_1 + a_{32}x_3x_2 + a_{33}x_3^2 \\ &= q(x_1, x_2, x_3) \end{aligned}$$

즉 2차형식은 대칭행렬 A를 이용하여 x^TAx와 같이 간편하게 나타낼 수 있다.

일반적으로 n개의 변수 $x_1, x_2, x_3, \cdots, x_n$에 대하여 $A=[a_{ij}]_{n\times n}$로 정의된 2차형식은 다음과 같다.

$$q=q(x_1, x_2, x_3, \cdots, x_n)=[x_1\ x_2\ \cdots\ x_n]A\begin{bmatrix}x_1\\x_2\\\cdot\\\cdot\\\cdot\\x_n\end{bmatrix}=x^TAx$$

$$\begin{aligned}&=a_{11}x_1^2+a_{12}x_1x_2+\ldots+a_{1n}x_1x_n\\&\quad+a_{21}x_2x_1+a_{22}x_2^2+\ldots+a_{2n}x_2x_n\quad(a_{ji}=a_{ij})\\&\quad\cdots\cdots\cdots\cdots\cdots\cdots\cdots\cdots\\&\quad+a_{n1}x_nx_1+a_{n2}x_nx_2+\ldots+a_{nn}x_n^2\end{aligned}$$

을 $x_1,x_2,\ldots,x_n$에 관한 2차형식이라 하고, 대칭행렬 A를 2차형식의 행렬이라 한다. 여기서

$$x=\begin{bmatrix}x_1\\x_2\\\cdot\\\cdot\\\cdot\\x_n\end{bmatrix},\qquad x^T=[x_1,x_2,\ldots x_n]$$

이라 놓으면, 2차형식은 $q=x^TAx$로 간단하게 쓸 수 있다.

2차형식에서 변수 $x_1,x_2,\ldots,x_n$이 동시에 0이면 2차형식의 값은 0이 된다. 즉 $q(0,0,0,\cdots 0)=0$. 그리고 모든 실수값에 대하여 q의 값이 양이면, 즉 $q(x_1,x_2,x_3,\cdots x_n)>0$이면 그 2차 형식은 양정부호 형식(陽定符號型式, positive definite form)이라 하고, 반대로 음이면, 즉 $q(x_1,x_2,x_3,\cdots,x_n)<0$이면 음정부호형식(陰定符號型式, negative definite form)이라 한다. 양정부호 형식과 음정부호형식을 합쳐 정부호형식(定符號型式, definite form)이라고 부른다.[10]

---

10 변수들의 값에 따라 q 의 부호가 변하면, 2차형식 q를 부정부호(不定符號型式, indefinite form)라고 부른다.

어떤 2차형식이 양정부호인지, 음정부호인지 또는 정부호형식이 아닌지를 판정하는 문제는 앞으로 보게 될 다변수함수의 극값을 논의할 때 이용된다. 두 변수 x_1, x_2에 관한 2차형식 $q(x_1, x_2) = a_{11}x_1^2 + 2a_{12}x_1x_2 + a_{22}x_2^2$을 완전제곱식 형태로 나타내면 다음과 같다.

$$\begin{aligned} q(x_1, x_2) &= a_{11}x_1^2 + 2a_{12}x_1x_2 + a_{22}x_2^2 \\ &= a_{11}\left(x_1^2 + 2\frac{a_{12}}{a_{11}}x_1x_2 + \frac{a_{12}^2}{a_{11}^2}x_2^2 - \frac{a_{12}^2}{a_{11}^2}x_2^2\right) + a_{22}x_2^2 \\ &= a_{11}\left(x_1 + \frac{a_{12}}{a_{11}}x_2\right)^2 + \frac{(a_{11}a_{22} - a_{12}^2)}{a_{11}}x_2^2 \qquad (a_{12} = a_{21}) \end{aligned}$$

먼저 $a_{11} = 0$이면, $q(x_1, x_2) = 0$가 된다. 따라서 이 이차형식이 양정부호형식을 취하던지 음정부호형식을 취하든지 관계없이 $a_{11} \neq 0$이어야 한다.

다음으로 계수행렬을 A라 하고, 행렬식을 $|A|$, 이 행렬식의 1행 1열의 행렬식을 $|A_1|$, 2행 2열의 행렬식을 $|A_2|$라 하면

$$A = \begin{bmatrix} a_{11} & a_{12} \\ a_{21} & a_{22} \end{bmatrix},\ |A| = \begin{vmatrix} a_{11} & a_{12} \\ a_{21} & a_{22} \end{vmatrix},\ |A_1| = a_{11},\ |A_2| = \begin{vmatrix} a_{11} & a_{12} \\ a_{21} & a_{22} \end{vmatrix} = |A|$$

이때 $|A_1|$와 $|A_2|$를 주소행렬식(主小行列式, leading principal minor)이라 하며 이 주소행렬식을 이용하여 이차형식을 다시 나타내면 다음과 같다.

$$q(x_1x_2) = |A_1|(x_1 + \frac{a_{12}}{a_{11}})^2 + \frac{|A_2|}{|A_1|}$$

이는 완전제곱식으로 변형되는 $q(x_1, x_2)$을 보면 a_{11}은 1차 주소행렬식($|A_1|$)이고 두 번째 항의 분자는 2차 주소행렬식($|A_2|$)이기 때문이다. 그러므로 2차 형식 $q = (x_1, x_2)$가 양정부호형식이 되기 위한 필요충분조건은

$$|A_1| > 0,\ \frac{|A_2|}{|A_1|} > 0$$

이어야 하므로

$$|A_1| = a_{11} > 0,\ |A_2| = \begin{vmatrix} a_{11} & a_{12} \\ a_{21} & a_{22} \end{vmatrix} > 0$$

이 되고, 음정부호형식이기 위한 필요충분조건은

$$|A_1| = a_{11} < 0,\ |A_2| = \begin{vmatrix} a_{11} & a_{12} \\ a_{21} & a_{22} \end{vmatrix} > 0$$

이 된다.

이를 정리하면 다음과 같다.

$$q(x_1, x_2) = a_{11}x_1^2 + 2a_{12}x_1x_2 + a_{22}x_2^2 = [x_1\ \ x_2]A\begin{bmatrix} x_1 \\ x_2 \end{bmatrix}$$

$$A = \begin{bmatrix} a_{11} & a_{12} \\ a_{21} & a_{22} \end{bmatrix},\ |A| = \begin{vmatrix} a_{11} & a_{12} \\ a_{21} & a_{22} \end{vmatrix},\ |A_1| = a_{11},\ |A_2| = \begin{vmatrix} a_{11} & a_{12} \\ a_{21} & a_{22} \end{vmatrix}$$

에 대해서 다음이 성립한다.

(ㄱ) q가 양정부호형식 $\Leftrightarrow |A_1| > 0,\ |A_2| > 0$

(ㄴ) q가 음정부호형식 $\Leftrightarrow |A_1| < 0,\ |A_2| > 0$

(ㄷ) $|A| < 0$이면 q는 x_1과 x_2의 값에 따라 그 부호가 변한다.

좀 더 나아가 변수가 3개인 함수 $y = f(x_1, x_2, x_3)$의 극값 문제를 살펴보자. 이 함수가 극값을 갖기 위해서는 동시에 0이 아닌 임의의 dx_1, dx_2, dx_3에 대해 $dy = 0$이 되는 것이 필요하다. 즉

$$dy = f_1dx_1 + f_2dx_2 + f_3dx_3 = 0$$

이 성립하기 위해서는 다음의 1차 필요조건이 만족되어야 한다.

$$f_1 = f_2 = f_3 = 0$$

그리고 이 1차 필요조건을 만족하는 점들이 극값이기 위해서는 앞에서 살펴본 정부호성의 판정에 의해 결정된다, 즉 $d^2y < 0$이면 극댓값을, $d^2y > 0$이면 극솟값을 갖는다. 한편 d^2y를 구해보면 다음과 같다.

$$d^2y = d(dy) = \frac{\partial(dz)}{\partial x_1}dx_1 + \frac{\partial(dz)}{\partial x_2}dx_2 + \frac{\partial(dz)}{\partial x_3}dx_3$$

$$= \frac{\partial}{\partial x_1}dx_1(f_1dx_1 + f_2dx_2 + f_3dx_3)dx_1 + \frac{\partial}{\partial x_2}dx_1(f_1dx_1 + f_2dx_2 + f_3dx_3)dx_2$$

$$+ \frac{\partial}{\partial x_3}dx_1(f_1dx_1 + f_2dx_2 + f_3dx_3)dx_3$$

$$= f_{11}dx_1^2 + f_{12}dx_1dx_2 + f_{13}dx_1dx_3 + f_{21}dx_1dx_2 + f_{22}dx_2^2 + f_{23}dx_2dx_3$$

$$+ f_{31}dx_3dx_1 + f_{32}dx_3dx_2 + f_{33}dx_3^2$$

그리고 이 식은 dx_1, dx_2, dx_3에 관해서 2차형식이기 때문에 다음과 같이 나타낼 수 있다.

$$d^2y = (dx_1, dx_2, dx_3)\begin{bmatrix} f_{11} & f_{12} & f_{13} \\ f_{21} & f_{22} & f_{23} \\ f_{31} & f_{32} & f_{33} \end{bmatrix}\begin{bmatrix} dx_1 \\ dx_2 \\ dx_3 \end{bmatrix}$$

이제 d^2y가 양정부호인지 음정부호인지 판정하기 위해서는 편도함수 f_{ij}로 구성된 헤시안 행렬식

$$|H| = \begin{vmatrix} f_{11} & f_{12} & f_{13} \\ f_{21} & f_{22} & f_{23} \\ f_{31} & f_{32} & f_{33} \end{vmatrix}$$

의 주소행렬식에 의하여 판정된다. 이 헤시안 행렬식의 주소행렬식은 다음과 같다.

$$|H_1| = f_{11} \quad |H_2| = \begin{vmatrix} f_{11} & f_{12} \\ f_{21} & f_{22} \end{vmatrix} \quad |H_3| = \begin{vmatrix} f_{11} & f_{12} & f_{13} \\ f_{21} & f_{22} & f_{23} \\ f_{31} & f_{32} & f_{33} \end{vmatrix} = |H|$$

따라서 함수값이 극댓값이기 위해서는 d^2y가 음정부호이어야 하므로

$$|H_1| = f_{11} < 0\ ,\ |H_2| = f_{11}f_{22} - f_{12}^2 > 0,\ |H_3| = |H| < 0$$

이어야 하고, 극솟값이기 위해서는 d^2y가 양정부호이어야 하므로

$$|H_1| = f_{11} > 0\ ,\ |H_2| = f_{11}f_{22} - f_{12}^2 > 0,\ |H_3| = |H| > 0$$

이어야 한다.

이변수일 때와 삼변수일 때 1차 조건은 같지만 2차 조건에서 차이가 남을 유의할 필요가 있다. 특히 극댓값 조건에 있어 삼변수일 때

$$|H_1| = f_{11} < 0\ ,\ |H_2| = f_{11}f_{22} - f_{12}^2 > 0,\ |H_3| = |H| < 0$$

로서 주소행렬식이 홀수일 때는 음수, 짝수일 때는 양수 값을 취한다. 음양이 차례로 나타나고 있다.

이제 목적함수가 미분 가능한 n변수함수 $y = f(x_1, x_2, x_3, \cdots, x_n)$인 경우로 확장하여 보자. 이것의 전미분 dy는

$$dy = f_1 dx_1 + f_2 dx_2 + \cdots\cdots + f_n dx_n = 0$$

이 성립하기 위해서는 다음의 1차 필요조건이 만족되어야 한다.

$$f_1 = f_2 = f_3 = \cdots = f_n = 0$$

그리고 d^2y에 도출된 헤시안 행렬식은 다음과 같다.

$$|H| = \begin{vmatrix} f_{11} & f_{12} & \cdots\cdots & f_{1n} \\ f_{21} & f_{22} & \cdots\cdots & f_{2n} \\ \cdots & \cdots & \cdots & \cdots \\ f_{n1} & f_{n2} & \cdots\cdots & f_{nn} \end{vmatrix}$$

그리고 위의 행렬식으로부터 주소행렬식을 얻을 수 있으며, 이로부터 다음과 같은 극값 판정기준을 얻을 수 있다. 미분가능 n변수함수 $y = f(x_1, x_2, \cdots x_n)$가 극값을 갖기 위해서는 다음의 조건을 만족하여야 한다.

〈표 9-3〉 n변수함수에서의 극대, 극소

조건	극대	극소
1계 필요조건	$f_1 = f_2 = f_3 = \cdots = f_n = 0$	$f_1 = f_2 = f_3 = \cdots = f_n = 0$
2계 충분조건	$\|H_1\| < 0,\ \|H_2\| > 0,$ $\|H_3\| < 0,\ \cdots\ (-1)^n\|H_n\| > 0$	$\|H_1\| > 0,\ \|H_2\| > 0,$ $\|H_3\| > 0,\ \cdots\ \|H_n\| > 0$

※ $|H|$는 헤시안 행렬식을 나타내고 있음

변수가 3개인 경우 얻은 극댓값과 극솟값을 판정하는 방법을 변수가 n개인 경우까지 확대해 보면, 1계 조건에는 변화가 없으나 2계 충분조건을 살펴보면 헤시안 행렬식의 주소행렬식의 부호가 번갈아 변화하면 극댓값이 되고 모두 양이면 극솟값이 됨을 알 수 있다.

예제 9-9

$z = 3x^2 - 2xy + 3y^2 - 4x - 6y + 15$의 극값을 구하라.

풀이

$\frac{\partial z}{\partial x} = 6x - 2y - 4 = 0 \quad \frac{\partial z}{\partial y} = -2x + 6y - 6 = 0$

임계점은 $x^* = \frac{9}{8},\ y^* = \frac{11}{8}$

$\frac{\partial^2 z}{\partial x^2} = 6 > 0,\ \frac{\partial^2 z}{\partial y^2} = 6 > 0,\ \frac{\partial}{\partial x}(\frac{\partial z}{\partial y}) = -2$

$|H| = \begin{vmatrix} 6 & -2 \\ -2 & 6 \end{vmatrix}$가 설정된다. $|H_1| = 6 > 0,\ |H_2| = \begin{vmatrix} 6 & -2 \\ -2 & 6 \end{vmatrix} = 36 - 4 = 32 > 0$

$|H_1| > 0,\ |H_2| > 0$이기 때문에 임계점($x^* = \frac{9}{8},\ y^* = \frac{11}{8}$)에서 극솟값을 갖는다.

9.4 제약조건이 있는 다변수함수의 극대, 극소

앞에서는 종속변수에 영향을 주는 설명변수들을 선택함에 있어 설명변수들은 서로 독립적이었다. 즉 어떤 설명변수의 선택이 다른 설명변수의 선택에 아무런 영향을 미치지 못하였다. 즉 설명변수들의 선택에 아무런 제약이 존재하지 않았다. 그러나 목적함수를 극대화(극소화)하기 위한 선택에는 제약이 따르는 경우가 많다. 예를 들어 소비자는 소비를 통한 만족을 극대화화는 과정에서 예산(지출)의 제약을 받는다. 기업은 이윤을 극대화하는 과정에서 비용의 제약을 받는다. 정부는 정부지출을 통한 특정 목적을 달성하는 과정에서 재정의 제약을 받는다.

먼저 단일변수함수의 경우는 <그림 9-15>(a)에 그려보았다. 제약조건이 없는 경우 x^*가 극점이 되지만 제약조건이 있는 경우 x^{**}가 극점이 된다. <그림 9-15>(b)에는 이 변수함수의 경우를 3차원 공간에 그려 보았다. 제약조건이 있는 경우의 극댓값은 제약조건이 없는 경우의 극댓값보다 작지만, 예외적으로 두 극댓값이 같을 수도 있다.

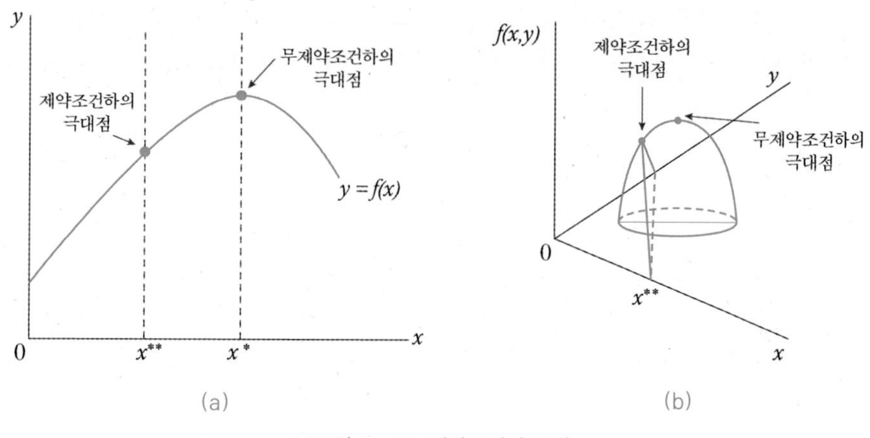

〈그림 9-15〉 제약조건과 극값

이 절에서는 이와 같은 여러 가지 제약 하에서 특정 목적함수를 극대화(극소화)하는 문제를 살펴보자.

9.4.1 라그랑지 승수법

(1) 1계 조건

라그랑지 승수법은 제약조건하의 극값 문제를 우리가 앞에서 배운 무제약하의 극값을 구하는 문제로 변형시키는 방법이다. 이제 목적함수를 2변수 함수 $z=f(x,y)$이고 제약함수를 $g(x,y)=c$(단 c는 상수)라고 할 때 라그랑지 함수를 구성하는 방법은 다음과 같다.[11]

$$\text{Maximize 또는 Minimize } z=f(x,y)$$

$$\text{Subject to(s.t) } c = g(x,y)$$

이 문제를 풀기 위해 라그랑지 승수 λ를 도입하여 다음과 같이 라그랑지 함수를 정의한다.

11 마지막 항이 $\lambda[g(x,y)-c]$가 아니라 반드시 $\lambda[c-g(x,y)]$로 쓰고 있음을 유의하여야 한다.

$$\text{Maximize 또는 Minimize} \quad L(\lambda, x, y) = f(x, y) + \lambda[c - g(x, y)]$$

위의 식에서 λ를 라그랑지 승수(Lagrange multiplier)라 하고 람다(lamda)라고 읽는다. 이 라그랑지 함수는 이제 무제약하의 극값을 구하는 문제와 동일하게 되어 다음과 같이 1계 조건 및 2계 조건을 구할 수 있다. 이제 세 변수 x, y, λ의 함수 L의 극값을 구하기 위해선 다변수함수의 극값을 구할 때와 같이 1계 편도함수를 0으로 두는 것이다. 즉 아래 3개의 연립방정식을 만족하는 x^*, y^*, λ^*를 구하면 된다.

$$\frac{\partial L(\lambda, x, y)}{\partial \lambda} = L_\lambda = c - g(x, y) = 0$$

$$\frac{\partial L(\lambda, x, y)}{\partial x} = L_x = f_x(x, y) - \lambda g_x(x, y) = 0$$

$$\frac{\partial L(\lambda, x, y)}{\partial y} = L_y = f_y(x, y) - \lambda g_y(x, y) = 0$$

위의 식에서 첫 번째 식은 제약조건을 나타내는 식이므로 제약조건 자체를 극값을 구하기 위한 1계 조건으로 포함시킴으로써 제약조건 문제를 해결한다고 할 수 있다. 그리고 극값에서는 이 식이 성립되기 때문에 λ에 상관없이 라그랑지 함수의 $\lambda[c - g(x, y)]$ 부분이 0이므로 목적함수의 극값에는 아무런 영향을 미치지 않는다.

또 두 번째와 세 번째 식에서

$$\lambda = \frac{f_x(x, y)}{g_x(x, y)} = \frac{f_x(x, y)}{g_y(x, y)}$$

를 얻을 수 있다.

라그랑지 승수의 해 값(λ^*)은 파라미터 c를 통한 제약조건의 변화가 목적함수의 최적값에 미치는 영향의 정도이다.[12] λ는 제약조건의 상수가 한 단위 변화에 따른 목적함수의 한계 효과를 점진적으로 나타낸 값이다. 잠재가격(潛在價格, shadow price)과 같은 개념이다. 이것은 상품 또는 투입요소의 기회비용을 말한다.

---

12 포락선 정리(envelope theorem) : 파라미터의 값이 변할 때 함수의 최적값이 얼마나 변하는가는 최적화된 상태에서 목적함수를 파라미터로 직접 (편)미분한 결과로 나타난다는 정리이다.

라그랑지

조제프 루이 라그랑지(Joseph-Louis Lagrange, 1736~1813)는 이탈리아 태생, 프랑스와 프로이센에서 활동한 프랑스 수학자이자 천문학자이다.

그는 프랑스 혁명에서 살아남아 에콜 폴리 테크니크에서 1794년 개교와 동시에 해석학의 첫 번째 교수가 되었다. 1799년 상원위원으로 선출되었고 1803년 나폴레옹으로부터 레지옹 도뇌르 훈장을 받았으며 1808년 백작으로 임명됐다. 그는 팡테옹에 묻혔으며 그의 이름은 에펠탑에 새겨진 72개의 이름 중 하나로 남아있다. 에펠탑에 이름이 새겨진 프랑스를 대표하는 72명의 과학자 중 한 사람으로 북서쪽 6번째에 그의 이름이 있다.

출처: 위키피디아(www.wikipedia.org)

(2) 2계 조건

제약조건이 없는 최적화 문제를 푸는 데 있어 목적함수 $z = f(x,y)$에서 극값을 갖기 위한 2계 충분조건은 2계 전미분 d^2z의 대수적 부호에 의하여 결정되었다. 즉 양정부호면 극소이고 음정부호면 극대였다. 제약조건이 있는 경우도 d^2z의 대수적 부호에 의하여 결정되는 것은 같다. 즉 2계 충분조건은 d^2z가 음정부호이면 극대, 양정부호이면 극솟값을 갖게 된다. 그러나 중요한 차이점이 있는데 제약조건하에서는 dx와 dy의 변화가 제약조건 $g_x dx + g_y dy = 0$을 만족해야 한다는 것이다. 즉 $dx(dy)$의 변화는 $dy(dx)$의 변화에 종속된다는 것을 의미한다.

다음으로 임계점 $(x, y) = (a, b)$일 때, $f(a, b)$가 극값을 갖기 위한 충분조건을 구해 보기로 하자. 새로운 d^2z를 나타내는 식은 다음과 같다.[13]

$$d^2z = L_{xx}dx^2 + 2L_{xy}dxdy + L_{yy}dy^2$$

위의 식을 가지고는 아직까진 극값을 판정할 수 없다. 왜냐하면 아직 종속적인 dy가 포함되어 있기 때문이다. 따라서 $dy = -(g_x/g_y)dx$를 위의 식에 대입하여 정리해보면

$$\begin{aligned} d^2z &= L_{xx}dx^2 + 2L_{xy}dx\left(-\frac{g_x}{g_y}dx\right) + L_{yy}\left(-\frac{g_x}{g_y}dx\right)^2 \\ &= \frac{dx^2}{g_y^2}\left(L_{xx}g_y^2 - 2L_{xy}g_xg_y + L_{yy}g_x^2\right) \end{aligned}$$

이 된다. 여기서 d_x^2/g_y^2은 양수이고 $(L_{xx}g_y^2 - 2L_{xy}g_xg_y + L_{yy}g_x^2)$식은 다음과 같은 행렬식으로 나타낼 수 있다.

$$|\overline{H}| = \begin{vmatrix} 0 & g_x & g_y \\ g_x & L_{xx} & L_{xy} \\ g_y & L_{yx} & L_{yy} \end{vmatrix} = -(L_{xx}g_y^2 - 2L_{xy}g_xg_y + L_{yy}g_x^2)$$

이 행렬식은 1행과 1열이 제약조건의 1계 편도함수로 되어 있고 나머지는 라그랑지 함수의 x, y에 대한 2계 편도함수로 되어 있다. 이런 행렬식을 유(有)테헤시안(bordered Hessian)이라고 부르며 $|\overline{H}|$로 나타낸다.

따라서 위의 식을 다시 나타내보면

$$d^2z = \frac{dx^2}{g_y^2}(-|\overline{H}|)$$

가 된다. 따라서

13 이 식이 유도되는 과정은 이윤복, 『경제경영수학(제2판)』, 비엔엠북스, 2011, pp.279-281.

$$d^2z > 0\text{이면, 즉 양정부호이면 } |\overline{H}| < 0\text{되어 극솟값이 되고}$$
$$d^2z < 0\text{이면, 즉 음정부호이면 } |\overline{H}| > 0\text{되어 극댓값이 된다.}$$

다음과 같은 1계 필요조건과 2계 충분조건을 정리해보면 <표 9-4>와 같다.

〈표 9-4〉 제약조건하의 극값 찾기 조건(이변수함수)

- 목적함수: $z = f(x,y)$
- 제약함수: $g(x,y) = c$

이때 라그랑지 함수는 다음과 같이 구성된다.

$L = f(x,y) + \lambda[c - g(x,y)]$

- 1계(필요)조건:

$$\frac{\partial L(\lambda, x,y)}{\partial \lambda} = L_\lambda = c - g(x,y) = 0$$
$$\frac{\partial L(\lambda, x,y)}{\partial x} = L_x = f_x(x,y) - \lambda g_x(x,y) = 0$$
$$\frac{\partial L(\lambda, x,y)}{\partial y} = L_y = f_y(x,y) - \lambda g_y(x,y) = 0$$

위의 조건을 만족하는 점은(x^*, y^*, λ^*)가 된다.

- 2계(충분)조건

$|\overline{H}| < 0$ 이면 위의 (x^*, y^*)은 극솟값

$|\overline{H}| > 0$ 이면 위의 (x^*, y^*)은 극댓값

극값은 $z^* = f(x^*, y^*)$ 가 된다.

예제 9-10

제약조건 $x + y = 10$하에서 $z = xy$의 극값을 구하라.

풀이

$L = L(\lambda, x, y) = xy + \lambda(10 - x - y)$

$$\frac{\partial L(\lambda, x,y)}{\partial \lambda} = L_\lambda = 10 - x - y = 0$$
$$\frac{\partial L(\lambda, x,y)}{\partial x} = L_x = y - \lambda = 0$$

$\frac{\partial L(\lambda, x, y)}{\partial y} = L_y = x - \lambda = 0$

$\lambda = x = y$를 얻는다. $\lambda^* = x^* = y^* = 5$를 구할 수 있다.

정지 값은 $L^* = z^* = 25$ 이다.

$|\overline{H}| = \begin{vmatrix} 0 & 1 & 1 \\ 1 & 0 & 1 \\ 1 & 1 & 0 \end{vmatrix} = 2 > 0$

정지 값 $L^* = z^* = 25$ 는 극댓값이다.

이제 목적함수를 $z = f(x_1, x_2, \ldots, x_n)$이라 하고 제약조건을 $g(x_1, x_2, x_3, \cdots x_n) = c$라 할 경우 위의 두 변수에서와 같이 라그랑지 함수를 다음과 같이 구성할 수 있다.

$$L = L(\lambda, x_1, x_2, \ldots x_n) = f(x_1, x_2, \ldots x_n) + \lambda[c - g(x_1 x_2, \ldots x_n)]$$

그리고 1계 필요조건은 다음과 같다.

$$L_\lambda = L_{x_1} = L_{x_2} = \ldots = L_{x_n} = 0 \text{ (여기서 } L_{x_i} = \partial L / \partial x_i)$$

그리고 2계 충분조건은 여전히 $d^2 z$의 부호에 의존하게 되므로 위에서 살펴본 유테헤시안 행렬과 관련되어 있다. $|\overline{H}|$의 제1행과 제1열에 -1을 곱하여도 $|\overline{H}|$는 변하지 않으므로 g_i의 부호를 +로 쓰고 있다. 이제 $d^2 z$의 정부호성을 검증하기 위한 유테헤시안과 순차적인 주소행렬식들은 다음과 같다.

$$|\overline{H}| = \begin{vmatrix} 0 & g_1 & g_2 & \cdots\cdots & g_n \\ g_1 & L_{11} & L_{12} & \cdots\cdots & L_{1n} \\ g_2 & L_{21} & L_{22} & \cdots\cdots & L_{2n} \\ \cdots & \cdots & \cdots & \cdots & \cdots \\ g_n & L_{n1} & L_{n2} & \cdots\cdots & L_{nn} \end{vmatrix},$$

$$|\overline{H_2}| = \begin{vmatrix} 0 & g_1 & g_2 \\ g_1 & L_{11} & L_{12} \\ g_2 & L_{21} & L_{22} \end{vmatrix}, |\overline{H_3}| = \begin{vmatrix} 0 & g_1 & g_2 & g_3 \\ g_1 & L_{11} & L_{12} & L_{13} \\ g_2 & L_{21} & L_{22} & L_{23} \\ g_3 & L_{31} & L_{32} & L_{33} \end{vmatrix} \text{ 등등}$$

이때 $d^2 z$의 양정부호 또는 음정부호에 관한 조건은 다음과 같다.

1) $|\overline{H_2}| < 0$, $|\overline{H_3}| < 0$, ..., $|\overline{H_n}| < 0$ 이면 d^2z는 양정부호이며 극솟값을 갖는다.

2) $|\overline{H_2}| > 0$, $|\overline{H_3}| < 0$, $|\overline{H_4}| > 0$,....이면 d^2z는 음정부호이며 극댓값을 갖는다.

일반적으로 n개의 변수 및 제약조건이 1개인 경우 극대와 극솟값을 구하기 위한 조건을 정리해보면 <표 9-5>와 같다.

〈표 9-5〉 제약조건하의 극값 찾기 조건(다변수함수)

- 목적함수: $z = f(x_1, x_2, \ldots, x_n)$
- 제약함수: $g(x_1, x_2, \cdots x_n) = 0$

이때 라그랑지 함수는 다음과 같이 구성된다.

$$L = L(\lambda, x_1, x_2, \ldots x_n) = f(x_1, x_2, \ldots x_n) + \lambda g(x_1 x_2, \ldots x_n)$$

- 1계(필요)조건:

$$\frac{\partial L(\lambda, x_1, x_2, \cdots x_n)}{\partial \lambda} = L_\lambda = c - g_x(x_1, x_2, \cdots x_n) = 0$$

$$\frac{\partial L(\lambda, x_1, x_2, \cdots, x_n)}{\partial x_1} = L_1 = f_1(x_1, x_2, \cdots, x_n) - \lambda g_1(x_1, x_2, \cdots, x_n) = 0$$

....

$$\frac{\partial L(\lambda, x_1, x_2, \cdots, x_n)}{\partial x_n} = L_n = f_n(x_1, x_2, \cdots, x_n) - \lambda g_n(x_1, x_2, \cdots, x_n) = 0$$

위의 조건을 만족하는 점은$(\lambda^*, x_1^*, x_2^*, x_3^*, \cdots, x_n^*)$가 된다.

- 2계(충분)조건
  1) $|\overline{H_2}| < 0$, $|\overline{H_3}| < 0$, ..., $|\overline{H_n}| < 0$ 이면 d^2z는 양정부호이며 극솟값을 갖는다.
     $z^* = f(x_1^*, x_2^*, x_3^*, \cdots, x_n^*)$은 극솟값이 된다.
  2) $|\overline{H_2}| > 0$, $|\overline{H_3}| < 0$, ..., $(-1)^n |\overline{H_n}| > 0$이면 d^2z는 음정부호이며 극댓값을 갖는다.
     $z^* = f(x_1^*, x_2^*, x_3^*, \cdots, x_n^*)$은 극댓값이 된다.

실습문제 9-5

목적함수 $z = 4x^2 + 3xy + 6y^2$

제약조건 $x + y = 56$

풀이

$x^* = 36,\ y^* = 20,\ \lambda^* = 348\ \ z^* = 9,744$ 또 극솟값을 갖는다.

제약조건을 $x + y = 57$로 바꾸어 보면

$x^{**} = 36.64,\ y^{**} = 20.36,\ \lambda^{**} = 354.2,\ \ z^{**} = 10,095$ 또 극솟값을 갖는다.

z 값의 차이는 10,095 − 9,744 = 351 이 숫자는 $\lambda^* = 348$과 비슷하다.

9.4.2 라그랑지 승수법의 응용

(1) 소비자 균형

다음과 같은 효용함수를 예로 들어 제약조건이 갖는 의미를 생각해보자.

$$U = U(x_1, x_2)$$

여기서 x_1과 x_2는 재화의 소비량을 나타낸다. 그리고 이 효용함수의 특성을 나타낸 것이 <그림 9-16>과 같은 무차별곡선 지도이다. 효용함수는 3차원 공간에 나타나지만 무차별곡선을 도입하여 2차원 공간으로 축소하여 보다 알기 쉽게 분석할 수 있다.

무차별곡선은 동일한 만족을 가져다주는 두 재화의 조합을 나타내는 곡선으로 정의된다. 동일한 무차별곡선(U_1)상에서 A 묶음에서의 효용은 C나 D 묶음에서의 효용과 같다(무차별하다). E점은 낮은 효용을, F점은 많은 효용을 나타내고 있다. 또 원점에서 멀어질수록 효용이 증가한다는 특성을 가지고 있다. <그림 9-16>에서 $U_1 < U_2 < U_3$ .....로 표시할 수 있다. 따라서 제약이 없다면 원점에서 먼 무차별곡선에서의 한 점(소비량의 조합)을 선택하면 효용을 극대화 할 수 있다. 그러나 현실에선 소비자들은 예산(지출)의 제약을 받는다(보통 샐러리맨들의 한 달 월급 혹은 연봉은 정해져 있다). 따라서 소비량의 조합은 이 예산 범위 내에서 이루어져야 한다.

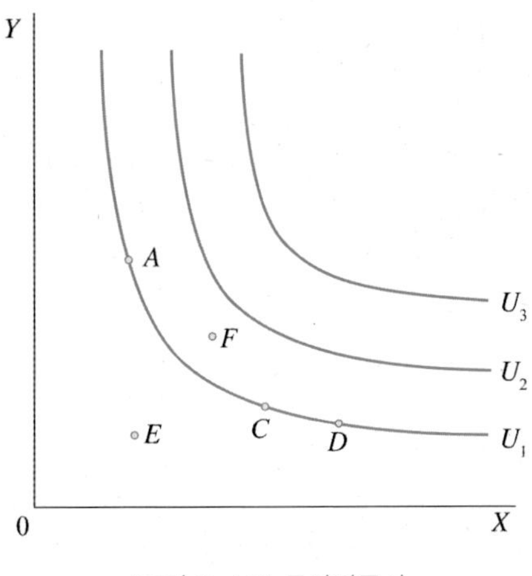

〈그림 9-16〉 무차별곡선

예산제약은 다음과 같이 나타낼 수 있다.

$$B = P_1 x_1 + P_2 x_2$$

즉 소비자가 두 재화에 모두 예산을 지출한다면 우측은 지출의 합이고 이것은 곧 예산(豫算, budget)이 된다. 그리고 이것을 나타낸 것이 <그림 9-17>의 예산선이 된다.[14] 이 식을 x_2에 대해서 정리하면 다음과 같이 나타낼 수 있다.

$$x_2 = \frac{B}{P_2} - \frac{P_1}{P_2} x_1$$

즉 세로축 절편이 B/P_2이고 기울기를 $-P_1/P_2$로 나타낼 수 있다. 예산선상에 있는 점들은 같은 금액의 예산을 나타내고 있다. 예산선상에 있는 G점과 H점, I점은 같은 금액을 나타내고 있으며 J점은 낮은 예산을, K점은 많은 예산을 나타내고 있다. 또 원점에서 멀어질수록 예산을 나타내고 있다. <그림 9-17>에서 $B_1 < B_2 < B_3$ .....로 표시할 수 있다. 이제 소비자는 이 예산제약을 충족하면서 소비를 통한 만족을 극대화하는 소비량의 조합을 선택해야 하는 문제에 직면하게 된다. 이는 예산제약이 없을 때 마음대로 선택할 수 있었던 경우와 다른 문제가 된다.

14 가격이나 예산 변화에 따른 예산선의 변화에 대해서는 이 책 3장 실습문제 3-2를 참고하기 바람.

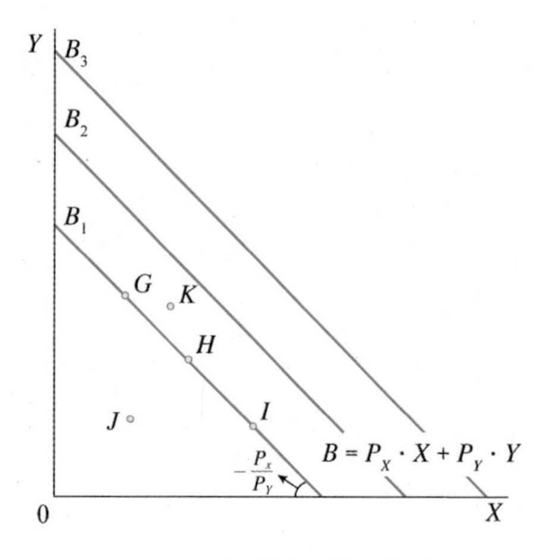

〈그림 9-17〉 예산선

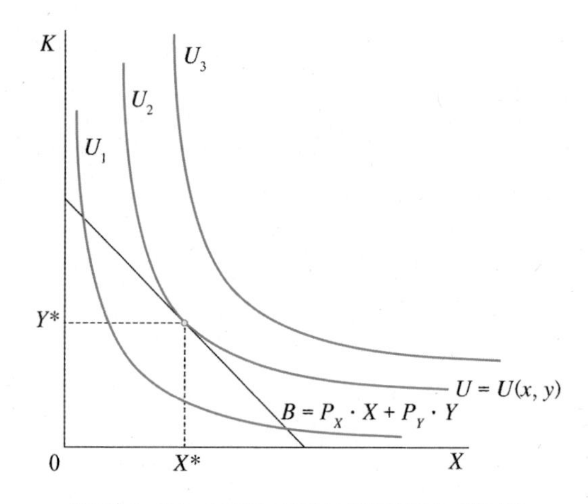

〈그림 9-18〉 소비자 균형(무차별곡선과 예산선)

우리는 경제학 이론에서 이 소비자가 효용을 극대화하기 위해서는 예산선 위에 존재하는 무차별곡선을 선택한다는 것을 배웠다. 그리고 이 선택조합에서는 예산선의 기울기와 무차별곡선의 기울기가 일치한다는 것 그리고 이 점에서 한계효용균등의 법칙이 성립한다는 것도 배웠다. <그림 9-18> 소비자 균형으로 나타내었다. 이제는 이 소비량의 조합을 구하는 방법을 제약조건하에서 극값을 구하는 문제와 연계시켜 알아보기로 하자.

• 목적함수: $U = U(X, Y)$

• 제약조건: $B = P_X X + P_Y Y$

$$\max Z = U(X, Y) + \lambda(B - P_X X - P_Y Y)$$

• 내생변수: λ, X, Y 외생변수: P_X, P_Y

$$\frac{\partial L(\lambda, x, y)}{\partial \lambda} = L_\lambda = B - P_X X - P_Y Y = 0$$

$$\frac{\partial L(\lambda, x, y)}{\partial x} = L_x = MU_X - \lambda P_X = 0$$

$$\frac{\partial L(\lambda, x, y)}{\partial y} = L_y = MU_Y - \lambda P_Y = 0$$

• 1계 조건: $\lambda^* = \frac{MU_X}{P_X} = \frac{MU_Y}{P_Y}$ λ: 화폐의 한계효용(marginal utility of money)

이를 원당 한계효용 균등의 법칙이라고 부른다.

한편 무차별곡선에서 한계 대체율은

$$-\frac{dY}{dX} = \frac{MU_X}{MU_Y} = MRS_{XY}$$

$$-\frac{dY}{dX} = \frac{MU_X}{MU_Y} = MRS_{XY} = \frac{P_X}{P_Y}$$

를 얻을 수 있다. 무차별곡선의 기울기와 예산선 기울기가 일치하는 곳

소비자의 두 재화에 대한 상대적인(주관적인) 가치인(무차별곡선의 접선의 기울기: $-\frac{dY}{dX} = \frac{MU_X}{MU_Y} = MRS_{XY}$)와 시장에서 결정되는 객관적인 가치의 비율(예산선의 기울기: $\frac{P_X}{P_Y}$)이 같은 곳에서 균형점이 이루어진다.

한편 2계 조건은 유테헤시안이 정부호성을 가져야 한다.

$$|\overline{H}| = \begin{vmatrix} 0 & P_X & P_Y \\ P_X & U_{XX} & U_{XY} \\ P_Y & U_{YX} & U_{YY} \end{vmatrix} = 2P_XP_YU_{XY} - P_Y^2U_{XX} - P_X^2U_{YY} > 0$$

이 조건은 무차별곡선이 강 볼록임을 의미한다. 정지점에서 무차별곡선의 접선의 기울기 변화는 $\frac{d^2y}{dx^2}$의 값으로 판단할 수 있다. $\frac{d^2y}{dx^2}$가 양의 값을 갖는 것을 한계대체율 체감의 법칙이라고 부른다.

$$\frac{d^2Y}{dX^2} = \frac{d}{dX}(-\frac{MU_X}{MU_Y}) = -\frac{1}{U_Y^2}(U_Y\frac{dU_X}{dX} - U_X\frac{dU_Y}{dX})$$

$$\frac{d^2Y}{dX^2} = \frac{2P_XP_YU_{XY} - P_Y^2U_{XX} - P_X^2U_{YY}}{P_Y^2U_Y} = \frac{|\overline{H}|}{P_Y^2U_Y} > 0$$

효용극대화 문제에서 2계 충분조건은 무차별곡선의 강 볼록, 한계대체율 체감의 법칙, 그리고 유테헤시안의 정부호성으로 다르게 표현되고 있다.

실습문제 9-6

앞에서 설명한 효용함수는 일반적 함수 형태였으나 이제 다음과 같은 구체적인 함수 형태로 나타내 보자.

목적함수: $U = U(X, Y) = AX^{\alpha}Y^{\beta}$

제약조건: $B = P_XX + P_YY$

max $Z = U(X, Y) + \lambda(B - P_XX - P_YY)$

최적점에서 $\frac{Y}{X} = \frac{\beta P_X}{\alpha P_Y}$ 관계가 성립한다. 효용함수에서 X재의 지수(α)는 X재에 대한 선호의 강도를, Y재화의 지수(β)는 Y재에 대한 선호의 강도를 나타내고 있다. 그 비율인 ($\frac{\beta}{\alpha}$)는 X에 비해 Y를 얼마나 더 선호하는가를 보여주고 있다.

위의 조건식을 $\beta P_XX = \alpha P_YY$ 로 쓸 수 있으며 이 식은 선호에 대한 정보(α, β)와 가격에 대한 정보(P_X, P_Y)를 동시에 가지고 있다. 두 재화의 비율($\frac{Y}{X}$)은 각 재화에 대한 선호의 상대적인 비율($\frac{\beta}{\alpha}$)과 두 재화의 가격비($\frac{P_X}{P_Y}$)의 곱으로 이루어져 있음을 유의할 필요가 있다.

위의 조건식을 예산선에 대입하여 정리하면

X 에 대한 수요함수 $X^d = \frac{\alpha B}{(\alpha+\beta)P_X}$ 가 얻어지며

Y 에 대한 수요함수 $Y^d = \frac{\beta B}{(\alpha+\beta)P_Y}$ 가 얻어진다.[15]

만약 소득과 가격이 같은 비율로 변하였다면 위의 X와 Y에 대한 수요함수에서 볼 수 있듯이 수요량의 변화가 없다. 즉 수요함수는 영차 동차함수이다.

(2) 생산자 균형(생산비 제약하의 생산량 극대화)

생산함수 $Q = f(L, K)$를 대상으로 제약조건이 갖는 의미를 생각해보자. 여기서 Q는 일정기간의 생산량을, L은 그 기간의 노동 투입량을 또 그 기간 동안의 공장과 기계서비스 사용량을 자본K을 나타낸다. 그리고 이 생산함수의 특성을 나타낸 것이 <그림 9-19>와 같은 등량곡선이다. 3차원 공간에 나타나는 효용함수를 무차별곡선을 도입하여 2차원 공간으로 축소하여 보다 알기 쉽게 분석하는 것과 같이 생산함수도 3차원 공간에 나타나지만 등량곡선을 도입하여 2차원 공간으로 축소하여 보다 알기 쉽게 분석할 수 있다.

등량곡선은 동일한 생산량을 가져다주는 두 생산요소(노동과 자본)의 조합을 나타내는 곡선으로 정의된다. 동일한 등량곡선(Q_1)상에서 A 묶음에서의 생산량은 C나 D 묶음에서의 생산량과 같다. E점은 작은 생산량을, F점은 많은 생산량을 나타내고 있다. 또 원점에서 멀어질수록 생산량이 증가한다는 특성을 가지고 있다. <그림 9-19>에서 $Q_1 < Q_2 < Q_3 \cdots$로 표시할 수 있다. 따라서 제약이 없다면 원점에서 먼 등량곡선상의 한 점(생산요소의 조합)을 선택하면 생산량 극대화 문제는 해결된다. 그러나 현실에선 생산자들은 비용의 제약을 받는다. 따라서 선택할 수 있는 생산요소의 조합도 이 비용 범위 내에서 이루어져야 한다.

---

15 수요함수에 대한 비교정태분석은 8장을 참고하기 바람.

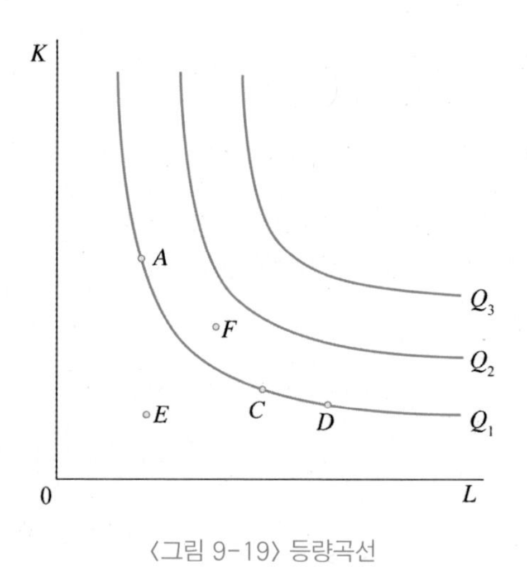

〈그림 9-19〉 등량곡선

등비용곡선은 다음과 같이 나타낼 수 있다.

$$C = \omega L + \gamma K \quad \omega : \text{노동의 가격} \quad \gamma : \text{자본의 가격}$$

즉 생산자가 두 생산요소에 모두 비용을 지출한다면 우측은 지출의 합이고 이것은 곧 비용이 된다. 그리고 이것을 나타낸 것이 <그림 9-20>의 등비용곡선이다.[16] 이 식을 K에 대해서 정리하면 다음과 같이 나타낼 수 있다.

$$K = \frac{C}{\gamma} - \frac{\omega}{\gamma} L$$

즉 세로축 절편이 C/γ이고 기울기를 $-(\omega/\gamma)$로 나타낼 수 있다. 등비용곡선상에 있는 점들은 같은 금액의 비용을 나타내고 있다. 등비용곡선상에 있는 G점과 H점, I점은 같은 금액을 나타내고 있으며 J점은 낮은 비용을, K점은 많은 비용을 나타내고 있다. 또 원점에서 멀어질수록 비용을 나타내고 있다. <그림 9-19>에서 $C_1 < C_2 < C_3$ .....로 표시할 수 있다. 이제 생산자는 이 비용제약을 충족하면서 생산량을 극대화하는 생산요소의 조합을 선택해야 하는 문제에 직면하게 된다. 이는 비용제약이 없을 때 맘대로 선택할 수 있었던 경우와 다른 문제가 된다.

---

16 가격이나 예산 변화에 따른 예산선의 변화에 대해서는 3장 실습문제 3-2 참고 바람.

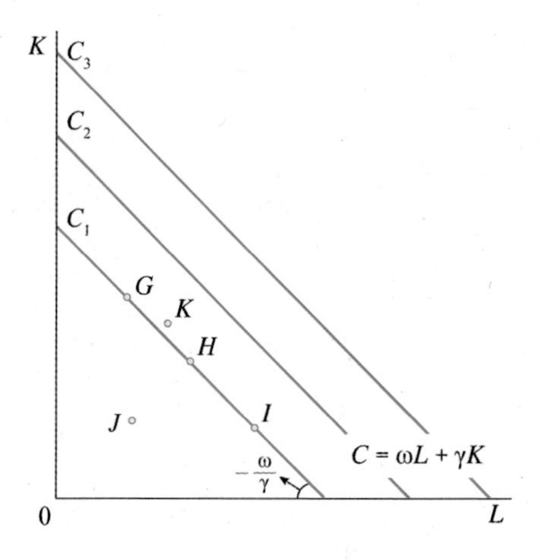

〈그림 9-20〉 등비용곡선

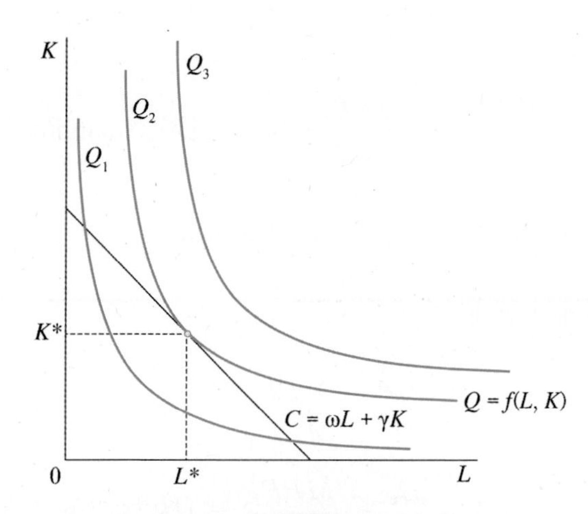

〈그림 9-21〉 생산자 균형(등량곡선과 등비용곡선)

우리는 경제학 이론에서 이 생산자가 생산량을 극대화하기 위해서는 등비용선 위에 존재하는 등량곡선을 선택한다는 것을 배웠다. 그리고 이 선택조합에서는 등비용선의 기울기와 등량곡선의 접선의 기울기가 일치한다는 것 그리고 이 점에서 한계생산물 균등의 법칙이 성립한다는 것도 배웠다. <그림 9-21>에서 확인할 수 있다. 이제는 이 생산요소의 조합을 구하는 방법을 제약조건하에서 극값을 구하는 문제와 연계시켜 알아보기로 하자.

- 목적함수: $Q = f(L, K)$
- 제약조건: $C = \omega L + \gamma K$

$$\max Z = f(L, K) + \lambda(C - \omega L - \gamma K)$$

- 내생변수: λ, L, K 외생변수: ω, γ

$$\frac{\partial L(\lambda, L, K)}{\partial \lambda} = L_\lambda = C - \omega L - \gamma K = 0$$

$$\frac{\partial L(\lambda, L, K)}{\partial L} = L_L = MPP_L - \lambda\omega = 0$$

$$\frac{\partial L(\lambda, L, K)}{\partial K} = L_K = MPP_K - \lambda\gamma = 0$$

- 1계 조건: $\lambda^* = \frac{MPP_L}{\omega} = \frac{MPP_K}{\gamma}$ λ: 한계비용(marginal cost)

이를 원당 한계생산력 균등의 법칙이라고 부른다.

한편 등량곡선에서 한계기술대체율은

$$-\frac{dK}{dL} = \frac{MPP_L}{MPP_K} = MRTS_{LK}$$

$$-\frac{dK}{dL} = \frac{MPP_L}{MPP_K} = MRTS_{LK} = \frac{\omega}{\gamma}$$

를 얻을 수 있다. 등량곡선의 기울기와 등비용선 기울기가 일치하는 곳

생산자의 두 생산요소에 대한 상대적인(주관적인) 가치인(등량곡선의 접선의 기울기: $-\frac{dK}{dL} = \frac{MPP_L}{MPP_K} = MRTS_{LK}$)와 시장에서 결정되는 객관적인 가치의 비율(등비용선의 기울기: $\frac{\omega}{\gamma}$)이 같은 곳에서 균형점이 이루어진다.

한편 2계 조건은 유테헤시안이 정부호성을 가져야 한다.

$$|\overline{H}| = \begin{vmatrix} 0 & \omega & \gamma \\ \omega & f_{LL} & f_{LK} \\ \gamma & f_{KL} & f_{KK} \end{vmatrix} = 2\omega\gamma f_{LK} - \gamma^2 f_{LL} - \omega^2 f_{KK} > 0$$

이 조건은 등량곡선이 강 볼록임을 의미한다. 정지점에서 등량곡선의 접선의 기울기 변화는 $\frac{d^2K}{dL^2}$의 값으로 판단할 수 있다. $\frac{d^2K}{dL^2}$가 양의 값을 갖는 것을 한계기술대체율 체감의 법칙이라고 부른다.

$$\frac{d^2K}{dL^2} = \frac{d}{dL}\left(-\frac{MPP_L}{MPP_K}\right) = -\frac{1}{f_K^2}\left(f_K \cdot \frac{df_L}{dL} - f_L \cdot \frac{df_K}{dL}\right)$$

$$\frac{d^2K}{dL^2} = \frac{2\omega\gamma \cdot f_{LK} - \gamma^2 f_{KK} - \omega^2 f_{KK}}{\gamma^2 f_K} = \frac{|\overline{H}|}{\gamma^2 f_K} > 0$$

생산량 극대화 문제에서 2계 충분조건은 등량곡선의 강 볼록, 한계기술대체율 체감의 법칙, 그리고 유테헤시안의 정부호성으로 다르게 표현되고 있다.

실습문제 9-7

앞에서 설명한 생산함수는 일반적 함수형태였으나 이제 다음과 같은 콥 더글라스 함수 형태로 나타내 보자.

목적함수: $Q = f(L, K) = AL^{\alpha}K^{\beta}$
제약조건: $C = \omega L + \gamma K$

max $Z = AL^{\alpha}K^{\beta} + \lambda(C - \omega L - \gamma K)$

최적점에서 $\frac{K}{L} = \left(\frac{\beta\omega}{\alpha\gamma}\right)$ 관계가 성립한다.[17] 생산함수에서 L의 지수(α)는 L의 생산성을 K의 지수(β)는 K의 생산성을 나타내고 있다. 그 비율인 $\left(\frac{\beta}{\alpha}\right)$는 L에 비해 K가 얼마나 더 생산적인가를 보여주고 있다.

---

17 소득소비곡선(가격이 일정한 상태에서 소득이 계속 증가함에 따라 변화하는 최적 상품묶음을 계속 연결하여 얻은 곡선, Income Consumption Curve: ICC)과 확장곡선(생산량이 증가할 때 최적 생산요소 묶음을 연결하여 얻은 곡선)이 효용함수와 생산함수가 콥 더글라스 형태인 경우에 직선이 된다는 사실을 보여주고 있다. 즉 선호나 기술이 동차적인 경우에는 재화(혹은 생산요소)의 상대가격이 변하지 않는 한 효용극대화 재화의 비율이나 생산요소의 비율이 변하지 않다는 것을 의미한다.

위의 조건식을 $(\beta\omega L = \alpha\gamma K)$ 로 쓸 수 있으며 이 식은 생산성에 대한 정보(α, β)와 가격에 대한 정보 (ω, γ)를 동시에 가지고 있다. 두 생산요소의 비율$(\frac{K}{L})$은 각 요소에 대한 생산성의 상대적인 비율 $(\frac{\beta}{\alpha})$과 두 요소의 가격비$(\frac{\omega}{\gamma})$의 곱으로 이루어져있음을 유의할 필요가 있다.

위의 조건식을 등비용선에 대입하여 정리하면

L 에 대한 수요함수 $L^d = \frac{\alpha C}{(\alpha+\beta)\omega}$ 가 얻어지며

K 에 대한 수요함수 $K^d = \frac{\beta C}{(\alpha+\beta)\gamma}$ 가 얻어진다.

만약 비용과 요소가격이 같은 비율로 변하였다면 위의 L와 K에 대한 수요함수에서 볼 수 있듯이 수요량의 변화가 없다. 즉 생산요소의 수요함수는 영차동차함수이다.

(3) 생산자 균형(생산량 제약하의 비용 극소화)

- 목적함수: $C = \omega L + \gamma K$
- 제약조건: $Q = f(L, K)$

$$\text{Min } Z = \omega L + \gamma K + \lambda(Q - f(L, K))$$

- 내생변수: λ, L, K 외생변수: ω, γ

$$\frac{\partial L(\lambda, L, K)}{\partial \lambda} = L_\lambda = Q - f(L, K) = 0$$

$$\frac{\partial L(\lambda, L, K)}{\partial L} = L_L = \omega - \lambda \cdot MPP_L = 0$$

$$\frac{\partial L(\lambda, L, K)}{\partial K} = L_K = \gamma - \lambda \cdot MPP_K = 0$$

- 1계 조건: $\lambda^* = \frac{MPP_L}{\omega} = \frac{MPP_K}{\gamma}$ λ : 원당 한계생산력

이를 원당 한계생산력 균등의 법칙이라고 부른다.

$$-\frac{dK}{dL} = \frac{MPP_L}{MPP_K} = MRTS_{LK} = \frac{\omega}{\gamma}$$

: 등량곡선의 기울기와 비용선 기울기가 일치하는 곳

왼쪽은 생산자의 두 생산요소에 대한 상대적인(주관적인) 가치를 나타내고 있고 오른쪽은 시장에서 결정되는 객관적인 가치의 비율이다. <그림 9-21> 생산자 균형에서의 결과와 같다.

만약 생산함수가 콥 더글라스 형태라면 균형조건은 $\dfrac{K}{L} = \dfrac{\beta\omega}{\alpha\gamma}$이 구해진다.

L에 대한 수요함수 $L^d = \dfrac{\alpha C}{(\alpha+\beta)\omega}$가 얻어지며

K에 대한 수요함수 $K^d = \dfrac{\beta C}{(\alpha+\beta)\gamma}$가 얻어진다.

생산량 제약하의 비용 극소화와 생산비 제약하의 생산량 극대화 조건이 같음을 보았다. 이를 쌍대성(雙對性, duality)이라고 부른다. 이는 총가변비용함수와 총생산물함수는 거울에 비친 상(像)의 관계에 있음을 의미한다.

(4) 시간에 걸친 의사결정

두 기간에 걸쳐 소비를 결정하고 있는 어느 소비자를 생각해 보기로 하자. x_0는 현재의 소비, x_1은 다음 기의 소비를 나타내고 있으며 효용함수를 $U = U(x_0, x_1) = x_0 x_1$으로 표현하였다고 하자. 현재 예산 B를 가지고 있다. 시장이자율은 $r(\times 100\%)$이고 소비자는 이 기간 동안 빌리고 빌려줄 수 있다면 예산 제약식은 $B = x_0 + \dfrac{x_1}{1+r}$으로 변하게 된다.

먼저 라그랑지 함수를 이용하여 효용극대화 문제를 나타내보면

$$\text{Max } Z = x_0 x_1 + \lambda(B - x_0 - \frac{x_1}{1+r})$$

- 내생변수: λ, x_0, x_1 외생변수: B, r

$$\frac{\partial L(\lambda, x_0, x_1)}{\partial \lambda} = L_\lambda = B - x_0 - \frac{x_1}{(1+r)}$$

$$\frac{\partial L(\lambda, x_0, x_1)}{\partial x_0} = L_0 = x_1 - \lambda = 0$$

$$\frac{\partial L(\lambda, x_0, x_1)}{\partial x_1} = L_1 = x_0 - \frac{\lambda}{(1+r)} = 0$$

• 1계 조건 : $\lambda^* = x_1 = (1+r)x_0$ 로 압축되고

$$x_0^* = \frac{B}{2},\ x_1^* = \frac{(1+r)B}{2}$$ 를 구할 수 있다.

유테헤시안 행렬식을 구해보면 양의 값으로서 극대조건을 만족하고 있다.

$$|\overline{H}| = \begin{vmatrix} 0 & -1 & -\frac{1}{1+r} \\ -1 & 0 & 1 \\ -\frac{1}{1+r} & 1 & 0 \end{vmatrix} = \frac{2}{(1+r)} > 0$$

r이 0이라면, 즉 현재와 미래를 똑같은 비중을 둔다면 $x_0^* = \frac{B}{2}$, $x_1^* = \frac{B}{2}$로 소비할 것이다. 만약 $0 < r < 1$이라면, 즉 현재에 더 많은 가치를 둔다면, $x_0^* = \frac{B}{2} > \frac{(1+r)B}{2} = x_1^*$로 구해진다.

(5) 포트폴리오 분석[18]

1 자산과 2 자산에 대한 정보가 아래와 같다.

	자산 1	자산 2	공분산
기대수익률	0.4	0.5	
분산	0.04	0.09	-0.01

위험(분산으로 표시됨)을 최소화하는 자산 구성비를 구해보기로 하자. 자산 1의 비중을 w_1이라고 하면 $w_1 + w_2 = 1$이다. 이 포트폴리오의 분산은

18 포트폴리오의 사전적(辭典的)으로는 서류가방 혹은 자료 수집철을 의미한다. 자산 보유자가 혹은 투자가가 둘 이상의 자산에 분산 보유(투자)할 경우의 보유(투자)대상과 그 자산의 조합을 가리키는 개념이다.

$\sigma_p^2 = w_1^2\sigma_1^2 + w_2^2\sigma_2^2 + 2w_1w_2\sigma_{12}^2$, σ_{12}^2 는 자산 1과 2의 공분산(共分散, covariance)이다.

먼저 라그랑지 함수를 이용하여 효용극대화 문제를 나타내 보면

$$\begin{aligned} \text{Min } Z &= w_1^2\sigma_1^2 + w_2^2\sigma_2^2 + 2w_1w_2\sigma_{12}^2 + \lambda(1 - w_1 - w_2) \\ &= {}_1^2(0.04) + w_2^2(0.09) + 2w_1w_2(-0.01) + \lambda(1 - w_1 - w_2) \end{aligned}$$

• 내생변수: λ, w_1, w_2 외생변수: $\sigma_1^2, \sigma_2^2, \sigma_{12}^2$

$$\frac{\partial L(\lambda, w_1, w_2)}{\partial \lambda} = L_\lambda = 1 - w_1 - w_2$$

$$\frac{\partial L(\lambda, w_1, w_2)}{\partial w_1} = L_1 = 0.08w_1 - 0.02w_2 - \lambda = 0$$

$$\frac{\partial L(\lambda, w_1, w_2)}{\partial w_2} = L_2 = -0.02w_1 + 0.18w_2 - \lambda = 0$$

• 1계 조건 : $0.08w_1 - 0.02w_2 = \lambda$, $-0.02w_1 + 0.18w_2 = \lambda$로 정리할 수 있으며

$w_1^* = 2w_2^*$ 를 구할 수 있다.

그러므로 $w_1^* = \frac{2}{3}$, $w_2^* = \frac{1}{3}$

이 포트폴리오의 최적 수익율은 $r_p = w_1r_1 + w_2r_2 = (\frac{2}{3}) \times 0.4 + (\frac{1}{3}) \times 0.5 = \frac{1.3}{3}$ $\simeq 0.403$를 얻는다. 또 이때 분산은 $\sigma_p^2 = w_1^2\sigma_1^2 + w_2^2\sigma_2^2 + 2w_1w_2\sigma_{12}^2 = 0.02325$가 얻어진다. 이 값이 자산 2의 분산($\sigma_2^2 = 0.09$)은 물론 자산 1의 분산($\sigma_1^2 = 0.04$)보다 적음을 유의할 필요가 있다. 공분산($\sigma_{12}^2 = -0.01$)이 음수인 자산을 선택함으로써 발생한 현상이다.

유테헤시안 행렬식을 구해보면 음의 값으로서 극소조건을 만족하고 있다.

$$|\overline{H}| = \begin{vmatrix} 0 & -1 & -1 \\ -1 & 0.08 & -0.02 \\ -1 & -0.02 & 0.18 \end{vmatrix} = -0.14 < 0$$

(6) 라그랑지 승수법에 대한 직관적인 이해[19]

위에서 공부한 라그랑지 승수법을 이용한 최적화 문제 해결을 직관적으로 생각해 보기로 하자. 주어진 예산 범위 내에서 X와 Y 두 재화를 얼마나 수요하느냐는 두 재화를 선호하는 정도의 차와 가격의 차에 의해 결정될 것이다. 두 재화를 선호하는 정도는 효용함수에 가격의 차는 예산선에 나타나게 된다.[20]

두 재화의 선호는 크게 세 가지로 나타난다. X를 Y보다 더 좋아하든지 똑같이 좋아하든지, Y를 X보다 더 좋아하든지로 나눌 수 있다. 한편 두 재화의 상대가격도 크게 세 가지로 나타난다. X가 Y보다 더 비싸든지 똑같든지 Y를 X보다 더 비싸든지로 나눌 수 있다.

여러 가지 경우가 발생할 수 있다. 먼저 X와 Y를 똑같이 선호하는데 두 재화의 가격이 같거나 다른 경우를 생각해 보기로 하자.

경우 1) 두 재화의 가격이 같은 경우이다. 두 재화를 반반씩 수요할 것이다.

경우 2) X가 Y보다 비싼 경우(예를 들어 2배)이다. Y를 X에 비해 더 수요할(2배) 것이다.

경우 3) Y가 X보다 비싼 경우(예를 들어 2배)이다. X를 Y에 비해 더 수요할(2배) 것이다.

다음으로 X를 Y보다 더 선호하는 경우(예를 들어 2배)이다.

경우 4) 두 재화의 가격이 같은 경우이다. X를 Y보다 더 수요할(2배) 것이다.

경우 5) X가 Y보다 싼 경우(1/2배)이다. X를 Y보다 더 수요할(4배) 것이다.

경우 6) X가 Y보다 비싼 경우이다. 이때는 다시 여러 경우로 나누어진다.

경우 6-1) X를 Y보다 더 선호하는 비율만큼 비싸다면(2배): X와 Y는 같은 양을 수요할 것이다.

---

19 그림자 가격(shadow price)은 기회비용을 의미한다. 그림자 가격은 최적화 해에서 라그랑지 승수값이다. 즉 제약조건의 무한소변화(無限小變化, infinitesimal change, 0에 가깝지만 0이 아닌 작은 수)에 따르는 목적함수의 무한소변화를 의미한다.

20 여기에서는 소비자 이론을 대상으로 하고 있으나 효용함수를 생산함수로 예산선을 등비용선으로 바꾸면 여기에서의 설명을 그대로 생산 이론에 적용할 수 있다.

경우 6-2) X를 Y보다 더 선호하는 비율보다 더 비싸다면(3배):
오히려 Y를 X에 비해 더(3/2배) 수요할 것이다.

경우 6-3) X를 Y보다 더 선호하는 비율보다 덜 비싸다면(1.5배):
X를 Y에 비해 더(3/2배) 수요할 것이다.

마지막으로 Y를 X보다 더 선호하는 경우(예를 들어 2배)이다.

경우 7) 두 재화의 가격이 같은 경우이다. Y를 X보다 더 수요할(2배) 것이다.

경우 8) Y가 X보다 싼 경우(1/2배)이다. Y를 X보다 더 수요할(4배) 것이다.

경우 9) Y가 X보다 비싼 경우이다. 이때는 다시 여러 경우로 나누어진다.

경우 9-1) Y를 X보다 더 선호하는 비율만큼 비싸다면(2배): Y와 X는 같은 양을 수요할 것이다.

경우 9-2) Y를 X보다 더 선호하는 비율보다 더 비싸다면(3배):
오히려 X를 Y에 비해 더(3/2배) 수요할 것이다.

경우 9-3) Y를 X보다 더 선호하는 비율보다 덜 비싸다면(1.5배):
Y를 X에 비해 더(3/2배) 수요할 것이다.

총 13개의 경우를 생각할 수 있다. 선호하는 정도와 가격의 비에 따라 어느 일방에만 의존하지 않고 수요한다. 이런 정보를 라그랑지안 승수가 가지고 있다.

실습문제 9-8

목적함수: $U = U(X, Y) = AX^{\alpha}Y^{\beta}$ 제약조건: $B = P_X X + P_Y Y$에서 최적 조건식($\frac{Y}{X} = \frac{\beta P_X}{\alpha P_Y}$), X에 대한 수요함수 $X^d = \frac{\alpha B}{(\alpha+\beta)P_X}$, Y에 대한 수요함수 $Y^d = \frac{\beta B}{(\alpha+\beta)P_Y}$를 확인해 보기로 하자.

[경우 1]
$U = U(X, Y) = AX^{0.5}Y^{0.5}$ 제약조건: $B = X + Y \quad (P_X = P_Y = 1)$

- 직관적으로 접근: 효용함수를 보면 X와 Y를 같게 좋아한다. 또 가격이 같기 때문에 비용면에서도 같다. 따라서 X의 수요량과 Y의 수요량은 같다. 효용과 예산 모두 같기 때문에 X = Y를 얻을 수 있다.

- 라그랑지 함수 이용:

  $\frac{Y}{X}=\frac{\beta P_X}{\alpha P_Y}$ =〉 X = Y가 구해진다.

  X에 대한 수요함수 $X^d = 0.5B$, Y에 대한 수요함수 $Y^d = 0.5B$를 확인할 수 있다.

[경우 2]

$U = U(X, Y) = AX^{0.9}Y^{0.1}$ 제약조건: $B = X + Y$ $(P_X = P_Y = 1)$

- 직관적으로 접근: 효용함수를 보면 X를 Y보다 9배 더 좋아한다. 하지만 가격이 같기 때문에 비용면에서는 무차별하다. 따라서 X의 수요량은 Y의 수요량의 9배이어야 한다. 효용의 차이만이 수요에 반영되어 X = 9Y를 얻을 수 있다.
- 라그랑지 함수 이용:

  $\frac{Y}{X}=\frac{\beta P_X}{\alpha P_Y}$ =〉 X = 9Y가 구해진다.

  X에 대한 수요함수 $X^d = 0.9B$,

  Y에 대한 수요함수 $Y^d = 0.1B$를 확인할 수 있다.

[경우 3]

$U = U(X, Y) = AX^{0.9}Y^{0.1}$ 제약조건: $B = 0.9X + 0.1Y$ $(P_X = 0.9, P_Y = 0.1)$

- 직관적으로 접근: 효용함수를 보면 X를 Y보다 9배 더 좋아한다. 하지만 X의 가격이 Y의 가격보다 9배 비싸기 때문에 비용면에서는 9배 더 불리하게 작용한다. 따라서 X의 수요량은 Y의 수요량과 같게 된다. 효용의 우위를 비용이 상쇄하였기 때문에 X = Y를 얻을 수 있다.
- 라그랑지 함수 이용:

  $\frac{Y}{X}=\frac{\beta P_X}{\alpha P_Y}$ =〉 X = Y가 구해진다.

  X 에 대한 수요함수 $X^d = B$, Y에 대한 수요함수 $Y^d = B$를 확인할 수 있다.

[경우 4]

$U = U(X, Y) = AX^{0.9}Y^{0.1}$ 제약조건: $B = 0.1X + 0.9Y$ $(P_X = 0.1, P_Y = 0.9)$

- 직관적으로 접근: 효용함수를 보면 X를 Y 보다 9배 더 좋아한다. 반면 X 가격은 Y 가격의 1/9 수준이다. 따라서 X를 더 좋아하는 소비자는 값도 1/9에 불과하기 때문에 X의 수요량은 Y의 수요량의 81배이어야 한다. 효용과 가격이 수요에 반영되어 X = 81Y를 얻을 수 있다.
- 라그랑지 함수 이용:

  $\frac{Y}{X}=\frac{\beta P_X}{\alpha P_Y}$ =〉 X = 81Y가 구해진다.

  X에 대한 수요함수 $X^d = 9B$, Y에 대한 수요함수 $Y^d = \frac{1}{9}B$를 확인할 수 있다.

실습문제 9-9

$U = U(X, Y) = 10X^{0.8}Y^{0.1}$ 제약조건: $862 = 8X + 2Y$

풀이

X가 효용은 높으나 가격이 비싼 경우

- 직관적으로 볼 때
  - 선호측면: X를 Y보다 8배 더 좋아한다. 만약 가격이 같다면 X를 Y의 8배 수요로 한다. X = 8Y
  - 가격측면: X의 값이 Y의 값보다 4배 비싸기 때문에 X = (1/4)Y

    따라서 X의 수요량은 Y의 수요량의 2배이어야 한다. X = 2Y

    864 = 8 (2Y) + 2Y =18 Y

    $Y^* = 48,\ X^* = 96$

- 라그랑지 승수법이용

  $Max\ Z = 10X^{0.8}Y^{0.1} + \lambda(864 - 8X - 2Y)$

  $\frac{\partial Z}{\partial \lambda} = 864 - 8X - 2Y = 0$

  $\frac{\partial Z}{\partial X} = 8X^{-0.2}Y^{0.1} - 8\lambda = 0$

  $\frac{\partial Z}{\partial Y} = X^{0.8}Y^{-0.9} - 2\lambda = 0$

  $\lambda = \frac{8X^{-0.2}Y^{0.1}}{8} = \frac{X^{0.8}Y^{-0.9}}{2}$

  이 식을 정리하면 $X = 2Y$를 얻는다.

실습문제 9-10

$Q = f(L, K) = 10L^{0.4}K^{0.6}$ 제약조건: $480 = 4L + 2K$

풀이

자본이 생산성도 높고 가격도 싼 경우

- 직관적으로 볼 때
  - 생산성면 : K가 L보다 1.5배 생산력이 높다. K를 L의 1.5배 투입, K = 1.5 L
  - 비용면 : K의 값이 L의 값보다 2배 싸기 때문에 K = 2L

    따라서 K의 수요량은 L의 수요량의 3배이어야 한다. 즉 K = 3L를 얻는다.

    이 관계를 제약조건에 대입하여 풀면 480 = 4L + 2(3L) = 10 L

    $K^* = 144,\ L^* = 48$

• 라그랑지 승수법 이용

$$Max\ Z = 10L^{0.4}K^{0.6} + \lambda(480 - 4L - 2K)$$

$$\frac{\partial Z}{\partial \lambda} = 480 - 4L - 2K = 0$$

$$\frac{\partial Z}{\partial L} = 4L^{-0.6}K^{0.6} - 4\lambda = 0$$

$$\frac{\partial Z}{\partial K} = 6L^{0.4}K^{-0.4} - 2\lambda = 0$$

$$\lambda = \frac{4L^{-0.6}K^{0.6}}{4} = \frac{6L^{0.4}K^{-0.4}}{2}$$

이 식을 정리하면 $K = 3L$를 얻는다.

(7) 요약과 함의

제약조건하의 극값을 찾는 최적화문제의 해는 라그랑 승수값이 동일한 상태에서 균형이 이루어진다는 사실을 보여주고 있다. 2계 조건이 만족된다고 가정하면,

• 소비자 이론에서의 최적 균형 : 원당 한계효용 균등의 법칙

1계 조건 : $\lambda^* = \frac{MU_X}{P_X} = \frac{MU_Y}{P_Y}$ λ : 화폐의 한계효용(marginal utility of money)

이를 원당 한계효용 균등의 법칙이라고 부른다.

• 생산자 이론에서의 최적 균형 : 원당 한계생산성 균등의 법칙

1계 조건 : $\lambda^* = \frac{MPP_L}{\omega} = \frac{MPP_K}{\gamma}$ λ :화폐의 한계생산성(marginal product of money)

이를 원당 한계생산력 균등의 법칙이라고 부른다.

라그랑지 승수값은 가격대비 성능을 나타내는 가성비(價性比, cost-effectiveness)와 같은 개념이다.

이 식을 자세히 보면 공통점을 가지고 있음을 발견할 수 있다. 분모는 가격, 즉 손해 보는 값 혹은 양, 분자는 한계효용(한계생산력), 즉 득을 얻는 정도를 나타내고 있다. 한마디로 같은 돈으로 더 많은 득을 가져다주는 재화(생산요소)를 먼저 선택하고 균형은 두 재화(생산요소)에서 그 값이 같을 때이다. 라그랑지 승수가 결정적인 역할을 하고 있다.

위의 원리가 부지불식간에 우리 보통사람의 의사결정에 기본 원리라는 사실을 아래 몇 가지 예를 들어 설명해 보고자 한다.

가. 시험전날 벼락치기 공부하는 학생의 득점 전략

다음 날 영어와 국사 두 과목을 시험 치는데, 시험 시작까지 5시간 남아있으며, 1시간 단위로 선택한다고 할 때 학생이 부딪치는 이 문제에 대한 해법을 찾아보기로 하자. 각 시간별로 국사와 영어 시험에서 추가로 얻을 수 있는 점수는 아래와 같다.

국사 3시간 공부한 후, 영어 1시간을 공부하고, 마지막에는 다시 국사 1시간을 공부하는 것이 현명한 선택이다. '시간당 한계득점 균등의 법칙'에 따라 선택한 것이다. 일상생활에서 컴퓨터에서 계산하듯이 치밀하게 득실을 계산하지는 못하지만 우리는 대충 이 원리에 따라 선택하고 있다.

	처음 1시간	두 번째 1시간	세 번째 1시간	네 번째 1시간	다섯 번째 1 시간
영어	11	8	5	2	1
국사	20	15	12	10	7

나. "KBO 출신 선수들은 가격 대비 최고의 가치를 제공하고 있다[21]"

류현진, 박병호, 강정호, 오승환 등 KBO 출신 선수들이 맹활약하자 미국 언론과 방송에서 하는 찬사의 말이다. '가격 대비'라는 표현은 위에서 배운 원당 한계효용(편익)과 같은 개념이다. 보통 사람들이 매일 쓰고 있는 '가격 대비'라는 말을 효용함수, 제약조건, 라그랑지안 승수, 편미분 등 수학을 동원해서 논리적으로 증명하고 있는 셈이다. 다시 한번 강조하거니와, 인간의 경제행위를 설명하기 위해 수학이 동원되는 것이다.

다. 철가방의 노래 '짬뽕과 짜장면'

고 이남이씨가 리드하던 철가방프로젝트가 부른 '짬뽕과 짜장면'이라는 노래 가사에는

"짬뽕을 시킬까 짜장면을 시킬까 중국집에 시킬 때면 헷갈린다. 헷갈려 아야어여오요우

21 2016년 6월 28일 CBS 노컷 뉴스

아야어여오요우 짬뽕을 시키면 짜장면이 먹고 싶고, 짜장면을 시키면 짬뽕이 먹고 싶고... (중략) 한식집에서도 일식집에서도 이런 일이 없는 데, 유독 중국집에 오면 …"

많은 사람이 공감하는 고민이 아닌가 싶다. 그래서 어떤 사람은 ja vs jam dilemma라고 이름을 지어 약간 폼나게 표현하고 있다.

이와 같이 짜장면과 짬뽕 사이에 선호가 흔들리는 것은 짬뽕의 원당 한계효용과 짜장면의 원당 한계효용이 비슷하기 때문이다. 예를 들어 짜장면은 한 그릇에 5,000원이고 한 그릇 소비로 얻는 효용은 10,000원이라고 하자. 짬뽕은 6,000원이고 얻는 효용은 12,000원보다 약간 크거나 작게 나타난다.

짜장면의 원당 한계효용은 $(\frac{10,000}{5,000} = 2)$이고 짬뽕의 원당 한계효용은 $(\frac{12,000 \pm \alpha}{6,000} = 2 \pm \frac{\alpha}{6,000})$로 계산된다. 싸게 먹으려면 짜장면이고 맛있게 먹으려면 짬뽕이지만 '원'당 한계효용을 비교해 보면 비슷하기 때문에 생긴 일이다. 거기에다 소비에서의 외부효과가 발생하기 때문이다. '짬짜면'이 생기게 된 이유도, '프라이드 치킨'과 '양념 치킨'과의 갈등도 비슷한 원리로 설명할 수 있다.

비슷한 예로는 음식 고르기, 진로 결정하기, 선거에서 후보 고르기, 배우자 선택 등 인간의 모든 선택은 이 원리를 크게 벗어나지 않는다. 이런 기본적인 경제원리를 일상의 선택에도 적용한 공로로 노벨경제학상을 받은 학자가 벡커다.

우리는 보통 "그 돈, 그 시간이면 이렇게 하겠다. 저렇게 하겠다"라고 말한다. 바로 이 말이 원당 한계효용(생산력) 균등의 법칙에 일치하는 것이라고 말할 수 있다.

- 분자: 어떤 행위를 함으로써 얻는 이득(유무형)
- 분모: 그 행위를 하기 위해 소요되는 명시적 비용과 기회비용

분자(편익이나 이득)만을 생각하지 않고 또 분모(비용)만을 생각하지 않고 대안별로 분모에 비한 분자의 값을 계산한 후 그 값이 큰 대안부터 선택한다는 것이 라그랑지 승수가 가르쳐 주는 원리다.

우리는 경제수학을 공부하면 여러 가지 경제 원리를 객관적이고 정확하게 이해하고 활

용할 수 있음을 배웠다. 특히 최적화에서 얻은 원리는 희소성, 제약조건하의 극대(소)화, 기회비용, 한계적 결정, 시장거래와 균형, 비용-편익 등 거의 모든 경제원리와 관련되어 있음을 알 수 있다.

마지막으로 의사결정 과정을 정리해 보기로 하자. 제일 먼저 예산범위를 생각한다. 둘째 의사결정자 나름대로 여러 대안들의 득(편익, 이득)과 실(금전적 비용이나 시간적 비용)을 계산한다. 세 번째 편익이 비용보다 큰 대안, 즉 [(편익/ 비용)/1]인 대안만을 고려대상으로 삼고, 가장 큰 값부터 차례로 선택한다.[22,23]

아무리 합리적인 사람이라도 비용과 편익을 정확하게 계산하는 것이 쉽지 않다. 특히 미래의 일에 대해서는 더욱 그렇다. 행동의 단위, 기한, 가시적인 것과 아닌 것 등 여러 변수가 고려되어야 한다. 프랑스의 작가 까뮈(1913~1960)는 인생은 B(Birth)와 D(Death) 사이의 C(Choice)라고 했다.

벡커(Gary S. Becker, 1930~2014)

독일계 유대인 집안에서 태어난 그는 프린스턴 대학교와 시카고 대학교에서 공부한 후 콜롬비아 대학교 교수를 거쳐 1968년부터 2014년까지 시카고 대학교 교수로 활동하였다. 인종차별, 범죄, 가족조직, 마약탐닉과 같은 사회학 연구 영역까지 경제학 분석을 확대함으로써 경제학의 새로운 지평을 연 학자로 평가받고 있다. 이런 이유 때문에 그를 검색하면 경제학 제국주의(Economics imperialism)라는 다소 무서운(?) 개념이 연관어로 뜨고 있다.
'미시경제학 분석범위를 비시장 행동(nonmarket behavior)을 포함한 광범위한 인간행동과 상호작용(interaction)에까지 확장한 공로'로 1992년 노벨 경제학상을 받았다.

---

22 예를 들어 배우자 선택과 같이 여러 대안 중 하나만 선택하게 되어 있는 경우, 선택되지 않은 대안 중 마지막까지 고려대상이 되었던 대안이(전체로 볼 때 비용-편익 비가 두 번째로 높은 대안) 이 선택의 기회비용이 된다.

23 선택을 하고 실행을 하는 과정에 한계효용체감의 법칙이나 한계생산물체감의 법칙이 작용하기 때문에 처음에 선택됐던 대안들이 나중에는 후순위로 밀리게 된다.

부록 곡선의 굴곡과 극대, 극소

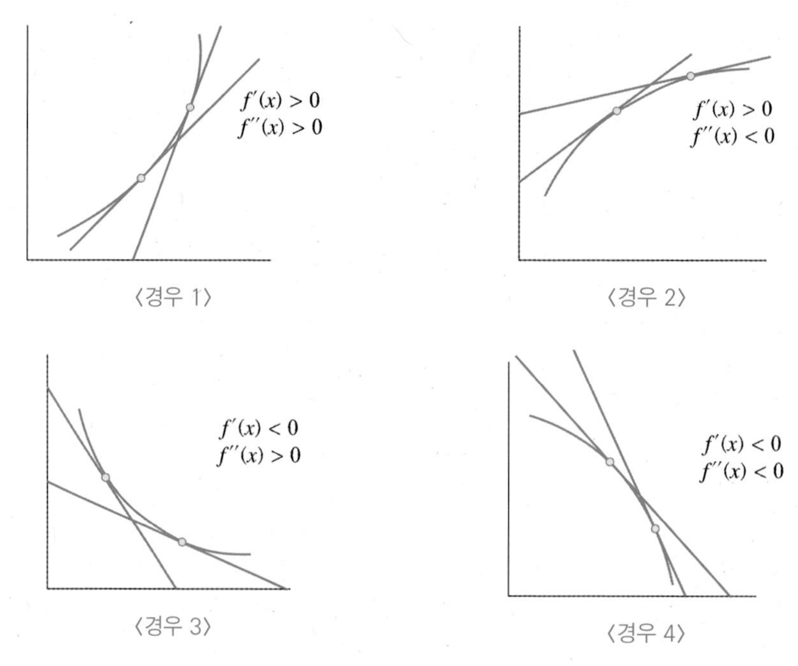

〈그림 9-22〉 2계 도함수와 곡선의 형태

- 경우 1: $f'(x) > 0,\ f''(x) > 0$ 볼록한 곡선
- 경우 2: $f'(x) > 0,\ f''(x) < 0$ 오목한 곡선
- 경우 3: $f'(x) < 0,\ f''(x) > 0$ 볼록한 곡선
- 경우 4: $f'(x) < 0,\ f''(x) < 0$ 오목한 곡선

위의 네 가지 경우의 함수가 결합되는 경우를 생각해 보기로 하자. 예를 들어 정의역의 어느 점까지 <경우 1>에 해당하는 함수가 존재하고 그 점 이후 세 가지 경우가 가능하다.

- 경우 1-2 : 볼록 + 오목 => <경우 8>
- 경우 1-3 : 볼록 + 볼록 => 미분불가능
- 경우 1-4 : 볼록 + 오목 => 미분불가능

<경우 2>를 기준으로 이와 같은 결합 방법을 생각하면 세 가지 경우가 추가된다.

- 경우 2-1 : 오목 + 볼록 => <경우 5>
- 경우 2-3 : 오목 + 볼록 => 미분불가능
- 경우 2-4 : 오목 + 오목 => 극대

<경우 3>을 기준으로 이와 같은 결합 방법을 생각하면 세 가지 경우가 추가된다.

- 경우 3-1 : 볼록 + 볼록 => 극소
- 경우 3-2 : 볼록 + 오목 => 미분불가능
- 경우 3-4 : 볼록 + 오목 => <경우 6>

<경우 4>를 기준으로 이와 같은 결합 방법을 생각하면 세 가지 경우가 추가된다.

- 경우 4-1 : 오목 + 볼록 => 미분불가능
- 경우 4-2 : 오목 + 오목 => 미분불가능
- 경우 4-3 : 오목 + 볼록 => <경우 7>

이상에서 전부 12가지 경우가 가능하다는 것을 알 수 있다.

- 극대를 나타내는 경우는 2-4 , 극소를 나타내는 경우는 3-1, 2가지 경우에 불과하다.
- 미분 불가능한 경우 1-3, 1-4, 2-3, 3-2, 4-1, 4-2 모두 6가지 경우이다.
- 2-1은 <경우 5>이고, 3-4는 <경우 6>, 4-3는 <경우 7>, 1-2는 <경우 8>이다.

변곡점을 나타내고 있다.

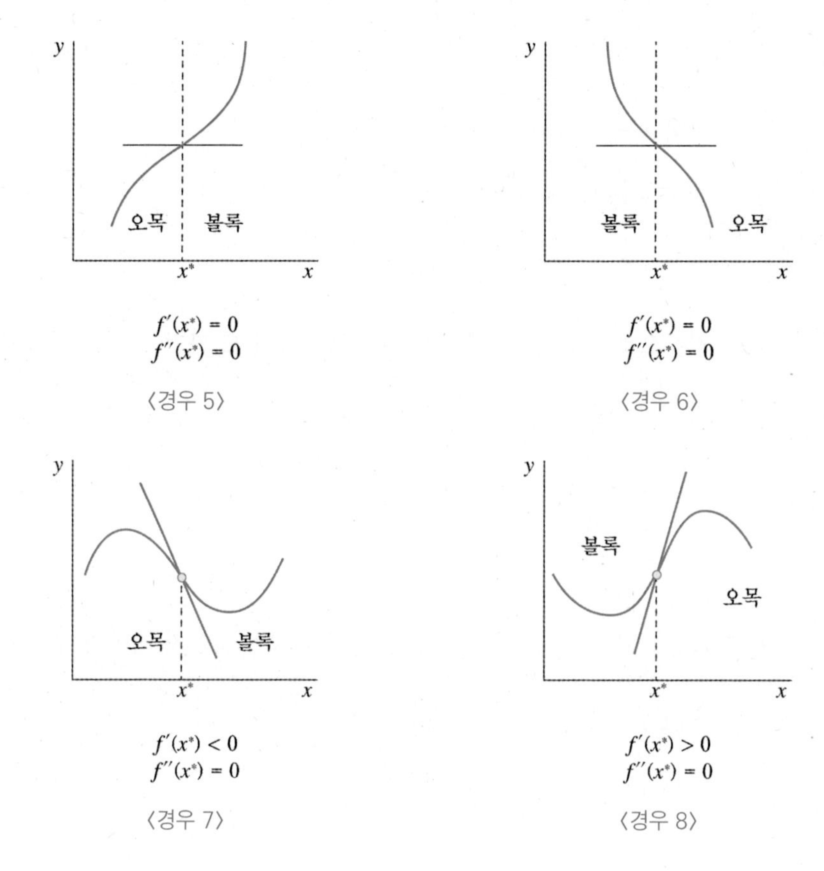

〈그림 9-23〉 여러 가지 변곡점

핵심어

- 최적화
- 목적함수
- 제약조건
- 선택변수
- 최적해
- 극값
- 상대적 극값
- 임계값
- 변곡점
- 안장점
- 이차형식
- 대칭행렬
- 양정부호 형식
- 음정부호 형식
- 주소행렬식
- 헤시안 행렬식
- 라그랑지 승수법
- 라그랑지 승수

연습문제

○× 문제

1. 라그랑지 승수법은 고도의 수학적 기법이기 때문에 직관으로는 도저히 알 수 없는 것이다.
2. $f''(x) > 0$은 곡선의 기울기(slope of the curve)가 증가하고 있음을 의미한다.
3. 라그랑지는 프랑스 태생의 경제학자로서 라그랑지 승수법을 개발하여 최적화 문제 해결에 크게 공헌하였다.
4. 제약조건하의 극대화의 2계 충분조건은 1계 필요조건이 충족되는 점에서 $dg = 0$의 제약조건하에서 $d^2z > 0$이 성립하는 것이다.
5. d^2y가 양정부호인지 음정부호인지 판정하기 위해서 편도함수 f_{ij}로 구성된 행렬식을 헤시안 행렬식이라고 부른다.
6. 라그랑지 함수로 표현할 때 마지막 항은 $\lambda[g(x,y)-c]$이든 $\lambda[c-g(x,y)]$이든 상관없이 사용하여도 괜찮다.

단답형

1. Maximize $z = f(x,y)$ s.t $c = g(x,y)$를 라그랑지 승수법으로 나타내라.
2. 변곡점이란?
3. 안장점이란?

4. 제약조건하의 최적화 문제는 (　　)와 제약식을 결합하여 정의되는 (　　) 함수를 이용하여 간단히 나타낼 수 있다.

5. 제약조건하에서 극값을 찾는 문제에서는 (　　)이 2계 조건 만족 여부를 판정하기 위해 사용되고 있다.

풀이형

1. 자동차 수리공의 수리시간이 H일 때, 총비용은 $C(H) = 100H$이고, 수리의 총편익은 $B(H) = 400\sqrt{H}$이라고 하자. H:한 시간 C, B:만 원

   (1) 최적 수리시간을 구하라. 이때 총비용, 총편익, 순편익은 얼마인가?

   (2) 그래프를 그려라.

2. 극소화 : $f(x, y) = x + y \quad s.t \ x^2 + y^2 = 16$

   (1) 극솟값을 갖게 하는 x와 y를 구하고 그때의 극솟값은 얼마인가?

   (2) 그림으로 (1)의 결과를 나타내라.

3. 콥 더글라스 생산함수 $Q = L^{0.6}K^{0.4}$, 비용함수 $10 = 0.6w + 0.4r$일 때

   (1) MPP_L, MPP_K를 구하고 해석하라.

   (2) $MTRS_{LK}$를 구하고 해석하라.

   (3) 최적 노동과 자본 투입량을 구하라.

   (4) 최적점에서 등량곡선과 등비용곡선의 기울기와의 관계는 어떠한가?

4. 자산 1과 자산 2에 대한 정보가 아래와 같다. 분산을 최소화하는 최적 구성비를 구하시오. 그 때의 분산을 얼마인가?

	자산 1	자산 2	공분산
기대수익률	0.2	0.5	-
분산	0.01	0.09	-0.01

5. 어느 기업의 총비용함수와 수요함수는 아래와 같다.

$$C = \frac{1}{3}Q^3 - 7Q^2 + 111Q + 50 \qquad Q = 100 - P$$

   (1) 총수입함수 R을 Q의 함수로 나타내라.

(2) 총이윤함수 π를 Q의 함수로 나타내라.

(3) 이윤극대화 산출량 Q^*와 그때의 가격 P^*를 구하라.

(4) 극대 이윤(π^*)은 얼마인가?

6. 어느 기업의 총비용함수와 수요함수는 다음과 같다.

$$C = 2Q + 5 \quad Q = 10 - P$$

(1) 총수입함수 R을 Q의 함수로 나타내라.

(2) 총이윤함수 π를 Q의 함수로 나타내라.

(3) 이윤극대화 산출량 Q^*과 그때의 가격 P^*를 구하라.

(4) 극대 이윤(π^*)은 얼마인가?

7. $Q = f(L, K) = 2L^{0.4}K^{0.6}$ 제약조건: $960 = 2L + 6K$

(1) 노동과 자본의 한계생산력을 구하라.

(2) 최적 생산요소 투입량과 생산량을 구하라. 또 자본집약도는 얼마인가?($2^{0.6} \simeq 1.5$)

(3) 위의 결과를 그래프로(등량곡선과 등비용곡선을 활용한) 설명하라.

(4) 위의 결과를 직관과 비교하여 설명하라.

8. 7번 문제의 균형점에서

(1) 노동과 자본의 한계생산력을 구하라.

(2) $MRTS_{LK}$는 얼마인가? 등비곡선의 기울기는 얼마인가?

(3) 균형점에서 $MRTS_{LK}$(등량곡선의 접선의 기울기)와 등비용곡선의 기울기가 같음을 보여라.

(4) 문제 7과 지금까지 구한 정보를 (생산량, 자본집약도, 노동의 균형 투입량, 자본의 균형 투입량, $MRTS_{LK}$, 등비곡선의 기울기) 이용하여 좌표평면에 그려라.

9. $Q = f(L, K) = L^{0.8}K^{0.2}$ 비용함수: $100 = L + 2K$

(1) 노동과 자본의 한계생산력을 구하고 의미를 설명하라.

(2) $MRTS_{LK}$를 구하고 해석하라.

(3) 최적 생산요소 투입량과 생산량을 구하라.

(4) 위의 결과를 그래프로(등량곡선과 등비용곡선을 활용한) 설명하라.

(5) 위의 결과를 직관과 비교하여 설명하라.

10. 9번 문제의 균형점에서

(1) 노동과 자본의 한계생산력을 구하라.

(2) $MRTS_{LK}$는 얼마인가? 등비곡선의 기울기는 얼마인가?

(3) 균형점에서 $MRTS_{LK}$(등량곡선의 접선의 기울기)와 등비용곡선의 기울기가 같음을 보여라.

(4) 총비용에서 노동이 차지하는 비율과 자본이 차지하는 비율을 구하라.

(5) 문제 9와 지금까지 구한 정보를 (생산량, 자본집약도, 노동의 균형 투입량, 자본의 균형 투입량, $MRTS_{LK}$, 등비곡선의 기울기) 이용하여 좌표평면에 그려라.

11. $U = U(X, Y) = X^{0.6}Y^{0.4}$ 예산선: $10 = 3X + 2Y$, X : 자장면, Y: 짬뽕

(1) 자장면과 짬뽕의 한계효용을 구하고 의미를 설명하라.

(2) MRS_{XY}를 구하고 해석하라.

(3) 최적 재화 구매량과 효용을 구하라.

(4) 위의 결과를 그래프로(무차별곡선과 예산선을 활용한) 설명하라.

(5) 위의 결과를 직관과 비교하여 설명하라.

12. 11번 문제의 균형점에서

(1) 자장면과 짬뽕의 한계효용을 구하라.

(2) MRS_{XY}는 얼마인가? 예산선의 기울기는 얼마인가?

(3) 균형점에서 MRS_{XY}(무차별곡선의 접선의 기울기)와 예산선의 기울기가 같음을 보여라.

(4) 문제 11과 지금까지 구한 정보를 (효용수준, 자장면의 균형 수요량, 짬뽕의 균형 투입량, MRS_{XY}, 예산선의 기울기) 이용하여 좌표평면에 그려라.

13. 11번에서 주어진 효용함수와 같지만 자장면 가격(P_X)이 3에서 2로 하락한 경우 균형점을 구하고 11과 12의 균형과 비교하라.

CHAPTER 10

적분

미적분학의 역사에서 적분이 먼저 나타남에 유의해 둘 필요가 있다.

• 박세희[1]

문과생에게 이과와 수학은 필요 없다는 생각은 국력을 깎아먹는 미신이라고 할 수 있을 것이다. 이공계 · 수학계의 수재만으로 세계 금융공학의 변화에 대응할 수 없기 때문이다.

• 요시자와 미쓰오[2]

---

1 박세희, 전게서, p.199.

2 요시자와 미쓰오 지음, 박현석 옮김, 『수학적 사고법』, 사과나무, 2015, p.45.

학습목표

"합리적 판단은 한계적으로 이루어진다"라는 경제 원리는 많은 경제학자들이 제시하고 있다. 이 원리는 미분법을 활용하는 것이기 때문에 미분법을 공부한 바 있다. 적분(積分)은 미분의 반대 개념으로서 경제학에서는 미분에 비해 상대적으로 덜 활용되고 있다. 경제학에서 적분은 주로 저량 변수를 취급할 때와 동태분석에 주로 쓰이고 있다. 이 책이 주로 정태(靜態)분석에 한하고 있기 때문에 기초적인 적분이론만을 학습하기로 하자.

부정적분과 정정분에 대해 학습한 후 장기분석(투자율과 자본, 현금흐름의 현재가치), 잉여에 대한 분석(소비자 잉여, 생산자 잉여와 사회적 잉여), 한계개념과 총 개념 간의 관계(한계비용, 평균비용과 총비용 등), 로렌츠 곡선과 지니계수, 로지스틱함수, 빈도함수 등 다양하게 응용되고 있는 예를 학습하고자 한다.

구성

10.1 부정적분
10.2 정적분
10.3 응용

10.1 부정적분

부정적분(不定積分, infinite integral)

$$F(x) = \int f(x)\,dx + c$$

여기서 c는 적분상수(constant of integration)가 된다.

$F(x)$를 원시함수(原始函數, primitive function)라고 정의한다. 부정적분 혹은 원시함수를 구하는 것을 적분(積分, integration)한다고 한다.

부정적분은 미분의 역과정을 수행하면 된다. 기호 $\int$은 이러한 연산을 가리키는 연산자가 된다. 이때,

$$F'(x) = \frac{d}{dx}F(x) = f(x)$$

가 된다. 부정적분은 미분의 역과정이므로 미분 공식과 밀접한 연관이 있다.

유용한 공식으로는 다음과 같은 것들이 있다.

법칙 1(곱의 적분) 상수배한 함수의 부정적분은 부정적분한 함수의 상수 배와 같다.

$$\int k\,f(x)\,dx = k\int f(x)\,dx$$

예제 10-1

$$\int k\,dx = kx + c$$

예제 10-2

$$\int dx = x + c$$

예제 10-3

$$\int -f(x)\,dx = -\int f(x)\,dx$$

법칙 2(멱법칙) $\int x^n\,dx = \frac{1}{n+1}x^{n+1}+c \qquad (n \neq -1)$

예제 10-4

$$\int x^4\,dx = \frac{1}{5}x^5+c$$

예제 10-5

$$\int x^{-4}\,dx = -\frac{1}{3}x^{-3}+c = -\frac{1}{3x^3}+c$$

예제 10-6

$\int \sqrt{x^5}\,dx = \frac{2}{7}x^{\frac{7}{2}}+c \qquad \sqrt{x^5} = x^{\frac{5}{2}}$ 임을 활용하여 계산한다.

법칙 3(지수법칙) $\int e^x dx = e^x + c$

예제 10-7

$$\int f'(x)e^{f(x)}\,dx = e^{f(x)}+c$$

예제 10-8

$$\int e^{kx}\,dx = \frac{e^{kx}}{k}+c \ (\ln e = 1)$$

예제 10-9

$$\int a^{kx}\,dx = \frac{a^{kx}}{k\ln a} + c$$

법칙 4(로그법칙) $\int \frac{1}{x}dx = \int x^{-1}dx = \ln x + c \quad (x > 0)$

예제 10-10

$$\int \frac{f'(x)}{f(x)}dx = \ln f(x) + c \quad (x > 0)$$

법칙 5(합의적분) 같은 구간에 정의된 두 함수의 합을 부정적분한 것은 각각 부정적분한 함수의 합과 같다.

$$\int [f(x) \pm g(x)]\,dx = \int f(x)\,dx \pm \int g(x)\,dx$$

예제 10-11

$$\int (35x^4 - 8x^3)dx = \int 35x^4\,dx - \int 8x^3 dx = 7x^5 - 2x^4 + c$$

예제 10-12

$$\int (16e^{2t} + 15e^{-3t})dt = 8e^{2t} - 5e^{-3t} + c$$

만약 $F(0) = 9$라면 $F(0) = 8 - 5 + c = 9,\ c = 6$

그러므로 $F(t) = 8e^{2t} - 5e^{-3t} + 6$

법칙 6(치환적분) $\int f(u)\frac{du}{dx}dx = \int f(u)\,du = F(u) + c$

예제 10-13

$$\int 20x^3(x^4+8)dx = 20\int x^3 \cdot u \cdot \frac{du}{4x^3} = 5\int u\,du$$

$$= 5\int u\,du = 5(\frac{1}{2}u^2) = \frac{5}{2}u^2 + c = \frac{5}{2}(x^4+8)^2 + c$$

여기에서 $u = (x^4+8)$로 치환(置換, substitution)하면 $du = 4x^3dx$, $dx = \frac{1}{4x^3}du$를 활용하여 계산한다.

법칙 7(부분적분) $\int [f(x)\cdot g'(x)]\,dx = f(x)\cdot g(x) - \int [g(x)\cdot f'(x)]\,dx$

증명

$\frac{d}{dx}f(x)g(x) = f'(x)g(x) + g'(x)f(x)$에서 양변을 적분하면

$$\int \frac{d}{dx}f(x)g(x)dx = \int f'(x)g(x)dx + \int g'(x)f(x)dx$$

$$f(x)g(x) = \int f'(x)g(x)dx + \int g'(x)f(x)dx$$

$$\int [f(x)g'(x)]\,dx = f(x)\cdot g(x) - \int [g(x)f'(x)]\,dx$$

예제 10-14

$\int \ln x\,dx, (x>0)$

$\ln x$를 $1\times\ln x$로 보고 1을 $g'(x)$로, $\ln x$를 $f(x)$로 간주한다.

$g(x) = x$가 되고 $f'(x) = \frac{1}{x}$가 된다. 법칙 7 공식에 대입하면

$\int \ln x dx = \ln x\cdot x - \int x\cdot\frac{1}{x}\,dx = x\cdot\ln x - x = x(\ln x - 1) + c$

예제 10-15

$$\int \frac{12x}{(x+8)^4}dx$$

$12x$를 $f(x)$로 $(x+8)^{-4}$를 $g'(x)$로 간주한다. $f'(x)=24$가 되고 $g'(x)=(x+8)^{-4}$

$g(x)=\int (x+8)^{-4}dx=-\frac{1}{3}(x+8)^{-3}$ 가 된다. 법칙 7 공식에 대입하면

$$\int \frac{12x}{(x+8)^4}dx=12x\left[-\frac{1}{3}(x+8)^{-3}\right]-\int\left[-\frac{1}{3}(x+8)^{-3}\cdot 12\right]dx$$

$$=-4x(x+8)^{-3}+4\int (x+8)^{-3}dx=-4x(x+8)^{-3}-2(x+8)^{-2}+c$$

$$=\frac{-4x}{(x+8)^3}-\frac{2}{(x+8)^2}+c$$

우리나라의 국부(國富)

2013년 말 현재 우리나라의 국민순자산(國富)은 전년에 비해 371.5조 원 증가(+3.5%)한 1경 1,039.2조 원으로 추계(국내총생산 1,429.4조 원의 7.7배)되고 있다. 비금융자산이 1경 1,078.5조 원을 나타낸 가운데 금융자산(1경 1,625.0조 원)에서 금융부채(1경 1,664.2조 원)를 뺀 순금융자산*은 -39.3조 원이다.

우리나라의 국내총생산

2013년 국내총생산(GDP)은 1조 3,043억 달러이며, 국민총소득(GNI)은 1조 3,160억 달러로 나타났다. 국민들의 생활수준을 파악할 수 있는 지표인 1인당 국민총소득은 2013년 2만 6,205달러로 1990년 6,505달러에 비해 4배 증가하였다.

출처: 한국은행, 「우리나라의 국민소득체계」, 2015.

유량과 저량

- 유량은 일정기간 동안 측정한 값(예: 국민소득, 수출액, 투자 등)
- 저량은 일정시점에서 측정한 값(예: 국부, 외환보유액, 자본 등)

국내총샌산은 유량(流量, flow)이고 국부는 저량(貯量, stock)이다. 경제가 성장하면서 매년 발생하는 유량의 크기가 커지지만 한편으로는 지존의 저량이 감소하는 분(예를 들어, 기계마모나 고장)도 생겨난다. 순수하게 증가하는 유량은 총 유량에서 저량의 감소분을 뺀 값이 된다. 따라서 2016년 1월 1일 현재 국부(저량)는 2014년 12월 31일 현재 국부(저량)에 2015년 순 국내 총생산(유량)을 더한 값이다.

10.2 정적분

정적분(定積分, finite integral) 기본원리

$$F(x) = \int f(x)dx \text{ 일 때}$$

$$\int_a^b f(x)\,dx = F(x)|_a^b = F(b) - F(a) \text{ 가 얻어진다.}$$

a는 적분연산의 하한, b는 적분연산의 상한이라 한다. $\int_a^b f(x)\,dx$는 정적분이고 한 수 값이지만, $\int f(x)\,dx$는 한 함수이다. 정적분 값은 <그림 10-1>에서 보는 바와 같이 a에서 b 구간 사이의 주어진 곡선 아래의 특정한 면적으로 해석할 수 있다.

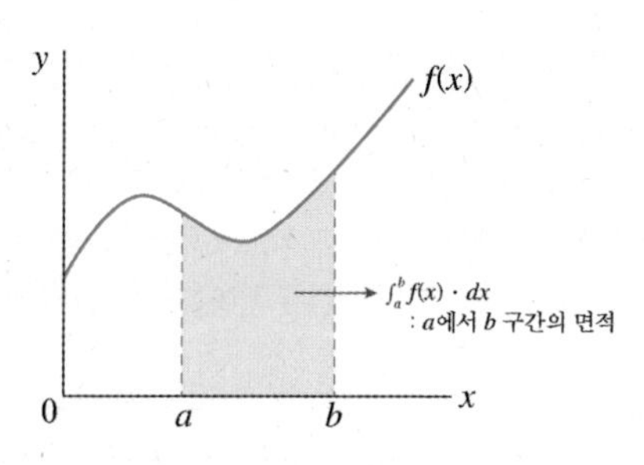

〈그림 10-1〉 정적분과 도형의 면적

성질 1 $\int_a^b f(x)\,dx = -\int_b^a f(x)\,dx$

성질 2 $\int_a^a f(x)\,dx = F(a) - F(a) = 0$

성질 3 $\int_a^b kf(x)\,dx = k\int_a^b f(x)\,dx$

성질 4 $\int_a^b f(x)dx \pm \int_a^b g(x)\,dx = \int_a^b [f(x) \pm g(x)]\,dx$

예제 10-16

$$\int_{-1}^{1}(ax^2+bx+c)\,dx=\int_{-1}^{1}(ax^2+bx+c)dx=\left[\frac{a}{3}x^3+\frac{b}{2}x^2+cx\right]_{-1}^{1}$$
$$=\left[\frac{a}{3}+\frac{b}{2}+c\right]-\left[-\frac{a}{3}+\frac{b}{2}-c\right]=\frac{2a}{3}+2c$$

예제 10-17

$$\int_{1}^{e}\frac{1}{x}\,dx=[\ln x]_1^e=1-0=1$$

실습문제 10-1

두 함수 $f(x)=-x+10$와 $g(x)=-x^2+4x$의 그래프를 그려라. 그리고 $x=0$에서 $x=4$까지 범위에서 두 곡선에 의해 싸여 있는 면적을 구하라.

풀이

$$\int_{0}^{4}(-x+10)\,dx-\int_{0}^{4}(-x^2+4x)dx=\int_{0}^{4}(-x+10+x^2-4x)\cdot dx=\int_{0}^{4}(x^2-5x+10)\cdot dx$$
$$=\left[\frac{1}{3}x^3-\frac{5}{2}x^2+10x\right]_0^4=(\frac{1}{3}\times 64-\frac{5}{2}\times 16+40)$$
$$=265$$

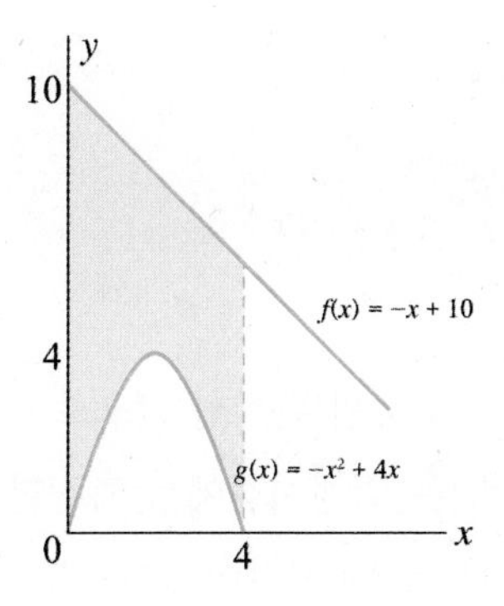

성질 5 가법성(加法性, additivity)

$$\int_{a}^{c}f(x)\,dx=\int_{a}^{b}f(x)\,dx+\int_{b}^{c}f(x)\,dx\qquad(a\le b\le c)$$

미적분학의 기본적인 개념의 기하학적 의미

정적분 – 면적 – 구적분
도함수 – 접선 – 접선법

으로 이해되고 있다. 흔히 고교수학에서는 면적의 개념을 써서 정적분을 정의하는 것처럼 보이지만, 사실은 정적분을 써서 곡선의 길이, 도형의 면적, 체적 등이 정의되는 것이다. 또 부정적분은 정적분의 특수한 경우로서 정적분을 구하기 위한 수단 중의 하나로 이해된다.

박세희, 전게서, p.199.

인내는 쓰고 열매는 달다!

마라톤과 정적분

마라톤을 뛰는 동안은 엄청난 고통이지만 완주 후 쾌감은 그 동안의 고통을 충분히 상쇄하고도 남을만하다. 만약 4시간 만에 완주를 하고 한 시간 후에 완주 메달을 받는 사람의 고통과 쾌락함수는 아래와 같으며 그 크기가 양수이어야 한다(시간의 단위를 분으로 한다). 즉 쾌감의 강도가 고통의 강도보다 훨씬 커야할 것이다.

$$-\int_{0}^{240} \text{고통}(t)dt + \int_{240}^{300} \text{쾌감}(t)dt > 0$$

10.3 응용

10.3.1 투자율과 자본

유량(流量, flow)은 일정기간 동안 측정한 값으로 정의되며 국민소득, 수출액을 예로 들 수 있다. 저량(貯量, stock)은 일정시점에서 측정한 값이다. 국부, 외환보유액 등이 그 예이다. 유량이 쌓이면(적분하면) 저량이 된다. 마치 상류에서 물이 유입되어 그것이 쌓여 소양댐의 총 저수량이 되는 이치와 같다.

실습문제 10-2

순 투자율[3]이 $I(t)=160t^{3/5}$이고, $t=0$에서 초기 자본량이 200일 때, 자본의 함수 $K(t)$를 구하라.

풀이

$$K(t)=\int I(t)\,dt+c$$

$$K(t)=\int 160t^{\frac{3}{5}}\,dt+c$$

$$K(t)=160\left(\frac{5}{8}t^{\frac{8}{5}}\right)+c=100t^{\frac{8}{5}}+c$$

$c=K_0=200$. 그래서 $K(t)=100t^{\frac{8}{5}}+200$

10.3.2 현금흐름의 현재가치

현금흐름의 현재가치는 $P=P_0e^{-rt}$이다. T년 후 얼마인가?

$$P_T=\int_0^T P_0e^{-rt}dt=P_0\left[-\frac{1}{r}e^{-rt}\right]_0^T=-\frac{P_0}{r}\left[e^{-rt}\right]_0^T=\frac{P_0}{r}(1-e^{-rT})$$

만약 현금의 흐름이 영구적으로 계속되는 경우(영구공채 또는 비소모성 자산으로부터의 수익) 이 현금 흐름의 현재가치는 $\lim_{t\to\infty}P_T=\lim_{t\to\infty}\frac{P_0}{r}(1-e^{-rT})=\frac{P_0}{r}$이 된다.[4]

실습문제 10-3

매년 임대료가 5백만 원씩 나오는 토지가 있다. 이자율이 5%이다. 3년 후 가치는 얼마인가? 또 임대를 영원히 한다면 현재가는 얼마인가?

---

3 순투자란 총투자에서 대체투자를 뺀 양이다. 예를 들어 100억 원을 투자했는데, 20억 원이 기계 보수에 쓰였다면 순투자는 총투자(100억) - 대체투자(20억 원) = 80억 원이 된다.

4 이 풀이를 아래와 같이 특이적분(特異積分, improper integration)으로 구할 수도 있다.

$$P_T=\int_0^\infty P_0e^{-rt}dt=\lim_{y\to\infty}\int_0^y P_0e^{-rt}dt=\lim_{y\to\infty}\frac{P_0}{r}(1-e^{-rT})=\frac{P_0}{r}$$

풀이

위의 공식에 대입하면 3년 후 가치는

$P_T = \frac{500}{0.05}(1-e^{-0.15}) = 10,000(1-0.86) = 1,400$만 원이 된다.

영원히 계속된다면 $P_T = \frac{P_0}{r} = \frac{500}{0.05} = 10,000$백만 원, 즉 1억 원이 된다.

10.3.3 소비자 잉여, 생산자 잉여와 사회적 잉여

소비자 잉여(消費者剩餘, consumer's surplus, CS)란 소비자가 지불하고자 하는 금액($\int_0^{Q_0} D(Q)dQ$)에서 실제로 지불한 금액(P_0Q_0)을 뺀 차액이며 소비자가 그와 같은 교환에서 얻는 이득을 의미한다.

$$CS = \int_0^{Q_0} D(Q)dQ - P_0Q_0$$

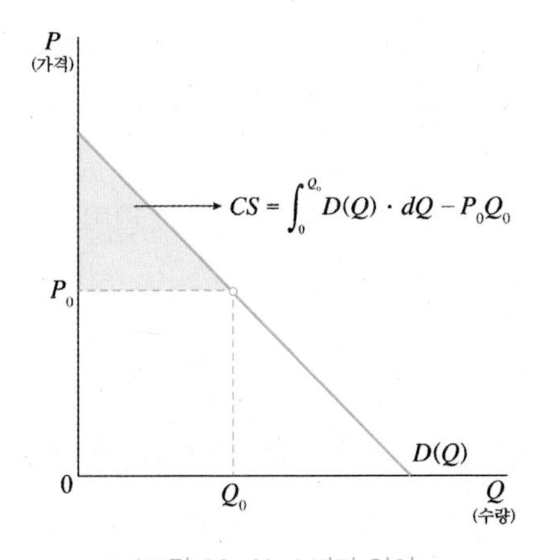

〈그림 10-2〉 소비자 잉여

실습문제 10-4

$P_d = 45 - 0.5Q$이고 $P_0 = 32.5$, $Q_0 = 25$일 때 소비자 잉여를 구하라.

풀이

$CS = \int_0^{25}(45-0.5Q)dQ - (32.5\times 25)$

$CS = \left[45Q - 0.25Q^2\right]_0^{25} - 812.5 = 156.25$

생산자 잉여(生産者剩餘, producer's surplus, PS)란 생산자가 얻은 수입(P_0Q_0)에서 최소한 받아야겠다고 생각한 금액($\int_0^{Q_0} S(Q)\cdot dQ$)을 뺀 차액이며 생산자가 그와 같은 교환에서 얻는 이득을 의미한다.

$$PS = P_0Q_0 - \int_0^{Q_0} S(Q)\cdot dQ$$

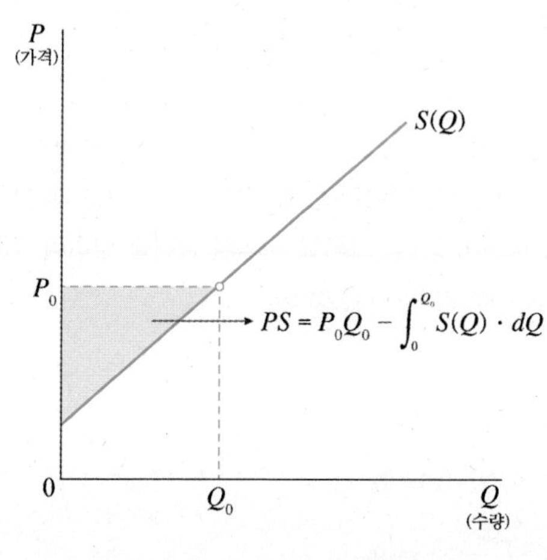

〈그림 10-3〉 생산자 잉여

실습문제 10-5

$P_s = 6 + Q$이고 $P_0 = 31$, $Q_0 = 25$일 때 생산자 잉여를 구하라.

풀이

$PS = (31\times 25) - \int_0^{25}(6+Q)dQ$

$PS = 775 - \left[6Q + 0.5Q^2\right]_0^{25} = 312.5$

사회적 잉여(社會的剩餘, social surplus, SS)란 소비자 잉여와 생산자 잉여의 합이며 어떤 거래(교환)에서 사회 구성원(생산자와 소비자)이 얻는 순편익을 의미한다.

$$SS = CS + PS = \int_0^Q D(Q)dQ - P_0Q_0 + P_0Q_0 - \int_0^Q S(Q)dQ$$

$$= \int_0^Q D(Q)dQ - \int_0^Q S(Q)dQ = \int_0^Q [D(Q) - S(Q)]\,dQ$$

사회적 잉여를 극대화하는 P와 Q는 위의 식을 극대화 문제로 풀어서 구하면 된다. 수요곡선 $P = a - bQ$가 $D(Q) = a - bQ\ (a, b > 0)$이고 공급곡선 $P = c + dQ$가 $S(Q) = c + dQ\ (c, d > 0)$이라면 $P^{SS} = \frac{(ad + bc)}{(b + d)}$와 $Q^{SS} = \frac{(a - c)}{(b + d)}$가 구해진다. 이 가격과 거래량은 수요와 공급이 일치하는 균형점임을 확인할 수 있다.

실습문제 10-6

수요곡선이 $P^d = 45 - 0.5Q$이고 공급곡선이 $P^s = 6 + Q$일 때 (1) 균형가격과 균형거래량을 구하라. (2) 소비자 잉여, 생산자 잉여, 그리고 사회적 잉여를 구하라. (3) $Q_0 = 25$일 때의 소비자 잉여, 생산자 잉여, 그리고 사회적 잉여와 비교하라.

풀이

(1) 균형가격은 32, 거래량은 26이 된다.

(2) $CS = \int_0^{26} (45 - 0.5Q)dQ - (26 \times 32)$

$= [45Q - 0.25Q^2]_0^{26} - 832 = 169$

$PS = (32 \times 26) - \int_0^{26} (6 + Q)dQ$

$= (32 \times 26) - \left[6Q + \frac{1}{2}Q^2\right]_0^{26} = 832 - 494 = 338$

$SS = \int_0^Q [D(Q) - S(Q)]\,dQ = \int_0^{26} (45 - 0.5Q - 6 - Q)dQ$

$= \int_0^{26} (39 - 1.5Q)dQ = 507$

또 위에서 구한 $CS(=169)$와 $PS(=338)$를 더한 값도 507이다.

(3) 생산량이 25일 때 $CS(=156.25)$와 $PS(=312.5)$를 더한 값(SS)은 468.25이다.
균형거래량에서 소비자 잉여, 생산자 잉여, 사회적 잉여 모두가 더 큰 값을 갖는다.

실습문제 10-7

어느 주유소의 휘발유 수요함수가 $Q^d = 10 - 2P$로 주어져 있다. 가격이 1에서 2로 상승하였을 때 소비자 잉여의 변화를 구하라. 수요의 단위는 1톤이고 가격의 단위는 백만 원이다.

(1) 수요곡선 $P = 5 - 0.5Q$를 근거로 구하라.

(2) 수요함수 $Q^d = 10 - 2P$를 근거로 구하라.

풀이

(1) 가격변화에 따른 소비자 잉여의 변화는 그림에서 보면 ㉡과 ㉢이다.

$$\begin{aligned}\triangle CS &= \int_0^8 (5-0.5Q)dQ - P_0 Q_0 - \left[\int_0^6 (5-0.5Q)dQ - P_1 Q_1\right] \\ &= \int_0^8 (5-0.5Q)dQ - \int_0^6 (5-0.5Q)dQ + P_1 Q_1 - P_0 Q_0 \\ &= 24 - 21 + (2\times 6) - (1\times 8) = 7\end{aligned}$$

$P=1$일 때 수요량은 8이었고 $P=2$일 때 수요량은 6으로 감소하였다. 휘발유 가격이 1백만 원에서 2백만 원으로 상승함에 따라 수요량은 2톤 감소하였고 이에 따라 소비자 잉여도 7백만 원 감소한 것이다.

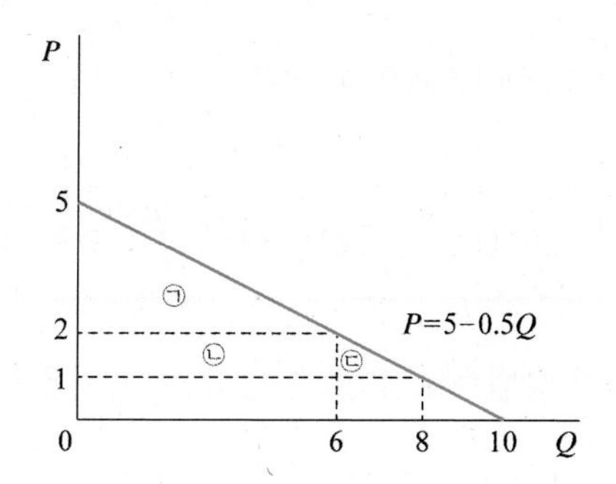

(2) 그림으로 보면 가격이 1에서 2로 상승하였다면 소비자 잉여가 ⓐ+ⓑ+ⓒ(가격 1일 때의 소비자 잉여)에서 ⓒ(가격 2일 때의 소비자 잉여)가 줄어든 ⓐ+ⓑ 면적을 구하는 적분 문제가 된다.

$$\triangle CS = \int_1^2 (10-2P)dP = \left[10P - P^2\right]_1^2 = 7$$

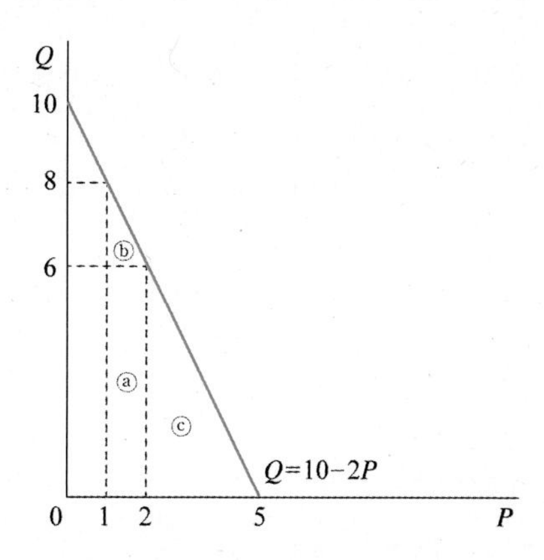

10.3.4 한계비용, 평균비용과 총비용

<그림 10-4> 총변량, 평균변량 그리고 한계변량 간의 관계에서 본 바와 같이 총변량을 미분하면 한계변량을, 총변량을 생산량으로 나누면 평균변량을 구할 수 있음을 보았다. 역으로 한계변량을 적분하면 총변량을, 평균변량을 생산량으로 곱하면 총변량을 얻을 수 있었다.

	미분 ←		÷Q →	
한계변량 (*MC*, *MR* 등)	→ 적분	총변량 (*TC*, *TR* 등)	← ×Q	평균변량 (*AC*, *AR* 등)

〈그림 10-4〉 총 변량, 평균변량 그리고 한계변량 간의 관계

여기에서는 실제로 적분을 이용하여 한계비용 $\left(MC = \dfrac{dTC(Q)}{dQ}\right)$와 평균비용 $\left(AC = \left(\dfrac{TC(Q)}{Q}\right)\right)$과 총비용과의 관계를 알아보려고 한다.

$$TC(Q) = AC \times Q = \int_0^Q MC\,dQ + FC$$

총비용(TC)은 두 가지 방법으로 구할 수 있다. 평균비용×생산량$(= AC \times Q)$을 계산하여 얻을 수 있으며 한계비용을 적분한 값에 고정비용을 더하여$(= \int_0^Q MC\,dQ + FC)$ 얻을 수 있다. 기하학적으로 보면 전자는 직사각형$(AC_0 \times Q_0)$의 면적으로 나타나며, 후자는 MC곡선을 적분한 면적에 고정비용을 더하면$(= \int_0^{Q_0} MC\,dQ + FC)$ 얻을 수 있다. 평균비용을 이용하는 것이 더 쉽기 때문에 총비용을 구할 때 주로 쓰이고 있다.

실습문제 10-8 [5]

$C = Q^3 - 10Q^2 + 50Q$

$AC = Q^2 - 10Q + 50 \quad MC = 3Q^2 - 20Q + 50$

① Q = 8일 때 평균비용과 한계비용을 구하라.

② 평균비용을 이용하여 구한 총비용과 한계비용을 이용하여 구한 총비용이 같음을 보여라.

풀이

① $AC(8) = Q^2 - 10Q + 50 = 64 - 80 + 50 = 34$

$MC(8) = 3Q^2 - 20Q + 50 = 3(64) - 20(8) + 50 = 82$

AC최저점($Q^* = 5$)보다 큰 생산량에서는 한계비용이 평균비용보다 더 크다는 사실을 확인할 수 있다.

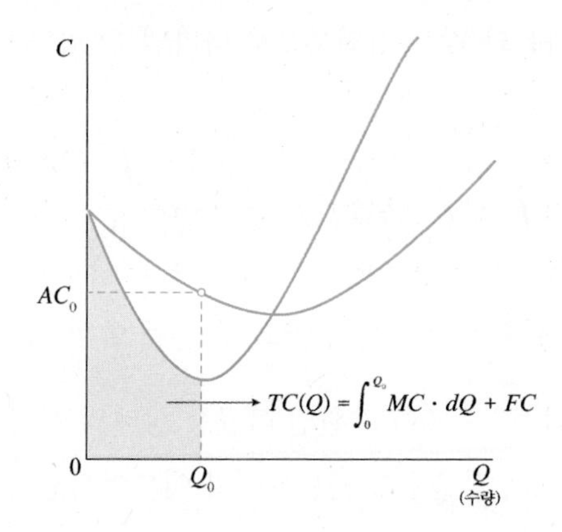

〈그림 10-5〉 평균비용함수와 한계비용함수

② 평균비용이용: 총비용 TC = AC × Q = 34× 8 = 272, 사각형 면적

한계비용이용: 총비용 TC $= \int_0^8 (3Q^2 - 20Q + 50)dQ = 272$

총비용을 평균비용에 생산량을 곱하여 구할 수도 있고 한계비용을 생산량까지 정적분하여 구할 수도 있음을 보여주고 있다. 두 가지 방법 중에서 평균비용을 이용하는 것이 더 편리하다.

10.3.5 로렌츠 곡선과 지니계수

로렌츠 곡선은 미국의 통계학자 로렌츠(Lorenz M. O.)가 창안한 소득분포의 불균등도(不均等度)를 측정하는 방법이다. 가로축에 소득이 낮은 인구로부터 점점 높은 순으로

5 이강섭외, 『수학 Ⅱ』, 지학사, p.154.

비율을 누적적으로 표시하고, 세로축에는 각 인구의 소득 수준을 누적비율로 표시한 것이다.

<그림 10-6>에서 대각선은 완전 균등선으로 소득이 균등하게 분배되어 있음을 나타내고 있다. 따라서 이 완전 균등선에 가까울수록 소득의 분배가 균등하게 이루어졌음을 의미한다.

또 불균등도를 측정하는 방법으로 이탈리아의 통계학자 지니(Gini, 1874~1965)가 제시한 지니계수(Gini coefficient)가 있다. 그림에서 완전 균등선과 실제 분배를 나타내는 로렌츠 곡선 사이의 넓이의 2배를 지니계수라고 정의한다.[6] 로렌츠 곡선을 $L(x)$라고 하면 지니계수는 다음과 같은 정적분으로 나타낼 수 있다.

$$\text{지니계수} = 2\int_0^1 \{(x - L(x)\}dx = \frac{0.5 - \int_0^1 L(x)dx}{0.5} = 1 - 2\int_0^1 L(x)dx$$

첫 번째 줄의 식은 함수로 유도한 식이고 두 번째 줄의 식은 면적으로 유도한 식이다.

완전균등일 때 지니계수는 0이고 완전 불균등 상태의 지니계수는 1이다. 지니계수가 클수록 불균등은 커지고, 작을수록 균등분배가 이루어지고 있음을 나타낸다.

실습문제 10-9

로렌츠 곡선이 근사적으로 $L(x) = 0.95x^2 + 0.05x$라고 할 때 지니계수 값을 구하라.[7]

풀이

$$\text{지니계수} = 2\int_0^1 \{(x - (0.95x^2 + 0.05x)\}dx = 0.317$$

여기에서 로렌츠 곡선과 지니계수는 소득의 불균등도를 측정하는 데 쓰였지만 매출액, 자산 등 여러 변수의 불균등도를 나타내는 데도 쓰이고 있다.

---

6 정삼각형의 면적은 실제로는 1/2이지만 1로 규정하고 계산하기 때문에 2를 곱하여 주어야 한다.

7 이강섭 외, 『수학 Ⅱ』, 지학사, p.154.

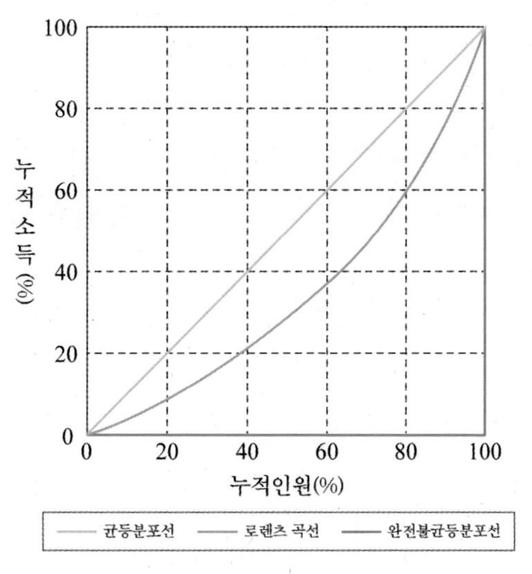

〈그림 10-6〉 로렌츠 곡선

2011년 5월 통계청에서 발표한 우리나라의 소득 점유율에서 정적분을 이용하여 당시 우리나라의 지니계수를 구해보자. 주어진 로렌츠 곡선은 컴퓨터를 이용해 다음과 같은 식으로 나타낼 수 있다.

$$L(x) = 2x^5 - 3.3x^4 + 1.6x^3 + 0.5x^2 + 0.1x \quad (0 \le x \le 1)$$

$$\int_0^1 L(x) = 0.29$$

2011년 우리나라 지니계수 $\dfrac{A}{A+B} = \dfrac{0.5-0.29}{0.5} = 0.42$

불평등도가 매우 높은 편이라고 평가할 수 있다.

이광연, 『수학, 인문으로 수를 읽다』, 한국문학사, p.182.

10.3.6 로지스틱 함수

시간에 따른 인구수를 $p(t)$라고 하자. 인구가 늘어나는 비율은 인구수를 시간에 대해 미분한 것으로 $\dfrac{dp}{dt}$라고 표현한다. 인구수가 늘어나는 비율(k)은 현재의 인구수에 비례하기 때문에 관계식을 $\dfrac{dp}{dt} = kp$로 나타낼 수 있다.[8] 처음 인구수를 $p(0) = p_0$라고 하자.

수학적 모델은 아래와 같이 간단히 쓰여진다.

$$\frac{dp}{dt} = kp, \quad p(0) = p_0$$

이 방정식의 해는 $p(t) = p_0 e^{kt}$이며 그래프로는 <그림 10-7>과 같이 그려진다. 기하급수적으로 인구가 증가하는 것을 한 눈에 알아볼 수 있다. 이것은 맬더스(Malthus, 1766 ~1834)의 주장을 수학모델화한 것이다.

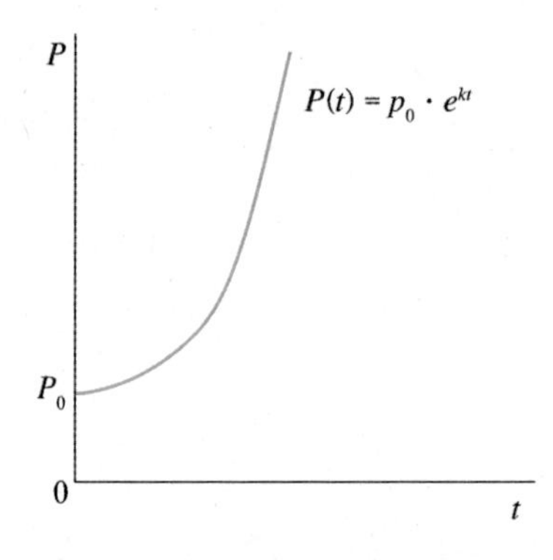

〈그림 10-7〉 맬더스의 인구증가함수

이제 이 모델을 좀 더 정교화시켜 보기로 하자. 인구는 현실적으로 인구가 적은 초창기에는 기하급수적으로 성장하지만, 현실적으로는 식량, 거주 공간, 다른 천연자원의 영향을 받기 때문에 성장이 제한된다. 이런 점을 고려하여 벨기에의 수학자 페르홀스트(Pierre F. Verhulst, 1804 ~1849)는 맬더스의 인구 성장 모델에 대해 다음과 같은 수정 모델을 제시하였다.

앞에서는 자연사(自然死)만 고려하였지만 인간 간의 갈등에서 생기는 요인을 추가로 고려해 보기로 하자. 사람이 둘만 있다면 경쟁관계는 ${}_pC_2 = \frac{p(p-1)}{2}$개가 있게 된다. 이런 경쟁관계에 비례하여($s\%$) 사망자 수도 증가하기 때문에 다음 조건은 $s\frac{p(p-1)}{2}$ 인구 감소 요인으로 작용하게 될 것이다.

이 조건을 추가하면 방정식은

---

8 여기에서는 출생률에서 사망률을 뺀 순(順) 증가율을 k로 하였다.

$$\frac{dp}{dt} = kp - s\frac{p(p-1)}{2}, \quad p(0) = p_0$$

이 식을 보다 간단히 정리하면

$$\frac{dp}{dt} = p(a - bp), \quad p(0) = p_0$$

$$a = k + \frac{s}{2} \text{ 그리고 } b = \frac{s}{2}$$

으로 나타난다. 이 방정식을 베르훌스트 모델이라고 부르며, 이 방정식의 해는

$p(t) = \dfrac{ap_0}{bp_0 + (a - bp_0)e^{-at}}$ 이며, 로지스틱(logistic) 함수라고 부른다.[9] 이 함수의 그래프는 <그림 10-8>과 같다. 인구수가 $\frac{a}{b}$를 넘을 수 없다.[10] 그림에서 알 수 있듯이 초기에는 인구수가 급속히 증가하지만 어느 순간부터는 완만하게 증가하여 인구수가 일정하게 유지된다.[11]

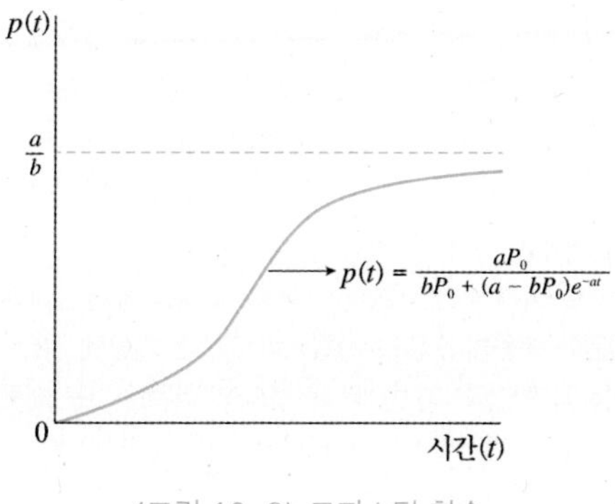

〈그림 10-8〉 로지스틱 함수

9 (누적적) 로지스틱 함수를 사용하여 정성적 반응을 회귀모형으로 추정하는 로지트(logit) 모형이 있다. 프로비트(probit) 모형[또는 노미트(normit)모형]은 누적적 정규분포함수를 사용하는 정성적 반응 회귀모형이다.

10 맬더스 모형과 베르훌스트 모형을 이용하여 추정한 우리나라의 인구수와 실제의 인구수를 비교해 보면 베르훌스트 모형이 더 통계청 자료와 잘 맞는다. 이규봉 37 로지스틱 곡선은 원래 생물의 개체수 변화를 특징짓기 위해 연구되어 왔는데, 시간의 흐름에 따른 상품판매수의 변화나 종업원의 사기 변화 등처럼 비즈니스에서도 흔히 볼 수 있는 곡선이다.

11 로지스틱 곡선이 가파르게 상승하는 부분, 즉 급속하게 인구수(개체수)가 증식하는 기간을 대수기라고 부른다. 따라서 대수기를 지난 후에는 성장이 정체된다는 사실에 유의하여야 할 것이다.

맬서스

토머스 로버트 맬서스(Thomas Robert Malthus, 1766~1834)는 영국의 인구통계학자이자 정치경제학자이다. 고전경제학의 대표적인 학자 가운데 한 명으로 영국 왕립학회 회원이었다. 인구 증가에 대한 이론으로도 유명하다.

맬서스는 아담스미스보다는 43년 늦고 리카도보다는 6년 빠른 1766년, 목사의 아들로 태어났으며 자신도 목사가 되었다. 또 뉴턴보다는 약 40년 늦게 태어났다. 그는 윗 세대인 스미스의 학문적 영향을 받았으며 동년배인 리카도와 인간적·학문적 영향을 주고받을 수 있었다. 1784년 케임브리지의 지저(Jesus) 대학에 입학하여 수학과 과정을 우등생으로 마치고 학위를 받았다.

그는『인구론』(An Essay on the principle of population)의 저자로 유명하다. 1798년 익명(匿名)으로 이 책을 발표하여 유명해졌으며 실증적 기초를 풍부하게 한 후에 1803년 인구론 제2판을 익명이 아닌 자신의 이름으로 출간하였다. 인구는 인간의 변하지 않는 욕정으로 인해 기하급수적으로 증가하는 데 반해 식량은 수확체감의 법칙에(노동의 한계 생산물 체감의 법칙) 의해 산술급수적으로 증가하기 때문에 불행하게도 빈곤의 재발을 막는다는 것은 인간의 힘으로는 불가능하다고 하였다. 인구론을 읽고 난 칼라일(Thomas Carlyle, 1795～1881)은 경제학을 우울한 학문(dismal science)라고 말하였다. 그의 인구론은 찰스 다윈(Charles Robert Darwin, 1809~1882)에게도 큰 감명을 주었다고 한다.[12]

인구론은 자본주의하에서 나타나는 노동자 계급의 빈곤 등 계급 모순이 노적되어 심각한 사회문제가 되었을 때 이런 모순의 원인이 사유재산제에 있으므로 이를 사회주의화 한다는 고드 윈(W. Godwin, 1756～1836), 콩도르세(M, Condorcet, 1743～1794)와 같은 진보적인 사상에 대한 대응논리로서 쓰여졌다. 맬서스는 사회 계급간 빈부의 문제는 사유재산제도에 있는 것이 아니라 인구의 증가와 토지 생산적 자체의 한계와의 괴리에서 비롯하는 자연적인 현상이라고 주장하였다.[13]

맬서스는 인구론을 근거로 하여 구빈법(救貧法, Poor Laws)에도 반대하였다. 이 법은 부랑자를 출생지에 돌려보내고 빈민을 구빈원에 수용하여 일을 시켰으며 교구민 가운데 자산이 있는 사람에게 부과하는 구빈세로 재원을 충당하는 내용을 담고 있다. 이 법에 대한 반대의 이유로 그는 첫째, 식량의 증가 없이 인구만 증가시키기 때문에 사태를 더욱 악화시키며 둘째, 가난한 사람에게 식량이 많이 갈수록 사회에 더 중요한 사람에게 가는 몫이 줄어든다는 이유를 들었다.

---

12 이정전,『경제학을 리콜하라』, p.173.

13 변형윤·권광식 공저, 앞의 책, p.57.

10.3.7 기타

(1) 한계효용과 총효용

재화가 하나인 경우 총효용(total utility)함수가 $TU = U(X)$라면 한계효용은 $MU = \frac{dU}{dX}$이다. <그림 10-9>(b)에서 0에서 X^*까지 한계효용함수를 적분한 값은 <그림 10-9>(a)에서 점 X^*에서의 총효용함수 값이 된다. $\int_0^{X^*} MU(X)dX = TU(X^*)$가 성립한다.

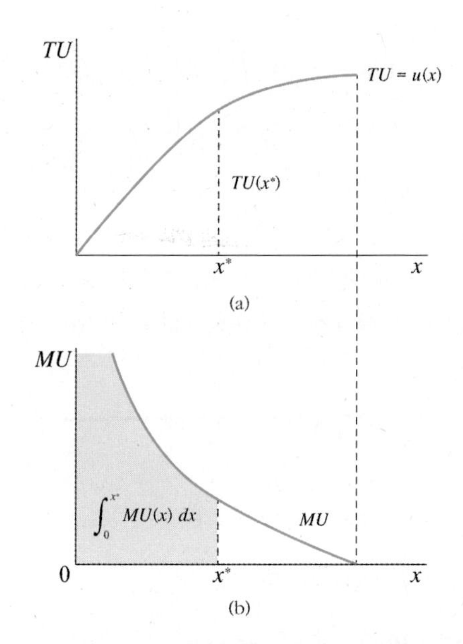

〈그림 10-9〉 총효용함수와 한계효용함수

(2) 한계생산(력), 평균생산(력)과 총생산(력)

노동만이 생산요소인 경우 총생산(total product) 함수는 $Q = f(L)$라면 노동의 한계생산성: $MPP_L = \frac{df}{dL}$이다. 0에서 L^*까지 한계생산력함수를 적분한 값은 점 L^*에서의 총생산함수 값이 된다. $\int_0^{L^*} MPP_L(L)dL = f(L^*)$가 성립한다. 또 $APP_L \times L^* = \int_0^{L^*} MPP_L(L)dL = Q$가 성립한다.

또 $\partial(Q/L)/\partial L = [L(\partial Q/\partial L) - Q]/L^2 = 0$ => $\partial Q/\partial L = Q/L$

평균생산성이 극대가 되는 생산량에서 한계생산력이 같다.

(3) 한계수입, 평균수입과 총수입

총수입(total revenue) 함수가 $TR = R(Q)$라면 $MR = \frac{dR}{dQ}$이다. 0에서 Q^*까지 한계 수입함수를 적분한 값은 점 Q^*에서의 총수입함수 값이 된다. $\int_0^{Q^*} MR(Q)dQ = R(Q^*)$가 성립한다. 또 $AR \times Q^* = \int_0^{Q^*} MR(Q)dQ = TR$ 가 성립한다.

실습문제 10-10

한계수입함수가 $MR = 12 - 4Q$일 때 (1) 평균수입과 총수입을 구하라. (2) 생산량이 2일 때 ($Q = 2$) 한계수입과 평균수입을 구하라. (3) 총수입을 두 가지 방법을 이용하여 구하라.

풀이

(1) $TR = \int MR(Q)dQ = \int (12 - 4Q)dQ = 12Q - 2Q^2$

$AR = TR/Q = (12Q - 2Q^2)/Q = 12 - 2Q$

(2) $MR(2) = 12 - 4 \times 2 = 4$, $AR(2) = 12 - 2 \times 2 = 8$

(3) $TR = \int_0^2 MR(Q)dQ = \int_0^2 (12 - 4Q)dQ = 16$

$TR = AR \times Q = 8 \times 2 = 16$

(4) 빈도함수

고속도로에서 자동차가 지나가는 빈도함수(頻度函數, frequency function)가 다음과 같다고 해보자. $f(t) = 2e^{-2t}$ $t \geq 0$(분단위로 측정). 0.25분 사이에 자동차가 지나갈 확률을 구하면 $p(x) = \int_0^{0.25} 2e^{-2t} dt = \left[-e^{-2t}\right]_0^{0.25} = 0.393$로 계산된다.

<그림 10-10>에서 0에서 0.25까지 적분한 값(0.393)으로 나타나며 누적(累積)함수로는 0.25점에서의 높이(0.393)로 나타난다. 확률의 누적이기 때문에 한계 값이 1이다.

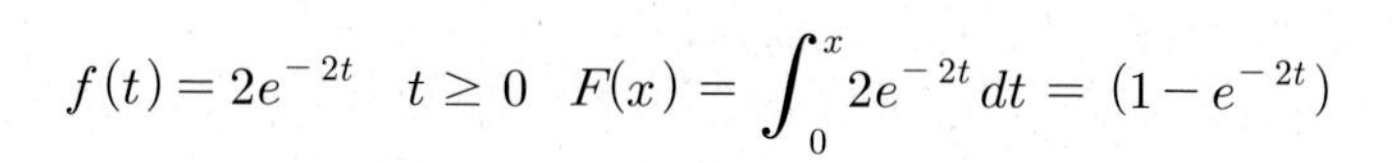

$$f(t) = 2e^{-2t} \quad t \geq 0 \quad F(x) = \int_0^x 2e^{-2t} dt = (1 - e^{-2t})$$

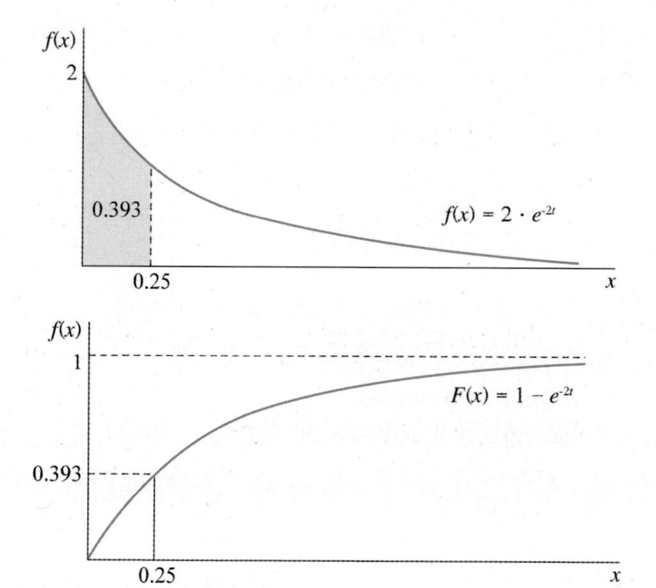

〈그림 10-10〉 빈도함수와 누적함수

핵심어

- 부정적분
- 적분
- 정적분
- 소비자 잉여
- 생산자 잉여
- 사회적 잉여
- 로렌츠 곡선
- 로지스틱 함수

연습문제

○× 문제

1. 미적분학의 역사에서 미분이 적분보다 먼저 나타났다.
2. 맬더스의 인구법칙은 로그함수로 나타낼 수 있다.
3. 생산자 잉여란 생산자가 받으려고 한 금액에서 실제로 받은 금액을 뺀 값이다.
4. 로지스틱 모형은 로지스틱 함수를 기초로 정성적 반응을 추정하는 데 쓰이는 계량 모형이다.
5. 적분법을 적용하여 시장 균형에서 사회적 잉여의 값이 최대가 된다는 사실을 증명할 수 있다.

단답형

1. 적분을 한다고 하는 말은 ( )함수를 구하는 일이다.
2. 투자 $I(t)$와 자본 $K(t)$ 간의 관계를 적분을 이용하여 나타내라.
3. 소비자 잉여란? 적분을 이용하여 설명하라.
4. 생산자 잉여란? 적분을 이용하여 설명하라.
5. 사회적 잉여를 정의하고 시장 균형에서 최대가 됨을 증명하라.

풀이형

1. 다음 부정적분과 정적분을 구하라.

(1) $\int (4x^2 - x)\,dx$

(2) $\int (3x^2+1)^2 dx$

(3) $\int xe^x dx = e^x(x-1)+c$

(4) $\int_2^5 (4x^4 - x)\,dx$

(5) $\int_{1}^{2}(e^{2x}-e^{x})dx$ (6) $\int_{e}^{4}(\frac{1}{x}+\frac{1}{2+x})dx$

2. 순 투자율이 $I(t)=12t^{1/2}$이고, $t=0$에서 초기 자본량이 10일 때,

(1) 자본의 함수 $K(t)$를 구하라.

(2) 기간 1까지의 자본축적량을 구하라.

(3) $I(t)$와 $K(t)$를 그림으로 그리고 양자 간의 관계를 설명하라.

3. 매년 1천원이 나오는 연금이 있다. 이자율이 5%이고 10년 후 가치는 얼마인가? 또 영원히 연금이 지급된다면 현재가는 얼마인가?

4. 수요곡선이 $P=a-bQ$이고 공급곡선이 $P=c+dQ$라고 주어졌을 때 사회적 후생을 극대화하는 P와 Q가 수요와 공급이 일치하는 균형점임을 보여라.

5. 수요곡선 $P=45-0.5Q$ 이고 $P_0=32.5$, $Q_0=25$ 일 때

(1) 소비자 잉여를 구하라.

(2) 공급이 25로 고정된 상태에서 수요곡선이 $P=50-0.5Q$로 이동한 경우 소비자 잉여를 구하시오.

(3) (1)에서의 소비자 잉여와 (2)에서의 소비자 잉여를 비교해 보시오. 또 (1)에서의 생산자 잉여와 (2)에서의 생산자 잉여를 비교해 보시오.

(4) 여기에서 얻은 함의는 무엇인가?

6. 공급곡선 $P_s=6+Q$이고 $P_0=31$, $Q_0=25$일 때

(1) 생산자 잉여를 구하라.

(2) 공급이 31로 고정된 상태에서 공급곡선이 $P=8+Q$로 이동한 경우 생산자 잉여를 구하시오.

(3) (1)에서의 소비자 잉여와 (2)에서의 소비자 잉여를 비교해 보시오. 또 (1)에서의 생산자 잉여와 (2)에서의 생산자 잉여를 비교해 보시오.

(4) 여기에서 얻은 함의는 무엇인가

7. (실습문제 10-6)에 대해 (1) 수요곡선과 공급곡선을 그려라. (2) 소비자 잉여, 생산자 잉여, 그리고 사회적 잉여를 그림을 이용하여 구하라. (3) 적분을 이용하여 얻은

값과 비교하라.

8. 한계수입함수가 $MR = 16 - 4Q$일 때 (1) 평균수입과 총수입을 구하라. (2) 생산량이 3일 때($Q = 3$) 한계수입과 평균수입을 구하라. (3) 총수입을 두 가지 방법을 이용하여 구하라.

9. 한계비용이 $MC = 20 + 25Q - 6Q^2$으로 주어지고 고정비용이 100이다. 이로 부터 (1) 총비용함수 (2) 평균비용함수 (3) 가변비용함수를 구하시오.

10. 아이스크림의 시장수요함수는 $Q^D = 21 - 4P$ 이고 $Q^S = 5P - 6$ 이다.

(1) 시장균형 가격과 거래량을 구하라.

(2) 위에서 구한 시장균형에서 소비자 잉여를 구하라.

(3) 만약 균형가격이 2로 변한 경우 소비자 잉여 변화량을 구하라.

11. 어떤 공장에서 제품을 포장하기 전에 최종 출하 검사를 한다. 오전 업무 시작 시간인 9시부터 13시까지 어떤 검사 요원의 시간당 검사량(단위: 개)의 증가율은 다음과 같다고 한다. (단, 오전 9시를 t=0으로 한다.)

$$N'(t) = -3t^2 + 12t + 50 \quad (0 \leqq t \leqq 4)$$

(1) t시간 후의 검사량 N(t)를 구하라.

(2) 오전 동안의 시간당 평균 검사량을 구하라.

12. 유명한 레스토랑에서 저녁 식사를 위해 기다리는 시간은 확률밀도함수 $f(t) = \dfrac{3}{125}t^2$ $0 \le t \le 5$로 나타나고 있다. 1분에서 2분 사이에 기다릴 확률을 구하라.

13. 어느 도시의 연간 상수도 소비량은 $C(t) = 0.6t + e^{0.01t}$로 나타난다. (단위 : 10억톤) $e^{0.1} = 1.105$

(1) 상수도 소비량을 그림으로 나타내라.

(2) 이 도시의 10년간 상수도 소비량을 계산하라.

CHAPTER 11

게임이론

현실은 허풍떨기, 자잘한 속임수, 내가 의도하는 바를 상대가 어떻게 생각할까 자문하는 일 등으로 이루어지지요. 그것이 내 이론 안에서 게임을 뜻하는 바입니다.

• 노이만(John Von Neumann, 1903~1947, 헝가리 출신 미국인 수학자, 게임 이론의 창시자)

경제에서는 언제나 상호 추축이 작용과 반작용을 거치며 무한하게 연쇄적으로 발생한다.

• 모르겐 슈타인(Oskar Morgenstein, 1902~1977, 독일 출신 미국인 수학자, 게임이론의 창시자)

학습목표

인간의 삶은 갈등과 협력으로 점철되어 있다. 이런 현상을 체계적으로 분석할 수 있는 이론적인 도구로 게임이론이 각광받고 있다. 게임이론은 수학에서 시작하여 그 응용범위가 경제학, 경영학을 넘어 사회과학과 생물학 등 자연과학까지도 확대되고 있다.

이 장에서는 게임이론의 기초를 공부한 후, 죄수의 딜레마, 겁쟁이 게임, 사람싸움 등 게임이론이 응용되고 있는 예를 공부하고자 한다.

구성

11.1 게임이론의 기초
11.2 게임이론의 응용
11.3 반복게임
11.4 순차게임

11.1 게임이론의 기초

11.1.1 게임이론이란

게임이론이란 지적으로 합리적인 의사결정자 사이에 발생하는 협조와 갈등에 대한 수학적 방법을 연구하는 응용수학의 한 분야이다.[1] 게임이론에서는 둘 이상의 경제주체가 다른 참가자에게 상호 연관되게(interdependently) 영향을 미치는 전략을 선택하여야 하는 상황을 주로 분석하고 있다.

게임이론에 쓰이는 주요용어로는

① **경기자(競技者, player)**: 게임에 참가하여 의사결정을 하고 있는 주체

② **전략(戰略, strategy)**: 경기자들이 선택할 수 있는 모든 계획[2]

③ **보수(報酬, payoff)**: 경기자들이 게임의 결과로 얻을 수 있는 득실을 말한다. 경기자들의 보수는 자신이 선택한 전략에 의해서만 아니라 상대방이 선택한 전략에 의해서도 영향을 받는다.

경기자는 기업, 소비자, 정부, 해외와 같이 경제주체도 될 수 있지만, 외교문제를 다룰 때는 국가, 전투를 다룰 때는 장군, 데이트를 다룰 때는 청춘남녀, 생물의 행동을 다룰 때는 생물 등 연구 대상에 따라 여러 주체가 가능하다.

경제학에서는 합리적(合理的)인 인간을 분석대상으로 하고 있다. 이는 선호체계가 완비성(完備性, completeness)과 이행성(移行性, transitivity)을 갖추고 있음을 의미한다. 완비성이란 경제주체가 주어진 대안들을 비교하여 어떤 것이 자신에게 더 많은 만족을 주는지를 언제나 판단할 수 있음을 의미하며, 이행성이란 경제주체의 선호체계가 서로 모

---

1 Myerson, Roger B., 『Game Theory: Analysis of Conflict』, Harvard University Press, p. 1. Chapter-preview links, 1991, pp. vii–xi.

2 전략은 전술(戰術, tactic)보다 상위 개념이다. 전술은 구체적인 상황에서 주어진 자원을 활용하여 원하는 성과를 이루어내는 방법으로 정의되지만 전략은 목표를 달성하기 위해 다양한 전술들을 어떻게 종합하여 활용할지를 담은 계획을 말하며 전술보다는 더 폭넓은 개념이다. '운'과 '전략' 모두가 있어야만 게임이라고 부를 만한 것이 된다.

순되지 않아야 함을 의미한다.

게임이론에서 합리성 가정은 경기자 자신의 보수행렬 구조뿐 아니라 상대방의 보수행렬 구조도 알고 있어야 하며 경기자들은 상대방이 합리적이라는 사실을 알고 있어야 한다는 것이다.[3] 또 합리성을 이야기할 때 도덕적 견지가 아닌 일반적인 의미로서 경기자들의 목적은 주어진 것으로 보고 목적이 어떠하든 간에 그 목적에 합치하는 대로, 그 목적을 수행한다고 본다.

■ 게임이론의 역할

① 현실에서 일어나고 있는 일을 이해하게 하고 공공정책의 변화의 효과를 추론할 수 있는 정형화된 이론 틀을 제공하고 있다.

② 어려운 수학을 사용하지 않고 쉬운 수학으로 추론적인 논거(deductive logic)를 제공하고 있다.

③ 일상생활에서 쉽게 볼 수 있는 예를 기업 간의 전략적 행동분석에 적용할 수 있다.

가요 '타타타'의 가사에 나타난 인간의 불합리성

"네가 나를 모르는데 난들 너를 알겠느냐 한치 앞도 모두 몰라 다 안다면 재미없지"
1992년 인기 드라마 '사랑이 뭐 길래'에서 주인공이 부른 노래 '타타타'의 한 소절이다(양인자 작사, 김희갑 작곡). 게임이론의 합리성 가정과는 정반대인 내용이다. 사실 인간이 갖는 제한된 합리성(bounded rationality) 때문에 이 가사처럼 남을 정확히 안다는 것은 매우 무리한 가정이라고 할 수 있다. 하지만 이해관계가 첨예하게 대립하는 경우에는 서로가 서로에 대해 정확히 알려고 노력하기 때문에 게임이론에서 가정하고 있는 합리성 가정이 아주 허황된 것은 아니라고 본다.
※ '타타타'는 산스크리트어로 "그래 바로 그거야"를 의미한다.

3 합리성의 제한 요인으로는 지식의 불완전성, 예측의 어려움, 행동 가능성의 현실적인 범위를 들 수 있다. 안서원 지음, 『사이먼&카너먼』, 김영사, 2006, pp.51-57.

11.1.2 게임의 형식

전략형(戰略, strategic form)과 전개형(展開型, extensive form)으로 나눌 수 있다. 먼저 전략형은 정규형(正規型, normal form) 혹은 표준형이라고 부르며 경기자, 전략, 보수의 세 가지 구성요소만을 갖춘 형태이다.

<표 11-1> 전략(정규)형 게임의 예를 보면 용미와 용세에게는 각각 협조와 배신의 전략이 있다. 박스 안의 숫자는 경기자의 보수를 나타내고 있는데, 앞 숫자는 용미의 보수를, 뒤 숫자는 용세의 보수를 나타내고 있다. 두 경기자 모두 협력(배신)하면 용미도 10(50)을 용세도 10(50)을 얻는다. 용미(용세)가 배신하고 용세(용미)가 협조하면 용미(용세)는 20, 용세(용미)는 5를 얻는다.

〈표 11-1〉 전략(정규)형 게임의 예

		용세	
		협조:Cooperate	배신:Defect
용미	협조:Cooperate	(10, 10)	(5, 20)
	배신:Defect	(20, 5)	(50, 50)

전개형 혹은 확장형은 게임의 진행에 따라 나타날 수 있는 여러 경우들을 순서대로 배열하여 하나의 계통도 형태로 작성하는 양식이다. <그림 11-1>은 전개형 게임의 예로서 진입게임을 보여주고 있다. 전개형은 전략형보다 더 복잡하게 그려진다. 추가되는 개념으로는

- **게임나무(game tree)**: 마디(node)와 가지(branch)로 이루어진 그래프의 일종이다.
- **절점(節點, node, 분기점, 의사결정점)**: 경기자가 행동을 결정해야 하는 상태이며 출발점(뿌리, initial node)과 종점(terminal node)으로 나누어진다.
- **가지(branch)**: 실선(實線)으로 표시된다.
- **보수(報酬, payoffs)**는 경기자의 순서대로 배열한 벡터(vector) 형태로 표시된다.
  기존기업이 독점이윤을 차지하는 경우 (0, 100)이라는 보수가 쓰여 있다면 신규기업은 0, 기존기업은 100을 얻는 것을 나타낸다. 만약 (100, 0)이라고 쓰여 있다면 신규기업은 100, 기존기업은 0을 얻는 것을 나타낸다.

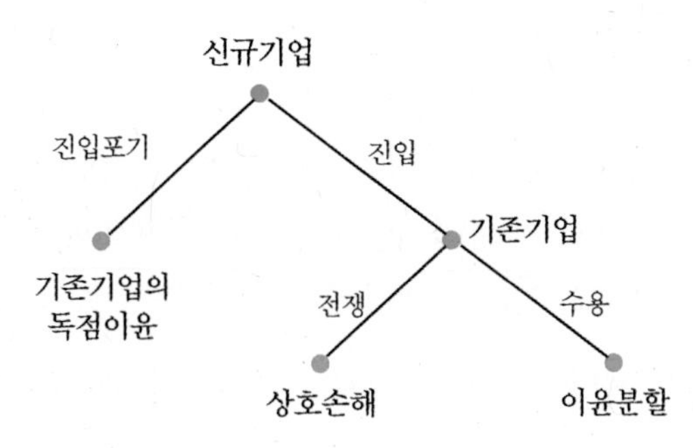

〈그림 11-1〉 전개(확장)형 게임의 예

11.1.3 게임의 분류

게임은 다음과 같이 여러 가지 기준으로 분류할 수 있다.

(1) 영합게임과 비영합게임

영합(零合, zero sum, 제로섬) 게임이란 각 경기자가 어떤 전략을 택하든지 그 결과로서 나타나는 두 경기자의 보수의 합이 제로가(영이) 되는 게임을 말한다.[4] 협상이 이루어질 수 없는 특징을 갖는다.

<표 11-2> 영합게임의 예에서 용미도 용세도 S_1을 선택하면, 용미는 1을 얻은 반면 용세는 1을 손해본다. 용미가 S_1을 선택하고 용세가 S_2을 선택하였다면, 용미는 10을 잃는 반면 용세는 10을 얻는다. 용미는 S_2을 선택하고 용세가 S_1을 선택하였다면, 용미는 10을 얻는 반면 용세는 10을 손해본다. 용미도 용세도 S_2을 선택하면 용미는 5를 얻는 반면 용세는 5를 손해본다. 용미는 S_2을 선택하고 용세가 S_2을 선택하였다면, 용미는 5을 얻는 반면 용세는 5를 손해본다. 따라서 한 사람의 보수만 표현해도 된다. 소위 고스톱게임은 전형적인 영합게임이다. 딴 사람의 딴 금액은 잃은 사람의 잃은 금액과 정확히 일치한다.

영합게임이 아닌 다른 모든 게임이 비영합(非零合, non zero sum)게임이다.

4 고정합 게임(constant game: 모든 경기자가 얻는 보수의 합이 항상 일정한 상수가 되는 경우)의 특별한 경우이다.

〈표 11-2〉 영합게임의 예

		용세	
		S_1	S_2
용미	S_1	(+1, -1)	(-10, +10)
	S_2	(+10, -10)	(+5, -5)

(2) 일회게임과 다단계게임

게임이 반복되는 횟수에 따라 일회게임과 다단계게임으로 나눌 수 있다.

- **일회(一回, one-shot) 게임 또는 정태적(one stage) 게임**: 한번만 게임이 이루어지는 경우다. 가장 간단한 게임이다. 뜨내기손님과 식당주인 간의 거래, 뜨내기 약장사와 동네 사람들 간의 거래, 미국 미식 축구 챔피언 결정전인 슈퍼볼, 봉인입찰경매(封印入札競賣, sealed-bid) 등이 좋은 예이다.
- **다단계(多段階, multi-stage) 게임 또는 동태적 게임**: 각 경기자가 전략을 선택한 후 그 결과를 보고 다시 전략을 선택하는 과정을 여러 번에 걸쳐 행한 후에 나타난 결과에 따라 보수를 받는 게임이다. 다단계게임에서 같은 경기자들이 같은 게임을 여러 차례 행하는 게임을 반복(反復, repeated)게임이라고 한다. 체스, 포커, 바둑, 공개 구두(公開口頭, open outcry) 경매 등이 좋은 예이다.

반복게임은 유한반복게임과 무한반복게임으로 나뉜다.

- **유한반복 게임(有限反復, finitely game)**: 게임의 횟수가 정해져 있는 경우이다.
- **무한반복 게임(無限反復, infinitely game)**: 똑같은 게임이 영구적으로 계속되는 경우이다.[5] 마지막 회가 존재하지 않는다. 또 유한반복게임이라고 할지라도 마지막 회를 모르는 경우도 무한반복게임이다. 인생은 유한하지만 미래를 모른다는 점에서 무한반복게임과 같은 성질을 가지고 있다.

5 무한반복 게임 중에서도 시간 할인이 없는 게임을 슈퍼게임(super game)이라고 한다.

반복게임에서 지나간 시절 경기자들이 선택했던 행동들의 기록을 역사(歷史, history)라고 하며, 결국 반복게임에서의 전략은 과거 역사에 대응하여 수립된 현재의 행동계획이라고 정의할 수 있다.[6]

일반적으로 다단계게임이 일회게임보다 더 복잡하긴 하지만 두 게임 모두에 적용할 수 있는 법칙이 여러 가지 존재한다. 우리는 보다 간단한 일회게임에서 출발하여 다단계게임의 순으로 학습할 것이다.

(3) 협조적 게임과 비협조적 게임

사전에 구속력 있는 계약을 맺을 수 있는가에 따라 협조적 게임과 비협조적 게임으로 나눌 수 있다.

- **협조적 게임(協調的, cooperative game)**: 게임하기 전에 경기자들이 완전히 구속력 있는 협약[공약(公約, commitment)]을 맺고 하는 게임이다. 합의나 약속 또는 협박 등이 실제로 (강제) 시행될 수 있는(enforceable) 경우를 말한다.
- **비협조적 게임(非協調的, non cooperative game)**: 게임하기 전에 경기자들이 어떤 구속력 있는 협약 없이 경기자들이 주어진 전략 집합하에서 자신의 효용을 극대화하기 위해 합리적으로 자신에게 최선의 전략을 찾으려는 형태의 게임이다.[7]

협조적 게임의 예로는 처음부터 짜고 치는 '고스톱'을 들 수 있다. 보통 사람들이 재미로 치는 '고스톱'은 비협조적 게임으로 분류된다. 하지만 게임 도중에 한 사람이 독주하게 되는 경우 나머지 사람들이 협력적 행위가 나타나는 경우가 있으며 상황에 따라 협력자가 바뀌기도 한다. 경기 도중에 일시적 서로 협력하였다고 하더라도 처음부터 구속력 있는 협력을 약속한 것이 아니기 때문에 비협력 게임으로 분류된다.

(4) 동시적 게임과 순차적 게임

게임이 진행되는 방식에 따라 나누면, 동시적 게임과 순차적 게임으로 나눌 수 있다.

---

6 김영세, 『게임이론(제 6판)』, 박영사, 2013, p.255.

7 박주현, 『게임이론의 이해(제2판)』, 해남, p.8.

- **동시적 게임(同時的, simultaneous game)**: 경기자들이 동시에 행동하거나 동시에 시행하지 않더라도 나중 경기자가 앞선 경기자의 선택을 모르고 행동하는 게임이다. 가위바위보는 동시에 일어난 게임인 반면, 밀봉입찰경매를 보면 입찰에 참여하는 사람들 간에 순차가 존재하지만 밀봉을 하기 때문에 서로 상대가 어떤 선택을 했는지 알 수 없는 게임으로 동시적 게임으로 분류된다. 따라서 단순히 시간적 동시성으로만 분류하는 것이 아니다.
- **순차적 게임(順次的, sequential game)**: 나중 경기자가 앞선 경기자의 선택에 대한 정보를 갖고서 선택하는 게임으로서 카드, 바둑, 장기 등을 들 수 있다.

(5) 완비정보게임과 불완비정보게임

상대방의 특성(特性, characteristic) 혹은 유형(類型, type)을 알고 있느냐 모르고 있느냐에 따라 완비정보게임과 불완비정보게임으로 나눌 수 있다.

- **완비정보 게임(完備情報, complete information game)**: 경기자, 전략집합, 전략에 따른 보수 등 각 플레이에 관한 사항을 모두 알고 시작하는 게임이다.
- **불완비정보 게임(不完備情報, incomplete information game, 미비정보)**: 위의 사항 중에 적어도 하나는 모르는 게임으로서 특히 상대방의 보수를 모른다고 가정하는 경우가 일반적이다. 예를 들어 신입사원을 채용할 때 각 응시자들의 능력(생산성, 유형)을 회사 측에서 알지 못한다. 이런 상황을 불완비정보하의 게임이라고 부른다.

(6) 완전정보게임과 불완전정보게임

경기자가 자신의 전략을 선택할 때 상대방이 어떤 행동을 했는지를 알고 있느냐 모르고 있느냐에 따른 분류이다.

- **완전정보 게임(完全情報, perfect information game)**: 각 경기자가 자신의 전략을 선택할 때 상대방이 어떤 선택을 했는지를 알고 하는 게임이다. 바둑을 둘 때를 생각하면, 상대가 선택을 내가 알고 선택하기 때문에 바둑은 완전정보게임이다.
- **불완전정보 게임(不完全情報, imperfect information game)**: 각 경기자가 자신의 전략을 선택할 때 상대방이 어떤 선택을 했는지를 알지 못하는 게임이다. 예를 들면 가위바

위보 게임에서는 상대가 어떤 선택을 할지 모르는 상태에서 나도 선택을 하여야 한다.

완비정보는 모든 경기자가 전략이나 이득인 구조에 대해 여지가 없을 만큼 정보를 가지고 있는 상태이지만, 완전정보는 다른 플레이어에 의해 지금까지의 행동이나 실현된 상태 등 게임 내부의 모든 정보를 모든 경기자들이 가지고 있는 상태이다.

예를 들어 죄인의 딜레마게임에서 두 사람의 플레이어는 게임의 구조를 알고 있다. 두 사람이 있고, 각자 자백 혹은 묵비라는 전략을 가지고 있는 것, 그리고 {자백·자백}, {자백·묵비}, {묵비·자백}, {묵비·묵비}라고 하는 각각의 경우에 자신과 상대의 이득이 어떠한가를 알고 있다는 의미에서 완비정보게임이지만, 죄수의 딜레마는 불완전정보게임이다. 왜냐면 상대의 행동을 알지 못하기 때문이다. 어떠한 불완비정보 게임도, 완비정보 또 불완전정보게임으로 바꾸어 쓸 수 있다. 「자연수번」(nature)을 플레이어로 포함하여, 결과를 우연(자연수번이라고 하는 가상의 플레이어)이 행한 행동으로 간주하여도 좋다.

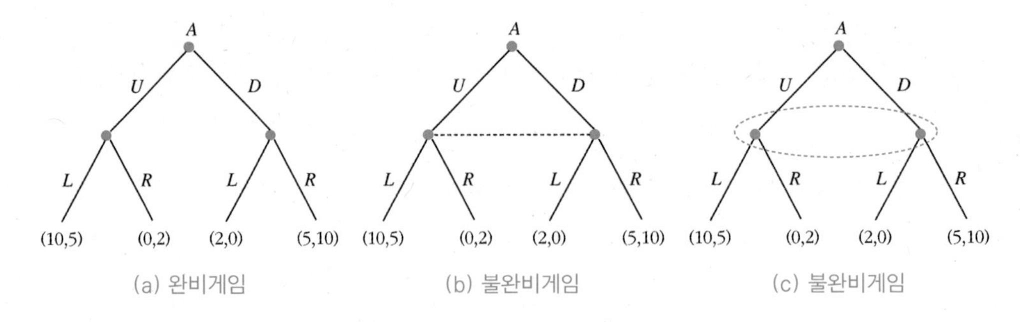

〈그림 11-2〉 완비게임과 불완비게임

<그림 11-2>(a)는 완비게임을 (b)와 (c)는 불완비게임을 나타내고 있다. 불완비게임에서는 두 번째 절점에서 B 경기자가 A가 어떤 선택을 한지 모르는 경우를 표시한 것이다. 절점을 점선으로 연결하든가(b), 타원형으로 묶든가(c)와 같이 표시한다.

(7) 대칭정보게임과 비대칭정보게임

- **대칭정보게임**(game with symmetric information): 모든 경기자들이 게임의 규칙에 대해 같은 정보를 공유하고, 각자가 그러한 정보를 가지고 있음을 전제로 하는 게임이다.
- **비대칭정보게임**(game with asymmetric information): 경기자들이 가지고 있는 정보의 내용이 같지 않은 게임이다.

11.1.4 균형 찾기

균형(게임의 해)이란 주어진 게임에서 경기자들이 취할 것으로 예상되는 전략 조합을 일컫는다. 균형의 종류로는 우월(세)전략해, 강열등전략 반복적 제거해, 내쉬균형(순수전략 내쉬균형, 혼합전략 내쉬균형), 부분게임 완전내쉬균형 등이 있다.

- **우월전략(優越 戰略, dominant strategy, 지배전략)**: 상대가 어떤 전략을 택하든지 관계없이 자신의 보수를 더 크게 만드는 전략을 말한다. 한 경기자의 우월전략이 상대보다 더 많은 보수를 가져다주는 것을 의미하지는 않는다. 단지 우월전략을 선택하면 자신이 얻을 수 있는 최선의 결과를 얻게 된다는 것을 의미할 뿐이다. 강우월전략과 약우월전략이 있다.
- **열등전략(劣等戰略, dominated strategy)**이란 상대가 어떤 전략을 택하든지 관계없이 자신의 보수를 더 작게 만드는 전략을 말한다. 강열등전략(strictly dominated strategies)과 약열등전략(weakly dominated)이 있다. 다른 경기자들의 선택과 상관없이 전략 S_1이 전략 S_2보다 더 낮은 보수를 주는 경우가 없다면(즉 높거나 같은 보수를 준다면), 전략 S_1을 약열등하다고 부른다. 열등전략들을 배제시키는 데는 주의가 필요하다. 강열등전략은 합리적 선택으로서 배제될 수 있는 반면 약열등전략은 쉽게 배제될 수 없음을 유의하여야 할 것이다.

〈표 11-3〉 약우월전략 게임의 예

		용세	
		S_1	S_2
용미	S_1	(0, 1)	(0, 0)
	S_2	(0, 2)	(1, 1)

용미에게는 S_1이 약열등, S_2가 약우월한 전략이고 용세에게는 S_1이 강우월, S_2가 강열등이다.

우월전략분석을 통해 균형을 찾을 수 있으나 많은 경우 우월전략 또는 심지어 약우월전략조차 없을 수 있다. 이런 경우 내쉬균형이 유용하게 쓰인다.

- **내쉬균형**(Nash equilibrium): 상대방이 자신이 선택한 전략을 바꾸지 않을 것이라고 예상하고 다른 경기자가 자신에게 최고의 보수를 가져다준다고 믿는 전략을 선택하였을 때, 이 두 사람의 전략의 짝을 일컫는다.

각자가 선택한 어떤 전략(행동)들이 '어느 누구도 혼자서 다른 전략으로 이탈할 유인(이탈유인)을 갖지 못하는' 경우이다. 각자의 전략이 다른 경기자(들)의 전략에 대해 최선의 (가장 유리한) 대응전략을 이루는 상태가 된다. 단점으로는 여러 개가 존재한다는 점, 경기자가 여럿일 때 균형을 찾기가 어렵다는 점을 들 수 있다.[8]

파레토 개선과 파레토 최적

- 파레토 개선(改善, Pareto improvement): 어느 한 사회 상태에서(어떤 전략 조합하에서) 다른 사회 상태(전략 조합)로 변화될 때, 손해 보는 사람(경기자)이 아무도 없고 적어도 한 사람은 이득을 본다면 변화된 사회 상태(전략 조합)를 이전에 비해 파레토 개선이라고 부른다.
- 파레토 최적(最適, Pareto optimal): 주어진 어떤 사회 상태에서 파레토 개선이 불가능한 상황을 가리킨다. 게임이론에서는 어떤 전략 조합하에서 경기자들 중의 어느 누구도 더 불리하지 않으면서 다른 경기자를 더 유리하게 하는 다른 전략 조합이 없는 경우를 일컫는다.

실습문제 11-1

열등전략이 의심스러울 때

		용세	
		L	R
용미	T	(1　0)	(1　1)
	B	(-10　0)	(2　1)

풀이

균형전략은 (B, R)이다. 이 균형은 용세와 용미 모두 합리적인 경기자이며, 또 용미의 입장에서 용세가 합리적인 경기자라고 믿을 때 가능하다. 만약 합리적이라고 믿고 B를 선택하였는데, 용세가 L을 선택한다면 -10이라는 큰 손해를 볼 수 있다.

8　다수의 내쉬균형 중에서 실제로 보다 더 실현가능성이 높은 균형을 찾아내는 일을 내쉬균형의 정치화(精緻化, refinement)라고 부른다. 초점, 보수우위, 위험우위, 그리고 진화 같은 개념이 쓰이고 있다.

11.1.5 게임이론의 역사

1838년 프랑스의 경제학자 쿠르노(Cournot, 1801~1877)가 「Researches into Mathematical Principles of the Theory of Wealth」에서 온천 지역에 있는 복점(複占)기업의 행동을 분석한 것이 게임이론의 효시라고 보고 있다.

1944년 세계대전 직후 헝거리 출신의 폰 노이만(John von Neumann, 1903~1957)과 독일 출신의 모르게스타인(Oskar Morgenstern, 1902~1977)이 「게임과 경제행동이론」(Theory of Games and Economic Behavior)을 발간하여 게임이론을 발전시켰다. 이후 여러 수학자와 경제학자에 의해 연구 발전되어 온 결과, 1994년 하샤니(John C. Harsanyi, 1920~2000, 헝가리), 내쉬(John F. Nash Jr., 1928~, 미국), 셀튼(Reinhard Selten, 1930~, 독일)이 「비협조적 게임이론에서 나타나는 균형에 대한 선구자적 분석」(for their pioneering analysis of equilibria in the theory of non-cooperative games)을 업적을 인정받아 노벨 경제학상을 받음으로써 더 각광을 받기에 이르렀다.

내쉬(John Forbes Nash Jr., 1928 ~2015)

■ 생애

전기 기술자인 아버지와 교사 출신인 어머니 사이에서 태어난 그는 Carnegie Tech(지금의 Carnegie Mellon University)에서 화학공학을 전공하려고 하였으나 수학으로 전공을 바꾸었다. 대학 졸업 후 하버드대학과 프린스톤대학에서 전액 장학금 조건으로 입학 허가를 받았지만 조건이 더 좋고 고향에서 지리적으로 가까운 프린스톤대학을 선택하여 수학을 전공하였다. 폰 노이만(von Neumann, 1903~1957)과 모르겐스턴(Morgenstern, 1902~1977)이 개척한 게임이론에 흥미를 갖게 되어 1950년, 비협력게임에 관한 논문("Non-cooperative Games")으로 박사학위를 받았다. 28쪽밖에 되지 않는 이 논문이 기초가 되어 노벨상을 받게 되었으며 그가 제시한 균형 개념이 내쉬균형이라고 이름 지어져 게임이론에서 가장 유용하게 쓰이는 균형개념으로 쓰이고 있다. 1957년 엘살바도르 출신 MIT 물리학도인 앨리샤 라지(Alicia Lopez-Harrison de Lardé)와 결혼하였다. 1958년 29살의 젊은 나이에 MIT의 종신교수가 되었다. 부인이 임신을 하게 된 1959년 초부터 편집증적 정신분열증을 앓기 시작하였다. 1963년 두 사람은 이혼을 하였으나 부인은 1970년경부터 동거인으로 병간호를 하였고 2001년 재결합하였다.

그는 정신분열증에 걸려 정상적인 생활을 하지 못하고 30여년을 보냈으나 1980년대 후반부터 증상이 호전되어 1994년 노벨 경제학상을 수상하였고 1999년에는 미국수학회가 주는 Leroy Steele Prize를 수상하였다. 그의 인생 역정은 소설과 영화 '뷰티풀 마인드(A Beautiful Mind)'로 소개되었으며 일반인들에게도 널리 알려지게 되었다.

영화「뷰티풀 마인드」

존 내쉬
출처:위키피디아

▪ 업적

1994년 비협력게임의 균형분석에 관한 이론을 개척하였다는 공로(for their pioneering analysis of equilibria in the theory of non-cooperative games)를 인정받아 존 허샤니(John C. Harsanyi 1920~2000), 라인하르트 젤텐(Reinhard Selten 1930~)과 함께 노벨 경제학상을 공동 수상했다.

▪ 일화

- 카네기 공과대학에서 지도교수가 프린스톤대학에 보낸 추천서에는 "이 학생은 천재다"라는 단 한 줄의 문장만 쓰여 있다.
- "나는 학부 때 선택과목으로 국제경제학을 공부하였다. 그때 받은 경제학적 아이디어와 문제의식은 훗날 협상문제(The Bargaining Problem)라는 논문을 쓰는 데 아이디어를 주었다."

이후 1996년 멀리스(James A. Mirrlees, 1936~, 영국)와 비그리(William Vickrey, 1914~1996, 캐나다)가 '비대칭적인 정보하에서 인센티브에 대한 경제이론에 기초적 공헌(for their fundamental contributions to the economic theory of incentives under asymmetric information)'을 인정받아 노벨 경제학상을 수상하였다.

게임이론의 활용도가 확대됨에 따라 2005년 아우만(Robert J. Aumann, 1930~, 유대인), 셸링(Thomas C. Schelling, 1921~2016)은 '게임이론을 통해 갈등과 협조를 이해하는 능력을 향상시킨 공로(for having enhanced our understanding of conflict and cooperation through game-theory analysis)'로 2012년 로스(Alvin E. Roth, 1951~, 미국), 샤플리(Lloyd S. Shapley, 1923~, 미국)는 '안정적인 배분과 시장 디자인의 실제에 관한 이론(for the theory of stable allocations and the practice of market design)'에 대한 공로로 노벨 경제학상을 수상하였다. 2015년까지 게임이론 분야에서 9명의 노벨

경제학상 수상자를 배출하였다. 처음 게임이론 분야에 노벨상 수장자가 나온 1994년부터 22년이라는 짧은 기간 동안 무려 9명의 수상자를 배출하였다는 사실은 게임이론이 경제학, 경영학, 정치학 등 사회과학은 물론 사회심리학, 생물학, 컴퓨터 과학, 수학, 인식론 및 윤리학 등에서도 활용되고 있다는 의미이다.

11.2 게임이론의 응용

11.2.1 죄수의 딜레마 게임

(1) 죄수의 딜레마 게임이란?[9]

1950년 Tucker에 의해 소개되었다. 용미와 용세가 공범으로 범행을 저지른 후 경찰에 체포되었다. 형사들은 두 사람을 따로 따로 가두어 놓고 아래와 같은 제안을 한다. 두 사람은 서로 떨어져 있기 때문에 다른 사람이 어떤 대답을 할지 서로 모르는 상태이다. <표 11-4>에 죄수의 딜레마 게임의 보수 행렬이 그려져 있다.

형사가 용미(용세)에게 "네가 자백을 하고 용세(용미)가 부인을 하면, 너는 풀려난다(0). 그런데 네가 자백을 했을 때 용세(용미)도 자백을 한다면 두 사람 모두 각각 5년씩 감옥살이를 하여야 한다. 만약 네가 부인을 한다 해도 용세(용미)가 자백을 하면 용세(용미)는 풀려나지만, 너는 범정 최고형인 10년 동안 감옥살이를 해야 한다. 너도 용세(용미)도 부인하면 각각 1년간 감옥에서 살아야 한다."

---

9 이 게임의 내용을 자세히 보면 법원에서 범죄자로 확정된 죄수라기보다는 수사단계에 있는 용의자라고 보는 것이 더 적절하다. 하지만 이미 많은 사람들이 죄수의 딜레마 게임이라고 부르고 있기 때문에 이에 따르기로 한다.

〈표 11-4〉 죄수의 딜레마 게임의 보수 행렬

		용세	
		부인(협조:Cooperate))	자백(배신:Defect))
용미	부인(협조:Cooperate)	(−1, −1)	(−10, 0)
	자백(배신:Defect)	(0, −10)	(−5, −5)

주) 앞의 숫자는 용미의 보수(報酬, payoffs)이고 뒤의 숫자는 용세의 보수이다.

두 죄수가 사전에 모의하는 약속할 수도 있지만, 그 약속이 이행을 강제할 수 있는 수단이 없는 경우를 상정하자. 즉 비협조적 게임을 상정하기로 하자.

이 게임이 성립하려면 두 가지 조건[10]이 충족되어야만 한다.

① 상대가 어떤 전략을 선택하더라도 항상 배신하는 전략이 협조하는 전략보다 더 큰 보수를 가져다준다.

② 두 사람이 모두 협조하는 것을 선택한다면 두 사람 모두에게 가장 좋은 결과를 가져다 줄 수 있지만, 이런 상황은 균형이 아니다.

상대가 배신할지도 모른다는 불안감 때문에 서로에게 불리한 결과에 봉착할 것임을 알면서도 절대우위전략을 선택하게 된다. 이 게임을 변경하여 상대가 배신하면 벌칙을 부과한다든가 혹은 게임이 1회 이상 반복되는 경우 결과는 달라질 수 있다.

(2) 죄수의 딜레마 게임의 해 찾기

① **우월전략해**: 용세에게도 용미에게도 자백이 우월전략이 된다. 따라서 {자백, 자백}이 균형해가 된다.

② **열등전략제거**: 용세에게도 용미에게도 부인이 열등전략이 된다. 합리적인 경기자라면 결단코 (강)열등전략을 택하지 않을 것이다. 따라서 {자백, 자백}이 균형해가 된다.

③ **내쉬균형**: 용미(용세)입장에서 보면 용세(용미)가 부인을 선택한다고 가정할 때 자

10 최정규,『이타적 인간의 출현』. 뿌리와 이파리,2005, pp.26-27.

백이 유리한 전략이 되며 용세(용미)가 자백을 선택한다면 자백이 유리한 전략이 된다. 따라서 {자백, 자백}이 균형해가 된다.

(3) 죄수의 딜레마 게임의 응용

일반적으로 경기자의 보수가 T(유혹)>R(보상)>P(처벌)>S(머저리)일 때 죄수의 딜레마 게임이 성립한다. 담배 광고 전쟁, 군비 전쟁, 스포츠 선수의 스테로이드 사용, 과잉 과외, 병원의 첨단 치료 장비 도입 등에 적용되고 있다.[11]

〈표 11-5〉 일반적인 죄수 딜레마 게임

		용세	
		전략 1 (배반)	전략 2 (협력)
용미	전략 1 (배반)	(P, P)	(T, S)
	전략 2 (협력)	(S, T)	(R, R)

〈표 11-6〉 담배 광고 전쟁의 예

		B회사	
		광고자제	광고전쟁
A회사	광고자제	(100, 100)	(70, 150)
	광고전쟁	(150, 70)	(80, 80)

<표 11-6> 담배 광고 전쟁의 예에서 광고자제가 파레토 효율점인데도 불구하고 균형점은 광고 전쟁이 된다. 광고자제를 군비지출 자제, 스테로이드 사용 없음, 과외하지 않음, 첨단 치료 장비 구입자제로 바꾸고, 광고전쟁을 군비지출 확대, 스테로이드 사용, 많은 과외, 첨단 치료 장비 적극 도입으로 바꾸어 보면 위에서 예시한 게임에서 같은 결과를 얻을 수 있다.

11 T는 협조에서 이탈하는 유혹(배반)으로부터의 유혹(Temptation to defect), R은 두 사람 모두 협조에 따른 보수(Reward from cooperation), P는 상호 비협조에 의한 처벌(Punishment from non-cooperation or mutual defection) S는 상대는 비협조하는데, 멍청하게 협조하는 멍청이의 빈손(Sucker's payoff)을 의미한다.

(4) 죄수의 딜레마 게임의 의의

아담 스미스의 국부론 이후 개인의 이기적인 행동이 사회 전체적인 조화를 낳을 수 있다는 사상이 지배해 왔으나 죄수의 딜레마에서는 그 반대의 결과를 낳을 수 있음을 보여주고 있다. 즉 개인의 이익을 극대화하는 경쟁적 균형과 공동체 전체적으로 가장 바람직한 사회적 최적간의 괴리 가능성으로 요약된다.[12]

두 죄수가 모두 부인하여(협조하면) 더 나은 결과를 —사회적(두 죄수의) 최선임— 실현할 수 있지만, 배신에 대한 처벌 장치가 없는 경우(비협조적 게임, 일회게임) 각 개인이 독자적으로 행한 합리적 행동의 결과가 내쉬균형(자백, 자백)이다. 강우월전략 균형의 존재(자백, 자백)는 —사회적 최선 실현의 실패— 파레토 비효율적인 결과 초래하는 역설적 성격을 가지고 있다.

(5) 죄수의 딜레마 게임의 변경

① 상대가 배신할 경우 벌금 부과 — 조폭들의 엽기적인 충성맹세 행위

② 1회 이상 게임을 한다. 반복적이고 지속적인 거래를 통해 바람직하지 못한 결과에 빠질 수 있는 리스크를 암묵적으로 줄일 수 있다.

11.2.2 겁쟁이 게임(chicken game)[13]

매-비둘기 게임(hawk-dove)으로도 알려져 있으며 반 조정게임(anti-coordination games, 각 경기자가 서로 다른 전략을 취하는 것이 서로에게 유리)의 대표적인 예이다. 영화 「이유 없는 반항」, 「뮤지컬 웨스트사이드 스토리」, 「북한의 핵 무장 게임」 등에서 볼 수 있는 게임이다.

12 김영세, 전게서, p.34.

13 영어로는 chicken game이다. 우리 말로 번역하지 않고 그냥 영어대로 '치킨 게임'이라고도 부른다.

영화: 이유 없는 반항(Rebel without a cause)

사회와 부모로부터 이해받지 못하고 방황하다가 결국은 목숨까지 잃고 마는 청소년들의 비극을 그린 영화.
학교에 적응 못하고 떠돌던 소년 짐(제임스 딘)은 술을 마시고 잡혀간 경찰서에서 자신과 비슷한 처지에 있는 주디(나탈리 우드)와 플라토(살 미네오)를 만난다. 주디를 좋아하게 된 짐이 그녀에게 접근하자 이미 그녀와 사귀고 있던 버즈가 시비를 걸며 절벽에서 자동차 경주 게임을 하자고 제안한다.
두 사람이 각자의 차로 절벽을 향해 달리다가 먼저 차에서 뛰어내리는 사람이 지게 되는 게임에서 버즈는 실수로 절벽에 떨어져 죽고 이를 지켜보던 아이들은 뿔뿔이 흩어진다.

이 게임에서는 우월전략이나 열등전략이 존재하지 않는다. (돌진, 회피)와 (회피, 돌진)이라는 2개의 내쉬균형이 존재한다. 둘 중에 어느 것이 선택될지는 현재로서는 알 수 없다.

〈표 11-7〉 겁쟁이 게임

		강남파	
		회피	돌진
강북파	회피	(0,0)	(-1,+1)
	돌진	(+1,-1)	(-10,-10)

11.2.3 조정게임

(1) 정의

조정(調停)게임(coordination games) 혹은 공통이해게임(games of common interests)은 경기자들 사이에 일종의 협동, 즉 조정이 서로에게 유리하다는 특징을 가지고 있다. 이 게임에서는 개인의 이익과 공동의 이익이 대립하지 않는다.

〈표 11-8〉 전형적인 조정게임

		용세	
		전략 1	전략 2
용미	전략 1	(A, a)	(C, c)
	전략 2	(B, b)	(D, d)

전형적인 조정게임은 <표 11-8>에 있으며 용미에게는 $A > B$, $D > C$, 그리고 용세에게는 $a > c$, $d > b$ 조건을 만족하는 게임이다. 두 경기자들이 같거나 대응하는 전략을 선택하는 것이 유리한 경우이다.

(2) 예

조정게임의 예로는 순수조정게임, 차선선택(기술표준화)게임, 사랑싸움, 사슴사냥게임 등을 들 수 있다. 서로 일치하는 전략을 선택함으로써 모두 이득을 얻을 수 있는 상황이 주어지는 게임이다.

■ 순수조정게임

<표 11-9>에서 두 경기자가 같은 전략, (전략 1, 전략 1) 혹은 (전략 2, 전략 2)가 균형점일 때 서로 다른 전략을 선택했을 때보다 더 큰 보수를 얻는 게임이다. 파레토 우월한 내쉬균형은 (전략1, 전략1)이다. 순수조정게임(pure coordination games)이라고 부른다.

〈표 11-9〉 순수조정게임의 예

		용세	
		전략 1	전략 2
용미	전략 1	(10, 10)	(0, 0)
	전략 2	(0, 0)	(5, 5)

■ 차선선택(기술표준화)게임

차선선택게임은 조정게임의 대표적인 예이다. <표 11-10>에서처럼 행동일치에 더해 보수까지도 같은 경우로서 (왼쪽 차선 , 왼쪽 차선), (오른쪽 차선, 오른 차선)이 2개의 내쉬균형점이 된다. 영국, 일본, 호주 등에서는 차선이 왼쪽이지만 우리나라, 미국, 중국

등에서는 오른쪽이다. 어느 쪽이든 통일만 이루어지면 경기자들이 얻는 보수는 같음을 보여주고 있다. 여기에서는 2개의 내쉬균형점이 존재하지만 파레토 우월한 내쉬균형도 없다. 두 균형해 모두 파레토 효율적이다. 이런 때는 과거로부터의 전통이 작용하여 어느 한 쪽을 선택하게 된다.

〈표 11-10〉 차선선택게임

		용세	
		왼쪽 차선	오른쪽 차선
용미	왼쪽 차선	(10, 10)	(0, 0)
	오른쪽 차선	(0, 0)	(10, 10)

■ 연인 간의 사랑싸움

〈표 11-11〉 사랑싸움의 보수행렬

		'노래해'양	
		축구장(p_2)	음악회($1-p_2$)
'숫돌이'군	축구장(p_1)	(2,1)	(0,0)
	음악회($1-p_1$)	(0,0)	(1,2)

숫돌이 군은 축구장을, 노래해 양은 음악회를 좋아한다. 하지만 축구장을 가든 음악회를 가든 두 사람이 같이 있는 경우를 혼자 자신이 좋아하는 곳을 가는 것보다 더 선호한다. 이런 경우의 보수행렬을 <표 11-11>에 그려 놓았다. 이 경우 내쉬균형점은 2개가 존재한다. 둘 다 축구장을 가든가(축구장, 축구장) 둘 다 음악회를 가는 것(음악회, 음악회)이다. 또 두 균형 모두 파레토 효율적이다.

어느 균형이 선택될 것인가? 게임에 명시적으로 포함되지 않은 여러 가지 요인에 의해 정해진다. 두 사람 중에 누가 주도권을 쥐고 있는지, 평소 번갈아서 장소를 정해왔다면 지난번 선택과 다른 결정을 할 것이다. 만약 권위주의적 남편과 부인 사이라면 남편의 결정에 따를 것이다.

차선선택게임과 사랑싸움게임은 다르다. 차선선택게임에서는 행동통일만 되면 됐지 어느 쪽으로 통일하는지는 중요하지 않다. 하지만 사랑싸움게임에서는 어느 쪽으로 행동통일이 이루어지느냐에 따라 경기자들의 보수가 달라진다.

혼합전략(mixed strategy, 일정한 확률에 따라 무작위로 선택하는 전략)으로 균형점을 찾는다. 숏돌이(노래해)가 축구장을 선택했을 때의 기대이익과 음악회를 가는 것을 선택했을 때의 기대이익을 같게 하는 확률이 계산된다.

숏돌이가 축구장을 선택할 확률을 p_1이라 하고 노래해가 축구장을 선택할 확률을 p_2라고 할 때, $(p_1, p_2) = (\frac{2}{3}, \frac{1}{3})$이고 기대효용은 $\frac{2}{3}$로 두 사람 모두가 같다. 숏돌이의 혼합전략 내쉬균형 $(p_1, p_2) = (\frac{2}{3}, \frac{1}{3})$ 노래해의 혼합전략 내쉬균형 $(p_1, p_2) = (\frac{1}{3}, \frac{2}{3})$이다.

순수내쉬균형전략이 존재하는 게임에서도 혼합내쉬균형전략은 존재할 수 있으며, 이 경우 순수내쉬균형전략보다 기대이익이 적다.

셸링(Thomas C. Schelling)은 초점균형(focal points)이라는 용어를 사용하고 있다. 이론적으로 실현가능한 여러 개의 균형 중에서 직관적으로 또한 현실적으로 가장 실현될 듯한 균형을 초점이라고 부른다.

■ 사슴사냥게임

프랑스의 정치학자 루소(Rousseau, 1712～1778)가 제시한 예화를 게임으로 변경한 것이다. 두 사냥꾼이 협력하면 많은 고기를 제공하는 사슴(stag)을 잡을 수 있다. 각자 사냥을 하면 토끼를 잡게 된다. 토기는 사슴에 비해 고기 양이 적다. 사슴을 잡는 데는 혼자의 힘으로는 역부족이고 다른 사람의 협력이 필요하다.

〈표 11-12〉 사슴사냥게임

		용세	
		사슴	토끼
용미	사슴	(10, 10)	(0, 8)
	토끼	(8, 0)	(7, 7)

이 게임에서는 2개의 균형해 {사슴, 사슴}, {토끼, 토끼}가 존재한다. {사슴, 사슴}은 {토끼,

토끼}보다 보수가 더 크지만(pay off dominant) 위험 또한 더 크다.[14] 위험하지만 보수가 큰 결과를 얻기 위해서는 구성원 간의 믿음이 절대적으로 필요하다.

11.3 반복게임

같은 게임을 여러 번 혹은 무한히 반복해서 행하는 경우를 특히 반복게임이라고 한다. 일회 게임과 달리 매 기마다 이전에 상대방이 선택한 행동을 알고 대응하기 때문에, 경우에 따라서 보복을 할 수 있기 때문에, 일회 게임과는 상당한 차이를 보이고 있다. 우리의 일상생활에서는 한 번의 관계(거래)로 끝나는 경우는 거의 없고 여러 번 지속적인 관계를 맺는 것이 일반적임을 감안하면 매우 유용하고 의미 있는 결과를 제공해 준다.

11.3.1 유한반복게임

(1) 반복동시게임에서 균형전략이 하나밖에 없는 경우

<표 11-4>에서 본 죄수의 딜레마 게임을 두 번 반복한다고 해보자. (두 가지 범죄 추궁, 보수는 같다) 두 번째에서 두 사람 모두 자백을 선택할 것이며 이 선택을 전제로 한 첫 번째 게임의 보수는 아래와 같다. 두 번째에서 이미 (자백, 자백)을 선택했기 때문에 모든 보수에 -5가 추가된다. 보수행렬은 <표 11-13> 두 번 반복 시 죄수의 딜레마 게임에서 보는 바와 같다. 내쉬균형은 (자백, 자백)이 된다.

〈표 11-13〉 두 번 반복 시 죄수의 딜레마게임

		용세	
		부인(협조:Cooperate))	자백(배신:Defect))
용미	부인(협조:Cooperate)	(-6, -6)	(-15, -5)
	자백(배신:Defect)	(-5, -15)	(-10, -10)

14 {토끼, 토끼}는 위험 지배(risk dominant) 균형해라고 부른다.

균형전략이 하나밖에 없는 게임을 여러 번 반복(유한)하는 경우, 역진귀납법에 의하면 각 게임에서 그 균형전략을 계속 선택하는 것이 부분게임 완전균형에 만족하는 유일한 전략이다. 부분게임(subgame)이란 전체 게임의 일부로서 그 자체로서도 하나의 독립적인 게임을 형성할 수 있는 부분을 말한다.

역진귀납법(逆進歸納法, backward induction) 혹은 후방귀납법이란 게임이 순차적으로 진행될 때, 마지막 의사결정 단계에서부터 거꾸로 문제를 풀어 최적해를 풀어내는 추론 절차이다. 이후 단계에서 상대방이 어떻게 나올지를 사전에 예측하고 이를 감안하여 현재의 자신의 행동을 결정하는 것이다.[15]

게임이 N단계로 진행될 때, 게임의 마지막 단계(N)에서, 상대방이 합리적이라면 어떤 행동이 나타날 것인가를 예측하고, 이를 감안할 때 N-1단계에서 어떻게 행동해야 합리적인지를 예측하며, 또다시 그에 입각하여 N-2단계에서 어떻게 행동할 것인지를 예측하는 식으로 진행되는 추론을 진행하여 현재 행동을 결정하는 것이다. 게임이론에서는 게임에 참여하는 경기자들이 충분히 합리적이라면 이러한 역추론을 행할 수 있다고 가정하며, 이러한 역추론을 통해 도출되는 균형을 부분균형완전내쉬균형(subgame perfect Nash equilibrium)이라고 부른다.

(2) 반복동시게임에서 균형전략이 2개 이상 있는 경우

같은 게임을 반복하게 되면 배신에 따른 상대의 보복위협 때문에 일회게임에서 볼 수 없었던 협력적인 행동이 나타나게 된다.

11.3.2 무한반복게임[16]

죄수의 딜레마와 같이 각각의 단독균형밖에 존재하지 않는 부분게임도 무한반복하면 바뀐다. 역진귀납법을 이용할 수 없다. 게임의 결과도 다르게 나타나고 있다. "정승집 개가 죽으면 문전성시를 이루지만, 정작 정승이 죽으면 그렇지 않다"는 우리 속담은 무한반복게임과 유한반복게임에서의 행동이 달라짐을 잘 보여주고 있다.

---

15 the process of reasoning backwards in time, from the end of a problem or situation, to determine a sequence of optimal actions.

16 김영세, 전게서, p.257.

성경에서 볼 수 있는 'tit -for -tat' 전략에 대한 대응

tit -for -tat 전략은 기원전 1772년에 쓰인 함무라비 법전에 있는 것으로서 '눈에는 눈, 이에는 이'라는 동해보상원칙(同害補償原則)과 같다.

성경에는 다음과 같은 구절이 있다.

"눈은 눈으로 이는 이로 갚으라 하였다는 것을 너희는 들었으나, 나는 너희에게 이르노니 악한 자를 대적하지 말라. 누구든지 네 오른 뺨을 치거든 왼 뺨도 드려 대며…" (마태복음 5장 38~39절)

개가 죽었을 때는 정승과 사람들 간의 반복게임이 되어, 사람들은 정승의 보복(報復, retaliation)이 두려워 정승집에 문상을 가게 된다. 정작 정승이 죽었을 때는 유한반복게임에서 끝 점에 해당하기 때문에 사람들은 극도로 이기적인 행동을 하게 된다. 반복게임에서 볼 수 있는 보복의 위력을 잘 나타내 주는 속담이라고 본다.

할인율을 r이라 하고 할인인자를 δ라고 하자.[17] 반복게임에서 경기자가 얻는 보수의 현재가치 총액은 다음과 같다.[18]

$$
\begin{aligned}
PV &= u_1 + \left(\frac{1}{1+r}\right)u_2 + \left(\frac{1}{1+r}\right)^2 u_3 + \cdots + \left(\frac{1}{1+r}\right)^{T-1} u_T \\
&= u_1 + \delta u_2 + \delta^2 u_3 + \cdots + \delta^{T-1} u_T \\
&= \sum_{t=1}^{T} \delta^{t-1} u_t
\end{aligned}
$$

할인인자가 클수록 (δ이 1에 가까울수록, 할인율이 낮을수록) 미래를 중시함을 의미한다. 경기자 자신에게 당장 유리한 선택(배신)을 하기보다는 미래를 위해 행동할 가능성이 크다. 반대로 할인인자가 적을수록 (δ이 0에 가까울수록, 할인율이 높을수록) 눈앞의 이익에만 급급하여 행동할 가능성이 큼을 의미한다. 극단적으로 $\delta = 1$라면 현재와 미래를 같은 가치로 보고 있음을 의미하며 $\delta = 0$이라면 미래에는 전혀 가치를 두지 않고 하루살이처럼 현재에만 가치를 두고 있음을 의미한다.

---

17 할인율 혹은 이자율은 현재가치에 대한 기회비용을 의미한다.

18 현재가치화와 할인인자에 대해서는 이 책 5장을 참고하기 바람.

무한반복게임에서 전략은 이론상 무수히 많다. 방아쇠 전략(trigger strategy)이 그중 하나이다. 사전적 의미로 방아쇠 전략이란 어느 특정한 동작에 반응해 자동으로 필요한 동작을 실행하는 것을 뜻한다. 죄수의 딜레마 게임에서 이 전략을 사용하는 경기자는 처음에는 협력적인 전략을 취하나 상대방이 일정 수준 이상으로 배반할 경우, 즉시 처벌한다. 처벌의 정도나 방아쇠의 민감도는 어떤 방아쇠 전략을 취하냐에 따라 달라질 수 있다.[19]

상대방의 과거 선택이 나의 현재행동을 촉발하는 전략으로, 무자비(grim), '눈에는 눈, 이에는 이(tit for tat)', '한번 봐주고 다음부터 복수(tit for tats)' 전략 등이 있다.

- **무자비(無慈悲, grim)전략**: 한번 상대가 배신하면 보복으로 배신을 택하며 이후 상대가 화해(협력)를 취하여도 끝까지 배신을 선택하는 전략. 한번 눈 밖에 나면 영원히 상대를 외면하는 전략이다. <표 11-14>와 같이 t+1기에 상대가 배신을 하면 그 이후로 영원히 배신으로 맞대응하는 것이다.
- **'눈에는 눈, 이에는 이'[팃 포 탯(Tit for tat, TFT)]**[20]: 이 전략은 다음과 같은 아주 단순한 구조로 되어 있다. ① '협조' 전략을 사용하면서 게임을 시작한다. ② 게임이 반복되는 경우 상대방 전략의 이전 전략을 그대로 따라한다. 즉 상대방이 방금 전 회에 '협조'를 했으면 자신도 이번 회에 '협조'를 하고, 상대방이 전 회에 '배신'을 했으면 자신도 이번 회에 '배신'을 한다. 다시 말해 TFT 전략은 선(善)하게 게임을 시작한 후, 상대방의 호의에는 호의로, 악의에는 악의로 대응한다는 '상호성의 원칙'에 기반하고 있다. 상대가 협조적으로 나오기만 하면 이 전략은 영원히 협조적으로 나올 용의가 있지만, 상대가 그렇지 않으면 자신도 협조하길 그만두는 전략이다.

---

19 무한히 반복되는 게임에서 카르텔 협약이 유지될 수 있게 해주는 방아쇠 전략이 많이 존재한다.

20 액설로드(Robert Axelrod) 교수는 1984년 죄수의 딜레마가 벌어지고 있는 상황에서 가장 합리적인 선택은 tit for tat 전략이라고 주장하였다. 그는 "이 전략이 약간 불미스럽게 여겨지는 것은 이에는 이, 눈에는 눈의 원칙을 고집하고 있기 때문이다. 이것은 사실 개략적인 정의(rough justice)다. 그러나 진짜 문제는 이보다 더 나은 대안이 있느냐는 점이다." 이 전략은 래포포드(Anatol Rapoport)에 의해 제안되었다. 로버트 액설로드 지음, 이경식 옮김, 『협력의 진화』, 시스테마, 2013, p.167.

〈표 11-14〉 무자비 전략, TFT, 및 TF2T 전략 비교

		t기	t+1기	t+2기	t+3기	t+4기	t+5기	t+6기
무자비	상대	협력	배신	협력을 하든 배신을 하든 무관함	협력을 하든 배신을 하든 무관함	협력을 하든 배신을 하든 무관함	협력을 하든 배신을 하든 무관함	협력을 하든 배신을 하든 무관함
	나	협력	협력	배신	배신	배신	배신	배신

→ 하나의 경우

		t기	t+1기	t+2기	t+3기	t+4기	t+5기	t+6기
TFT (경우1)	상대	협력	배신	배신	배신	배신	배신	배신
	나	협력	협력	배신	배신	배신	배신	배신
TFT (경우2)	상대	협력	배신	협력	협력	협력	협력	협력
	나	협력	협력	배신	협력	협력	협력	협력
TF2T	상대	협력	배신	협력	협력	협력	협력	협력
	나	협력	협력	협력	협력	협력	협력	협력

■ '한 번 봐주고 다음부터 복수(tit for tats)' 전략

<표 11-14>에서 TF2T에서 t+1기에 상대가 배신하였지만 다음 기에 배신이 아닌 협력으로 대응하는 경우를 나타내고 있다. 이상에서 보듯 TFT나 TF2T는 여러 경우가 가능하며 <표 11-14>에 예시된 것은 한 예에 불과하다.

실습문제 11-2

기업 1과 2의 전략과 보수가 〈표 11-15〉와 같을 때 할인율이 %이하라면 담합이 더 유리한 전략이 되는가?

〈표 11-15〉 트리거 전략의 예

		기업 2의 전략	
		낮은 가격	높은 가격
기업 1의 전략	낮은 가격	(0,0)	(50, −40)
	높은 가격	(−40, 50)	(10,10)

풀이

한 번 속임(비협조)에 성공, 그 다음부터는 상대의 엄격한 트리거 전략에 의해 영원히 0을 얻는 경우 보수

는 50이다.

$$50+0+0+0+0+0+0+0+0+\cdots=50$$

하지만 처음부터 끝까지 속이지 않는(협조) 전략을 취하는 경우

$$10+\frac{10}{(1+i)}+\frac{10}{(1+i)^2}+\frac{10}{(1+i)^3}+\cdots=\frac{10(1+i)}{i}$$

$$\frac{10(1+i)}{i}>50 \qquad \frac{10}{i}-40>0$$

이자율이 25%보다 작으면 담합(談合, collusion)을 하는 것이 기업에 유리하다는 결론에 이르게 된다. 이자율이 낮을수록 담합하여 높은 가격을 매기는 것이 이익이 될 것이다.

이제 문제를 약간 바꾸어 장래에 이 게임이 계속해서 발생할 확률을 구해 보기로 하자. 먼저 상대를 속여 이득을 크게 얻은 후 트리거 전략이 사용된다면, 보수의 합은 50이 된다.

처음에 속이지 않는(협조) 전략을 취한 후 다시 이 게임이 행해질 확률을 $(1-p)$라고 하자. 다음 기에 게임이 행해지고 얻는 보수는 $10(1-p)$이고 다다음 기에 계속해서 게임이 행하여지고 그 때의 보수는 $10(1-p)^2$이 된다.

$$10+(1-p)\times 10+(1-p)^2\times 10+(1-p)^3\times 10\ \cdots=\frac{10}{p}$$

$$50\le\frac{10}{p}$$

다음 게임이 발생하지 않을 확률이 0.2보다 적다면, 즉 다음 게임이 반복될 확률이 0.8보다 크다면, 기업이 배신을 택하지 않을 것이다.

실습문제 11-3

기업의 품질 전략과 소비자의 구매여부, 그리고 보수가 〈표 11-16〉과 같을 때

(1) 할인율이 % 이하이면 높은 품질이 더 유리한 전략이 되는가?

(2) 평판이 기업품질 전략에 어떻게 영향을 미치는가?

〈표 11-16〉 품질경쟁

		기업의 전략	
		낮은 품질	높은 품질
소비자	구매하지 않음	(0,0)	(0, -10)
	구매함	(-10, 10)	(1, 1)

풀이

(1) 1회 게임에서 내쉬균형전략은 기업은 낮은 품질을 공급하고, 소비자는 구매를 하지 않는 것이다. 그러나 무한 반복된다면 특히 이자율이 너무 높지 않다면 기업은 미래를 중시하게 된다.

낮은 품질을 한 번 팔고 영원히 0을 얻느냐 아니면, 높은 품질 상품을 팔고 1을 영구적으로 얻느냐의 판단에 서있게 된다.

$$10+0+0+0+0+0+0+0+0+\cdots=10$$

처음부터 끝까지 높은 품질을 공급하는 경우

$$1+\frac{1}{(1+r)}+\frac{1}{(1+r)^2}+\frac{1}{(1+r)^3}+\cdots=\frac{(1+r)}{r}$$

$$\frac{(1+r)}{r}>10$$

r이 1/9보다 적다면 장기적으로 높은 품질을 유지하는 것이 기업에게 유리하다.

(2) 평판(評判, reputation)이 좋게 작용하여 보수가 1 이상으로 상승한다면 더욱더 미래 지향적으로 임하게 될 것이다. 이를 실현하기 위한 구체적인 방법으로는 품질보증이나 보증이 쓰이고 있다. 리콜제도 그 일환이라고 평가할 수 있겠다.

11.4 순차게임

순차적 게임은 종종 동태적 게임이라고도 부른다. 앞에서 공부한 반복게임은 다소 다른 유형의 동태적 게임이다. 동태적 게임에서 무엇이 전략을 신뢰할 수 있게 만드는지를 알아야 한다. 가장 많이 쓰이고 있는 시장진입 게임을 예로 들어 공부해 보기로 하자.[21]

〈표 11-17〉 진입저지게임(정규형)

		기존기업	
		전쟁	수용
진입기업	진입	(0,0)	(2, 2)
	진입포기	(1, 5)	(1,5)

시장진입게임은 동태적 게임의 일종으로서 기존기업이 자신이 초과이윤을 얻고 있는 시장에서 (잠재적) 진입을 억제할 수 있는 전략을 선택할 수 있느냐 하는 것이다. 이 게임에서는 진입자가 진입을 결정하기 전에 기존기업의 순차적 대응을 예상한다. 논의의

21 어떤 시장에서 (기존)기업들이 초과 이윤을 얻고 있을 때 진입이 일어난다면, 시장은 경쟁적으로 변하게 될 것이다. 기업의 진입은 경쟁시장의 효율적 성과를 달성하기 위한 핵심요소 중의 하나다. 배분 메커니즘인 동시에 감시 메커니즘이다.

핵심은 기존기업이 진입기업이 믿을 수 있는 대응을 할 수 있느냐이다.

만약 진입이 일어나지 않는다면, 기존기업은 5를, 진입포기기업은 다른 시장에서 1을 얻는다고 해보자. 만약 진입이 이루어진다면 기존기업은 두 가지 전략을 놓고 고민하게 될 것이다. 전쟁을 치르느냐, 아니면 수용하느냐이다. 전쟁을 치른다면 두 기업 모두 0을 얻게 될 것이고 수용을 한다면 두 기업 모두 2를 얻게 될 것이다. 이 사실을 <표 11-17> 진입저지게임(정규형)에 나타내었다. 이때 내쉬균형은 (진입, 수용)과 (진입포기, 전쟁)의 2개가 된다.

(진입포기, 전쟁)에서 기존기업은 실제로 대항 행동을 실행하지 않는다. 진입자가 진입을 포기하였는데 기존기업이 서로 손해를 볼 전쟁을 실행한다는 것은 이치에 맞지 않는다. 진입을 억제하기 위해 강하게 대응할 것(전쟁)이라는 것을 위협(威脅, threat)으로 사용한 것이다. 내쉬균형은 실제로 관측되는 행동에 근거하지 않고 사전에 예상되는 어떤 생각이나 전략 구상에 기초한다는 점이 (진입포기, 전쟁)과 같은 문제 있는 균형을 만들고 있는 것이다.

기존기업이 전쟁 전략에 진입자가 확실히 믿을 수밖에 없는 공약을 한 경우라면 진입자의 최적 전략은 진입포기가 된다. 단지 "당신이 진입하지 않는 한, 높은 가격을 부과할 것이지만 만일 당신이 시장에 들어오면 가격을 내려 당신을 파산시킬 것이다"라고 말할 수 있다. 하지만 진입자는 이 말을 곧이곧대로 믿지 않는다. (진입, 수용)이라는 또 다른 균형이 있기 때문이다.

동태적 게임의 경우 게임을 전개형으로 나타내는 방법이 선호된다. 전개형으로 보면 보다 쉽고 확실하게 알 수 있다. 부분게임 완전내쉬균형은 (진입, 수용)이다. 2개의 부분게임이 존재한다. A_1에서 시작하는 완전게임(full game, 완전게임은 언제나 부분게임이다)과 마디 B_2에서 시작하는 부분게임, 2개로 구성되어 있다. 동태적 게임에서 부분게임 완전균형을 식별하는 가장 간단한 방법은 게임의 마지막 마디부터 시작하여 거꾸로 거슬러 올라가면서 최적 전략을 찾는 것이다. 후방귀납법이다. 이 게임에서 신규기업이 실제로 진입을 한 경우 기존기업이 이에 맞서 전쟁을 하면 기존기업은 0을 얻지만 수용을 하면 2를 얻는다. 수용을 택할 쪽이 현명하다. 전쟁을 나타내는 가지는 무의미하게 된다. 다시 위로 올라와 A의 입장에서는 진입을 하면 2를 얻고 진입포기를 하면 1을 얻기 때문에 진입을 선택하게 될 것이다. 따라서 (진입, 수용)이 균형점이 된다.

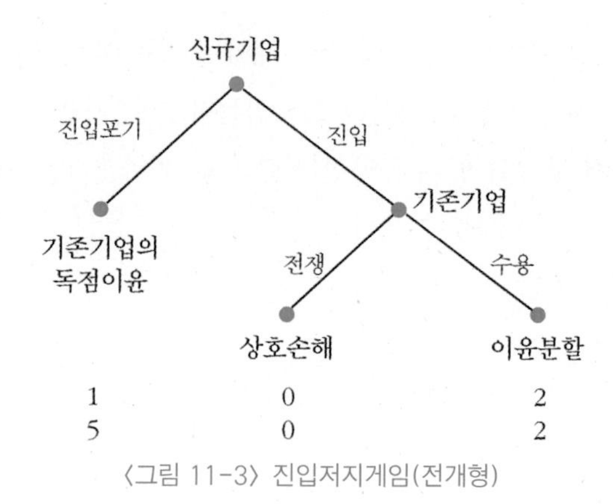

〈그림 11-3〉 진입저지게임(전개형)

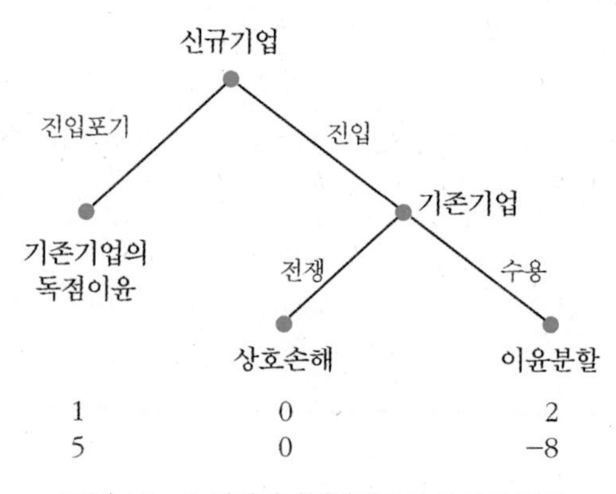

〈그림 11-4〉 진입저지게임에서의 공약의 가치

기존기업이 강제적이고 협상 불가능한 계약(진입기업이 진입을 하면 기존기업이 전쟁을 선택하다는 계약)을 한다고 해보자. 기존기업이 전쟁을 선택하지 않고 이윤분할을 택한다면 기존기업이 10의 벌금을 낸다고 해보자. 이런 경우 진입저지게임은 <그림 11-4>로 변하게 된다. 진입기업이 구속하는 계약을 맺지 않는다면 <그림 11-3>과 같은 게임이 되지만 계약을 맺는다면 <그림 11-4>와 같은 게임이 진행된다.

<그림 11-4>에서 기존기업의 보수는 0에서 −8로 변하는 것 외에는 <그림 11-3>과 같다. 기존기업은 0이 −8보다 크기 때문에 전쟁을 택할 것이고, 다음 단계에서 진입기업은 진입포기를 선택하게 될 것이다. 포기를 하면 1을 얻지만 진입을 하면 전쟁을 치르고 0을 얻기 때문이다. 결과적으로 균형은 (진입포기, 전쟁)이 되어 진입기업은 진입을 포기하고 1을 얻게 되고, 기존기업은 5를 얻게 될 것이다.

전체를 보면 왼쪽 부분게임(구속력 있는 계약이 있는)에서 기존기업은 5를 얻지만 오른쪽(구속력 있는 계약이 없는)에서는 2를 얻는다. 기존기업은 구속력 있는 계약을 택할 것이다. 여기에서 구속력 있는 공약이 전략의 값을 바꾼다는 사실을 확인할 수 있다. 이 예에서 공약의 가치는 3(=5−2)이다.

핵심어

- 게임이론
- 경기자
- 전략
- 보수
- 전략형 게임
- 전개형 게임
- 영합게임
- 일회게임
- 다단계게임
- 협조적 게임
- 비협조적 게임
- 동시적 게임
- 순차적 게임
- 완비정보게임
- 불완비정보게임
- 완전정보게임
- 불완전정보게임
- 우월전략
- 혼합전략
- 내쉬균형
- 파레토 개선
- 파레토 최적
- 겁쟁이 게임(치킨게임)
- 조정게임
- 연인간의 사랑싸움
- 사슴사냥게임
- 역진귀납법
- 방아쇠 전략
- 무자비 전략
- 눈에는 눈, 이에는 이(TFT)
- 공약

연습문제

○× 문제

1. 게임이론을 체계화시킨 사람은 케인즈다.
2. 죄수의 딜레마 게임은 아담 스미스의 '보이지 않는 손'을 뒷받침하는 데 매우 유용하게 쓰인다.
3. 치킨게임은 죄수의 딜레마 게임의 다른 이름이다.
4. 동시게임이란 말 그대로 시간적으로 같은 시간에 이루어지는 게임은 물론 경기자들이 마치 동시에 전략을 선택한 것과 같은 게임도 포함하고 있다.
5. 내쉬균형은 수학자 내쉬가 정립한 균형개념으로서 게임이론에서 매우 중요한 역할을 한다. 약점이 전혀 없는 만능 키와 같은 역할을 한다.
6. 일회게임에서 매우 이기적으로 행동하던 경기자도 반복게임에서는 공동의 이익을 위해 행동하는 등 일회게임과는 다른 행동을 하기도 한다.

8. 내쉬균형에서 선택된 전략의 조합은 안정적이다. 그리고 모든 경기자들은 자신들의 선택에 만족하여 아무도 선택을 바꾸려 하지 않는다.
9. 조정게임에서는 경기자들 사이에 일종의 협동, 즉 조정이 서로에게 유리하다는 특징을 가지고 있다. 이 게임에서는 개인의 이익과 공동의 이익이 대립하지 않는다.
10. 비협조적 게임은 예외 없이 비협조적인 균형으로 끝난다.

단답형

1. 게임이론이란 무엇인가? 또 유용성에 대해 설명하라.
2. 게임의 3대 요소는 무엇인가?
3. 내쉬균형이란 무엇인가?
4. 주식투자는 제로섬 게임인가?
5. 역진귀납법이란 무엇인가?
6. 방아쇠 전략이란 무엇인가?
7. Tit For Tat 전략이란 무엇인가?
8. 부분게임 완전균형이란 무엇인가?
9. 죄수의 딜레마 게임에서 경기자에게 가장 높은 보수를 가져다주는 전략으로 액설로드가 주장하고 있는 전략은 무엇인가?
10. 무자비 게임이란 무엇인가?
11. 게임나무는 (　　)과 (　　)으로 이루어져 있다.
12. 순차게임은 (　　)법으로 해를 찾아야 한다. (　　)할 수 없는 공약은 배제되어야 한다.
13. 내쉬균형의 두 가지 특성은 무엇인가?

풀이형

1. 아래 게임의 물음에 답하라.

		용미		
		L	C	R
용세	T	(1 1)	(2 0)	(1 1)
	M	(0 0)	(0 1)	(0 0)
	B	(2 1)	(1 0)	(2 2)

(1) 각자의 우월전략을 찾아라.

(2) 열등전략제거법을 이용 균형점을 찾아라.

2. 아래 게임의 물음에 답하라.

		기업 B의 전략	
		협력	비협력
기업 A의 전략	협력	(1,250, 1,250)	(950, 1,400)
	비협력	(1,400, 950)	(1,100, 1,000)

(1) A, B 기업에 우월전략이 존재하는가? 존재한다면 어떤 전략인가?
(우월전략이 무엇인지에 대한 정확한 설명이 있어야 한다.)

(2) 이 문제의 내쉬균형을 찾아라(내쉬균형에 대한 정확한 설명이 있어야 한다).

(3) (협력, 협력)상태와 내쉬균형을 비교하라.

(4) 두 기업이 협력하기로 약속했다가 곧 약속이 깨어졌다고 한다. 그 과정을 설명하라.

(5) 이와 같은 유형의 게임을 무엇이라고 부르는가? 어떤 상황을 설명할 때 주로 인용되고 있는가?

3. A 맥주와 B 맥주의 광고 전쟁에 대한 문제

		B 맥주	
		광고자제	광고공세
A 맥주	광고자제	(500,500)	(200,600)
	광고공세	(600,200)	(300, 300)

(1) A, B 회사에 우월전략이 존재하는가? 존재한다면 어떤 전략인가?
(우월전략이 무엇인지에 대한 정확한 설명이 있어야 한다.)

(2) 이 문제의 내쉬균형을 찾아라(내쉬균형에 대한 정확한 설명이 있어야 한다).

(3) (광고자제, 광고자제)상태와 내쉬균형을 비교하라.

(4) 두 기업이 광고자제를 약속했다가 곧 약속이 깨어졌다고 한다. 그 과정을 설명하라.

(5) 이와 같은 유형의 게임을 무엇이라고 부르는가? 어떤 상황을 설명할 때 주로 인용되고 있는가?

4. 고가전략과 저가전략 선택에 관한 아래 게임의 물음에 답하라.

		기업 B의 전략	
		50만 원	32만 원
기업 A의 전략	50만 원	(900, 900)	(0, 360)
	32만 원	(360, 0)	(180, 180)

(1) A, B 회사에 우월전략이 존재하는가? 존재한다면 어떤 전략인가?
(우월전략이 무엇인지에 대한 정확한 설명이 있어야 한다.)

(2) 이 문제의 내쉬균형을 찾아라(내쉬균형에 대한 정확한 설명이 있어야 한다).

(3) 최종적으로 선택되는 균형은 어떤 이유에서인가?

(4) 이와 비슷한 게임의 예를 들어라.

(5) 이와 같은 유형의 게임을 무엇이라고 부르는가? 어떤 상황을 설명할 때 주로 인용되고 있는가?

5. 아래 게임의 물음에 답하라.

		기업 B의 전략	
		아침출발	저녁출발
기업 A의 전략	아침출발	(20, 20)	(35, 65)
	저녁출발	(65, 35)	(45, 45)

( )안은 시장 점유율(%)이다.

(1) A, B 회사에 우월전략이 존재하는가? 존재한다면 어떤 전략인가?
(우월전략이 무엇인지에 대한 정확한 설명이 있어야 한다.)

(2) 내쉬균형을 찾아라(내쉬균형에 대한 정확한 설명이 있어야 한다).

(3) 출발시간이 같은 시간대라면 고객들은 70대 30으로 A 회사를 더 선호하는 경향이 있다고 한다. 이때의 보수행렬과 균형을 구하고 위의 균형과 비교하라.

6. 아래 게임의 물음에 답하라.

		기업 B의 전략	
		220볼트	110볼트
기업 A의 전략	220볼트	(1,250, 1,250)	(0, 0)
	110볼트	(0, 0)	(1,250, 1,250)

(1) A, B 회사에 우월전략이 존재하는가? 존재한다면 어떤 전략인가?
(우월전략이 무엇인지에 대한 정확한 설명이 있어야 한다.)

(2) 이 문제의 내쉬균형을 찾아라(내쉬균형에 대한 정확한 설명이 있어야 한다).

(3) 최종적으로 선택되는 균형은 어떤 이유에서인가?

(4) 이와 비슷한 게임의 예를 들어라.

(5) 이와 같은 유형의 게임을 무엇이라고 부르는가? 어떤 상황을 설명할 때 주로 인용되고 있는가?

7. 미식 축구 노종조합의 파업가능성에 대해 생각해 보기로 하자.

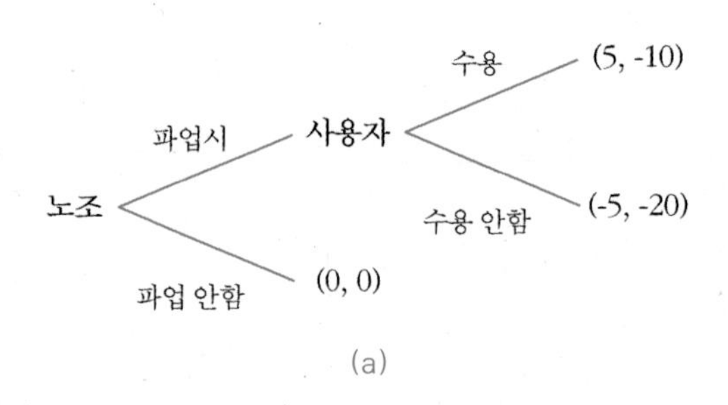

(a)

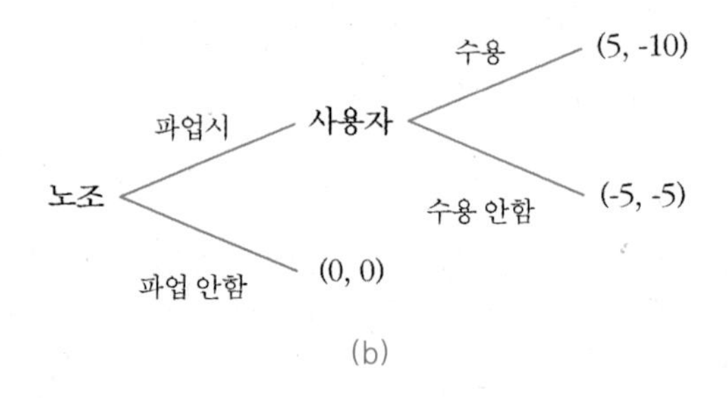

(b)

(1) 노조가 (a)처럼 게임이 전개될 것이라고 예상하는 경우, 실제로 파업이 발생하는가?

(2) 노조가 (b)처럼 게임이 전개될 것이라고 예상하는 경우, 실제로 파업이 발생하는가?

(3) 현실에서는 파업이 잘 발생하지 않고 있다. 그 이유는 무엇인가?

8. A기업과 B기업은 첨단기기분야에서 경쟁하고 있다.

		B기업	
		비전문가용	전문가용
A기업	비전문가용	(-30, 1000)	(200, 50)
	전문가용	(-100, -200)	(100, -100)

(1) 내쉬균형을 구하라.

(2) 만약 A가 먼저 전문가용 시장을 선점한다고 발표하는 경우, 균형을 구하라.

(3) (1)과 (2)의 결과에서 알 수 있는 바는 무엇인가?

9. 용세와 용미가 사용하는 네트워크에 따른 보수를 아래와 같이 나타낼 수 있다.

		용세	
		A 네트워크	B 네트워크
용미	A 네트워크	(100, 100)	(0, 0)
	B 네트워크	(0, 0)	(200, 200)

(1) 위의 게임이 동시적 게임이라면 내쉬균형을 구하라.

(2) A 네트워크가 선발 주자이기 때문에 현재 시장에서 A 네트워크만 이용되고 있다. 품질이 더 좋은(소비자에게 더 많은 보수를 주는) B 네트워크는 커다란 진입장벽을 느끼고 있다.[22] B 네트워크 공급자가 A를 사용하고 있는 용미와 용세에게 5의 보조금을 주면서 A와 B 네트워크를 같이 이용하게 하는 전략을 편다면 게임의 전략과 내쉬 균형은 어떻게 변하는가?(힌트: 용세와 용미가 이용할 수 있는 네트워크는 A 혹은 B에서 A 혹은 A+B로 바뀌게 된다)

22 A네트워크를 사용하던 소비자 입장에서 보면 B로 전환하는 데 비용이 드는 셈이다. 이를 전환비용(轉換費用, switching cost)이라고 부른다.

연습문제 해답

1장 경제학 · 경영학과 수학

○×형

1. × 2. ○ 3. × 4. ○ 5. ×

풀이형

2. 사물이나 현상을 객관적으로 보고 진리를 찾음으로써 사회적 가치를 창조하고 사회 구성원간의 갈등과 바용을 줄여 주기 때문에 과학적 사고와 행동은 사회 발전에 기여한다.

2장 수학의 기본 지식

○×형

1. ○ 2. × 3. ○ 4. × 5. ○

풀이형

1. (1) $\{(a,d),(a,e),(b,d),(b,e),(c,d),(c,e)\}$
   (2) $\{(d,f),(d,g),(d,h),(e,f),(e,g),(e,h)\}$
   (3) $\{(f,a),(f,b),(f,c),(g,a),(g,b),(g,c),(h,a),(h,b),(h,c)\}$
   (4) $\{(a,d,f),(a,d,g),(a,d,h),(a,e,f),(a,e,g),(a,e,h),(b,d,f),(b,d,g),(b,d,h),(b,e,f),(b,e,g),(b,e,h),(c,d,f),(c,d,g),(c,d,h),(c,e,f),(c,e,g),(c,e,h)\}$
2. $S_2 \times S_1 = \{(d,a),(e,a),(d,b),(e,b),(d,c),(e,c)\}$,
   일반적으로 $S_2 \times S_1 \neq S_1 \times S_2$ 순서쌍 배열이 같다고 할 수 없다.
   그러나 $S_1 = S_2$라면 $S_2 \times S_1 = S_1 \times S_2$
3. (1) $GDP : S_b + S_e$
   (2) $GNP : S_b + S_c$
   (3) GDP에서 GNP를 구하기 위해서는
   $S_b + S_e(-S_e + S_c) => GNP(S_b + S_c)$
   GNP에서 GDP를 구하기 위해서는
   $S_b + S_c(-S_c + S_e) => GDP(S_b + S_e)$

3장 함수론

○×형

1. × 2. ○ 3. × 4. ○ 5. ○

풀이형

1. 정의역 = $\{Y | 0 \leq Y \leq 500\}$
   치역 = $\{C | 80 \leq C \leq 480\}$
4. 2차계수의 부호가 음수인 2차함수가 가장 적절하다. 독립변수로는 산업집중도, 종속변수로는 R&D 강도(R&D 지출액/산업매출액)로 하는 것이 가장 합리적이다.
5. 볼펜 구입가격을 x라고 하면 샤프펜 구입가격은 $y = 15{,}000 - x$이다.
   이익률은 $\dfrac{(\text{판매가} - \text{구입가})}{\text{구입가}}$,
   손해율은 $\dfrac{(\text{구입가} - \text{판매가})}{\text{구입가}}$이다.
   볼펜의 이익률은 $\dfrac{12{,}000 - x}{x}$이고
   샤프펜의 손해율은 $\dfrac{(15{,}000 - x) - 4{,}000}{(15{,}000 - x)}$
   단위를 1,000원으로 하면 볼펜의 이익률은 $\dfrac{12 - x}{x}$이고 샤프펜의
   손해율은 $\dfrac{(15 - x) - 4}{(15 - x)} = \dfrac{(11 - x)}{(15 - x)}$이다.
   $\dfrac{(12 - x)}{x} = \dfrac{(11 - x)}{(15 - x)}$,
   $(12 - x)(15 - x) = x(11 - x)$
   $(x - 10)(x - 9) = 0$가 나오며, $x = 10, 9$
   볼펜 10,000원 샤프펜 5,000원, 볼펜(샤프펜)의 이익(손해)률은 20%이다.
   혹은 볼펜 9,000원 샤프펜 6,000원으로 계산된다. 이때 볼펜(샤프펜)의 이익(손해)률은 33.3% 이다.
6. (1) $107.7 = 100 \times (1 + r)^3$
   $(1 + r)^3 = 107.7/100$
   $(1 + r) = \sqrt[3]{107.7/100}$
   $r = \sqrt[3]{107.7/100} - 1 \quad r = 2.5\%$

(2) $105.7 = 100\times(1+r)^3$

$(1+r)^3 = 105.7/100$

$(1+r) = \sqrt[3]{105.7/100}$

$r = \sqrt[3]{105.7/100} - 1 \quad r = 1.9\%$

11. $G = G_0 e^{-0.02(20)} = G_0 e^{-0.4} = G_0 \cdot 0.67$,

33%가 사라지고 67%가 남아있을 것으로 예상된다.

12. 5년 후 수요: $F(x) = 1000(1-e^{-0.05\times5})$

$= 1000(1-e^{-0.25}) = 1000(1-0.78) = 220$ 만명

780만명이 신제품을 사용하였고 220만명의 수요가 예상된다.

10년 후 수요: $F(x) = 1000(1-e^{-0.05\times10})$

$= 1000(1-e^{-0.5}) = 1000(1-0.6) = 400$만명

600만명이 신제품을 사용하였고 400만명의 수요가 예상된다.

13. (1) 다른 변수들은 변화가 없다고 가정하는 분석기술

(2) $P_r = 25,\ I = 5{,}000,\ T = 10$ 일 때

수요함수는

$Q^d = 20 - 30P_x + 2P_r + 0.05I + 4T$

$Q^d = 20 - 30P_x + 2\times25 + 0.05\times5000 + 4\times10$

$Q^d = 20 - 30P_x + 50 + 250 + 40$

$Q^d = 360 - 30P_x$

(3) 수요함수 $Q^d = 360 - 30P_x$ 에서 역수요함수

$P_x = 12 - \frac{1}{30}Q^d$를 구할 수 있다.

(4) $P_x = 5$ 일 때 $Q^d = 360 - 30\times5 = 210$

$P_x = 6$ 일 때 $Q^d = 360 - 30\times6 = 180$

X의 가격이 5에서 6으로 상승할 때 수요량은 210에서 180으로 30 감소하였으며 수요곡선상에서는 왼쪽 위쪽으로 이동한다.

(5) 소득이 6200으로 변했을 때 수요함수는 아래와 같이 구해진다.

$Q^d = 20 - 30P_x + 2\times25 + 0.05\times6200 + 4\times10$

$Q^d = 20 - 30P_x + 50 + 310 + 40$

$Q^d = 420 - 30P_x$

(6) (4)에서와 같이 가격의 변화는 수요곡선곡선상의 이동으로 나타나지만 (5)에서와 같이 가격 이외의 변수의 변화는 수요곡선의 이동으로 나타난다.

18. (1) $A(tL)^{\alpha}(tK)^{1-\alpha} = At^{\alpha}L^{\alpha}t^{1-\alpha}K^{1-\alpha}$

$= At^1L^{\alpha}K^{1-\alpha} = t^1AL^{\alpha}K^{1-\alpha}$

1차 동차함수이며 규모에 대한 보수 불변을 나타내고 있다.

(2) $Q = AL^{\alpha}K^{-\alpha}$를 L에 대해 편미분하면

$\frac{\partial Q}{\partial L} = MPP_L = \alpha AL^{\alpha-1}K^{1-\alpha} = \alpha A\left(\frac{K}{L}\right)^{1-\alpha}$

이다. L대신 tL을 K대신에 tK를 대입해보면 t는 약분이 되어 기존식과 똑같은 형태로 나타내어진다. 0차 동차함수가 된다.

MPP_L : 노동의 한계생산물이다. 0차 동차함수이기 때문에 노동과 자본을 동시에 t배로 증가시키면 노동의 생산성은 변화가 없음을 의미한다.

(3) 은 (2)와 유사하다.

19. $Q = AL^{\alpha}K^{\beta}M^{\gamma}$ 에서 $\alpha+\beta+\gamma = 1$ 이면 규모에 대한 보수 불변이 된다. $\alpha+\beta+\gamma > 1$ 이면 규모에 대한 보수 체증이, $\alpha+\beta+\gamma < 1$ 이면 규모에 대한 보수 체감이 된다.

20. (1) (가) $Y = C + I \quad C = 85 + 0.75Y \quad I_o = 30$

$D_1 = 85 + 0.75Y + 30 = 115 + 0.75Y$

(나) $Y = C + I \quad C = 85 + 0.75Y_d \quad I_o = 30$

$Y_d = Y - T \quad T = 20 + 0.2Y$

$D_2 = 85 + 0.75Y_d + 30 = 115$

$+ 0.75(Y - 20 - 0.2Y) = 100 + 0.6Y$

(2) (가) $115 + 0.75Y = Y \quad 0.25Y = 115$

$Y^E = 460$

(나) $100 + 0.6Y = Y \quad 0.4Y = 100$

$Y^E = 250$

21. (1) $42\frac{1}{4}$ 42 12

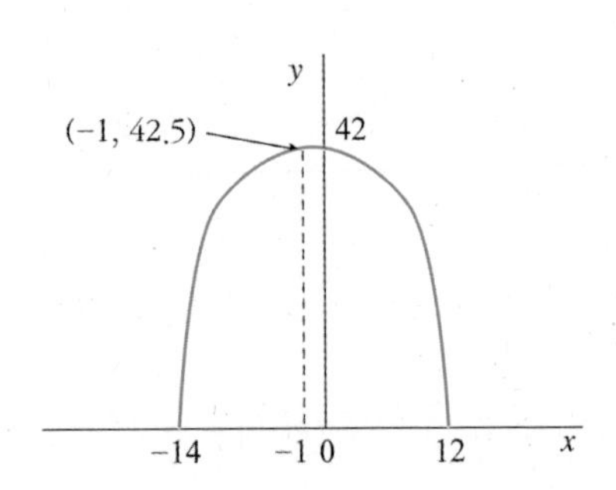

(2) x가 4일 때 $y=36$, x가 6일 때 $y=30$, x가 8일 때 $y=22$, x가 10일 때 $y=12$로 계산된다. x의 변화가 2로 동일하지만 y의 감소정도는 -6, -8, -10으로 감소하고 있다. 한계 변환률$\left(-\frac{dy}{dx}\right)$은 6에서 8, 8에서 10으로 체증하고 있다. 따라서 생산가능곡선은 오목한 모양을 갖게 된다.

23. (1) 명목GDP 증가율
$=100\times[(1558/1265)^{0.2}-1]=4.25\%$

(2) GDP 디플레이터 변동률
$=100\times[(106.4/100)^{0.20}-1]=1.25\%$

(3) 2013년 실질 GDP(2010년 가격)
$=[(1429/103.5)\times100]=1,380$조원
2015년 실질 GDP(2010년 가격)
$=[(1558/106.4)\times100]=1,464$조원

(4) 실질 GDP 증가율
$=100\times[(1464/1265)^{0.2}-1]=2.97\%$

(5) 명목 GDP 증가율이 실질 GDP 증가율보다 높았다. 명목 GDP 증가율에는 인플레이션이 포함되기 때문이다.

(6) 2010년 실질 GDP(2013년 가격)
$=[(1265/100)\times103.5]=1,309$조원
2015년 실질 GDP(2013년 가격)
$=[(1558/100)\times106.4]=1,470$조원

4장 행렬과 행렬식

○×형

1. ○ 2. × 3. ○ 4. × 5. ×
6. ○

풀이형

1. 메뉴(자장면 짬뽕 탕수육 깐풍기)를 벡터 m으로, 가격(4000 5000 12000 15000)은 벡터 p로, 매출량(120 97 25 15)은 q로, 구입가(2500 3000 8500 9200)는 c로 표시하였다. .

① 총수입=가격 × 매출량 $=pq^T$
$=(4000\ 5000\ 12000\ 15000)(120\ 97\ 25\ 15)^T$
$=1,490,000$

② 총비용=구입가 × 매출량 =
$cq^T=(2500\ 3000\ 8500\ 9200)(120\ 97\ 25\ 15)^T$
$=941,500$

③ 이윤 = 총수입(가격 × 매출량) - 총비용(구입가 × 매출량) =
$(p-c)q^T=(1500\ 2000\ 3500\ 5800)(120\ 97\ 25\ 15)^T$
=548,500

5. (1) $A=2\begin{bmatrix}a & b\\ c & d\end{bmatrix}=\begin{bmatrix}2a & 2b\\ 2c & 2d\end{bmatrix}$

$|A|=\begin{vmatrix}2a & 2b\\ 2c & 2d\end{vmatrix}=4ad-4bc=4(ad-bc)$

(2) $|B|=2\begin{vmatrix}a & b\\ c & d\end{vmatrix}=\begin{vmatrix}2a & b\\ 2c & d\end{vmatrix}=\begin{vmatrix}a & 2b\\ c & 2d\end{vmatrix}=\begin{vmatrix}2a & 2b\\ c & d\end{vmatrix}$

$=\begin{vmatrix}a & b\\ 2c & 2d\end{vmatrix}=2(ad-bc)$

8. 먼저 $X'X$의 차원은 $k\times k$가 된다. $(X'X)^{-1}$의 차원도 $k\times k$가 된다. $(X'X)^{-1}X^T$의 차원은 $k\times m$이 된다. 마지막으로 $b=(X^TX)^{-1}X^Ty$의 차원은 $k\times1$이 된다.

9. $Q^d-Q^s+0P=0$, $bQ^d+0Q^s+P=a$,
$0Q^d-dQ^s+P=c$

$$\begin{bmatrix}1 & -1 & 0\\ -b & 0 & 1\\ 0 & -d & 1\end{bmatrix}\begin{bmatrix}Q^d\\ Q^s\\ P\end{bmatrix}=\begin{bmatrix}0\\ a\\ c\end{bmatrix}$$

12. $AB=\begin{bmatrix}0 & 0\\ 0 & 0\end{bmatrix}$ 일반적인 숫자의 곱에서 숫자 중 하나만 0이면 곱이 0이 되지만 행렬의 곱에서

는 $A \neq 0$, $B \neq 0$이 아니어도 $AB = 0$인 경우가 있다. A도, B도 특이행렬이기 때문이다.

13. $AB = \begin{bmatrix} -30 & -10 \\ 12 & 4 \end{bmatrix}$ 특이행렬의 곱의 결과가 영행렬이 될 수도 있고(12번처럼) 아닐 수도 있다(13번처럼). 영행렬은 비특이행렬의 곱에서는 발생하지 않으며 특이행렬곱에서만 발생한다.

14. 일반적인 숫자 계산에서 $ab = ac$이면 $b = c$이다. 하지만 이 문제 행렬의 곱에서는 $A \neq C$이지만 $AB = AC$가 성립한다.
A 행렬이 특이행렬이기 때문이다.
$AB = AC = \begin{bmatrix} 24 & 20 \\ 6 & 5 \end{bmatrix}$

17. $|A| = \begin{vmatrix} 5 & 3 \\ 4 & 8 \end{vmatrix} = (5)(8) - (4)(3) = 28$
$|B| = \begin{vmatrix} -2 & -3 \\ 4 & -1 \end{vmatrix} = (-2)(-1) - (4)(-3) = 14$

19. (1) $a = (3\ \ -1)$, $b = (2\ 3)$ $ka = (3k\ \ -k)$,
$3k = -2$, $-k = 3$를 동시에 만족시키는 k가 존재하지 않기 때문에 선형독립이다.
(2) $a = (3\ \ -1)$, $c = (-7.5\ 2.5)$ $a = (3\ \ -1)$에 -2.5배를 하면 $c = (-7.5\ 2.5)$를 c에 -2.5를 나누어 주면 a를 구할 수 있다.
선형종속이다.
(3) 선형독립은 벡터 a(혹은 b)를 같은 방향 또는 반대 방향으로 길게 늘이거나 축소하는 등의 방식으로 벡터 b(혹은 a)를 만들 수 없음을 의미한다. 반대로 선형종속은 벡터 a(혹은 c)를 같은 방향 또는 반대 방향으로 길게 늘이거나 축소하는 등의 방식으로 벡터 c(혹은 a)를 만들 수 있음을 의미한다.
(4) $1.5a + 2b = d$ $1.5(3 - 1) + 2(2\ 3) = (7.5\ 4.5)$
(5) $|A| = 11$, $|C| = 0$
(6) (4)에서 본 바와 같이 (7.5 4.5)는 (3 −1)과 (2 3)과 선형 종속이기 때문에 독립인 행의 수는 2개이다.

24. 먼저 A의 행렬식 $|A| - 2 \neq 0$ 이므로 A^{-1}이 존재한다.
$A = \begin{bmatrix} 3 & 2 \\ 1 & 0 \end{bmatrix}$의 역행렬 $A^{-1} = \begin{bmatrix} 0 & 1 \\ 1/2 & -3/2 \end{bmatrix}$
각 숫자에 십자가를 그린 후 벗어나는 숫자를 행렬형태로 $\begin{bmatrix} 0 & 1 \\ 2 & 3 \end{bmatrix}$
행과 열의 합이 짝수이면 부호를 그대로, 홀수이면 반대부호를 붙인다. $\begin{bmatrix} 0 & -1 \\ -2 & 3 \end{bmatrix}$
위의 행렬을 전치한다(행과 열 바꾸기).
$\begin{bmatrix} 0 & -2 \\ -1 & 3 \end{bmatrix}$
$A^{-1} = \frac{1}{|A|}\begin{bmatrix} 0 & -2 \\ -1 & 3 \end{bmatrix} = -\frac{1}{2}\begin{bmatrix} 0 & -2 \\ -1 & 3 \end{bmatrix}$
$= \begin{bmatrix} 0 & 1 \\ \frac{1}{2} & \frac{-3}{2} \end{bmatrix}$

25. $A^{-1} = \begin{bmatrix} -2.8 & 1 & 1.4 \\ 5.4 & -2 & -2.2 \\ 0.4 & 0 & -0.2 \end{bmatrix}$
$B^{-1} = \begin{bmatrix} -0.5 & 1.5 & 0 \\ -1.75 & 2.75 & 0.5 \\ 1 & -2 & 0 \end{bmatrix}$
$|C| = 0$ 이기 때문에 C^{-1}가 존재하지 않는다.
$D^{-1} = \begin{bmatrix} -0.86 & -1 & 0.43 \\ 0.57 & 0.5 & 0.21 \\ -0.29 & 0 & 0.14 \end{bmatrix}$

26. C를 제외하고 $A^{-1}A = I$, $B^{-1}B = I$, $D^{-1}D = I$가 성립한다.

27. $\begin{bmatrix} 5 & 3 \\ 7 & 4 \end{bmatrix}\begin{bmatrix} x \\ y \end{bmatrix} = \begin{bmatrix} 12 \\ 30 \end{bmatrix}$
$|A| = 20 - 21 = -1\ x^* = \frac{\begin{vmatrix} 12 & 3 \\ 30 & 4 \end{vmatrix}}{-1} = \frac{-42}{-1} = 42$,
$y^* = \frac{\begin{vmatrix} 5 & 12 \\ 7 & 30 \end{vmatrix}}{-1} = \frac{66}{-1} = -66$

30. (1) $Q_1^s = 6P_1 - 8 = -5P_1 + 2 = Q_1^s$,
$\overline{P_1} = \frac{31}{11} \simeq 2.8$, $\overline{Q_1} = \frac{98}{11} \simeq 9$
(2) 독립상황인 경우 균형가격도 거래량도 하락하였다. 균형가격은 $P_1^E = 4$에서 $\overline{P_1} \simeq 2.8$로 균형거래량도 $Q_1^E = 16$에서 $\overline{Q_1} = \frac{98}{11} \simeq 9$로 하락하였다. 이렇게 가격도 거래량도 감소한 이유는 재화 2와 재화 3이

재화 1에 대체재로서 수요에 플러스 요인으로 작용하는 점이 반영되지 않기 때문이다. 반대로 대체재인 것이 반영되는 경우, 가격도 거래량도 증가하게 된다.

(3) P_1이 4에서 5로 상승하면 $Q_{s1}=22$, $Q_{d1}=11$이 되어 초과 공급이 나타난다. 하지만 $Q_{s2}=10$, $Q_{d2}=11$이 되어 초과 수요가 나타나고, $Q_{s3}=13$, $Q_{d3}=14$이 되어 초과 수요가 나타난다.
균형 상태에서 P_1이 상승하면 재화 1시장에서 공급은 증가하고 수요는 감소하기 때문에 초과 공급이 발생한다. P_1의 상승은 대체재 시장인 재화 2와 3시장에 수요증대로 나타나게 되어 초과 수요가 나타나게 된다.

(4) 재화 1 공급자가 공급을 줄임으로써 재화 1 시장가격은 하락하고, 재화 2와 3시장의 수요자들은 재화 1가격 하락에 따라 재화 2와 재화 3 수요를 줄여감으로써 각 시장에 나타났던 초과수요가 감소하게 된다. 이런 과정은 $P_1=4$가 될 때까지 계속될 것이다.

(5) $P_1=3$으로 하락한 경우는 위의 가격조정 메커니즘이 반대로 작용하여 재화 1시장에서 가격상승이 나타나며 이런 과정은 $P_1=4$가 될 때까지 계속될 것이다.

32. (1) 내구재 24+90+6=120
비내구재 12+45+93=150
(2) 내구재 부가가치=내구재 산출액-중간재 투입액 120-(24+12)=84
비내구재 부가가치=비내구적 산출액-중간재 투입액=150-(90+45)=15
(3) $A=\begin{bmatrix}\frac{24}{120} & \frac{90}{150}\\ \frac{12}{120} & \frac{45}{150}\end{bmatrix}=\begin{bmatrix}\frac{1}{5} & \frac{3}{5}\\ \frac{1}{10} & \frac{3}{10}\end{bmatrix}$
(4) $X=(I-A)^{-1}\cdot Y$
$\begin{bmatrix}X_1\\X_2\end{bmatrix}=(I-A)^{-1}\begin{bmatrix}1{,}000\\9{,}000\end{bmatrix}=\begin{bmatrix}12{,}200\\14{,}600\end{bmatrix}$
내구재는 12,200 비구내구재는 14,600을 생산해야 한다.

33. (1) 국내총생산=부가가치 합=임금+이윤
= (40+10)+(40+30)=120억원
(2) $A=\begin{bmatrix}\frac{80}{200} & \frac{40}{100}\\ \frac{40}{200} & \frac{20}{100}\end{bmatrix}=\begin{bmatrix}0.4 & 0.4\\0.2 & 0.2\end{bmatrix}$
(3) $[I-A]=\begin{bmatrix}0.6 & -0.4\\-0.2 & 0.8\end{bmatrix}$
$|I-A|=0.6\times0.8-(-0.4\times-0.2)=0.4$
$[I-A]^{-1}=\frac{1}{0.4}\begin{bmatrix}0.8 & 0.4\\0.2 & 0.6\end{bmatrix}=\begin{bmatrix}2 & 1\\0.5 & -1.5\end{bmatrix}$
(4) $\begin{bmatrix}X_1\\X_2\end{bmatrix}=[1-A]^{-1}\cdot\begin{bmatrix}Y_1\\Y_2\end{bmatrix}$
산업1에서 최종수요가 추가적으로 1억원 증가한다면
$\Delta Y=\begin{bmatrix}1\\0\end{bmatrix}$
$\Delta X=[1-A]^{-1}\Delta Y=\begin{bmatrix}2 & 1\\0.5 & 1.5\end{bmatrix}\begin{bmatrix}1\\0\end{bmatrix}=\begin{bmatrix}2\\0.5\end{bmatrix}$
산업1은 2억원 산업2는 0.5억원 증가한다.

5장 재무분석의 기초

O×형

1. O 2. × 3. × 4. × 5. O

풀이형

1. PV(현재가치) $=6(1+0.05)^{37}=36$억원
2. (1) FV(미래가치) = 200×(1+0.1)^{10} = 519만원
(2) 200만원 (3) 10% (4) 10년[1]

[1] 엑셀 함수 NPER을 이용하면 NPER(0.1,,-200,519)=10, 계산식으로 구하면 [LN(519)-LN(200)]/LN(1+0.1) = 10으로 계산된다.

3.

	이자지급횟수 (연간)	1년 후의 가치 (원)	실효이자율 (%)
연 복리	1	11,200	12
반년 복리	2	11,236	12.36
분기 복리	4	11,255	12.55
월 복리	12	11,268	12.68
주 복리	52	11,273	12.73
일 복리	365	11,275	12.75
연속 복리	무한대	11,275	12.75

4. $13조 215억, 2016년이 2.2배 금액이다. 단리인 경우에는 $756로 2016년 금액이 불과 1.025배에 불과하다.

5. e의 값은 2.718으로 연간 100%의 이자율으로 연속적으로 원금에 산입될 때, 1원의 원금이 불어나게 되는 연말의 자산 가치를 뜻한다.

$$\lim_{m\to 0}(1+m)^{\frac{1}{m}} \approx 2.71828\ldots \equiv e$$

7. $P_0 = \frac{C}{r}\left[1-(\frac{1}{1+r})^T\right] + \frac{F}{(1+r)^T}$

C: 100만원, F: 1,000만원, T: 30년
이자율 5%일 때 1,769만원, 10%일 때 1,000만원이고, 15%일 때 672만원이 된다.

8. 2000년 지수 3,000/3,000 = 100
2005년 지수 3,500/3,000 =117
2010년 지수 3,800/3,000 =127
2015년 지수 4,500/3,000 =150
[풀이2]
2000년 지수 3,000/4,500 = 67
2005년 지수 3,500/4,500 = 78
2010년 지수 3,800/4,500 =84
2016년 지수 4,500/4,500 =150
[풀이3]
100: 127 = x : 100 x= 10000/127 = 79
100: 84 = y : 100 y= 10000/84 = 118
2000년도 가격지수는 79이고 2015년의 가격지수는 118이다.

9. $F_n = 1000\left(1+\frac{0.08}{4}\right)^{10} = 1000(1.219) = 1,219$

$m \times \ln\left(1+\frac{i}{m}\right) = r$ 에서

$4 \times \ln\left(1+\frac{0.08}{4}\right) = 4\times\ln(1.02) = 4\times(0.0198)$

$= 0.08 = r$

따라서 $F_n = 1000e^{0.08\times(2.5)} = 1000e^{0.198}$

$= 1000\times(1.219) = 1,219$

11. 이 문제에서는 이자가 반년마다 지급되기 때문에 14년간 28번이 지급되게 된다. 그래서 매 반년마다 지급되는 이자는 연 이자율의 1/2에 해당하는 이자율을 근거로 하고 있다. 따라서 연 이자율을 구하는 식은 아래와 같다.

$$220\times\left(1+\frac{r}{2}\right)^{28} = 1,000$$

$$\left(1+\frac{r}{2}\right)^{28} = \frac{1,000}{220}$$

$$r = 2\times\left(\sqrt[28]{\frac{1,000}{220}}-1\right) = 0.1111,$$

연 이자율 11.11%이다.

12. 이 문제에서는 이자가 반년마다 계산되기 때문에 15년간 30번이 계산된다. 그래서 매 반년마다 지급되는 이자는 연 이자율의 1/2에 해당하는 이자율을 근거로 하고 있다. 따라서 연 이자율을 구하는 식은 아래와 같다.

$$PV\times\left(1+\frac{0.06}{2}\right)^{30} = 300,000,000$$

$$PV = 12,359.60279$$

즉 1억2,359만원을 15년간 금전 신탁을 하여야 한다.

13. PV영구채권 = 2,000,000/ 0.04 = 50,000,000

14. (1) Ra = [(Ha_{10} / Ha_{05})1/5 - 1]
(2) '14년도 A도 a시의 일반가구 추계치(Ha_{14})
= Ha_{10} × (1 + Ra)4

16. (1) 20년간의 매년 현재가치의 합을 구하면 특허권의 현재가치를 구할 수 있다. 1년 후 현재가치는 $PV_1 = \frac{10}{(1+0.06)}$, … , 20년 후 현재가치는 $PV_{20} = \frac{10}{(1+0.06)^{20}}$

$$PV = \frac{10}{0.06}\left[1-(\frac{1}{1.06})^{20}\right] = 1,147$$

→ 이 특허권은 1,147억 원의 현재가치를 가지고 있다.

(2) 21년 후부터 5년간 매년 현재가치의 합을 구하면 추가로 얻을 수 있는 특허권의 현재가치를 구할 수 있다. 21년 후 현재가치는 $PV_{21} = \frac{10}{(1+0.06)^{21}}$, ⋯ , 25년 후 현재가치는 $PV_{25} = \frac{10}{(1+0.06)^{25}}$ $PV = \frac{10}{0.06} \times \frac{1}{1.06^{20}} \times \left[1-(\frac{1}{1.06})^5\right] = 13.1$

-> 이 특허권은 13억 1천만 원의 현재가치를 가지고 있다. 따라서 특허권 완료시점(20년 후)에 가서 달라질 수 있지만 현재로 볼 때는 특허 연장비용이 13억 1천만 원보다 크다면 연장을 하지 않는 것이 현명하다.

6장 미분법과 그 응용 I

O×형

1. O 2. × 3. O 4. × 5. ×

단답형

1. (값), (기울기)
3. (뉴턴)과 (라이프니츠)
5. (역), (쌍대성)

풀이형

1. (1) 중량이 xkg일 때의 요금을 $f(x)$원이라고 하면, 함수 $f(x)$의 정의역은 (0, 30]이고 그 함수식과 그래프는 다음과 같다.

$$f(x) = \begin{cases} 2500\ (0 < x \leq 2) \\ 3000\ (2 < x \leq 5) \\ 4000\ (5 < x \leq 10) \\ 5000\ (10 < x \leq 20) \\ 6000\ (20 < x \leq 30) \end{cases}$$

(2) 함수 $f(x)$는 구간(0, 30] 중 x=2, 5, 10, 20에서 불연속이고 나머지 점에서는 연속이다.

5. (1) 가격이 4일 때 수요량은 1이다. 수입은 가격×수량으로 4가 된다. 수요의 가격 탄력도

$$\eta = -\frac{(\frac{dQ}{Q})}{(\frac{dP}{P})} = -(\frac{d\ln Q}{d\ln P})\text{는 1이다.}$$

(2) 가격이 3일 때 수요량은 $\frac{4}{3}$이다. 수입은 가격×수량으로 4가 된다. 수요의 가격 탄력도는 1이다.

(3) 가격의 변화에도 수입의 변화가 없다.

(4) 수요의 가격 탄력도가 1이기 때문에 가격 변화율과 수요량 변화율이 같기 때문에 수입의 변화가 발생하지 않는다.

6. (1) 가격이 4일 때 수요량은 1이다. 수입은 가격×수량으로 4가 된다. 수요의 가격 탄력도

$$\eta = -\frac{(\frac{dQ}{Q})}{(\frac{dP}{P})} = -(\frac{d\ln Q}{d\ln P})\text{는 2이다.}$$

(2) 가격이 3일 때 수요량은 $\frac{16}{9}$이다. 수입은 가격×수량으로 $\frac{16}{3}$가 된다. 수요의 가격 탄력도는 2이다.

(3) 가격하락에 따라 수입은 증가한다. 4에서 $\frac{16}{3}$으로 증가하였다.

(4) 수요의 가격 탄력도가 2이기 때문에 가격 감소율보다 수요량 증가율이 더 크기 때문에 수입은 증가한다.

(5) (5)번 문제의 수요곡선은 쌍곡선이지만, (6)번 문제의 수요곡선은 쌍곡선이 아니다.

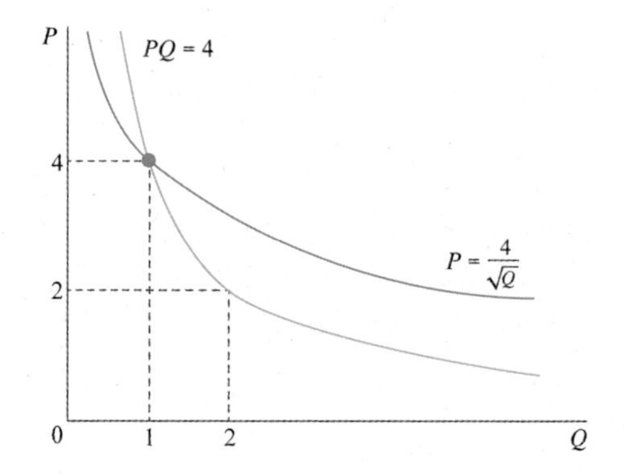

7. $C = 2000 + 0.8(Y - T) = 2000 + 0.8,$
$(Y - 200 - 0.1Y)$
$C = 2000 - 160 + 0.8 \times 0.9Y = 1840 + 0.72Y$
$MPC = \frac{dC}{dY} = 0.72$, 소득이 1단위 증가하면 소비는 0.72단위 증가한다. 예를 들어 소득이 100만원 증가하면 소비는 72만원 증가한다.

8. (2) $TC = AC \times Q = Q^3 - 4Q^2 + 174Q$
$MC = \frac{dTC}{dQ} = 3Q^2 - 4Q + 174$

11. (3) $Q = aL + bL^2 - CL^3 (a, b, c > 0)$
$APP_L = \frac{Q}{L} = a + bL - cL^2 \quad MPP_L = a + 2bL - 3cL^2$
APP_L의 극대점 : $\frac{dAPP_L}{dL} = b - 2cL = 0 \quad L_1 = \frac{b}{2c}$
$APP_L(L_1 = \frac{b}{2c}) = a + b \cdot (\frac{b}{2c}) - c \cdot (\frac{b}{2c})^2 = a + \frac{b^2}{4c}$
MPP_L의 극대점 : $\frac{dMPP_L}{dL} = 2b - 6cL = 0 \quad L_2 = \frac{b}{3c}$
$MPP_L(L_2 = \frac{b}{3c}) = a + 2b \cdot (\frac{b}{3c}) - 3c \cdot (\frac{b}{3c})^2 = a + \frac{b^2}{3c}$

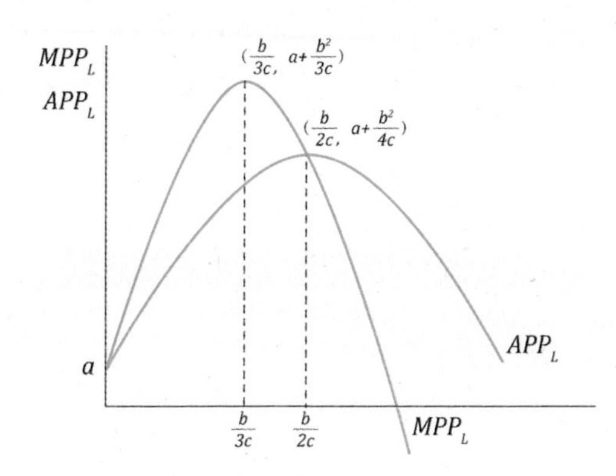

12. $Q = \frac{5}{4}L^{\frac{4}{5}}, \ \frac{dQ}{dL} = L^{-\frac{1}{5}} > 0$, 노동의 한계생산성은 플러스이다. $\frac{d^2Q}{dL^2} = -\frac{1}{5}L^{-\frac{6}{5}} < 0$
노동의 한계생산물 체감의 법칙이 작용한다.

16. 50인 이상 관객수를 q라고 하자. 예를 들어 관객 53명은 $q = 3$이다.
극장주의 총수입은
$TR = (50 + q)(50,000 - 500q)$
$= 2,500,000 + 25,000q - 500q^2$
이다. 총비용은 $TC = 1,000,000 + 1,000q$이다.
이윤은
$\pi = 2,500,000 + 25,000q - 500q^2 - 1,000,000 - 1,000q$
$= 1,500,000 + 24,000q - 500q^2$
$\frac{d\pi}{dq} = 24,000 - 1,000q = 0 \quad q^* = 24$
따라서 이윤 극대화 관객수는 $Q = 50 + 24 = 74$
이때 총수입은
$TR = (50 + 24)(50,000 - 12,000)$
$= 2,812,000$
총비용은
$TC = 1,000,000 + 24,000 = 1,024,000$이다.
이윤은 $\pi = 2,812,000 - 1,024,000 = 1,788,000$

17. 위험선호자는 <그림 6-20>(c)에서와 같이 강볼록 함수 형태를 갖는다. 1차미분값도 2차미분값도 +를 갖는데, 이는 기대되는 보수가 커짐에 따라 효용도 빠르게 증가하고 있음을 의미한다. 위험회피자의 경우 기대되는 보수가 커짐에 따라 효용도 매우 낮은 속도로 증가하는 것과는 대조를 이룬다.

18. $MC_1 = 6Q_1 \quad MC_2 = 4Q_2$
$MC_1 = 6Q_1 = 4Q_2 = MC_2 \quad Q_1 + Q_2 = 100$
$Q_1^* = 40, \ Q_2^* = 60$
따라서 $C_1 = 3(40)^2 = 4,800$ 이고
$C_2 = 2(60)^2 = 7,200 \ C = C_1 + C_2 = 12,000$

7장 미분법과 그 응용 II

O×형

1. O 2. × 3. × 4. O 5. ×

풀이형

3. (1) $\frac{\partial U_A(q_A, q_B)}{\partial q_A} = 0.5q_A^{-0.5} > 0,$
$\frac{\partial U_A(q_A, q_B)}{\partial q_B} = 0.5 > 0$

$$\frac{\partial U_B(q_A, q_B)}{\partial q_B} = 0.6q_A^{-0.4} > 0,$$

$$\frac{\partial U_B(q_A, q_B)}{\partial q_A} = -0.8 < 0$$

(2) B의 소비는 A에게 긍정적인 영향을

미치지만$\left(\frac{\partial U_A(q_A, q_B)}{\partial q_B} = 0.5 > 0\right)$

:소비에서의 외부경제

A의 소비는 B에게 부정적인

영향을$\left(\frac{\partial U_B(q_A, q_B)}{\partial q_A} = -0.8 < 0\right)$을 미친다.

:소비에서의 외부불경제

9. $y = 2(5)^{4t} = 2e^{rt}$

$4t \cdot \ln 5 = rt \quad r = 4t \cdot \ln 5 = 4 \times (1.6)t = 6.4t$

$y = 2(5)^{4t} = 2e^{6.4t}$

10. (1) $y = 10e^{0.5t} \quad \frac{dy}{dx} = 5e^{0.5t}$,

$$\frac{d^2y}{dx^2} = (5 \times 0.5)e^{0.5t} = 2.5e^{0.5t}$$

(2) $y = 10^t$ 양변에 지연로그를 취하면

$\ln y = t \times \ln 10, \ \frac{dy}{y} = \ln 10 \cdot dt$

$\frac{dy}{dt} = y \cdot \ln 10 = \ln 10 \cdot 10^t,$

$\frac{d^2y}{dt^2} = y \cdot (\ln 10)^2 = (\ln 10)^2 \cdot 10^t$

11. 양변에 자연로그를 취하면 $\ln Q = \ln a - \beta \ln P$

전미분을 하면 $d\ln Q = -\beta \, d\ln P$

수요의 가격 탄력도가 $-\frac{\left(\frac{dQ}{Q}\right)}{\left(\frac{dP}{P}\right)} = -\frac{d\ln Q}{d\ln P} = \beta$

이 수요함수의 가격탄력도는 β 이다.

12. (1) 총생산(Y)

증가율$\frac{\left(\frac{dY}{dt}\right)}{Y} = 0.6\frac{\left(\frac{dL}{dt}\right)}{L} + 0.4\frac{\left(\frac{dK}{dt}\right)}{K}$ 이다.

$L = L_0 e^{0.01t}, \ K = K_0 e^{0.04t}$ 이기 때문에

$\frac{\left(\frac{dL}{dt}\right)}{L} = 0.01, \ \frac{\left(\frac{dK}{dt}\right)}{K} = 0.04$

따라서

$$\frac{\left(\frac{dY}{dt}\right)}{Y} = 0.6 \times 0.01 + 0.4 \times 0.04 = 0.022$$

성장률은 2.2%이다.

(2) $\frac{\left(\frac{dY}{dt}\right)}{Y} = 0.6 \times 0.02 + 0.4 \times 0.04 = 0.028$

성장률은 2.8%이다. 인구가 1% 상승하면 국민소득은 0.6%P 증가한다.

14. (1) 일인당 투자$\left(\frac{I}{P}\right)$를 K라고 해보자. 우리가 구하려고 하는 일인당 투자 변화율은

$k = \frac{\left(\frac{dK}{dt}\right)}{K}$ 이다. 이것은

$k = \frac{\left(\frac{dI}{dt}\right)}{I} - \frac{\left(\frac{dP}{dt}\right)}{P} = (i - p)$를 구할 수 있다.

(3) 행복지수의 변화율 (h)는 소비의 증가율(c) - 욕망의 증가율(d) 이다.

3% - 2% =1%

소비가 아무리 늘어도 행복이 증가할 수 없다는 사실을 미분법을 이용하여 쉽게 증명할 수 있다.

8장 비교정태분석

O×형

1. × 2. × 3. O 4. O

단답형

1. (미분),(편미분)
2. (이동과정),(불안정성)
3. (음함수)

풀이형

2. 노동수요함수: $L^d = \frac{0.6C}{\omega}$

자본수요함수: $K^d = \frac{0.4C}{\gamma}$

$$\frac{dL^d}{d\omega} = -\frac{0.6C}{\omega^2} < 0\ , \quad \frac{dK^d}{d\gamma} = -\frac{0.4C}{\gamma^2} < 0$$

노동수요함수도 자본수요함수도 수요의 법칙을 만족하고 있다.

3. (1) $Q^d = a - bP = -c + d(P-t) = Q^s$

$$P^E = \frac{(a+c+dt)}{(b+d)},\ Q^E = \frac{(ad-bc-bdt)}{(b+d)}$$

(2) $\frac{\partial P^E}{\partial t} = \frac{d}{(b+d)} > 0,\quad \frac{\partial Q^E}{\partial t} = \frac{-bd}{(b+d)} < 0$

물품세가 증가하면 균형가격은 상승하고 균형거래량은 감소한다.

4. (1) $Y^E = \frac{a - b\alpha + I_0 + G_0}{1-b+b\beta} = \frac{2,900}{11}$

$$C^E = \frac{-a+b\alpha+(-b+b\beta)(I_0+G_0)}{1-b+b\beta} = \frac{2,350}{11}$$

$$T^E = \frac{a(1-b)+\alpha\beta+\beta(I_0+G_0)}{1-b+b\beta} = \frac{400}{11}$$

$$C^E = \frac{a+b(I_0+G_0)}{1-b}$$

(2) 내생변수는 국민소득(Y), 소비(C), 조세(T), 외생변수(파라미터 포함, $I_0, G_0, a, b, \alpha, \beta$)는 6개, 18개의 비교정태분석 가능함.

(3) $\frac{\partial Y^E}{\partial G} = \frac{1}{1-b+b\beta} = \frac{200}{11}$

(4)

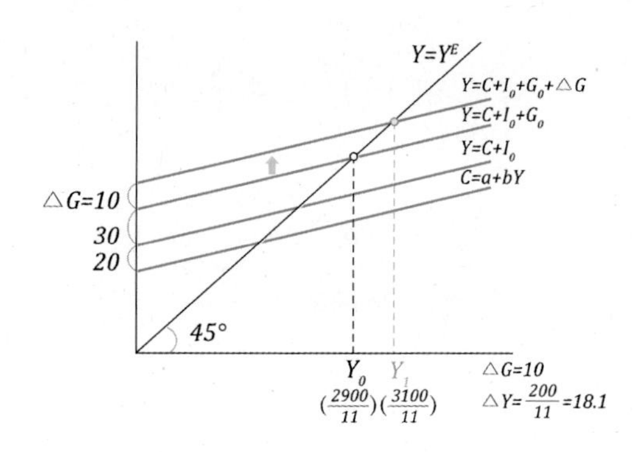

9장 최적화

O×형

1. × 2. ○ 3. × 4. × 5. ○
6. ×

단답형

4. (목적함수), (라그랑지)
5. (유테헤시안)

풀이형

1. (1) 총비용은 $C(H) = 100H$, 수리의 총편익은 $B(H) = 400\sqrt{H}$ 이다.
편익 극대화 조건은

$$\frac{dC(H)}{dH} = MC(H) = 100,$$

$$\frac{dB(H)}{dH} = MB(H) = 200H^{-\frac{1}{2}}$$

$$MC(H) = 100 = 200H^{-\frac{1}{2}} = MB(H)$$

따라서 $H = 4$시간이고 이때 총비용은 $C(H) = 100 \times 4 = 400$만원, 총 편익은 $B(H) = 400\sqrt{4} = 800$만원, 순편익은 400만원이 된다.

2. (1) $\frac{\partial L(\lambda,x,y)}{\partial \lambda} = L_\lambda = 16 - x^2 - y^2 = 0$

$$\frac{\partial L(\lambda,x,y)}{\partial x} = L_x = 1 - 2\lambda x = 0$$

$$\frac{\partial L(\lambda,x,y)}{\partial y} = L_y = 1 - 2\lambda y = 0$$

1계 조건 : $\lambda = \frac{1}{2x} = \frac{1}{2y}$, $x^* = y^*$ 를 구할 수 있다.

그러므로 $x^* = y^* = 2\sqrt{2}$, $\lambda^* = \frac{1}{4\sqrt{2}}$

$$x^{**} = y^{**} = -2\sqrt{2},\ \lambda^{**} = -\frac{1}{4\sqrt{2}}$$

유테헤시안 행렬식을 구해 보면

$$|\overline{H}| = \begin{vmatrix} 0 & -2x & -2y \\ -2x & -2\lambda & 0 \\ -2y & 0 & -2\lambda \end{vmatrix} = 8\lambda(x^2+y^2)$$

$x^{**} = y^{**} = -2\sqrt{2}$, $\lambda^{**} = -\frac{1}{4\sqrt{2}}$ 에서

$|\overline{H}| = 8\lambda(x^2+y^2) = -16\sqrt{2} < 0$

음의 값으로서 극소조건을 만족하고 있다.

$x^* = y^* = 2\sqrt{2}$, $\lambda^* = \dfrac{1}{4\sqrt{2}}$ 에서

$|\overline{H}| = 8\lambda(x^2+y^2) = 16\sqrt{2} > 0$

양의 값으로서 극대조건을 만족하고 있다.

(2)

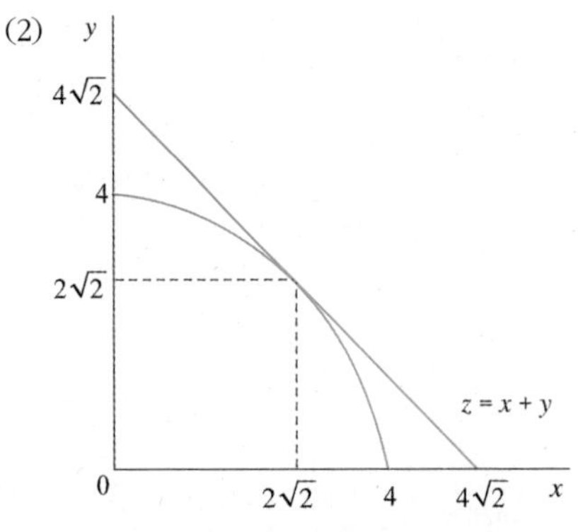

6. (1) 총수입(R)은 가격과 산출량을 곱한 $P \times Q$이다. $Q = 10 - P$를 활용하면 $P = 10 - Q$ 를 구할 수 있으며 총수입(R)은 $PQ = 10Q - Q^2$가 된다.

(2) 이윤(π)은 총수입(R) − 총비용(C)이다.

$\pi = (10Q - Q^2) - (2Q+5) = -Q^2 + 8Q - 5$

(3) $\dfrac{d\pi}{dQ} = -2Q + 8 = 0$ 이윤극대화 생산량은 $Q^* = 4$ 를 얻는다. 이때 가격은 $P^* = 10 - 4 = 6$을 구할 수 있다.

(4) $Q^* = 4$ 를 $\pi = -Q^2 + 8Q - 5$ $= -16 + 32 - 5 = 11$에 대입하여 정리하면 $\pi^* = 11$ 을 얻을 수 있다.

7. (2) $Max\ Z = 2L^{0.4}K^{0.6} + \lambda(960 - 2L - 6K)$

$$\frac{\partial Z}{\partial \lambda} = 960 - 2L - 6K = 0$$

$$\frac{\partial Z}{\partial L} = 0.8L^{-0.6}K^{0.6} - 2\lambda = 0$$

$$\frac{\partial Z}{\partial K} = 1.2L^{0.4}K^{-0.4} - 6\lambda = 0$$

$$\lambda = \frac{0.8L^{-0.6}K^{0.6}}{2} = \frac{1.2L^{0.4}K^{-0.4}}{6}$$

이 식을 정리하면 $L = 2K$를 얻는다. 이 관계를 제약조건에 대입하여 풀면

$960 = 2 \times (2K) + 6K = 10K$

$K^* = 96,\ L^* = 192$,

$Q^* = 2(96)^{0.4}(192)^{0.6} = 291$ ($\because 2^{0.6} \simeq 1.5$)

또 자본집약도$\left(\dfrac{K}{L}\right) = \dfrac{96}{192} = \dfrac{1}{2}$

(3) 등비용곡선과 등량곡선이 접하는 곳이며 등비용곡선의 기울기와 한계기술대체율이 같은 점이다.

(4) 직관적으로 볼 때 K가 L보다 1.5배 생산력이 높다. 만약 가격이 같다면 K를 L의 1.5배 투입$\left(K = \dfrac{3}{2}L\right)$이어야 한다.

그러나 K의 값이 L의 값보다 3배 비싸기 때문에 K를 L의 1/3만큼 구입하는 것이 합리적이다$\left(K = \dfrac{1}{3}L\right)$.

따라서 K의 수요량은 L의 수요량의 $\dfrac{1}{2}$배이어야 한다. $K = \dfrac{1}{2}L$, 즉 $L = 2K$ 를 얻는다. 이 결과는 라그랑지안 승수법을 이용한 결과와 같다.

8. (1) $MPP_L = \dfrac{\partial Q}{\partial L} = 0.8L^{-0.6}K^{0.6}$

$$= 0.8\left(\frac{K}{L}\right)^{0.6} = 0.8\left(\frac{K}{2K}\right)^{0.6}$$

$$= 0.8 \times 0.66 \simeq 0.53$$

$MPP_K = \dfrac{\partial Q}{\partial K} = 1.2L^{0.4}K^{-0.4}$

$$= 1.2\left(\frac{L}{K}\right)^{0.4} = 1.2\left(\frac{2K}{K}\right)^{0.4}$$

$$= 1.2 \times 1.3 \simeq 1.6$$

(2) $MRTS_{LK} = -\dfrac{dK}{dL} = \dfrac{MPP_L}{MPP_K} = \dfrac{2K}{3L} = \dfrac{2K}{6K} = \dfrac{1}{3}$

$$960 = 2L + 6K \quad K = -\frac{1}{3}L + 160$$

비용곡선의 기울기는 $-\dfrac{1}{3}$이다.

(3) 균형점에서

$MRTS_{LK} = -\dfrac{dK}{dL} = \dfrac{1}{3} = -\dfrac{P_L}{P_K}$로

등량곡선의 접선의 기울기와 등비용곡선의 기울기가 같다.

(1)에서 구한 MPP_L과 MPP_K의 숫자를 이용해도 같은 결과를 얻는다.

(4)

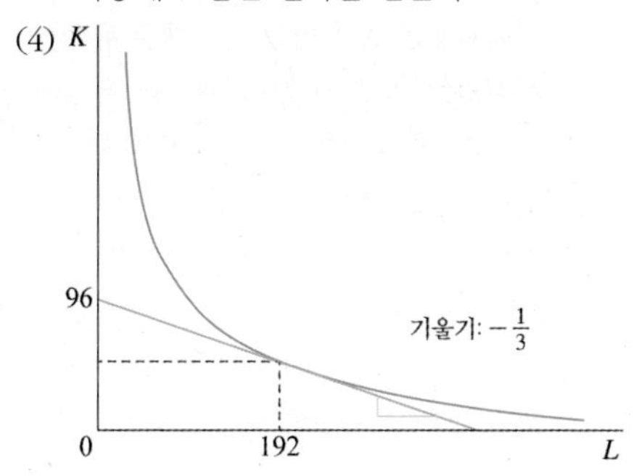

10장 적분

ㅇ×형

1. × 2. × 3. × 4. ㅇ 5. ㅇ

풀이형

3. 3년 후 가치는

$$P_T = \frac{1000}{0.05}(1-e^{-0.5}) = 20{,}000(1-0.6) = 8{,}000$$

만원이 된다. 영원히 계속된다면

$P_T = \frac{P_0}{r} = \frac{1{,}000}{0.05} = 20{,}000$만원 즉 2억원이 된다.

5. (1) 소비자 잉여

$$CS = \int_0^{25}(45-0.5Q)dQ - (32.5\times 25)$$

$$CS = \left[45Q - 0.25Q^2\right]_0^{25} - 812.5 = 156.25$$

(2) $CS = \int_0^{25}(50-0.5Q)dQ - (37.5\times 25)$

$$CS = \left[50Q - 0.25Q^2\right]_0^{25} - 937.5 = 156.25$$

(3) 소비자 잉여는 변화가 없지만, 생산자 잉여는 125(=5×25) 증가한다. 수요증가로 증가한 사회적 잉여를 공급자가 독식하게 된다.

6. (1) 생산자 잉여

$$PS = (31\times 25) - \int_0^{25}(6+Q)dQ$$

$$PS = 775 - \left[6Q + 0.5Q^2\right]_0^{25} = 312.5$$

9. (1) $TC = \int MC\,dQ =$

$$\int (20+25Q-6Q^2)dQ = 20Q + 25Q^2 - 2Q^3 + c$$

고정비용(FC)가 100이므로

$$TC = 20Q + 25Q^2 - 2Q^3 + 100$$

(2) $AC = \frac{TC}{Q} = 20 + 25Q - 2Q^2 + \frac{100}{Q}$

(3) $VC = TC - FC = 20Q + 25Q^2 - 2Q^3$

10. (1) $Q^d = 21 - 4P = 5P - 6 = Q^S$,

$P^E = 3,\ Q^E = 9$ 가 구해진다.

(2) $CS = \int_3^{5.25}(21-4P)dP = \left[21P - 2P^2\right]_3^{5.25}$

$$= \frac{81}{8}$$

(3) $\triangle CS = \int_2^3 (21-4P)dP = \left[21P - 2P^2\right]_2^3$

$$= 11$$

소비자 잉여는 11증가한다.

11. (1) $N(t) = \int_0^t (-3t^2 + 12t + 50)dt$

$$= \left[-t^3 + 6t^2 + 50t\right]_0^t = -t^3 + 6t^2 + 50t$$

(2) $N(0) = 0,\ N(4) = 232$이므로 평균 검사량은

$$\frac{232-0}{4-0} = 58(\text{개})$$

13. (1) $C(t) = 0.6t + e^{0.01t}$는

$C_1(t) = 0.6t$ $C_2(t) = e^{0.01t}$의 합으로 그릴 수 있다. $C_1(t) = 0.6t$는 원점을 지나고 기울기가 0.6인 직선으로 그릴 수 있으며 $C_2(t) = e^{0.01t}$는 y절편이 1이고 증가율이 0.01인 자연지수로 그릴 수 있다. 두 함수를 합하면, y절편이 1이고 t가 10일 때 $C(10) = 6 + e^{0.1} = 6 + 1.105 = 7.105$값을 갖는 그래프를 그리면 된다.

(2) $C(t) = 0.6t + e^{0.01t}$,

$$\int_0^{10}(0.6t + e^{0.01t})dt = \left[0.3t^2 + 100e^{0.01t}\right]_0^{10}$$

$$= 3 + 100e^{0.1} - 100e^0 = 3 + (100\times 1.105) - 100$$

$= 13.5$, 135억톤

11장 게임이론

○×형

1. × 2. × 3. × 4. ○ 5. ×
6. ○ 7. ○ 8. ○ 9. ×

단답형

11. (가지), (절점)
12. (후방귀납법),(신뢰)
13. 최선의 대응전략과 자기예상실현

풀이형

1. (1) 용세에게도 용미에게도 우월전략 없음
   (2) 용세에게 M은 열등전략, 용미에게는 C가 열등전략, 용세에게는 T가 열등전략, 용세에게 B만 남고 용미는 R을 선택한다. 즉 (B, R)이 균형전략이며 보수는 (2,2)가 된다.
2. (1) 우월전략이란 상대가 어떤 전략을 택하든지 간에 관계없이 자신의 보수를 더 크게 만드는 전략을 말한다. A에게도 B에게도 비협력 전략이 우월전략이다. 우월전략균형(1,100, 1,100)이 된다.
   (2) 내쉬균형이란 상대방이 자신이 선택한 전략을 바꾸지 않을 것이라고 예상하고 다른 경기자가 자신에게 최고의 보수를 가져다준다고 믿는 전략을 선택하였을 때, 이 두 사람의 전략의 짝을 일컫는다. A도 비협력 전략을, B도 비협력 전략을 선택하여 내쉬균형은 (1,100, 1,100)이 된다.
   (3) 내쉬균형에 있는 A와 B가 동시에 협력으로 전략을 바꾸면 (1,250, 1,250)을 얻게 된다. 각자 150의 이득이 발생한다. 담합을 통해 이 점으로 옮겨가려는 움직임이 있을 수 있다. 이 점은 내쉬균형보다 파레토 우위상태이다.
   (4) 두 기업 모두 협력 전략을 선택한 상태에서, A가 B가 협력을 그대로 유지할 것이라고 믿고 비협력으로 전략을 바꾸면, 1400을 얻을 수 있다. 150의 이득이 발생한다. 같은 이치로 B가 A가 협력을 그대로 유지할 것이라고 믿고 비협력으로 전략을 바꾸면, 1400을 얻을 수 있다. 150의 이득이 발생한다. (협력, 협력)에서는 벗어나려는 힘이 작용하게 된다. 담합과 같은 약속으로 (협력, 협력)에 있다할지라도 벗어나려는 힘이 내재하고 있기 때문에 A와 B가 이탈에 대한 강력한 보복이나 처벌을 담합과 동시에 약속하는 것이 일반적인 현상이다.
   (5) 죄수의 딜레마 게임이라고 한다. 경기자가 개인의 이익을 위해 합리적으로 판단한 결과가 구성원 전체의 이익과 일치하지 않는 경우를 일컫는다.
4. (1) 우월전략 없음.
   (2) 2개의 균형(둘 다 50 혹은 32)존재.
   (3) 어느 것이 선택될지 알 수 없다. 서로 오랜 동안 한 솥밥을 먹던 경쟁자라면 담합을 통해 고가전략을, 반대로 서로를 의심하는 사이라면 저가전략을 쓸 가능성이 높다.
5. (1) A에게도 B에게도 저녁출발이 우월전략이다.
   (2) (저녁출발, 저녁출발)이 내쉬균형이다.
   (3)

		기업 B의 전략	
		아침출발	저녁출발
기업 A의 전략	아침출발	(28, 12)	(35, 65)
	저녁출발	(65, 35)	(63, 27)

A에게 저녁출발이 우월전략이 되지만, B는 우월전략이 없어진다. 내쉬균형은 (저녁출발, 아침출발)로 바뀌게 된다.

6. (1) A, B 모두에게 우월전략이 존재하지 않는다.
   (2) 두 기업 모두 220볼트를 선택하는 균형과 110볼트를 선택하는 균형 2개가 구해진다.
   (3) 현재로서는 어느 균형이 선택될지는 알 수 없다.

(4) 차선, 하드웨어와 소프트웨어 등에서 볼 수 있다.

(5) 조정게임이라고 부른다. 경기자들이 같은 전략을 선택하는 것이 서로에게 유리한 게임이다. 표준화와 관련성이 높다.

7. (1) -5는 파업기간 노조의 손해를 나타내고 있으며 수용 때 +5는 임금인상 +10에서 파업으로 인한 손해 5를 뺀 수치이다. 노조가 파업을 하고 구단이 수용을 하면 노조는 5를 얻는 반면 구단을 임금인상 등 처우개선으로 인해 10을 손해 본다. 만약 수용하지 않는다면 선수들은 5를 손해 보고 구단은 리그 중단으로 인해 20을 손해 보게 된다. 이 경우 부분게임 완전 균형은 (파업, 수용)이며 노조는 5를 얻는 반면 구단은 10을 잃게 될 것이다.

(2)와 (3) 미식축구의 특성상 위와 같은 보수가 나타날 가능성이 매우 낮다. 첫째 미식 축구선수들의 선수생명은 매우 짧다는 점이다. 다른 종목 같으면 한창 수입을 올릴 수 있는 30세 초반에 은퇴를 해야 할 정도이다. 미래의 높은 임금보다는 비록 좀 낮더라도 현재의 임금에 더 높은 가치를 부여하는 경향이 있다. 둘째 구단주 입장에서 보면 한 시즌 정도의 경기(생산)중단으로 인한 손해는 장기적으로 볼 때는 선수들에 비해 상대적으로 손해가 적다. 한 팀은 정규시즌(9월초~12월) 동안 16시합밖에 하지 않는다. 일 년 160여 시합을 하며, 40세가 넘어도 선수생활을 하는 야구선수와는 무척 대조적이다. 따라서 그림 (b)에서 볼 수 있는 바와 같이 선수들은 파업기간에 발생하는 손해(−5)에 대해 매우 크게 가치를 두어 심리적으로 그 이상의 큰 손해를 감수하여야 한다. 반면 구단에서는 시즌 중단으로 인한 손해를 −20보다 적은 손해 예를 들어 −5를 감수하여야 한다면, 결과는 달라질 수 있다. 이 경우 부분게임 완전 균형은 (파업안함, 수용안함)이며 노조도 구단도 리그를 예전처럼 진행하는 것이 된다. 노조의 할인인자는 0에 가까운 반면 구단의 할인인자는 1에 가깝기 때문에 파업사태라는 결과가 나타날 수 있다.

8. (1) (비전문가용, 비전문가용) = (−30, 1000)

(2) 만약 A가 먼저 전문가용 시장을 선점한다고 발표하는 경우, 균형을 구하라.
(전문가용, 전문가용) = (100, −100)

(3) 선점의 이익

9. (1) (A 네트워크, A 네트워크) = (100, 100)
(B 네트워크, B 네트워크) = (200, 200)

(2) (B 네트워크, B 네트워크) = (205, 205)

		용세	
		A네트워크	A+B네트워크
용미	A네트워크	(100, 100)	(100, 105)
	A+B네트워크	(105, 100)	(205, 205)

INDEX

인명

ㄱ

김용옥 28

ㄴ

내쉬 465

뉴턴 243

ㄷ

데카르트 53, 55

드브뢰 148

ㄹ

라그랑지 391

라이프니츠 243

레온티예프 175

리버만 31

리차드 필립스 파이만 20

ㅁ

마샬 27, 104

맨큐 31, 233, 336

맬서스 446

모르게스타인 465

ㅂ

버냉키 31

벡커 417

ㅅ

사뮤엘슨 20, 333

셀링 466, 474

ㅇ

애로우 123

야코비안 349

양주동 23

엑설로드 478

왈라스 27, 121

이병주 43

이준구 31

이창용 31

ㅈ

존 벤 52

ㅋ

케인즈 22, 27, 207, 348

크루그만 31

ㅍ

폰 노이만 465

프랭크 31

피타고라스 61

필드상 28

ㅎ

홀 31

용어

1변수함수 91
1차 동차함수 92, 316
2계 도함수 254
2계 전미분 312
2변수함수 91
2차형식 382
70법칙 209
e(자연지수) 207
IS LM 모형 344

ㄱ

가격 순응자 277
가격차별화 376
가변비용 262
가성비 414
가지 457
겁쟁이 게임 470
게임나무 457
게임이론 455
경기자 455
경영학 21
경제수학 26
경제학 20
계량경제학 45
계수 45
계수행렬 127
고계 도함수 254
고정비용 262
공급곡선 상의 변화 107
공급곡선의 이동 107
공급량의 변화 107
공급의 가격탄력도 270
공급의 변화 107
공급함수 105
공약 484
공역 71
공집합 48
과학 17
교집합 49
교차편도함수 301
국민소득모형 342
규모에 대한 보수 감소 92
규모에 대한 보수 증가 92
규모에 대한 보수 불변 92
극한값 233
기대효용함수 281
기댓값 281
기술방정식 58
기술행렬 178
기하평균 91
기하학 24

ㄴ

내부수익률 216
내생변수 352

내생변수 71
내쉬균형 464
노동의 산출력 탄력도 318
노동의 평균생산물 275
노동의 평균생산성 317
노동의 한계생산물 274, 275
노동의 한계생산성 317
노벨 경제학상 29
눈에는 눈, 이에는 이: 팃 포 탯 478

ㄷ

다단계 게임 459
다변수함수 91
다항함수 75
단순이자 196
단위행렬 129
단조감소함수 96
단조증가함수 96
대수학 24
대수함수 75
대칭정보게임 462
대칭행렬 130
도함수 239, 333
독립변수 71
동시적 게임 461
동차함수 92
드 모르간의 법칙 52

ㄹ

등량곡선 320
라그랑지 승수법 389
라플라스 전개 152
러너지수 270
로그함수 84
로그함수의 미분 251
로렌츠 곡선 441
로지스틱 함수 443

ㅁ

멱집합 48
명목이자율 213
목적함수 357
무리수 42
무리함수 82
무자비전략 478
무차별곡선 319
무한반복 게임 459
미분가능성 241
미분계수 237
미분불가능 418

ㅂ

방아쇠 전략 478
방정식 57
벡터 124
벡터의 곱 131
변곡점 362

변수 45
보수 455, 457
보집합 50
복합이자 196
볼록함수 253
부분균형분석 172
부분균형완전내쉬균형 476
부분집합 47
부정방정식 57
부정적분 427
분수 42
분수함수 81
불완비정보 게임 461
불완전정보 게임 461
불확실성 280
비교정태분석 334
비교정태분석의 한계 347
비대수함수 83
비대칭정보게임 462
비영합게임 458
비용곡선 76
비용편익분석 215
비협조적 게임 460
빈도함수 448

ㅅ

사슴사냥게임 474
사회과학 19
사회적 잉여 438
산업연관표 175
삼차함수 81
상수 45
상수함수 75
상호배반적인 집합 51
생산가능곡선 109, 323
생산에서의 긍정적 외부효과(외부 경제) 300
생산에서의 부정적 외부효과(외부 불경제) 300
생산유발계수 178
생산자 잉여 437
선형대수 123
선형독립 133
선형종속 133
소비자 잉여 436
소비함수 278
소수 41, 43
소행렬식 152
수렴 233
수리경제학 26
수반행렬 161
수요법칙 341
수요의 가격탄력성 266
수요함수 340
수학 22
순간변화율 237
순간성장률 209
순서쌍 53
순차게임 481
순차적 게임 461

순현재가치 216
스칼라 124
시간 할인인자 204
시계열 분석 46
시계열 자료 46
실수 43
실질이자율 213
실효이자율 211
쌍대성 407

ㅇ

안장점 379
양정부호 형식 383
양함수 349
여인수 154
여집합 50
역진귀납법 476
역함수 95
역함수의 미분법칙 247
역행렬 145
연속성 241
연인 간의 사랑싸움 473
열등전략 463
영구채권 223
영의 정리 301
영합게임 458
영행렬 128
예산선 76, 397
오목함수 253
오일러의 정리 317
완비성 455
완비정보 게임 461
완전정보 게임 461
왈라스 균형 172
외생변수 71, 352
요소수요함수 340
우월전략 463
원당 한계생산력 균등의 법칙 404, 406
원당 한계효용 균등의 법칙 399
원소 46
원소나열법 46
원시함수 239, 427
위험 기피자 282
위험 애호자 282
위험 중립자 282
위험 280
위협 482
유량 431
유리수 42
유리함수 81
유테헤시안 392
유한반복게임 459, 475
음정부호형식 383
음함수 349
이윤극대화 277
이자율 196
이차함수 78
이행성 455

일반균형분석 172
일차함수 76
일회 게임 459
임계값 361

ㅈ

자기편도함수 301
자본의 산출력 탄력도 318
자본의 평균생산성 317
자본의 한계생산성 317
자연과학 20
자연로그 84
자연수 41
잠재가격 390
저량 431
적합성 조건 138
전개형 457
전도함수 313
전략 455
전략형 457
전미분 302
전치 131
전치행렬 143
절점 457
정규분포 110
정규형 457
정방행렬 126, 130
정수 41
정의방정식 57
정의역 71
정적분 432
정지값 361
정지점 361
제도방정식 58
제약조건 357
조건방정식 58
조건제시법 46
조정게임 471
종속변수 71
좌표공간 54
죄수의 딜레마 467
주소행렬식 384
지니계수 442
지수 65
지수함수 84, 251
직각쌍곡선 82
진부분집합 48
집합 46

ㅊ

차집합 50
채권 220
채권가치평가 221
채권수익률 224
초과수요 173
초점균형 474
총 생산함수 322
총비용 440

총비용함수 260
총생산(력) 447
총수입 258, 448
총효용 447
최적해 357
충분조건 59
치맥의 비밀 315

ㅋ

카르테시안 곱 53
콥 더글라스 생산함수 316
크래머 공식 167
타 여인수 155
투기적 화폐수요 283
투입계수표 176
투입산출표 175
트로피 아내 54

ㅍ

파라미터 45
파레토 개선 464
파레토 최적 464
편도함수 295
편미분 296
평균가변비용 262
평균고정비용 262
평균비용 440
평균비용함수 260
평균생산(력) 447
평균수입 258, 448
포트폴리오 분석 408
필요조건 59

ㅎ

한계 대체율 399
한계 변환율 체증의 법칙 109
한계 240
한계기술대체율 318, 321
한계대체율 319
한계변환율 324
한계비용 404, 440
한계비용함수 260
한계생산(력) 447
한계생산물체감의 법칙(수확체감의 법칙) 274
한계소비성향 278
한계수입 259, 448
한계적 233
한계효용 272, 447
한계효용체감의 법칙 273
한계효용학파 258
할인요인 204
할인율 204
할인인자 477
함수 71
합성수 41
합성함수 96, 249
합집합 49
항등식 57

해석학 24
행동방정식 58
행렬 125
행렬식 149
허수 43
헤시안 행렬식 382
현금흐름의 현재가치 435
현재가치화 196
협조적 게임 460
혼합전략 474
화폐수량방정식 311
화폐의 한계효용 399
확률밀도함수 110
횡단면 자료 46